GUERRA E PAZ

Edição em 4 volumes – **Volume 1**

Livros do autor na Coleção **L&PM** POCKET:

A felicidade conjugal seguido de *O diabo*
Guerra e Paz (Edição em 4 volumes)
Infância, Adolescência, Juventude
A morte de Ivan Ilitch
Senhor e servo e outras histórias

LEON TOLSTÓI

GUERRA E PAZ

Edição em 4 volumes – Volume 1

Tradução de JOÃO GASPAR SIMÕES

www.lpm.com.br

L&PM POCKET

Coleção **L&PM** POCKET, vol. 625

Texto de acordo com a nova ortografia.

Título original: *Voyna i mir*
Tradução adquirida conforme acordo com a Editora Nova Aguilar, 2007

Primeira edição na Coleção **L&PM** POCKET: julho de 2007
Esta reimpressão: dezembro de 2020

Tradução: João Gaspar Simões
Capa: Ivan Pinheiro Machado sobre obra *Batalha de Smolensk* ©Rue des Archives
Revisão: Renato Deitos e Jó Saldanha
Mapas: Fernando Gonda

T654g

Tolstói, Leon, 1828-1910.
    Guerra e Paz / Leon Nikolaievitch Tolstói; tradução de João Gaspar Simões. – Porto Alegre: L&PM, 2020.
    4 v. ; 18 cm. – (Coleção L&PM POCKET; v. 625)

    ISBN 978-85-254-1671-1

    1.Literatura russa-Romances. I.Título.II.Série.

CDU 821.161.1-3

Catalogação elaborada por Izabel A. Merlo, CRB 10/329.

© desta edição, L&PM Editores, 2007

Todos os direitos desta edição reservados a L&PM Editores
Rua Comendador Coruja 314, loja 9 – Floresta – 90.220-180
Porto Alegre – RS – Brasil / Fone: 51.3225.5777

PEDIDOS & DEPTO. COMERCIAL: vendas@lpm.com.br
FALE CONOSCO: info@lpm.com.br
www.lpm.com.br

Impresso no Brasil
Primavera de 2020

Sumário

Apresentação: O grande livro da paz / VII
Personagens principais / XI
Índice histórico e documental de *Guerra e Paz* / XIII
Mapas / XXVII

GUERRA E PAZ – Volume 1
    Primeira Parte / 1
    Segunda Parte / 130
    Terceira Parte / 243

Apresentação:
O grande livro da paz

"Guernica" de Pablo de Picasso está para o povo espanhol assim como *Guerra e Paz* de Leon Tolstói está para o povo russo. Ambos, na sua linguagem – pintura e literatura – atingiram um patamar de excelência artística alcançado apenas por um punhado entre milhões de postulantes. Picasso retratou em seu vasto painel a alma, o sacrifício e a grandeza do povo espanhol e, acima de tudo, produziu um símbolo da paz. Tolstói, em seu enorme e magnífico romance, retratou igualmente o sacrifício, o patriotismo e a grandeza do povo russo e, por sua vez, construiu também um monumento à paz.

Guerra e Paz está entre as grandes obras produzidas pelo ser humano, como "Guernica", "David" de Michelangelo, "A Flauta Mágica" de Mozart, "Monalisa" de Leonardo da Vinci. Copioso, às vezes irregular, no seu conjunto de mais de mil e quinhentas páginas ele possui, no entanto, luz própria como os grandes astros. Brilha como um livro maior entre milhões de livros, deslumbra como só uma verdadeira obra de arte é capaz de deslumbrar, e emociona como só as grandes histórias conseguem emocionar.

Aristocrata russo, filho do Conde Nicolau Ilich Tolstói e da princesa Maria Nikolayevna Volkonski, Leon Tolstói nasceu em 9 de setembro de 1828 na enorme propriedade patriarcal de Yasnaia Poliana na província de Tulna. Teve uma infância carente e complicada; sua mãe morreu quando ele tinha dois anos e seu pai foi vítima fatal de uma apoplexia antes de Tolstói completar os dez anos. Órfãos de pai e mãe, o jovem Leon e seus três irmãos foram criados por parentes próximos na província de Kazan, onde Leon começou seus estudos universitários. Pouco tempo depois foi morar em São Petersburgo, onde completou os estudos, seguindo então para Moscou, onde viveu intensamente as famosas noites moscovitas entre jovens aristocratas, muita bebida e belas mulheres.

Estimulado por seu irmão, o tenente Nicolai Tolstói, Leon alistou-se no exército e participou da guerra da Turquia e da guerra da

Crimeia, em 1854, onde conheceu profundamente a vida militar, os horrores e os heroísmos de uma guerra. Depois de longos períodos, desligou-se do exército e já com mais de trinta anos de idade casou-se com a bela moscovita Sofia Bers, que lhe deu uma feliz estabilidade e treze filhos. É neste período, de volta aos domínios patriarcais de Yasnaia Poliana, que produz a parte mais importante da sua obra, como *Guerra e Paz* (1865-1869) e *Anna Karenina* (1875-1878).

Em uma de suas viagens a Paris, no início da década de 1860, em visita ao irmão que estava doente na capital da França, conheceu o filósofo anarquista Joseph Proudhon, cujas ideias coincidiam em muito com a filosofia que ele difundia entre seus empregados e vizinhos. Já reconhecido como um dos maiores e mais populares escritores russos de todos os tempos, Tolstói foi admirado por seus contemporâneos russos Fiódor Dostoiévski, Ivan Turguêniev, Anton Tchekhov e festejado por Flaubert que, ao ler as traduções francesas de *Guerra e Paz* e *Anna Karenina*, comparou-o a Shakespeare. Leon Tolstói viveu grande parte de sua longa vida pregando obstinadamente sua própria filosofia, o chamado *tolstoísmo*. Hoje, diríamos que ele seria "filosoficamente alternativo", mas, na sua época, com a sua celebridade e alta posição social, acabou provocando um enorme escândalo na sociedade moscovita. Muito mais do que um excêntrico, foi considerado um herege, e em 1901 foi excomungado pela Igreja Ortodoxa Russa, que não aceitava a sua pregação religiosa misturada com ideias libertárias e radicais. Era vegetariano, contra a propriedade privada e anarquista convicto, portanto, contra qualquer tipo de governo. Graças ao seu enorme prestígio pessoal e literário, Tolstói influenciou objetivamente o movimento anarquista. O grande teórico – igualmente aristocrata –, o príncipe Piotr Kropotkin, cita o autor de *Guerra e Paz* como um dos mais importantes pensadores anarquistas em seu artigo escrito especialmente para a *Enciclopédia Britânica* em 1911. Em pouco tempo, o *tolstoísmo* tinha adeptos em toda a Europa. No final de sua vida, Tolstói trocou intensa correspondência com Mahatma Ghandi, cuja teoria de "resistência não violenta" tinha muita semelhança com algumas das suas teses. Em busca de coerência, afastou-se da sociedade e até da família (sua mulher impediu-o de doar todos os bens para seus seguidores, conforme ele exigia), morrendo em 20 de novembro de 1910, aos 82 anos, numa modesta estação de trem de Astapovo, cercado de poucos fanáticos seguidores e de uma filha que aderiu à sua cruzada.

Escreveu sob o efeito de sua "filosofia" os livros *Ressurreição* e *Minha fé* (1879), que lhe custaram a excomunhão da Igreja Anglicana. Os poucos trechos de *Guerra e Paz* que destoam do poderosíssimo conjunto da obra são justamente as partes em que comenta os fatos históricos à luz de sua doutrina.

Resultado de sua experiência de vida, tanto na corte do tsar como no exército russo, *Guerra e Paz* é a história das guerras napoleônicas na Rússia de 1805 – quando da vitória de Napoleão na batalha de Austerlitz, enfrentando os exércitos russos e austríacos –, até a retirada de Napoleão da Rússia e o incêndio de Moscou, em 1812.

Pode-se dizer que o projeto de Tolstói pode ter sido inspirado por Balzac. Assim como *A comédia humana* narrou a vida social e privada da França no primeiro quarto do século XIX, Leon Tolstói traçou com *Guerra e Paz* um grande e impressionante painel da vida e da resistência do povo russo à invasão do exército de Napoleão entre os anos de 1805 e 1812.

Como fio condutor da história temos a saga de duas grandes famílias aristocráticas interagindo em um meio dominado pelo paradoxo da frivolidade e da iminência da guerra. São mais de quinhentos personagens que contracenam no terror das batalhas, na vida mundana da corte, com suas contradições, paixões avassaladoras, e tipos inesquecíveis. Tolstói descreve com precisão as dificuldades da vida cotidiana e as dramáticas privações durante a guerra que atingia a nobreza e o povo em geral. É admirável o intenso realismo com que o autor descreve o impressionante incêndio de Moscou e a retirada melancólica de Napoleão da Rússia, com seu exército em frangalhos, destruído pelo terrível inverno russo. Assim como Friedrich Engels, numa carta a Karl Marx, dizia que havia compreendido melhor a sociedade francesa com a *A comédia humana* do que em todos os ensaios de economia e história que havia lido, pode-se dizer que é impossível conhecer a sociedade russa do início do século XIX, seus conflitos, seus hábitos, sua cultura e sua personalidade sem ler *Guerra e Paz*. Tudo está lá. O que Balzac fez em quase uma centena de histórias, Tolstói fez neste seu caudaloso livro. Ambas as obras permaneceram como documentos definitivos de suas épocas e de seus povos.

Oficial do exército russo, veterano de várias batalhas, Tolstói conheceu os horrores e a irracionalidade da guerra. E todo o seu pacifismo e seu repúdio às guerras está registrado em *Guerra e Paz*. Tolstói é também meticuloso ao extremo no que diz respeito à verdade histórica; são absolutamente precisas as descrições das batalhas e as "participações" de Napoleão, do tsar Alexandre I e do generalíssimo Kutuzov, comandante-geral das tropas russas. A trama ficcional se justapõe aos acontecimentos reais. A frivolidade de Ana Mikailovna, a bravura dos aristocratas André Bolkonski, Nicolau Rostov, a figura fascinante e controvertida do conde Pedro Bezukov, a apaixonante Natacha, a bela e pérfida Helena Bezukov, o ambiente de uma sociedade traumatizada pelo terror da guerra que a tudo destrói e separa os amantes – tudo está em *Guerra e Paz*, um livro que atravessa os séculos como um clássico humanista que, descrevendo a guerra de maneira magistral, faz a sua mais pungente e eterna condenação.

Ivan Pinheiro Machado

PRINCIPAIS OBRAS DE LEON TOLSTÓI

Infância (1852)
Adolescência (1854)
Contos de Sebastopol (1856)
Juventude (1856)
A felicidade conjugal (1858)
Os cossacos (1863)
Guerra e Paz (1869)
Anna Karenina (1877)
Uma confissão (1882)
A morte de Ivan Ilitch (1886) – (L&PM Pocket, 1997)
A sonata de Kreutzer (1889)
O que é arte? (1898)
Ressurreição (1899)

PERSONAGENS PRINCIPAIS

FAMÍLIA BEZUKOV
Conde CIRILO VLADIMIROVITCH BEZUKOV, poderoso aristocrata do tempo de Catarina, a Grande.
PEDRO, seu filho, que, legitimado após a morte do pai, tornou-se conde Bezukov. Personagem central do romance.
Princesa KATICHA, prima de Pedro.

FAMÍLIA BOLKONSKI
Príncipe NICOLAU ANDREIVITCH BOLKONSKI, general reformado.
Príncipe ANDRÉ BOLKONSKI, seu filho, membro do estado-maior de Kutuzov.
Princesa MARIA BOLKONSKAIA, sua filha.
Princesa ELISABETH (Lisa) BOLKONSKAIA, mulher do príncipe André.
Príncipe NICOLAU (Koko) ANDREIVITCH BOLKONSKI, filho do príncipe André.

FAMÍLIA DRUBETSKOI
Princesa ANA MIKAILOVNA DRUBETSKAIA, aristocrata.
Príncipe BÓRIS DRUBETSKOI, seu filho, que ingressou no exército.
JÚLIA KARAGUINE, rica herdeira, que mais tarde casou com Bóris.

FAMÍLIA KURAGUINE
Príncipe VASSILI KURAGUINE, velho aristocrata.
Príncipe HIPÓLITO KURAGUINE, seu filho mais velho.
Príncipe ANATOLE KURAGUINE, seu filho mais moço.
Princesa HELENA KURAGUINA, filha de Vassili, que casa-se com Pedro Bezukov.

FAMÍLIA ROSTOV
CONDE ILIA ROSTOV, poderoso aristocrata.
Condessa NATÁLIA ROSTOVNA, sua mulher.
Conde NICOLAU ROSTOV, seu filho mais velho.
Conde PETER (Pétia) ROSTOV, seu filho mais moço.

Condessa VERA ROSTOVNA, sua filha mais velha.
Condessa NATÁLIA (Natacha) ROSTOVNA, sua filha mais nova. Personagem central feminina.
SÔNIA, prima pobre dos Rostov.
Tenente ALPHONSE KARLOVITCH BERG, oficial que desposou Vera.

ÍNDICE HISTÓRICO E DOCUMENTAL DE
GUERRA E PAZ

(Topônimos, antropônimos, fatos, instituições, referências literárias e artísticas etc.)

AGUADEIROS, Os. Ópera de Cherubini, cantada pela primeira vez em 1800.

ALCIDES. Peça em verso declamatório e pomposo do gosto da época.

ALEXANDRE I. Imperador da Rússia de 1801 a 1825, filho de Pedro I. Formou o projeto da Santa-Aliança, união dos soberanos cristãos em face da revolução e do liberalismo dos pequenos estados europeus.

AMÉLIE DE MANSFIELD. Personagem do romance de Madame Cottin que, por lapso, Tolstói atribui a Mme. de Sousa, e que teve grande voga, especialmente na Rússia.

APCHERON. Regimento de infantaria pesada do exército russo.

APRAXINE, conde Stéphan Stépanovitch. General de cavalaria. Governador de Smolensk.

ARAKTCHEIEV. Favorito e amigo de Alexandre I, conhecido pela sua crueldade. Fundou as colônias militares quando ministro da Guerra.

ARKHAROV. Família nobre e rica de Moscou, famosa pela sua grande hospitalidade.

ARMFELT. General e homem de Estado sueco. Acusado de alta traição, fugiu para a Rússia.

ARQUIVOS DOS ASSUNTOS ESTRANGEIROS. Fundados em 1766, lá trabalhavam muitos jovens da nobreza no começo do século XIX.

ASCH, barão de. Governador de Smolensk, de 1817 a 1822.

AUBERT-CHALMÉ, Madame. Senhora francesa que vendia perfumes e artigos femininos em Moscou.

AUESPERG VON MATTERN. Marechal de campo austríaco, responsável pela perda da ponte Thabor e a subsequente ocupação de Viena pelas forças de Murat.

BAGOVOUT. General do exército russo. Foi morto na batalha de Tarutino.

BALACHIEV. Homem de Estado russo. Foi chefe de polícia de Moscou entre 1804 e 1807, governador militar de São Petersburgo em 1809 e 1810, e membro do Conselho do Império entre 1810 e 1834.

BARCLAY DE TOLLY, Príncipe. Marechal de campo russo, de origem escocesa. Ministro da Guerra a partir de 1810. Foi general em chefe no começo da campanha de 1812. Comandou o primeiro exército do Ocidente.

BASSANO, Murat, duque de. Homem de Estado francês, ministro de assuntos estrangeiros.

BEAUHARNAIS, Eugène de. Enteado de Napoleão, que o adotou em 1806. Foi vice-rei da Itália, duque de Lichtemberg e príncipe do Império. Em 1812, comandou o 4º corpo de exército e tomou parte na batalha de Borodino.

BEAUSSET. Escritor e cortesão francês. Prefeito do palácio de Napoleão a partir de 1805.

BELLARD, Augustin. General francês, chefe de estado-maior dos exércitos de Murat de 1805 a 1808, em que foi nomeado governador de Madri.

BENNIGSEN. General de cavalaria. General em chefe do exército russo em 1807, obteve sobre os franceses a vitória de 1806 em Poltusk. Posteriormente, chefe do estado-maior geral. Tomou parte nas batalhas de Tarutino e de Borodino. General em chefe do exército polonês em 1813.

BEREZINA. Afluente do Dnieper. Os restos do exército francês, perseguidos pelos russos, atravessaram-no, perto da cidade de Borissov, nos dias 14, 15 e 16 de novembro de 1812.

BERLIM, Encontro de. Teve lugar em 13/25 de outubro de 1805, entre Alexandre I e o rei da Prússia, Frederico III, no momento da aliança contra a França.

BERNADOTTE. Marechal francês. Foi rei da Suécia em 1808, sob o nome de Charles XIV ou Charles-Jean, e deu nome à dinastia sueca, hoje reinante.

BERTHIER. Marechal francês, chefe durante vinte anos do estado-maior de Napoleão. Após a queda deste, uniu-se aos Bourbons.

BESSIÈRES, duque de Istria. Marechal francês. No começo da campanha de 1813, foi comandante em chefe de toda a cavalaria francesa.

BEZZOUBOVO. Aldeia do distrito de Mojaisk, província de Moscou, perto de Borodino.

BÍBLICA, Sociedade. Fundada em Petersburgo em 1813, para a difusão da Bíblia. Tinha numerosas ramificações nas outras cidades russas e desenvolveu grande atividade. Seus membros eram altos dignitários e altas personalidades do clero. Foi protegida por Alexandre I; porém, em 1824, após a desgraça de Galitzine, o governo a interditou por decreto de Nicolau I, em 1826.

BOEKSHEVDEN. General, comandante de uma divisão russa de 1793 a 1794. Distinguiu-se na batalha de Austerlitz.

BOLKONSKI. Marechal de campo russo. Foi general ajudante de campo em 1805, primeiro no exército de Boekshevden e depois no de Kutuzov. Fazia parte da comitiva de Alexandre I em 1812.

BORODINO. Aldeia do distrito de Mojaisk, província de Moscou, a dez quilômetros de Mojaisk. Tornou-se famosa pela batalha de 26 de agosto a 7 de setembro de 1812, entre os exércitos francês e russo, comandados, respectivamente, por Napoleão e Kutuzov. Foi a batalha mais importante e mais sangrenta e teve lugar entre a antiga rota de Smolensk e o rio Moskva. Os franceses eram em número de cento e trinta mil, os russos cento e quarenta mil. Os russos perderam cinquenta e oito mil homens e os franceses trinta e cinco mil, mas nenhum dos exércitos levou a vitória. Após a batalha, os russos bateram em retirada para Moscou, que abandonaram em seguida.

BROUSSIER. General de divisão quando da campanha da Rússia.

BUCKLE, Henry Thomas. Historiador e sociólogo inglês.

CAULAINCOURT. Diplomata francês, embaixador na corte da Rússia de 1807 a 1811.

CAVALEIROS-GUARDAS. Regimento recrutado entre a fina flor da aristocracia russa.

CHEVARDINO. Aldeia do distrito de Mojaisk, província de Moscou, perto de Borodino. Lá teve lugar um combate em 24 de agosto de 1812.

CHICHKOV. Estadista russo, ministro da Educação pública de 1824 a 1828.

CLAPARÈDE. General francês.

CLAUSÈWITZ. General e teórico prussiano, a serviço da Rússia de 1812 a 1814. Escreveu um tratado clássico sobre a guerra total.

CLUBE INGLÊS. Sociedade aristocrática de Moscou, fundado em 1770.

COLÔNIAS MILITARES. Introduzidas na Rússia em 1817 por Araktcheiev, precursoras dos campos de trabalho forçado e de concentração. Foram acompanhadas de grandes crueldades e tinham por finalidade instalar cada soldado com sua família, impondo-lhe a obrigação do serviço militar e a dos trabalhos no campo.

COMPANS. General francês, comandou um corpo de exército em 1812.

CONSELHO DO IMPÉRIO. Corpo consultivo, equivalente a uma das câmaras dos parlamentos europeus. Foi inaugurado a 1º de janeiro de 1810 e era composto de trinta e cinco dignitários nomeados, que examinavam os projetos de lei, sancionados depois pelo tsar.

CONSTANTIN, Grão-Duque. Irmão de Alexandre I. Participou da batalha de Austerlitz.

CORVISART, barão. Médico preferido de Napoleão.

CZARTORISKI, Adam. Homem de Estado de família polonesa, um dos íntimos de Alexandre I no começo do seu reinado.

DAVOUT, duque de Auerstaedt, príncipe de Eckmühl. Marechal francês, célebre pela sua crueldade. Homem de confiança de Napoleão.

DAVIDOV. Célebre família nobre moscovita.

DESSAIX. General francês. Tomou parte na batalha de Borodino.

DOKTUROV. General do exército russo. Participou das campanhas de 1805/1807 e da de 1812.

DOLGORUKOV, I. V. General russo e guerrilheiro célebre. Comandou, em 1806, o exército territorial da 7ª região.

DOLGORUKOV, P. R. General-ajudante, íntimo de Alexandre I.

DOLOKOV. General russo. Comandou em 1812 uma das brigadas do 1º exército e depois um destacamento de guerrilheiros, que se distinguiu durante a retirada dos franceses.

DUCHESNOIS, A. Atriz trágica francesa.

DUPORT, Louis. Célebre dançarino francês, que se instalou em Petersburgo em 1808.

DUROC, duque de Frioul. Grande marechal francês do palácio de Napoleão e que o acompanhou nas campanhas.

DUSSECK. Pianista e compositor boêmio.

ECKARTSHAUSEN. Escritor místico alemão.

ELIZABETH ALEXEIEVNA. Imperatriz da Rússia, mulher de Alexandre I.

ELIZABETH WILHELMINE. Princesa de Würtemberg, imperatriz da Áustria, mulher de Francisco II.

ERMOLOV. General russo. Chefe do estado-maior do 1º exército em 1812. Mais tarde, vice-rei do Cáucaso.

FACETAS. Palácio no Kremlim. Edificado em 1491, tomou o nome da forma das pedras de que foi construído. Realizavam-se nele as cerimônias importantes da corte.

GALITZINE, Príncipe A. N. Homem de Estado russo.

GENLIS, Madame. Escritora francesa, autora de romances pedagógicos que tiveram grande sucesso na época.

GEORGES, Mademoiselle. Atriz dramática francesa, suposta amante ao mesmo tempo do duque de Enghien e de Bonaparte.

GERARD. Marechal francês. Participou da batalha de Borodino. Comandou a retaguarda do corpo de Davout na retirada dos franceses.

GIBBON. Historiador inglês, autor de *História da decadência e da queda do Império Romano.*

GLINKA, Serguei Nicolaievitch. Escritor. Fundou em 1808 *O Mensageiro Russo*, jornal consagrado à luta contra a influência francesa, que obteve grande êxito.

GORKI. Aldeia do distrito de Mojaisk, província de Moscou. Foi um dos lugares da batalha de Borodino.

GOSSNER. Pastor muniquense, místico e pregador. Foi eleito diretor da *Sociedade Bíblica* e deportado mais tarde.

HAMBURGO, Gazeta de. Jornal fundado em Moscou em 1792 e publicado em língua alemã, especializado em informações europeias.

HARDENBERG. Ministro dos assuntos estrangeiros da Prússia de 1803 a 1806.

HAUGWITZ. Ministro dos assuntos estrangeiros da Prússia em 1802.

HELOÍSA. Júlia, heroína de *A Nova Heloísa,* de J. J. Rousseau.

IOGUEL. Mestre de dança de Moscou.

ISMAIL. Fortaleza turca sobre o Danúbio. Durante as guerras russo-turcas, Ismail passou três vezes das mãos dos turcos às dos russos e vice-versa. Tomada de assalto em dezembro de 1791 pelas tropas russas. A partir de 1816, sede de distrito da província de Bessarábia.

JOCONDA. Conto picante de Ariosto.

JUNOT, duque de Abrantes. General francês. Foi afastado do exército por Napoleão em 1812, em virtude do insucesso das suas operações militares.

JUGENBUND. Associação patriótica alemã, fundada em Koenigsberg em 1808 para educar a juventude no espírito das tradições nacionais. Dissolvida por ordem de Napoleão em 1810, foi restaurada após a queda deste.

KAISSAROV. General russo. Chefe de um destacamento de guerrilheiros em 1813.

KAMENSKI. Marechal de campo russo na guerra dos Sete Anos. Foi assassinado pelos seus criados.

KAMMENY OSTROV. Ilha em Petersburgo, residência das famílias da aristocracia.

KARAMANZINE. Autor de novelas sentimentais, sendo a mais célebre *A pobre Lisa.*

KLIUCHAREV. Escritor de tendência mística, maçom. Amigo de Novikov, tomou parte ativa nos assuntos da Sociedade. Funcionário e depois diretor dos correios a partir de 1799. Inimizou-se com Rostoptchine, que suspeitava ser ele o cabeça de um complô. Alexandre nomeou-o senador em 1815.

KOLOTCHA, rio. Afluente direito do Moskva.

KOZLOVSKI, príncipe. Coronel de um batalhão do regimento Preobrajenski.

KOTCHUBEI. Homem de Estado russo, íntimo de Alexandre I.

KREMS. Combate que teve lugar de 30 de outubro a 11 de novembro de 1805, entre os russos comandados por Kutuzov e a divisão Mortier. Terminou com a vitória dos russos.

KRUDENER, baronesa de. Mística russa que exerceu uma grande influência sobre Alexandre I.

KURAKINE. Diplomata russo, embaixador em Paris de 1804 a 1812.

KUTAISSOV. General russo que tomou parte na guerra de 1806 a 1807. Foi morto na batalha de Borodino.

KUTUZOV, Mikail Ilarionovitch, Sereníssimo Príncipe de Smolensk. General em chefe do exército russo em 1812.

LANFREY. Publicista e historiador francês, republicano moderado. Autor de uma história de Napoleão, em que este é julgado com muita severidade.

LANGERON, conde de. General do exército francês. Emigrou quando da revolução e entrou a serviço da Rússia em 1790.

LANNES, duque de Montebello. Marechal francês. Comandou em 1809 um corpo de exército e foi mortalmente ferido no combate de Essling.

LARREY. Médico de Napoleão.

LAURISTON, marquês de. Marechal da França. Tomou parte nas campanhas de 1805 a 1809. Embaixador em São Petersburgo em 1811.

LAVATER. Pastor e escritor suíço; inventou a arte de julgar o caráter pelos traços do rosto e a configuração da cabeça, ou teoria da fisiognomonia.

LELORME D'IDEVILLE. Intérprete de Napoleão, por ocasião da entrada deste em Moscou.

LEMARROIS. General francês, ajudante de campo de Napoleão.

LEPPICH. Camponês originário da Holanda. De acordo com os seus projetos construiu-se em Moscou, em 1812, um balão destinado a exterminar o exército napoleônico.

LICHTENSTEIN, príncipe de. Marechal de campo austríaco. Tomou parte nas batalhas de Essling e de Wagran. Ajustou o tratado de Schoenbrünn.

LIGNE, príncipe de. Político e escritor belga ao serviço da Áustria. Durante o reinado de Catarina II residiu na Rússia.

LOPUKHINE, I. V. Célebre maçom e místico russo.

LOPUKHINE, príncipe P. V. Estadista do tempo de Catarina II e de Alexandre I.

MACK. General austríaco. Cercado pelos exércitos franceses em Ulm, rendeu-se a Napoleão, sendo submetido a conselho de guerra e degredado.

MAGNITSKI. Reacionário colaborador de Speranski; exilado após a desgraça deste. A sua gestão como curador da administração escolar de Kazan foi funesta para o ensino.

MAISTRE, José de. Escritor francês e homem de Estado piemontês. Viveu em Petersburgo, de 1812 a 1817, na qualidade de embaixador do rei destronado da Sardenha. Autor de *Tardes de São Petersburgo*.

MALOIAROSLAVETZ. Sede de distrito na província de Kaluga, onde se verificou uma batalha a 12 de outubro de 1812. A cidade, tomada e retomada oito vezes, ficara em poder dos franceses, mas a luta terminou com a retirada destes.

MALVINAS. Romance de Mme. Cottin, de uma série muito conhecida na Rússia por volta de 1801.

MAMONTOV. Maçom, filho do favorito de Catarina II. Em 1812, equipou às suas expensas um regimento de cavalaria, que se distinguiu nos combates de Tarutino e de Maloiaroslavetz.

MARIA FIODOROVNA. Imperatriz-mãe. Nascida princesa de Würtemberg, viúva de Paulo I, mãe de Alexandre I.

MARINE. Ajudante de campo de Alexandre I. Foi poeta, compôs versos satíricos e foi autor de paródias literárias.

MARKOV, conde. Diplomata russo.

MARTINISTAS. Seita mística fundada pelo judeu-português Martines Pascalis.

MEDINE. Sede de distrito da província de Kaluga, perto do rio Medinka.

MENSAGEIRO RUSSO, O. Jornal de tendência patriótica editado em Moscou, por Glinka, de 1808 a 1824.

METTERNICH. Ministro dos assuntos exteriores da Áustria de 1809 a 1857. Desempenhou grande papel na política europeia da sua época.

MICHAUX DE BEAURETOUR. Coronel da Sardenha, a serviço da Rússia. Enviado de Kutuzov a Alexandre para lhe anunciar o abandono de Moscou.

MILORADOVITCH. General russo. Tomou parte nas guerras de 1805 e 1806 e na campanha de 1812-1813. Foi governador de São Petersburgo. Morreu em consequência de ferimentos recebidos quando da insurreição dos dezembristas.

MITICHTCH, As Grandes. Aldeia do distrito da província de Moscou, que fornecia água a uma parte da cidade de Moscou.

MOJAISK. Sede de distrito na província de Moscou.

MOREAU. General francês. Depois da vitória de Hohenlinden, tornou-se rival de Napoleão. Exilado, partiu para a América. Voltou à Europa em 1813, tomando parte nas últimas campanhas contra os franceses. Foi mortalmente ferido na batalha de Dresden.

MORIO. Abade de que fala Thiers.

MORTIER, duque de Trévis. Marechal da França que tomou parte em quase todas as campanhas da Revolução e do Império.

MOUTON-DUVERNET. General francês. Foi fuzilado durante a Restauração. Após a batalha do Maloiaroslavetz, quando Napoleão reconheceu que era preciso retirar, sustentou que era preciso "bater em retirada pelo caminho mais conhecido e mais curto, por Mojaisk, em direção do Niemen, e o mais rapidamente possível".

NARICHKINA, Maria Antonovna. Princesa Tchetvertinskaia de nascimento, de origem polaca. Uma das mais belas mulheres da época, esposa de D. L. Narichkine. Foi amante de Alexandre I.

NARICHKINE, A. L. Diretor dos teatros imperiais de 1799 a 1819.

NIJNI NOVGOROD. Sede da província do mesmo nome, na confluência do Volga e do Oka.

NOVIKOV. Escritor e editor maçom de muita projeção nos círculos sociais e culturais entre 1779 e 1792.

NOVODIEVITCHIÉ. Convento de mulheres em Moscou, fundado em 1524.

NOVOSSILTSOV. Homem de Estado russo agregado a Alexandre I para missões especiais. Desempenhou numerosas missões diplomáticas de 1805 a 1806. Foi nomeado presidente do Conselho provisório criado para administração do grão-ducado de Varsóvia. Membro e depois presidente do Conselho do Império e do Conselho de Ministros.

OBOLENSKI. Família nobre russa.

ORDEM DE S. VLADIMIRO. Criada por Catarina II em 1782 e reformada por Alexandre I em 1801.

OREL. Sede de distrito na confluência do Oka e do Orlika.

ORLOV, conde A. G. General russo, favorito de Catarina II. Aposentado em 1775. Adquiriu grande popularidade por suas nobres maneiras e sua hospitalidade.

ORLOV-DENISSOV. General russo. Tomou parte nas guerras de 1806 e 1808 e na campanha de 1812. A ideia de rodear o flanco esquerdo dos franceses em Tarutino foi dele.

OSTERMAN-TOLSTÓI, conde. General russo. Tomou parte nas guerras de 1805 a 1809 e na campanha de 1812. Esteve na batalha de Borodino.

OTCHAKOV. Fortaleza na embocadura do Dnieper, tomada dos turcos pelo exército russo, sob o comando de Suvorov, em 1788.

OUDINOT, duque de Reggio. Marechal da França. Comandou um corpo de granadeiros nas campanhas de 1805 a 1806/7.

OUVAROV. General russo. Comandou, em 1805, um regimento de cavaleiros-guardas na batalha de Austerlitz. Participou da batalha de Borodino.

PAHLEN, conde. Diplomata e conselheiro secreto russo. Foi embaixador da Rússia em Washington e Munique. Membro do Conselho do Império.

PAJENS, Corpo de. Estabelecimento de instrução reservado aos filhos da nobreza educados na Corte. Fundado em 1759 e transformado em centro de instrução militar em 1802.

PALÁCIO DE INVERNO. Residência dos tzares em Petersburgo, à margem do Neva. Construído em 1786 pelo arquiteto Rastelli e restaurado após o incêndio de 1839.

PAS DE CHÂLE. Passo de dança criado no fim do século XVIII, por Lady Hamilton.

PAULO I. Imperador da Rússia de 1796 a 1801, pai de Alexandre I. Assassinado em 23 de março de 1801.

PAULUCCI, marquês. General ajudante de campo. Passou do exército para o serviço da Rússia em 1807. Partiu para a Itália em 1829.

PEDRO III. Imperador da Rússia de 1761 a 1762, marido de Catarina II, destronado e assassinado pela mulher. O seu fim prematuro deu lugar a diversas lendas populares.

PETERHOF. Sede do distrito da província de São Petersburgo e residência de férias dos tzares, à margem do golfo da Finlândia, a vinte e nove quilômetros da capital.

PFUHL, Barão de. General e teórico militar prussiano a serviço da Rússia. Após o seu infeliz projeto de fortificação do campo de Drissa, foi chamado a Moscou e de lá partiu para a Inglaterra.

PLATON. Metropolita de Moscou. Orador célebre.

PLATOV. Popular general russo, chefe dos cossacos do Dom, tomou parte ativa nas guerras contra Napoleão.

POBRE LISA, A. Novela de Karamansine.

PONIATOVSKI, príncipe. Sobrinho do rei da Polônia Stanislau-Augusto, general polonês. Tomou parte na campanha de Napoleão na Rússia em 1812, como comandante de um corpo do exército polonês.

POTENKINE, príncipe. Homem de Estado e general russo, favorito de Catarina II.

PREOBRAJENSKI. Regimento da infantaria da Guarda russa. Um dos dois primeiros formados por Pedro, o Grande em 1687.

PUCHKINE, Vassili Lvovitch. Tio do grande poeta Puchkine e também poeta.

PUGATCHEV. Cossaco que fomentou a revolta popular das regiões do Volga, durante o reinado de Catarina II. Fazia-se passar por Pedro III, escapando à morte, e regressou para libertar o seu povo.

PULSTUK. Cidade da província de Varsóvia, perto da qual teve lugar uma batalha em 26 de dezembro de 1806.

RAIEVSKI. General russo. Na batalha de Borodino, dirigiu o reduto central, que recebeu o seu nome. Membro do Conselho do Império com Nicolau I.

RAPP. General francês, ajudante de campo de Napoleão de 1800 a 1814. Fez fracassar o atentado de Frederico Staps em 1809 contra Napoleão. Tomou parte na campanha da Rússia. Foi ferido na batalha de Borodino.

RAZGULIAI. Cabaré moscovita muito célebre, que deu nome a um bairro da cidade.

RAZUMOVSKI, príncipe. Diplomata russo. Embaixador em Viena de

1790 a 1799 e de 1801 a 1807. Nesta cidade conviveu com Mozart, Haydn e Beethoven.

REPNINE, príncipe. General, ajudante de campo russo. Tomou parte na batalha de Austerlitz. Ferido no peito e na cabeça, foi feito prisioneiro com o resto do seu esquadrão, dezoito homens.

ROSTOPTCHINE. Favorito de Paulo I, governador de Moscou de 1812 a 1814.

RUCHTCHUK. Fortaleza turca na margem direita do Danúbio, sitiada muito tempo pelas tropas russas sem sucesso. Kamenski a tomou de assalto, com grandes perdas, a 22 de julho de 1810.

RUMIANTSOV. Homem de Estado russo. Senador sob o reinado de Paulo I, ministro do comércio, e depois ministro dos assuntos estrangeiros e chanceler sob Alexandre I.

RURIK. Chefe dos Varegues, primeiro príncipe russo, segundo a lenda.

RUSTAN, o Mameluco. Guarda do corpo de Napoleão.

SANTA-ALIANÇA. Pacto firmado entre os soberanos da Rússia, da Prússia e da Áustria para manter os tratados de 1815 e lutar contra as aspirações liberais dos pequenos estados da Europa.

SANTO SÍNODO. Colégio eclesiástico, criado por Pedro, o Grande em 1721, que tinha a seu cargo os assuntos religiosos. Composto de metropolitas, arcebispos e bispos designados pelo tsar, sob a vigilância de um personagem laico, o procurador do Santo Sínodo.

SAVARY, Duque de Rovigo. General francês. Ajudante de campo e homem de confiança de Napoleão a partir de 1800.

SAVOSTIANOV. Camponês da aldeia de Fili, distrito de Moscou. Na sua isbá, denominada mais tarde "a isbá de Kutuzov", se reuniu o conselho de guerra que decidiu o abandono de Moscou.

SCHMIDT. General austríaco. Agregado a Kutuzov durante a guerra de 1805, foi morto no combate de Krems.

SCHWARTZ. Coronel russo que provocou, pela sua crueldade, a revolta do regimento Semenovski.

SCHWARZIEMBERG. Marechal de campo austríaco, vice-presidente do *Hof-Kriegs-Rat* (Conselho Superior de Guerra) em 1805. Embaixador em São Petersburgo em 1808. Comandante em chefe dos exércitos aliados em 1813.

SEBASTIANI. Marechal da França. Ministro dos assuntos estrangeiros durante a Restauração.

SEMENOVA, A. Cantora de ópera, mais notável pela arte que pela voz. Sua casa era frequentada por Puchkine, Griboiedov, Jukovski.

SEMIONOVSKI. Regimento de infantaria da Guarda, criado por Pedro, o Grande em 1687. Rebelou-se em 1820 para protestar contra os castigos corporais infligidos pelo coronel Schwartz.

SENADO. A mais alta instituição de Estado do império russo, fundada em 1711 por Pedro, o Grande.

SESLAVINE. General russo. Em 1812, comandou um destacamento de guerrilheiros. Foi o primeiro a descobrir que os franceses tinham abandonado Moscou tomando a estrada de Kaluga.

SISMONDI. Historiador e economista francês.

SPERANSKI. Homem de Estado russo, filho de um padre de aldeia. Encarregado por Alexandre de redigir um projeto de constituição. Gozou de grande poder de 1809 a 1812.

STAPS, Frederico. Estudante alemão que tentou assassinar Napoleão em Viena a 12 de outubro de 1809. Fuzilado em 17 de outubro.

STEIN. Ministro e reformador prussiano, exilado da Alemanha por Napoleão.

STIECHKA. Cantora tzigana, de grande celebridade em Moscou, nos primórdios do século XIX, a quem célebre lírica italiana Angélica Catalani teria presenteado com um xale que lhe fora oferecido como a melhor intérprete do bel canto. Puchkine referiu-se à amizade entre as duas cantoras.

STROGANOV. General e senador russo, um dos íntimos de Alexandre I, a quem acompanhou em 1805 na sua campanha contra Napoleão.

SUVOROV, príncipe da Itália. Generalíssimo do exército russo. Tomou parte nas campanhas da Itália e da Suíça contra a França.

TARUTINO. Aldeia do distrito de Borovskoie, província de Kaluga. Acampamento do exército russo quando da retirada de Moscou, de 20 de setembro a 6 de outubro de 1812, em que teve lugar uma batalha com a vanguarda francesa sob o comando de Murat.

TATARINOVA. Mística e sectária russa. Fundadora da "União Espiritual", que existiu em Petersburgo de 1817 a 1837.

TCHERNICHEV. General e homem de Estado russo. Agregado a Alexandre I em 1811, comandou em 1812 um destacamento de guerrilheiros.

TCHITCHAGOV, almirante. Ministro da Marinha e membro do Conselho do Império no reinado de Alexandre I. Comandou a armada do mar Negro em 1811. Incumbido por Alexandre I de perseguir os exércitos franceses que batiam em retirada, permitiu, com suas delongas, que os franceses atravessassem o Berezina, e quase foi acusado de crime de alta traição.

- TOLL. General russo. Participou das campanhas de 1805 a 1809 e de quase todas as batalhas de 1812. Foi encarregado de reprimir a insurreição polonesa.
- TOLSTÓI. General russo. Participou das campanhas de 1805.
- TOULON. Episódio decisivo da carreira de Napoleão.
- TRABALHADORES LIVRES. Instituição de classe, fundada por Serguei Petrovitch Rumiantsov (1756-1838).
- TROITSA-SERGUEI, A. Lavra. Convento no distrito de Dmitrovskoie, província de Moscou, fundado por São Sérgio de Radonejo por volta de 1335.
- TROVÕES DA VITÓRIA. Coro sobre um hino de Derjavine, composto para celebrar a tomada de Ismail, e que se transformara numa espécie de canto oficial dos tsares.
- TSAREVO-ZAIMICHTCHÉ. Aldeia do distrito de Viazma, província de Smolensk, a quarenta e cinco quilômetros de Viazma e onde Kutuzov recebeu, em 1812, o comando das armadas russas.

- UDINOT. Duque de Reggio. Marechal da França.
- UVAROV. General russo.

- VALUIEV. Aldeia do distrito de Mojaisk, província de Moscou, perto de Bordine; um dos pontos da batalha de Borodino.
- VÉRECHTCHAGUINE. Filho de um comerciante de Moscou que, tendo traduzido em russo dois artigos da *Gazeta de Hamburgo* referentes a Napoleão, foi acusado por Rostoptchine de crime de alta traição. Detido, encarcerado e entregue à justiça, foi condenado a trabalhos forçados por toda a vida em 17 de julho de 1812, tendo Rostoptchine agravado-lhe a pena, acrescentando-lhe 25 chicotadas. Em 2 de setembro, dia da entrada dos franceses em Moscou, Rostoptchine entregou-o aos soldados da sua escolta e à turba enfurecida reunida em torno da sua casa.
- VIAZEMSKI, príncipe. Conselheiro de Estado moscovita. Pai do escritor príncipe P. A. Viazemski.
- VIAZMA. Sede de distrito da província de Smolensk. A batalha de Viazma teve lugar a 22 de outubro de 1812 entre a principal armada francesa batendo em retirada desde Moscou e a vanguarda da armada russa, comandada por Miloradovitch e Platov.
- VIASMITINOV. Governador-geral de São Petersburgo em 1805, 1812 e 1816. Foi ministro da polícia a partir de 1812 e presidente do Conselho de Ministros.
- VILHA. Afluente direito do Niemen.

VILLENEUVE. Almirante francês, vencido por Nelson em Trafalgar em 1805. Suicidou-se depois da derrota.

VILLIERS. Célebre médico. Escocês de origem. Acompanhou Alexandre I em todas as suas campanhas, viagens e congressos. Foi presidente da Academia Médico-Cirúrgica russa de 1809 a 1838.

VINESSE. Miniaturista célebre. Viveu em Petersburgo em 1812.

WURBNA. Homem de Estado austríaco. Na altura da tomada de Viena por Napoleão, serviu de intermediário nas conferências entre austríacos e franceses.

WEIROTHER. General austríaco, chefe do estado-maior do exército austríaco.

WIMPFEN. General austríaco. Adido ao estado-maior de Kutuzov em 1805.

WINTZINGERODE. General e diplomata russo, de origem hessês.

WITTGENSTEIN. Marechal de campo russo de origem prussiana. No começo da guerra de 1812, comandou um corpo de exército que defendeu a estrada de São Petersburgo. Foi general em chefe do exército russo depois da morte de Kutuzov.

WOLZOGEN, barão de. General prussiano. Entrou para o serviço da Rússia em 1807 e foi adido ao estado-maior geral. Estabeleceu com Pfuhl o plano da campanha de 1812. Foi acusado de traição pelos círculos militares russos.

WÜRTEMBERG. duque de. Irmão da imperatriz da Rússia, Maria Fiodorovna, mulher de Paulo I, e primeiro rei do Würtemberg sob o nome de Frederico-Carlos I. Tomou parte na guerra de 1812.

ZAMOSKVARIETCHIÉ. Quartel sudeste de Moscou, na margem oposta do Moskva, anexado ao Kremlim.

ZUBOFF, Platão. O último favorito de Catarina II.

MAPAS

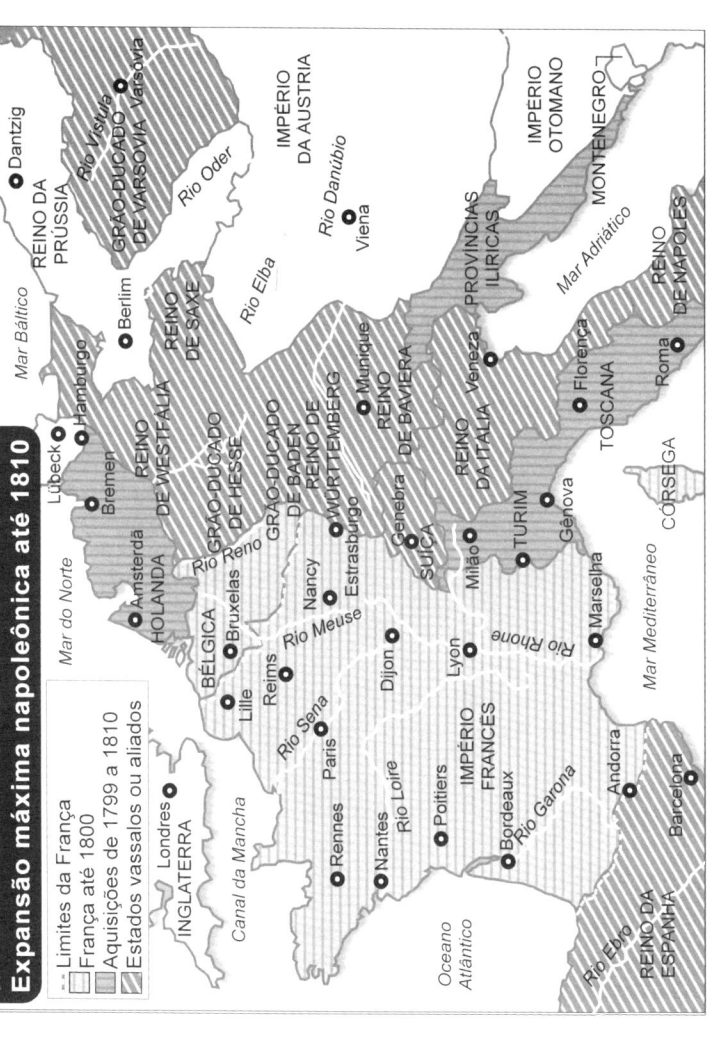

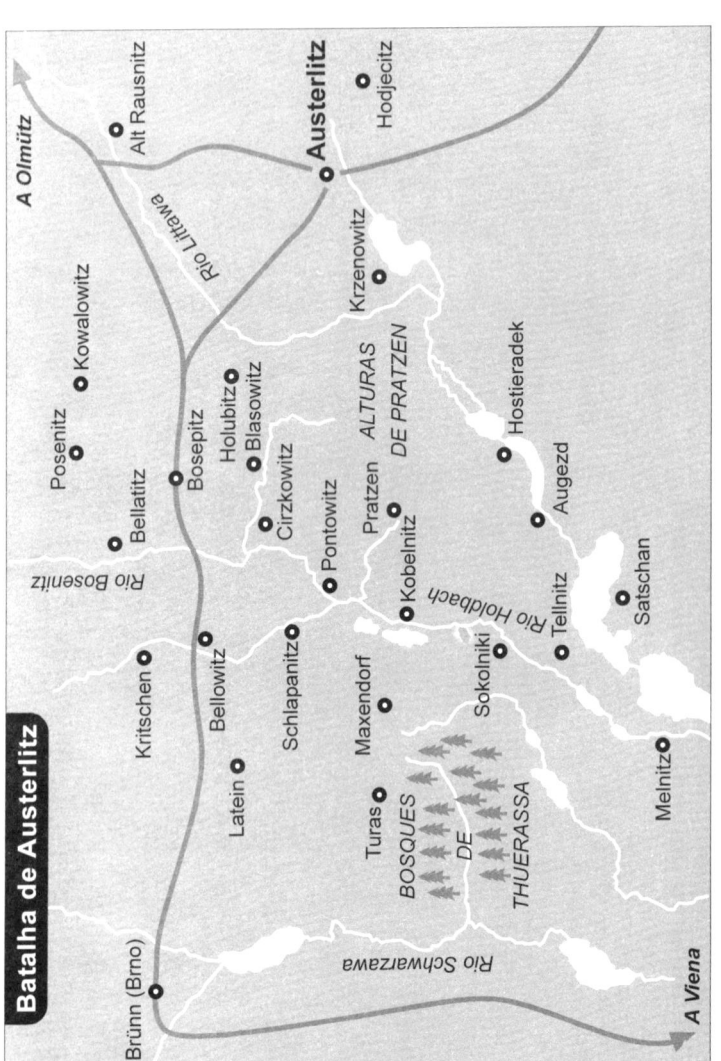

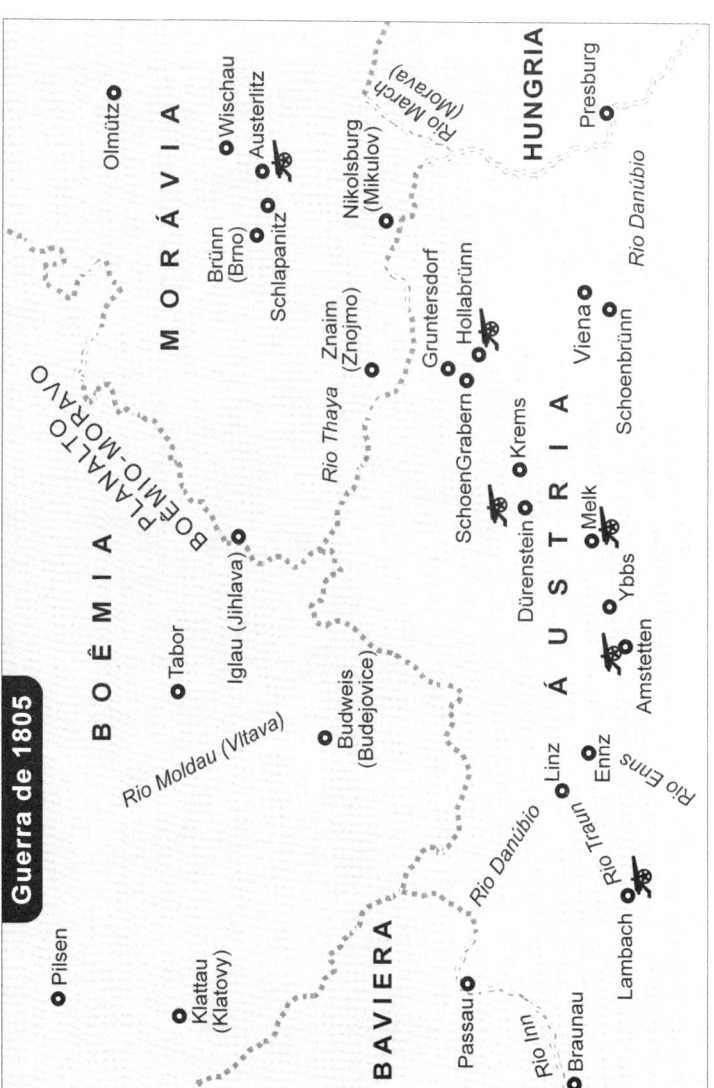

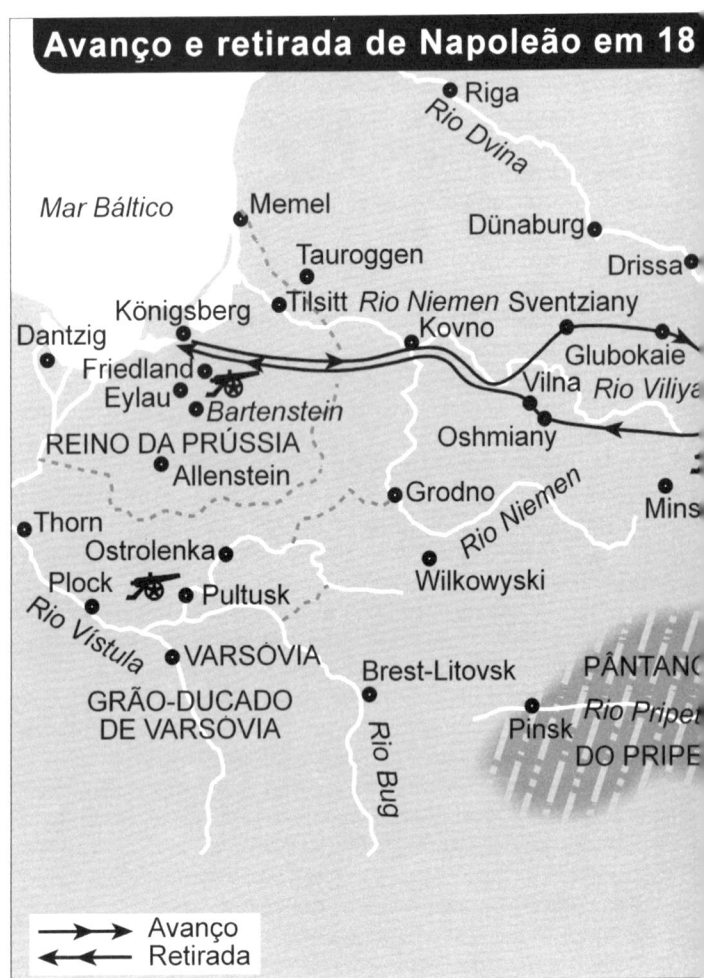

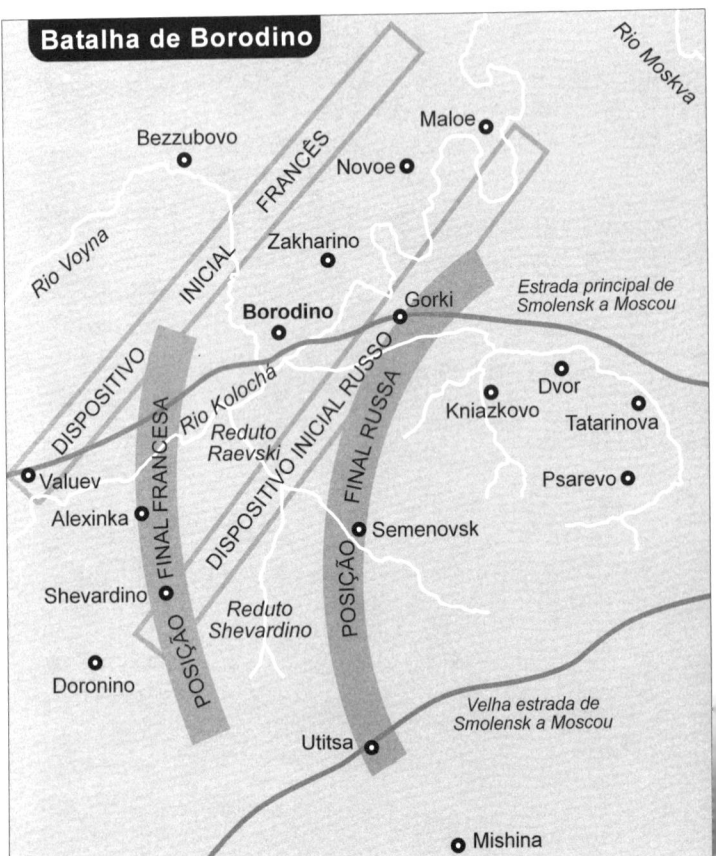

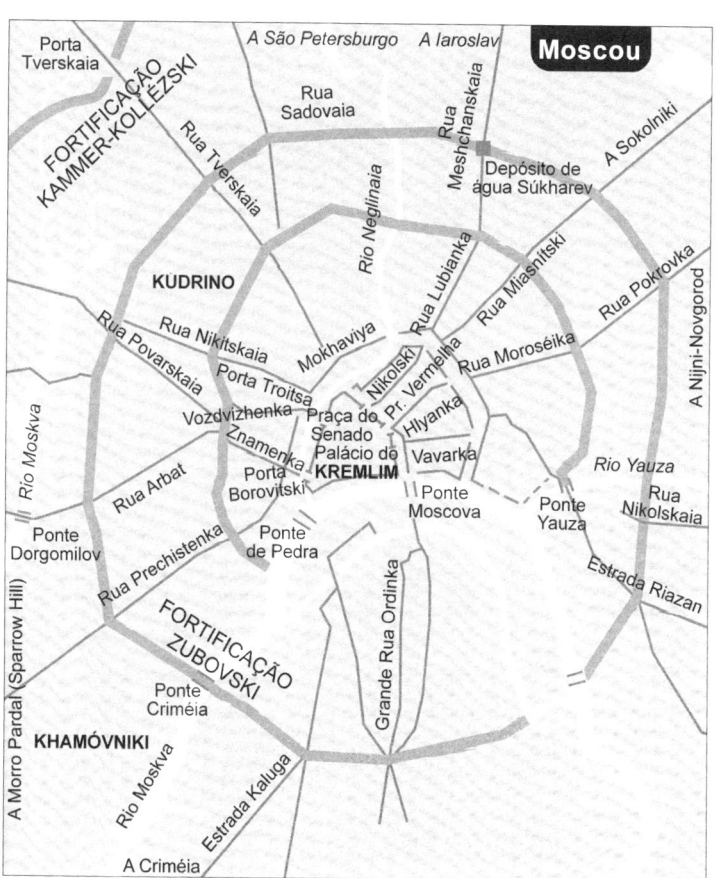

GUERRA E PAZ

Volume 1

PRIMEIRA PARTE

CAPÍTULO PRIMEIRO

– Pois bem, meu príncipe, Gênova e Luca não são mais que propriedades, domínios da família de Bonaparte. Não, previno-o que se não me diz que estamos em guerra, se se permite ainda atenuar todas as infâmias, todas as atrocidades desse Anticristo (palavra de honra que estou convencido de que o é), não quero mais nada com o senhor, não o considerarei mais meu amigo, não o terei mais por meu *fiel escravo,* como costuma dizer. Vamos, vejamos, como está, como está? Vejo que lhe meto medo, sente-se e conte-me as novidades.

Foi com estas palavras que em julho de 1805 a conhecida dama de honra, íntima da imperatriz Maria Fiodorovna, Ana Pavlovna Scherer, acolheu o príncipe Vassili, pessoa importante e de alta estirpe, o primeiro dos convidados a chegar à sua recepção daquela noite. Havia algum tempo já que Ana Pavlovna tossicava, estava com *grippe,* como ela dizia – *grippe* era então um novo vocábulo, que ainda poucas pessoas empregavam. Nessa mesma manhã ela tinha mandado entregar, por um lacaio de libré encarnada, a todos os conhecidos, indistintamente, um bilhetinho redigido nestes termos:

Se não tem nada melhor a fazer, senhor conde – ou antes, meu príncipe –, e se a perspectiva de passar o serão na casa de uma pobre doente não o assusta, muito prazer teria de recebê-lo em minha casa entre as sete e as dez horas da noite. Ana Scherer.

– Meu Deus, que estranha saída! – retorquiu o príncipe, no seu uniforme de gala, o peito coberto de condecorações, na face achatada um ar florescente, sem ligar a mínima importância a semelhante acolhimento.

Exprimia-se nesse francês precioso que falavam e em que até pensavam os nossos avós, e a que adicionavam um sotaque protetor, essas entoações suaves tão naturais a quem envelheceu na sociedade e com prestígio na corte. Aproximou-se de Ana Pavlovna, beijou-lhe a mão, exibindo a calva perfumada e reluzente, e sentou-se, tranquilamente, num divã.

– Antes de mais nada, diga-me, amiga, como tem passado?

Tranquilize este seu amigo – prosseguiu ele no mesmo tom e numa voz em que, sob a cortesia e a afabilidade, transpareciam a indiferença e até mesmo uma certa mofa.

– Como é que uma pessoa há de passar bem de saúde... quando, moralmente, não pode deixar de sofrer? Quem é que no nosso tempo há de estar sereno, desde que seja uma pessoa de coração? – redarguiu Ana Pavlovna. – Vai ficar toda a noite, não é verdade?

– E a festa na Embaixada de Inglaterra? É hoje, quarta-feira. Não posso deixar de aparecer – disse o príncipe. – Minha filha ficou de passar por aqui para me levar.

– Julguei que a festa tinha sido adiada. Confesso-lhe que para mim todas as festas e todo esses fogos de artifício começam a tornar-se insípidos.

– Se tivessem sabido que era esse o seu desejo, teriam adiado a festa – tornou o príncipe, o qual, como um relógio certo, tinha por hábito dizer, em determinadas circunstâncias, frases que ele próprio não esperava que fossem acreditadas.

– Não me atormente. Então, o que ficou resolvido quanto ao despacho de Novosiltzov? Costuma saber tudo.

– Que hei de lhe dizer? – volveu o príncipe num tom frio e enfastiado. – Que ficou resolvido? Resolveram partir do princípio de que Bonaparte queimou os seus navios, e nós estamos decididos a queimar os nossos.

O príncipe Vassili falava sempre com indolência, como um ator que recita um papel há muito decorado. Ana Pavlovna, pelo contrário, apesar dos seus quarenta anos, toda ela era vivacidade e expansão.

Ser entusiasta era a sua função social, e até mesmo quando não era essa a sua disposição natural procurava sê-lo, para que as pessoas suas conhecidas não se sentissem desapontadas. O sorriso constrangido que andava sempre em seu rosto, conquanto não combinasse muito bem com os seus traços já fatigados, denunciava, como acontece nas crianças mimadas, a existência de um pecadinho, pecadinho de que ela não queria, nem podia, nem mesmo julgava útil corrigir-se.

No decurso da conversa sobre política, Ana Pavlovna exaltou-se.

– Ah! Não me fale da Áustria! Talvez eu seja uma idiota, mas estou convencida de que a Áustria não quis nem quer a guerra. Está nos atraiçoando. É à Rússia sozinha que compete salvar a Europa. O nosso Benfeitor conhece a alta missão a que está destinado e vai cumpri-la. É a única coisa em que tenho confiança. O nosso sublime imperador tem um grande papel a desempenhar no mundo, e é tão virtuoso e tão nobre que Deus não o abandonará e há de cumprir a sua missão: esmagar a hidra da Revolução, ainda mais terrível desde que encarnou nesse assassino e nesse salteador. É a nós, e só a nós, que compete resgatar o sangue do justo... E pergunto-lhe eu agora: com quem poderemos contar? A Inglaterra, com o seu espírito comercial, não compreende nem pode compreender toda a grandeza da alma do imperador Alexandre. Recusou-se a evacuar Malta. O que ela quer é ver, procurar na nossa conduta ideias reservadas. Que é que eles disseram a Novosiltzov?... Nada. Não compreenderam, não podem compreender o desinteresse do nosso imperador, que nada quer para ele e tudo faz para o bem da humanidade. E que prometeram eles? Nada. E até aquilo que prometeram acabará por não vir a realizar-se. A Prússia já declarou que Bonaparte era invencível e que a Europa inteira nada podia contra ele... E eu, por mim, não acredito numa só palavra do que dizem Hardenberg ou Haugwiyz. Essa famosa neutralidade prussiana não passa de uma armadilha. Só em Deus confio e no alto destino do nosso augusto imperador. Ele salvará a Europa!...

De súbito calou-se, sorrindo ela mesma, antes de mais ninguém, da veemência das suas próprias palavras.

– Estou persuadido – disse o príncipe com um sorriso – que se tivessem mandado você, minha querida amiga, em lugar do nosso muito querido Wintzingerode, a esta hora tínhamos tomado de assalto a adesão do rei da Prússia. Quer me dar uma xícara de chá?

– Com certeza. *A propos* – acrescentou ela num tom sereno – tenho hoje duas pessoas muito interessantes: o visconde de Mortemart, que é aparentado com os Montmorency pelo lado dos Rohans, um dos mais ilustres nomes da França. É um dos nossos bons emigrados, autêntico! E também o abade Morio. Conhece esse espírito profundo? Foi recebido pelo imperador. Conhece-o?

– Terei um grande prazer! Diga-me uma coisa – acrescentou, negligentemente, e como se só naquele momento tivesse se lembrado disso, quando, realmente, esse era o objetivo principal da sua visita. – É verdade que *l'impératrice mère* se interessa pela nomeação do barão Funke para o lugar de primeiro-secretário em Viena? É um pobre-diabo esse barão, ao que parece.

O príncipe Vassili pretendia ver nomeado para esse posto um filho seu, e o barão era a pessoa indicada para tal cargo pelos que procuravam ganhar a influência da imperatriz Maria Fiodorovna.

– O senhor barão Funke foi recomendado à imperatriz-mãe pela irmã – foi tudo quanto ela disse em resposta, secamente, e com um ar triste.

Quando Ana Pavlovna pronunciou o nome da imperatriz, pintou-se em seu rosto, subitamente, a dedicação e o respeito mais profundos e sinceros, ao mesmo tempo que lhe desceu sobre a face aquele ar de tristeza que nunca a abandonava sempre que, no decurso de uma conversa, se falava na sua augusta protetora. E acrescentou que Sua Majestade se tinha dignado testemunhar ao barão Funke *beaucoup d'estime*, enquanto seu olhar novamente se velava de tristeza.

O príncipe, como que indiferente, mantinha-se calado.

Ana Pavlovna, com a sua finura especial de dama da corte e o seu tato feminino, ao mesmo tempo que dirigia uma zombaria ao príncipe por ter ousado exprimir-se tão livremente a respeito da conduta de uma pessoa recomendada à imperatriz, procurava de certo modo consolá-lo.

– Mas a respeito da sua família – disse-lhe ela –, não sei se sabe que a sua filha, desde que frequenta a sociedade, é o encanto de todas as pessoas. Acham-na bela como a aurora.

O príncipe curvou-se em sinal de estima e gratidão.

– Costumo muitas vezes dizer comigo mesma – continuou Ana Pavlovna, depois de um momento de silêncio, aproximando-se do príncipe com um sorriso gracioso, como se quisesse significar que estavam terminadas as conversas sobre assuntos políticos e mundanos e que as confidências íntimas iam principiar –, muitas vezes digo a mim mesma que a felicidade neste mundo é coisa muito desigualmente repartida. Por que será que o destino lhe deu ao senhor, meu amigo, dois filhos tão belos, à parte Anatole, o seu benjamim, que não me agrada de todo – tinha lançado esta observação num tom que não admitia réplica, franzindo as sobrancelhas... –, tão encantadores? Sim, quando o senhor, na verdade, é a pessoa que menos importância liga aos filhos; não os merece.

E deu um sorriso vitorioso.

– Que quer? Lavater diria que eu não tenho a bossa da paternidade – respondeu o príncipe.

– Deixemo-nos de brincadeiras. Quero falar-lhe a sério. Sabe? Estou descontente com o seu filho mais novo. Aqui entre nós – e um ar de tristeza lhe perpassou pelo rosto –, falaram dele perante Sua Majestade, e lamentam-no, ao senhor...

O príncipe não respondeu, mas ela, lançando-lhe um olhar significativo, aguardava, sem dizer palavra, que ele dissesse alguma coisa. O príncipe Vassili franziu as sobrancelhas.

– Que quer que eu faça? – acabou por dizer. – Bem sabe que fiz tudo o que um pai pode fazer pela educação dos seus filhos, e o que é certo é que ambos não passam de dois imbecis. Hipólito, pelo menos, é um imbecil sossegado, enquanto que Anatole é um imbecil turbulento. É a única diferença entre os dois – acrescentou com um sorriso mais constrangido e acentuado que de costume, enquanto as rugas que se formavam em torno da sua boca denunciavam mais claramente do que nunca a amargura e a irritação que inopinadamente o invadiam.

– Para que é que as pessoas como o senhor hão de ter filhos? Se não fosse pai, nada teria a censurar-lhe – disse Ana Pavlovna, erguendo os olhos cismadores.

– Sou teu fiel escravo e só a ti posso confessar. Os meus filhos são os entraves da minha existência... São a minha cruz. Sei disso perfeitamente. Que quer?

Calou-se, mostrando com um gesto que se submetia ao cruel destino. Ana Pavlovna assumiu uma atitude cismadora.

– Nunca se lembrou, meu caro príncipe, de casar o seu filho pródigo, Anatole? Dizem que as solteironas *ont la manie des mariages*. Não creio que eu já esteja em idade de ter fraquezas semelhantes, mas o que é certo é que conheço uma pobrezinha que é muito infeliz com o pai, uma parenta nossa, uma princesa Bolkonskaia.

O príncipe Vassili não respondeu, embora, com o seu golpe de vista e a sua finura de homem de sociedade, desse a entender, num simples movimento de cabeça, que não esqueceria o fato.

– Pois a verdade é que Anatole me custa por ano à volta de quarenta mil rublos – disse ele, sem que, evidentemente, lhe fosse possível refrear o curso dos pensamentos. Ficou alguns instantes calado. – Que será feito dele, dentro de uns cinco anos, se as coisas continuarem da mesma maneira? Ora, aí tem a vantagem de ser pai. É rica essa sua princesa?

– O pai é riquíssimo e avaro. Vive no campo. Deve ter ouvido falar nele. É um tal de príncipe Bolkonski, que se reformou ainda em vida do falecido imperador e a quem chamavam o "rei da Prússia". É um homem bastante inteligente, mas com as suas manias. Não é nada cômodo. A pobre pequena é infeliz como tudo. Tem um irmão que casou há pouco com Lisa Meinen, um ajudante de campo de Kutuzov. Deve aparecer hoje por aí.

– Ouça, querida Ana – disse o príncipe, pegando, subitamente, na mão da sua interlocutora e puxando-a para si. – Arranje-me isso, e eu serei o seu muito fiel escravo para sempre: o seu escrafo, como o meu estaroste costuma escrever nos seus relatórios: com um f. Se é de excelente família e rica, não é preciso mais nada.

E com os seus gestos fáceis, familiares e graciosos que tanto o distinguiam, o príncipe inclinou-se, apertou a mão da dama de honra, beijou-a, e de novo se enterrou na sua macia poltrona, desviando a vista.

– Espere – disse Ana Pavlovna, pensativa. – Ainda hoje mesmo falarei a Lisa, a mulher do jovem Bolkonski. E talvez as coisas se arranjem. Na sua família darei as minhas primeiras provas de solteirona casamenteira.

CAPÍTULO II

O salão de Ana Pavlovna foi-se enchendo pouco a pouco. Toda a aristocracia de Petersburgo tinha aparecido, gente de idades e caracteres muito diversos, mas todas do mesmo mundo. Chegou também a filha de Vassili, a bela Helena, que vinha buscar o pai para a festa da Embaixada de Inglaterra. Exibia o seu monograma imperial[1] e usava um vestido de noite. E também apareceu a jovem e pequenina princesa Bolkonskaia, conhecida por ser a mulher mais sedutora de Petersburgo, que casara no último inverno e ainda não comparecera no *grand monde* por causa do seu estado de gravidez, mas que costumava frequentar as reuniões íntimas. Por fim também surgiu o príncipe Hipólito, o filho do príncipe Vassili, na companhia de Mortemart, a quem apresentou, e em seguida o abade Morio e muitos outros.

– Ainda a não viram, não a conhecem? Não conhecem *ma tante*? – dizia Ana Pavlovna para os seus convidados, e com a maior gravidade os ia conduzindo um por um, à medida que che-

---

[1]. Distinção concedida às mulheres, que consistia numa fita onde estava bordado o monograma do imperador. (N.E.)

gavam, até junto de uma minúscula senhora de idade, enfeitada de grandes fitas, que estava na sala contígua. Depois, pronunciando o nome de cada um deles, passeava, lentamente, os olhos entre os seus convidados e *ma tante*, e daí a pouco desaparecia.

Todos eram obrigados a cumprir aquele ritual, saudando essa tia desconhecida e inútil, que a ninguém interessava. Ana Pavlovna, muito séria e solene, assistia à cerimônia dos cumprimentos, dando a sua aprovação, sem abrir a boca. *Ma tante* falava a toda a gente, invariavelmente, nos mesmos termos, do estado da saúde de cada um, do estado da sua própria saúde e do estado da saúde de Sua Majestade, o qual, graças a Deus, passava agora melhor. E todos, sem mostrar, por decoro, que tinham pressa, iam se despedindo da idosa senhora com a sensação de alívio que se tem depois de cumprir uma enfadonha obrigação e, claro está, para a não tornarem a ver em toda a roda da noite.

A jovem princesa Bolkonskaia tinha trazido consigo o seu bordado num pequenino saco de veludo lavrado a ouro. O seu bonito labiozinho superior, ligeiramente sombreado por uma breve penugem, era um pouco curto, mas nem por isso parecia menos gracioso entreaberto nem era menos delicioso no trejeito que fazia ao apoiar-se no lábio inferior. Como em geral acontece com todas as pessoas realmente sedutoras, estas suas pequeninas imperfeições, o lábio curto demais e a boca entreaberta, tinham nela um atrativo especial, uma beleza própria. Era uma alegria para todos a presença dessa futura mãe tão bonita, cheia de saúde e de vida, suportando perfeitamente os incômodos do seu estado. Os velhos e os jovens entediados e cheios de enfado imaginavam-se como ela, só por terem passado alguns momentos na sua intimidade. Todos os que conversavam alguns instantes com a princesinha podiam ver como o seu luminoso sorriso cintilava após cada uma das suas palavras e como os seus dentes sempre à mostra eram de uma brancura esplendorosa, quanto bastava para que todos se sentissem naquele momento de uma particular afabilidade. E era assim a ilusão que ela criava em toda a gente.

A princesinha, no seu andar ondulante, caminhando em passinhos rápidos, deu a volta à sala, o saco de trabalho na mão, e depois de imprimir um jeito gracioso à *toilette* veio sentar-se num divã, junto do samovar de prata, como se tudo que ela fizesse fosse uma espécie de *partie de plaisir* não só para ela própria, mas também para aqueles que a cercavam.

— Trouxe o meu bordado — exclamou ela, abrindo o saquinho bordado a ouro e como se se dirigisse a todas as pessoas ao mesmo tempo. — Cuidado, Ana, não me faças uma partida — prosseguiu ela, desta vez para a dona da casa. — Disseste-me que era uma pequena reunião; olha como eu vim trapalhona.

Dizendo o quê, estendeu os braços para melhor deixar ver o seu elegante vestido cinzento, guarnecido de rendas, com uma larga fita a servir de cinto, um pouco abaixo do seio.

— Fique tranquila, Lisa; será sempre você a mais bonita. — replicou Ana Pavlovna.

— Ficou sabendo que o meu marido me abandona? — prosseguiu ela no mesmo tom, dirigindo-se a um general —, vai se matar. Diga-me, para que serve esta guerra horrível? — disse ao príncipe Vassili, e, sem esperar qualquer resposta, voltou-se para a filha deste, a bela Helena.

— Que pessoa deliciosa esta princesinha! — murmurou o príncipe Vassili, em voz baixa, para Ana Pavlovna.

Pouco depois da princesinha entrou na sala um jovem corpulento e maciço, de cabelo rapado, pincenê, calças claras, à moda da época, um alto jabô e fraque pardacento. Este moço era filho natural de uma célebre personagem do tempo de Catarina, o conde Bezukov, naquela altura moribundo em Moscou. Ainda não tinha qualquer ocupação, acabava de chegar do estrangeiro, onde fora educado, e era a primeira vez que aparecia na sociedade. Ana Pavlovna acolheu-o com a saudação que costumava usar para com as pessoas de classe mais baixa. No entanto, apesar desse seu acolhimento de inferior qualidade, ao vê-lo entrar deixou transparecer no rosto medo e inquietação, como quando nos vemos perante qualquer coisa de desmedido e fora do seu lugar. Pedro era, realmente, um pouco maior que as outras pessoas, mas o receio que se pintara no rosto de Ana Pavlovna podia ser antes motivado por esse olhar ao mesmo tempo tímido e penetrante, observador e franco, que o distinguia de todos os demais convidados.

— Grande gentileza sua, senhor Pedro, dignar-se visitar uma pobre doente — disse-lhe Ana Pavlovna, trocando um olhar de pânico com a tia, a quem o ia conduzindo.

Pedro resmungou uma frase incompreensível enquanto com os olhos continuava à procura de alguma coisa. Deu um sorriso jovial ao cumprimentar a princesinha, como se ela fosse um conhecimento íntimo, e aproximou-se da tia. O medo de Ana Pavlovna não era destituído de fundamento, pois a verdade é que Pedro afastou-se dessa senhora sem esperar que a tia concluísse as suas considerações acerca da saúde de Sua Majestade. Ana Pavlovna, horrorizada, deteve-o:

– Não conhece o abade Morio? É uma pessoa muito interessante... – disse-lhe ela.

– Sim, ouvi falar do seu plano de paz perpétua, que é aliciante. Mas será possível?...

– Acha que sim?... – observou Ana Pavlovna, para dizer alguma coisa, pronta a voltar ao cumprimento dos seus deveres de dona de casa.

Pedro, porém, cometeu uma segunda indelicadeza: primeiro afastara-se da sua interlocutora antes de ela ter acabado de falar; agora retinha esta, dirigindo-lhe a palavra, quando ela precisava deixá-lo. De cabeça baixa e afastando as suas grandes pernas, pôs-se a demonstrar a Ana Pavlovna a razão por que considerava quimérico o plano do abade Morio.

– Falaremos disso mais tarde – disse Ana Pavlovna, sorrindo.

E, libertando-se daquele jovem sem hábitos de sociedade, regressou às suas ocupações de dona de casa, continuando a ouvir e a observar, pronta sempre a intervir onde a conversa esmorecesse. Tal qual um contramestre de uma fábrica de fiação que, depois de instalar cada um dos seus operários diante do seu tear, se põe a andar de um lado para o outro, observando se os fusos param ou se estão a produzir qualquer ruído anormal, rangente ou áspero demais, e incansavelmente retém ou lhes imprime o andamento necessário, assim Ana Pavlovna ia e vinha pelo salão, se aproximava dos grupos que se calavam ou falavam demais, e com uma palavra pronunciada a tempo obrigava a máquina a comportar-se nos justos limites das conveniências mundanas. Mas todos esses múltiplos cuidados não a impediam de deixar perceber aos outros o receio especial que lhe causava o comportamento de Pedro. Seguia-o atentamente com os olhos quando ele se aproximava para escutar o que se dizia ao pé de Mortemart e depois dirigia-se para o outro grupo onde pontificava o abade. Para Pedro, que tinha sido educado no estrangeiro, esta *soirée* na casa de Ana Pavlovna era a primeira reunião mundana a que assistia na Rússia. Não ignorava que nestas salas estava reunida a fina flor da gente instruída de Petersburgo e por isso abria muito os olhos, como uma criança diante de uma loja de brinquedos. Só receava perder alguma sábia observação que lhe fosse dado ouvir.

Ao ver reunidas ali todas aquelas personagens de aspecto distinto e cheias de certezas, estava sempre à espera de alguma coisa particularmente espiritual. Por fim, aproximou-se de Morio. A conversa tinha-lhe parecido interessante. Deteve-se, aguardando o momento de expor o seu ponto de vista, como costuma fazer a gente nova.

CAPÍTULO III

A *soirée* de Ana Pavlovna atingia o auge. Os fusos esparsos pela sala roncavam sem atritos e constantemente. Se se abstraísse de *ma tante*, junto da qual não estava senão uma senhora idosa, de rosto esquálido e como que consumido pelas lágrimas, algo deslocada no meio daquela brilhante sociedade, todos os demais convidados se haviam repartido em três grupos. Um deles, formado especialmente de homens, tinha por centro o abade; no outro, uma roda de gente nova, pontificava a princesa Bolkonskaia, toda rosada e de formas um tudo-nada amplas demais, atendendo à sua juventude; o terceiro era dirigido por Mortemart e Ana Pavlovna.

O visconde era um jovem amável, de traços finos e maneiras suaves, que a si mesmo, visivelmente, se considerava uma figura sensacional, embora, por mera boa educação, se oferecesse, modestamente, à curiosidade da sociedade em que se encontrava. Ana Pavlovna, visivelmente também, dele tirava partido para regalo dos seus convidados. À semelhança do *maître-d'hôtel* que gosta de apresentar, como coisa superlativamente delicada, uma posta de carne em que ninguém ousaria tocar numa cozinha sórdida, assim, na sua reunião, Ana Pavlovna ia servindo aos seus convidados, primeiro o visconde, e em seguida o abade, como se se tratasse de iguarias superlativamente requintadas. No grupo de Mortemart tinha vindo à baila, imediatamente, o assassínio do duque de Enghien[2]. O visconde era de opinião de que o duque fora vítima da sua magnanimidade e que havia razões particulares para o ressentimento de Bonaparte.

---

[2]. O duque de Enghien foi sequestrado na Áustria pela polícia secreta de Napoleão e fuzilado em Paris em 1804, acusado de conspiração. Foi utilizado por Napoleão como um exemplo à toda nobreza emigrada. (N.E.)

– Ah, vejamos. Conte-nos lá, visconde – exclamou Ana Pavlovna, apercebendo-se com júbilo de que esta simples frase: Conte-nos lá, visconde, ressoava como a Luís XV.

O visconde inclinou-se em sinal de obediência e sorriu com toda a cortesia. Ana Pavlovna fez com que o grupo o rodeasse e convidou todos a ouvirem a história.

– O visconde conheceu pessoalmente o monsenhor – segredou ela ao ouvido de um dos convidados. – O visconde conta admiravelmente – garantia a outro. – É um perfeito homem de sociedade – dizia a um terceiro. E o jovem foi apresentado à sociedade sob o seu ângulo mais distinto e favorável, como um *roast-beef*, num prato bem quente, todo guarnecido de salsa.

O visconde preparou-se para dar princípio à sua narrativa e sorriu com finura.

– Venha cá, *chère* Helena – disse Ana Pavlovna à bela princesa, que estava à distância, no centro do outro grupo.

A princesa Helena sorriu; levantou-se, conservando nos lábios esse sorriso imutável de mulher impecavelmente bela com que entrara no salão. No ligeiro roçar do seu vestido de baile todo branco, guarnecido de hera e musgo, no esplendor das suas brancas espáduas, no brilho da sua cabeleira e no cintilar dos seus brilhantes, avançou por entre uma ala de cavalheiros e, empertigada, sem fitar ninguém em especial, embora sorrindo a todos, como se assim fosse dando a cada um o direito de admirar a beleza da sua cintura, dos seus ombros cheios, do seu decote à última moda, levando após si, na sua esteira, todo o esplendor da reunião, aproximou-se de Ana Pavlovna. Helena era tão bela que não traía a menor sombra de afetação: pelo contrário, parecia ter vergonha da sua incontestável, da sua por demais poderosa e por demais triunfante beleza. Parecia ser seu desejo, sem o conseguir, amortecer-lhe o próprio esplendor.

– Que criatura encantadora! – eis a frase que vinha aos lábios de toda a gente quando ela passava. Como ao peso de uma estranha impressão, o visconde curvou-se um pouco e baixou os olhos no momento em que ela se instalava diante dele e o iluminava, a ele também, com o seu imutável sorriso.

– Minha senhora, diante de um auditório tão seleto, receio não ser capaz – disse ele, inclinando-se e sorrindo.

A princesa apoiou num gueridom um dos seus braços nus, bem modelados, sem pensar que seria útil responder. Esperava, sorridente. Enquanto durou a história, manteve-se com o busto ereto, contemplando, uma vez por outra, o seu lindo braço, cuja forma perfeita se esmagava contra a mesa, ou o próprio colo, mais encantador ainda, sobre o qual ajeitava a gargantilha de diamantes; várias vezes procurou acertar as pregas do vestido, e, quando a narrativa produzia algum efeito, trocava um olhar com Ana Pavlovna, copiando, imediatamente, a expressão da dama de honra, para depois imobilizar, de novo, a máscara, no seu resplandecente sorriso. Como Helena, a princesinha tinha também abandonado a sua mesa de chá.

– Espere, vou buscar o meu trabalhinho – disse ela. – Então, em que está a pensar? – acrescentou, dirigindo-se ao príncipe Hipólito. – Deixe-me ver o meu saquinho.

A princesa, que sorria e dirigia a palavra a todos, produziu um certo burburinho ao sentar-se, alegremente, enquanto ajeitava as pregas do vestido.

– Agora, sim! – exclamou, e, pedindo que se principiasse, pôs-se ela própria a trabalhar.

O príncipe Hipólito, que veio trazer-lhe o seu saquinho, acompanhou-a na sua mudança de lugar e, aproximando dela um *fauteuil*, sentou-se a seu lado.

O belo Hipólito impressionava pela sua extraordinária parecença com a irmã, tanto mais que, apesar dessa semelhança, era muitíssimo feio. Os seus traços pareciam-se, de fato, com os da irmã, mas nesta tudo resplandecia iluminado pelo seu eterno sorriso, jovem, satisfeito, pleno de vida, e pela rara perfeição da sua beleza clássica; no irmão, pelo contrário, o rosto era como que turbado pela falta de inteligência e por uma constante expressão a um tempo suficiente e azeda. Quanto à figura, era de corpo magro e enfezado. Tinha os olhos, o nariz, a boca continuamente contraídos numa careta indefinida e desagradável; os braços e as pernas tomavam-lhe sempre posições pouco naturais.

– Não é uma história de fantasmas? – murmurou ele, ao sentar-se ao lado da princesa, enquanto ajeitava as lentes, como se não pudesse dispensar esse acessório para abordar uma conversa.

– De maneira nenhuma, meu caro! – exclamou o narrador, surpreendido, encolhendo os ombros.

– Detesto histórias de fantasmas – tornou ele, num tom de que se depreendia que ele falava e só depois de falar compreendia o que queria dizer.

Tamanha era a segurança que punha nas suas palavras que ninguém poderia dizer se essas palavras eram muito sensatas ou muito estúpidas. Vestia um fraque verde-carregado, uns calções "coxas de ninfa assustada", como ele próprio costumava dizer, meias de seda e escarpins.

O visconde contava com muito agrado a história, então muito divulgada, segundo a qual o duque de Enghien tinha ido secretamente a Paris encontrar-se com Mademoiselle Georges e aí se deparara com Bonaparte, que, por essa altura, também era íntimo da famosa atriz. Na presença do duque, Napoleão tinha tido, de súbito, um pequeno desmaio, coisa que lhe acontecia frequentes vezes, e ficara à mercê do duque, circunstância de que este não quisera tirar partido. Bonaparte, mais tarde, vingara-se desta magnanimidade do duque mandando matar o adversário.

A história era muito bonita e cheia de interesse, sobretudo naquele ponto em que os dois rivais se reconheciam de repente, e as senhoras pareceram muito emocionadas com isso.

– *Charmant* – exclamou Ana Pavlovna, lançando um olhar interrogativo à princesinha.

– *Charmant* – murmurou a princesinha, espetando a agulha no bordado, como para mostrar que o interesse e o encanto da história a impediam de trabalhar.

O visconde mostrou apreciar esta homenagem muda e, sorrindo, grato, prosseguiu na sua narrativa; mas nesse momento Ana Pavlovna, que ainda não tinha deixado de observar o jovem que tanto a assustava, ao ver que ele punha calor demasiado na sua conversa com o abade, falando muito alto, deu-se pressa em comparecer no local ameaçado. Efetivamente, Pedro tinha-se embrenhado com o abade numa conversa sobre o equilíbrio político, e este, visivelmente interessado pelo ingênuo entusiasmo do jovem, pusera-se a desenvolver perante ele as suas teorias favoritas. Ambos ouviam e respondiam com grande vivacidade e muito espontaneamente, e isso não agradava a Ana Pavlovna.

– A solução é o equilíbrio europeu e o direito dos povos – dizia o abade. – É de toda a conveniência para um estado poderoso como a Rússia, reputado bárbaro, colocar-se generosamente à frente de uma liga que tenha por objetivo o equilíbrio da Europa, e é assim que a Rússia salvará o mundo!

– E como é que se obterá esse equilíbrio? – principiou Pedro.

Mas neste momento Ana Pavlovna aproximou-se e, fitando este com severidade, perguntou ao italiano como é que ele achava o clima do país.

O rosto do abade mudou repentinamente, tomando aquela expressão mortificada e dulçurosa que era a sua expressão habitual quando falava com senhoras.

– Tão encantado ando com a gentileza de espírito e a distinção da gente da sociedade, sobretudo do elemento feminino, em cujo meio tive a felicidade de ser recebido, que ainda não achei tempo de pensar no clima – respondeu ele.

Sem abandonar o abade nem Pedro, Ana Pavlovna, para melhor os observar, arrastou-os consigo para o grupo em que estava.

CAPÍTULO IV

Nessa altura, um novo convidado entrou no salão. Era o jovem príncipe André Bolkonski, o marido da princesinha, um belo moço, de pequena estatura e traços acentuados e secos. Tudo nele, desde o olhar lasso e enfadado ao andar tranquilo e circunspecto, oferecia o mais violento contraste com a sua mulherzinha, a inquietação em pessoa. Conhecia tão bem por dentro e por fora a gente da sociedade, que tanto o enfadava, que bastava vê-la e ouvir-lhe o ruído das vozes para a sentir insuportável. E entre todas as pessoas que mais o exasperavam contava-se, precisamente, a sua linda mulherzinha. Com um ricto que lhe alterou os traços regulares, afastou-se dela assim que a viu. Depois, beijando a mão de Ana Pavlovna e piscando os olhos, perpassou a vista pela assistência.

– Alistou-se para ir à guerra, meu príncipe? – disse Ana Pavlovna.

– O general Kutuzov – volveu Bolkonski, acentuando a última sílaba *zov*, como os franceses – convocou-me para ajudante de campo...

– E Lisa, a sua mulher?

– Irá para o campo.

– E não tem escrúpulos de nos privar da presença da sua encantadora mulher?

– André – exclamou esta última, dirigindo-se ao marido com a mesma *coquetterie* com que se dirigia aos estranhos –, que história é essa de Mademoiselle Georges e Bonaparte que o visconde acaba de nos contar?

O príncipe André franziu as sobrancelhas e desviou o rosto. Pedro, que desde o momento em que André entrara no salão não mais tinha deixado de segui-lo com o seu olhar alegre e amistoso, aproximou-se dele e pegou-lhe no braço. O príncipe André, sem se voltar, fez uma expressão de descontentamento para aquele que lhe pegava no braço, mas, ao se deparar com o rosto sorridente de Pedro, um sorriso inesperado, amável e bom se pintou também na sua figura.

– Que vejo?! Também tu na alta roda?! – exclamou.

– Tinha a certeza de que o havia de encontrar aqui – retorquiu Pedro. – Queria pedir-lhe que me desse de cear – acrescentou em voz baixa, para não perturbar o visconde, que continuava a sua história. – É possível?

– Não, é impossível – respondeu André, rindo e fazendo compreender a Pedro, pela maneira como lhe apertou a mão, que isso era coisa que nem se perguntava.

Quis dizer mais, mas nessa altura o príncipe Vassili e a filha levantaram-se, e os jovens abriram alas para os deixar passar.

– Desculpe, meu caro visconde – disse em francês o príncipe Vassili, segurando-o amistosamente pela manga, para que ele não se levantasse. – Essa chateação da festa na casa do embaixador priva-me do prazer de o ouvir e obriga-me a interrompê-lo. Lamento muito ter de abandonar a sua maravilhosa recepção – disse ele, dirigindo-se a Ana Pavlovna.

Sua filha, a princesa Helena, soerguendo ligeiramente a cauda do vestido, passou entre uma ala de cadeiras, e o sorriso ainda lhe iluminou mais o belo rosto. Pedro contemplou essa beldade, ao vê-la passar diante de si, com olhos onde havia admiração e quase receio.

– É muito bela – disse o príncipe André.

– É – repetiu Pedro.

Ao passar, o príncipe Vassili pegou no braço de Pedro, e voltando-se para Ana Pavlovna:

– Domestique-me este urso – disse. – Há um mês que o tenho em minha casa e é a primeira vez que o vejo na sociedade. Não há nada melhor para os rapazes que o convívio com as mulheres inteligentes.

Ana Pavlovna deu um sorriso e prometeu tomar conta de Pedro, o qual, como ela muito bem sabia, era aparentado com o príncipe Vassili pelo lado paterno. A senhora idosa que estava a fazer companhia a *ma tante* levantou-se, apressadamente, e correu para falar com o príncipe Vassili, que já estava no vestíbulo. Perdera por completo o falso ar de interesse mundano que aparentara até então. O seu bondoso rosto macerado pelas lágrimas só refletia receio e inquietação.

– Que me diz, príncipe, do meu Bóris?! – exclamou ela, correndo atrás dele. Pronunciava o nome Bóris acentuando particularmente o *o*. – Já não posso ficar mais tempo em Petersburgo. Diga-me, que hei de dizer ao meu desventurado filho?

Conquanto o príncipe Vassili estivesse a ouvi-la com desprazer e quase que impolidamente, dando a perceber, mesmo, uma certa impaciência, a senhora que o perseguia sorria-lhe com uma amabilidade enternecedora e, para não o deixar afastar-se dela, pegava-lhe, inclusive num braço.

– Não lhe custava nada dizer uma palavrinha ao imperador, estou convencida de que ele seria logo transferido para a Guarda – prosseguiu ela.

– Esteja certa de que farei tudo o que puder, princesa – respondeu o príncipe Vassili –, mas não me é fácil dirigir-me assim ao imperador. Achava melhor que pedisse antes a Rumiantsov por intermédio do príncipe Galitzine. Seria bem melhor.

A senhora idosa era a princesa Drubetskaia, um dos mais ilustres nomes da aristocracia russa, mas, pobre, há muito que não frequentava a sociedade e tinha perdido as suas antigas relações. Viera àquela reunião para tentar obter a transferência para a Guarda do seu filho único. Não se apresentara na receção de Ana Pavlovna senão para falar ao príncipe Vassili, e não fora por outra razão que escutara a história do visconde. Mas as palavras do príncipe Vassili tinham-na desolado; no belo rosto pintou-se, por instantes, uma espécie de irritação, mas não por muito tempo. Logo se pôs a sorrir e, apertando muito o braço do príncipe, disse:

– Ouça, príncipe, nunca lhe pedi coisa alguma, nunca mais lhe tornarei a pedir seja o que for, nunca lhe falei na amizade de meu pai por V. Alteza, mas agora peço-lhe em nome de Deus que faça isso por meu filho e ficar-lhe-ei reconhecida até o fim da vida – acrescentou, precipitadamente. – Não se zangue e prometa-me interessar-se. Já pedi a Galitzine, e ele não quis me atender. Seja a criança bondosa que foi outrora – dizendo o que procurava sorrir, embora as lágrimas lhe boiassem nos olhos.

– Pai, vamos chegar tarde! – exclamou a princesa Helena, que esperava à porta, inclinando a bela cabeça sobre o ombro de estátua antiga.

A influência de que se desfruta na sociedade é um capital que convém salvaguardar para que não se dissipe. O príncipe Vassili sabia-o muitíssimo bem, e por isso, persuadido de que se se pusesse a interceder pelos outros, nada mais poderia pedir para si próprio, raramente lançava mão do crédito de que dispunha. No caso da princesa Drubetskaia, no entanto, sobretudo depois do seu último apelo, viera-lhe ao espírito uma espécie de remorso. Tinha ela evocado uma coisa de muito verdadeiro. Os primeiros passos na carreira devia-os ele, efetivamente, ao pai da princesa. Além disso, pela forma como ela agia, verificava estar em presença de uma dessas mulheres, ou, antes, de uma dessas mães que, quando se lhes mete alguma coisa na cabeça, só desistem desde que consigam o que desejam, ou então, no caso de uma negativa, são muito capazes de teimar, dia após dia e a toda a hora, chegando até a recorrer a cenas públicas. Foi esta última consideração que o demoveu.

– Querida Ana Mikailovna – disse ele, no seu tom familiar habitual e ao mesmo tempo desprendido –, é-me quase impossível fazer o que me pede; mas, para lhe demonstrar o quanto a estimo e como respeito a memória do seu falecido pai, prometo-lhe que farei tudo quanto estiver na minha mão. Dou-lhe a minha palavra de que o seu filho será transferido para a Guarda. Está contente?

– Meu querido amigo, meu benfeitor! Não esperava outra coisa do senhor, eu bem sabia que era bom.

O príncipe fez menção de partir.

– Espere, mais duas palavras. Uma vez na Guarda... – hesitou –, como está em boas relações com Mikail Ilarionovitch Kutuzov, peço-lhe que lhe fale de Bóris para ajudante de campo; ficarei assim mais tranquila e nada mais lhe pedirei...

O príncipe Vassili deu um sorriso.

– Nada lhe prometo. Mal imagina os pedidos que chovem sobre Kutuzov desde que foi nomeado general em chefe. Ele próprio me disse que todas as senhoras de Moscou tinham armado um complô para lhe oferecer os filhos como ajudantes de campo.

– Ah! prometa-me. Não o deixarei partir, meu querido amigo, meu benfeitor...

— Pai — voltou a bela Helena, no mesmo tom —, vamos chegar tarde.

— Bem, *au revoir*, adeus. Está vendo?

— Então fala amanhã ao imperador?

— Sem falta, mas no que diz respeito a Kutuzov não prometo nada.

— Ah! prometa, prometa, *Basile* — exclamou Ana Mikailovna, perseguindo-o com um sorriso de mulher *coquette*, outrora natural nela, certamente, mas que então estava longe de se harmonizar com a sua máscara decrépita.

Evidentemente que tinha esquecido a idade e, pela força do hábito, pusera em campo todos os seus expedientes femininos. No entanto, mal o príncipe Vassili saiu, logo ela retomou o aspecto frio e constrangido que aparentava anteriormente. Voltou ao grupo em que o visconde continuava a contar as suas histórias e fingiu que escutava, aguardando a oportunidade de se eclipsar, pois o assunto que a levara ali estava resolvido.

CAPÍTULO V

— Mas que me diz dessa última comédia da sagração de Milão — observou Ana Pavlovna. — E a nova comédia das populações de Gênova e de Luca, que vem render tributo a Bonaparte assentado no seu trono e recebendo os votos das nações. Adoráveis! Não, mas é de uma pessoa endoidecer! Dir-se-ia que o mundo inteiro perdeu a cabeça.

O príncipe André pôs-se a sorrir olhando nos olhos de Ana Pavlovna.

— Recebo-a de Deus e ai daquele que a tocar — disse ele. — Foram estas as palavras que Bonaparte proferiu na coroação. Dizem que estava muito belo ao pronunciar estas palavras — acrescentou, e repetiu a frase em italiano: — *Dio me l'ha data e guai a chi la tocca*.

— Espero que finalmente — prosseguiu Ana Pavlovna — seja a gota que fará transbordar a taça. Os soberanos não podem continuar a tolerar esse homem, que a todos ameaça.

— Os soberanos? Não falo da Rússia — observou o visconde com o seu ar cortês e desencantado. — Os soberanos, minha senhora! Que fizeram eles por Luís XVI, pela rainha, por Madame Elisabeth? Nada — continuou com animação. — E pode crer, estão recebendo o castigo por terem traído a causa dos Bourbons. Os soberanos? Mandam embaixadores cumprimentar o usurpador.

E, suspirando, retirou-se com uma expressão desdenhosa. O príncipe Hipólito, depois de ter estado a fitar longamente o visconde com o seu lornhão, ao ouvir estas palavras desviou-se subitamente, voltando-se para a princesinha, e, pedindo-lhe uma das suas agulhas, pôs-se a indicar-lhe, desenhando-as em cima da mesa, as armas dos Condés. E as explicava com tal seriedade que parecia que ela lhe pedira um tal serviço.

– Bastão de goles, faixa de goles de azul... é a casa de Condé. – murmurou ele.

A princesa ouvia-o, sorrindo.

– Se Bonaparte ficar ainda um ano no trono da França – prosseguiu o visconde com ar de quem não ouve o que os outros dizem e está apenas a seguir o fio das suas ideias a respeito de um assunto que conhece melhor do que ninguém –, não sei onde iremos parar. Com tantas intrigas, tantas violências, tantos exílios, tantos suplícios, não tarda que a sociedade francesa, a alta sociedade, claro está, se veja completamente aniquilada e para sempre, e então...

Fez um movimento de ombros ao afastar os braços. Pedro quis dar a sua opinião, pois a conversa interessava-o, mas Ana Pavlovna, que o vigiava de perto, interrompeu-o.

– O imperador Alexandre – disse ela com aquele tom sério com que se referia sempre à família imperial – declarou que deixaria os próprios franceses escolherem a sua forma de governo. E estou convencida de que não há dúvida de que toda a nação, uma vez liberta do jugo do usurpador, se lançará nos braços do seu soberano legítimo – acrescentou ela, para se mostrar amável com um emigrado e um realista.

– Duvido – observou o príncipe André. – *Monsieur le vicomte* tem toda a razão ao pensar que as coisas já foram longe demais. Creio que será muito difícil voltar ao passado.

– Pelo que eu tenho ouvido dizer – interveio Pedro corando –, quase toda a nobreza já está do lado de Bonaparte.

– Isso é o que dizem os bonapartistas – observou o visconde sem olhar para Pedro. – É muito difícil, atualmente, conhecer a opinião pública na França.

– Assim o disse Bonaparte – objetou o príncipe André, sorrindo.

Via-se muito bem que o visconde não lhe agradava e que, sem olhar para ele, era ele que visava como seu adversário.

– "Mostrei-lhes o caminho da glória" – acrescentou ele, depois de uma ligeira pose, citando as próprias palavras de Napoleão – "não quiseram saber; abri-lhes as minhas antecâmaras, vieram uns atrás dos outros"... não sei até que ponto ele tinha o direito de falar assim.

– Nenhum – replicou o visconde. – Depois do assassinato do duque, até os seus mais fiéis partidários deixaram de ver nele um herói. Mesmo que tenha chegado a ser um herói para alguns – acrescentou, dirigindo-se a Ana Pavlovna –, depois do assassinato do duque, há mais um mártir no céu, um herói a menos na terra.

Mal tiveram tempo, Ana Pavlovna e os outros, de aprovar estas palavras com um sorriso e já Pedro se tinha lançado, uma vez mais, no meio da conversa. Ana Pavlovna, conquanto pressentisse que ele ia dizer coisas fora de propósito, não foi capaz de o deter.

– A execução do duque de Enghien – disse Pedro – foi uma necessidade pública; e para mim o fato de Napoleão não ter receio de assumir a responsabilidade de um tal ato só atesta precisamente a sua grandeza de alma.

– *Dieu! Mon Dieu!* – murmurou Ana Pavlovna, aterrorizada.

– Que diz, senhor Pedro, acha que o assassinato é grandeza de alma? – disse a princesinha, sorrindo e debruçando-se sobre o seu bordado.

– *Ah! Oh!* – exclamaram várias pessoas.

– *Capital!* – disse em inglês o príncipe Hipólito, dando palmadas na coxa.

O visconde contentou-se em encolher os ombros. Pedro olhou triunfantemente os seus interlocutores através de seu pincenê.

– Eu falo assim – prosseguiu ele, pondo de lado todos os rodeios de linguagem – porque os Bourbons fugiram da Revolução abandonando o povo à anarquia; só Napoleão soube compreender a Revolução e dominá-la. E aí está por que, em nome do bem-estar de todos, ele não podia deter-se perante a vida de um homem.

– Não quereria sentar-se aqui a esta mesa? – interrogou Ana Pavlovna. Mas Pedro, sem lhe responder, continuou:

– Sim – disse ele, cada vez mais animado –, Napoleão é grande porque soube elevar-se acima da Revolução, porque sufocou os abusos a que ela tinha levado, aproveitando o que nela havia de bom, isto é, a igualdade dos cidadãos e a liberdade do pensamento e da imprensa. E não foi por outro motivo que subiu ao poder.

– Realmente – interrompeu o visconde –, se, tomando conta do poder, ele não o tivesse aproveitado para cometer um crime, e confiasse o trono ao seu rei legítimo, era justo chamar-lhe um grande homem.

– Napoleão nunca podia ter agido dessa maneira. O povo confiara-lhe o poder exatamente para que ele o livrasse dos Bourbons, e por isso mesmo é que o povo viu nele o estofo de um grande homem. A Revolução foi uma grande coisa – continuou Pedro, demonstrando, com essa audaciosa e provocante afirmação, não só a sua enorme juventude, mas também o seu desejo de dizer tudo de uma vez.

– A Revolução e o regicídio, grandes coisas?... Depois disso... Mas não seria melhor sentar-se aqui a esta mesa? – repetia Ana Pavlovna.

– O *Contrato social* – disse o visconde com um sorriso condescendente.

– Eu não falo do regicídio, falo de ideias.

– Sim, sim, as ideias de pilhagem, de assassínio, de regicídio – interrompeu ainda uma voz irônica.

– Claro que se praticaram excessos, mas não era isso que tinha importância; o que importava eram os direitos do homem, a abolição dos privilégios, a igualdade dos cidadãos. E estas ideias manteve-as Napoleão integralmente.

– A Liberdade e a Igualdade – exclamou, desdenhosamente, o visconde, que parecia querer, finalmente, mostrar a sério àquele jovem a tolice dos seus argumentos –, tudo isso são frases sonoras de há muito sem sentido. Quem é que não gosta da liberdade e da igualdade? Já o Salvador pregava a liberdade e a igualdade. Os homens foram mais felizes depois da Revolução? Pelo contrário. Nós é que queríamos a liberdade, e Napoleão foi quem acabou com ela.

O príncipe André, sorrindo, ora fitava Pedro, ora o visconde, ora a dona da casa. No primeiro momento, quando Pedro pronunciou as primeiras palavras, Ana Pavlovna ficou como fulminada, não obstante todos os seus hábitos de sociedade. Mas ao verificar que, apesar dos sacrílegos argumentos de Pedro, o visconde não perdia as estribeiras, quando se convenceu de que não era possível sufocar tais palavras, ganhou ânimo e, unindo as suas forças às do visconde, caiu sobre o orador.

– *Mais, mon cher monsieur* Pedro – exclamou –, como é que o senhor explica que esse grande homem mandasse executar o duque, um simples cidadão afinal, sem julgamento prévio e sem que ele fosse culpado?

– E eu – acrescentou o visconde – me atreverei a perguntar como é que *monsieur* explica o 18 Brumário. Não acha que foi um logro? É uma escamoteação, que em nada parece com a maneira de proceder de um grande homem.

– E os deportados da África chacinados à ordem dele? É horrível! – exclamou a princesinha, fazendo um gesto de pânico.

– É um plebeu, disse-o bem – corroborou o príncipe Hipólito.

Pedro não sabia a quem prestar atenção; fitava-os a todos, sorrindo. O seu sorriso não era como o das demais pessoas, à mistura com alguma coisa de sério. Ele, pelo contrário, quando se lembrava de sorrir, perdia, de repente, toda a seriedade, e a sua fisionomia, sempre um pouco enfadonha, transfigurava-se: ficava com o seu quê de infantil, de pobre-diabo, um pouco estúpido até, com o ar de quem quer pedir perdão.

O visconde, que o via pela primeira vez, compreendeu imediatamente que aquele jacobino não era tão terrível nos atos como nas palavras. Todos se calaram.

– Como querem que Pedro responda a todos ao mesmo tempo? – interrogou o príncipe André. – Além disso, nos atos de um homem de Estado é preciso saber distinguir os que ele pratica como simples particular dos que ele pratica como chefe do exército ou como imperador. Parece-me da mais elementar justiça.

– Claro, claro – interveio Pedro, satisfeito com a ajuda que recebia.

– É impossível não o reconhecer – continuou o príncipe André. – Napoleão, o homem, é grande na ponte de Arcole, no hospital de Jafa, quando aperta a mão dos doentes de peste, mas... mas há outros atos seus difíceis de justificar.

O príncipe André, que manifestamente pretendera atenuar o embaraço que tinham provocado as palavras de Pedro, ergueu-se para se retirar, e fez sinal à mulher.

De súbito, o príncipe Hipólito, levantando-se, pediu a todos, com um gesto, que se conservassem sentados, e principiou a dizer:

– Ah! Contaram-me hoje uma anedota moscovita encantadora: tenho de contar. Desculpe, visconde, tenho de contá-la em russo. De outra maneira perder-se-á todo o sal.

E o príncipe Hipólito pôs-se a falar russo como falam os franceses chegados à Rússia há menos de um ano. Todos prestaram atenção, tão viva e instantemente o príncipe reclamara que lhe fizessem esse favor.

– Em Moscou há uma *dame*. E é muito avara. E precisava arranjar dois *valets de pied* para a sua carruagem. E de grande estatura. Era assim que ela gostava. E tinha uma *femme de chambre* também de grande estatura. E então disse...

Neste ponto, o príncipe Hipólito teve um momento de reflexão, mostrando certa dificuldade em combinar as frases.

– E então disse... sim, disse: "Menina (à criada de quarto), enfia a *livrée* e vem comigo vem comigo fazer visitas".

Nesta altura o príncipe Hipólito deu uma gargalhada, rindo antes de mais ninguém, o que criou um pouco de embaraço ao narrador. Entretanto, várias pessoas, entre as quais a senhora idosa e Ana Pavlovna, sorriram.

– Lá foram. De repente levantou-se um grande vendaval. A moça ficou sem o chapéu e a sua cabeleira desprendeu-se...

Aqui não pôde mais se aguentar e um grande acesso de riso o tomou, ao mesmo tempo que dizia:

– E toda a gente soube...

E assim terminou a anedota, ainda que ninguém pudesse compreender por que a tinha ele contado e a que propósito lhe parecera indispensável narrá-la em russo. Ana Pavlovna e os demais convivas apreciaram a cortesia mundana do príncipe Hipólito, que assim tinha posto ponto final ao penoso e pouco cortês despropósito do senhor Pedro. A conversa dispersou-se em seguida por miúdos e insignificantes dizeres a propósito de bailes em perspectiva ou já passados, em alusões a espetáculos ou então em referências a circunstâncias ou a locais onde as pessoas poderiam vir a encontrar-se.

CAPÍTULO VI

Depois de felicitarem Ana Pavlovna pela sua recepção encantadora, os convidados começaram a retirar-se.

Pedro era um desajeitado. Gordo, estatura acima da mediana, largo de ombros, com enormes mãos vermelhuscas, se não sabia estar numa sala, como se costuma dizer, muito menos sabia sair dela, quer dizer, muito menos sabia pronunciar, antes de partir, as palavras atenciosas de praxe. Além disso, era distraído. Quando se levantou, em vez de pegar o chapéu que lhe pertencia, pegou um tricórnio empenachado de general e assim esteve, com ele na mão, sacudindo o penacho, até que o proprietário veio pedir-lhe que lho restituísse. É certo que essas suas distrações e o seu desconhecimento de usos e costumes da sociedade eram largamente compensados por um ar ingênuo, simples e modesto. Ana Pavlovna virou-se para onde ele estava e, cheia de indulgência cristã, perdoou-lhe a intempestiva saída, dizendo-lhe, enquanto meneava a cabeça:

– Espero tornar a vê-lo, mas também desejo que mude de ideias meu caro Pedro.

Pedro nada teve para responder a estas palavras, contentando-se em inclinar-se e em mostrar mais uma vez o seu sorriso, um sorriso em que se lia: "As minhas ideias são as minhas ideias, mas, no entanto, reparem como eu sou bom rapaz". Ora era isso exatamente o que Ana Pavlovna e todos os demais estavam a dizer com os seus botões.

O príncipe André saiu para o vestíbulo e, ao mesmo tempo que voltava as costas ao lacaio que lhe vestia o sobretudo, ouvia, distraidamente, a frívola tagarelice da mulher com o príncipe Hipólito, que também se preparava para sair. Este, ao lado da linda princesinha grávida, fixava-a obstinadamente com a luneta.

– Vá-se embora, Ana, está apanhando frio – disse ela, despedindo-se de Ana Pavlovna. – Está garantido – acrescentou em voz baixa. Ana Pavlovna já tivera tempo de dizer duas palavras a Lisa sobre o projeto de casamento entre Anatole e a cunhada da princesinha.

– Conto com você, querida amiga – respondeu Ana Pavlovna igualmente em voz baixa –, escreva-lhe e diga-me depois como o pai considerará o assunto. Adeus – e saiu do vestíbulo.

O príncipe Hipólito aproximou-se da princesinha e, debruçando-se muito para ela, murmurou-lhe alguma coisa ao ouvido.

Dois lacaios, o da princesa e o do príncipe, aguardando que os amos acabassem de falar, ali estavam, um com um xale, o outro com um sobretudo, e ouviam-nos falar francês, língua que desconheciam, mas dando-se ares de quem compreende e não o quer dar a perceber.

A princesa, como de costume, sorria enquanto falava e escutava sorrindo.

– Estou radiante por não ter ido à embaixada – dizia o príncipe Hipólito. – Que chateação... Encantadora noite, não é verdade? Um encanto.

– Dizem que o baile vai ser uma beleza – retorquiu a princesa, desenhando-se um trejeito no seu lábio sombreado pela ligeira penugem. – Vão aparecer por lá todas as nossas beldades mundanas.

– Nem todas, visto que a princesa não estará lá; nem todas – disse o príncipe Hipólito com jovialidade, e, pegando no xale, que tirou das mãos do lacaio, a quem deu mesmo um encontrão, lançou-o sobre os ombros da princesa.

Por falta de jeito ou de propósito, quem o poderia dizer?, quedou-se muito tempo sem baixar as mãos, embora o xale já estivesse no seu lugar. Parecia enlaçar a jovem princesa.

Evitando-o graciosamente, e sem deixar de sorrir, a princesa voltou-se e olhou para o marido. O príncipe André, de olhos fechados, parecia fatigado e sonolento.

– Está pronta? – perguntou ele à mulher, envolvendo-a num olhar.

O príncipe Hipólito enfiou apressadamente o sobretudo, que lhe descia até os tacões, à última moda, e, tropeçando nas pregas do casacão, apressou-se em seguir, escadaria abaixo, a princesa que subia para a carruagem, auxiliada pelo lacaio.

– *Princesse, au revoir!* – gritou ele, tropeçando nas palavras como tinha tropeçado nas dobras do sobretudo.

A princesa, soerguendo o vestido, entrou na obscuridade da carruagem; o marido afivelava o sabre; o príncipe Hipólito, com o pretexto de ser útil, incomodava a todos.

– Com licença – disse em russo o príncipe André, num tom seco e pouco amável, dirigindo-se a Hipólito, que lhe vedava a passagem.

– Pedro, espero-te em casa – articulou a mesma voz com um ar afável e carinhoso.

O postilhão pôs em andamento a equipagem, que arrancou com estrondo. O príncipe Hipólito ficara na escadaria, rindo ainda, a solta, enquanto esperava pelo visconde, a quem prometera reconduzir à casa.

– Sim, senhor, meu caro, a sua princesinha está muito, muito bem – dizia o visconde, ao sentar-se ao lado de Hipólito. – Mas muito bem. – E atirando um beijo com a ponta dos dedos – E perfeitamente à francesa.

Hipólito riu estrepitosamente.

– Pois fique sabendo que com o seu arzinho inocente você é terrível – prosseguiu o visconde. – Lastimo o pobre marido, esse oficialzinho, com ares de príncipe regente.

Hipólito continuava a rir a solta e, mesmo rindo, foi dizendo:

– E o senhor dizia que as senhoras russas não podiam comparar-se com as francesas. É preciso saber tratar com elas.

Pedro, que chegara primeiro, como íntimo da casa que era, entrou no gabinete do príncipe André e, mal se sentou no divã, tirou da estante o primeiro livro que lhe veio à mão – calhou ser os *Comentários*, de César –, pondo-se a ler, ao acaso, apoiado sobre os cotovelos.

– Fizeste bonito na casa de Mademoiselle Scherer! É certo e sabido que a pobre senhora vai cair doente – disse o príncipe André, ao entrar no gabinete, enquanto esfregava as mãos brancas.

Pedro voltou-se com todo o peso do seu corpo, e de tal maneira que o divã rangeu debaixo dele. O seu rosto animado fixou-se no do seu companheiro e com um sorriso aberto fez-lhe um gesto amistoso.

– Realmente, o abade é uma pessoa muito interessante, mas não compreende as coisas como elas são... Na minha opinião, a paz perpétua é possível, mas, como direi?... não por meio do equilíbrio político...

André, visivelmente, não apreciava estas discussões abstratas.

– Ah! não, meu caro, não podemos dizer em toda a parte o que pensamos. Ora conta-me lá, já te resolveste, finalmente, a fazer alguma coisa? Que queres ser: cavaleiro da Guarda ou diplomata? – perguntou o príncipe André, depois de alguns instantes de silêncio.

Pedro voltou a sentar-se no divã, encolhendo as pernas debaixo de si.

– Veja lá, não sei, realmente. Nem uma nem outra dessas situações combinam com o meu feitio.

– No entanto, precisas tomar uma resolução. Teu pai está à espera que te decidas.

Pedro fora enviado para o estrangeiro, aos dez anos, na companhia de um padre, seu preceptor. E por lá ficara até os vinte. Quando voltou para Moscou, o pai despediu o padre e disse ao jovem: "Agora vai até Petersburgo, observa e escolhe. Estou de acordo desde já com o que tu decidires. Aqui tens uma carta para o príncipe Vassili e dinheiro. Vai-me dando notícias, e conta comigo". Havia já três meses que Pedro procurava decidir-se por uma carreira e não chegava a conclusão alguma. Era à tal escolha que o príncipe André aludia. Pedro passou a mão pela testa.

– Estou convencido de que o homem é maçom – murmurou pensando no abade que encontrara na recepção.

– Basta de frioleiras – voltou André, interrompendo-o. – Falemos de coisas sérias. Estás decidido pela Guarda montada?...

– Não, mas vou dizer-lhe uma coisa que me veio à cabeça. Estamos atualmente em guerra com Napoleão. Se se tratasse de uma guerra de libertação, então, sim, compreendia, seria mesmo o primeiro a alistar-me. Mas ajudar a Inglaterra e a Áustria contra o maior homem que há no mundo... não está certo.

O príncipe André contentou-se em encolher os ombros perante as infantis considerações de Pedro. O seu ar queria dizer que nada tinha a replicar a uma tal patetice; e, com efeito, seria difícil responder de outra maneira a uma tal ingenuidade.

– Se as pessoas fossem para a guerra só por convicção não haveria guerra – disse ele.

– E era isso que convinha – respondeu Pedro.

O príncipe André sorriu.

– É muito possível, mas aí está uma coisa que nunca acontecerá.

– E então por que diabo é que André vai para a guerra? – perguntou Pedro.

– Por quê? Não sei. É assim. Além disso, eu vou... – calou-se. – Eu vou porque esta vida que levo aqui, esta vida não me convém.

CAPÍTULO VII

Na sala contígua ouviu-se o ruge-ruge de um vestido. André sobressaltou-se, como se recuperasse os sentidos, e a sua face retomou a expressão com que se exibira nos salões de Ana Pavlovna. Pedro tirou os pés de cima do divã. A princesa entrou. Usava outro vestido, um vestido íntimo, mas nem por isso menos fresco e elegante. O príncipe André levantou-se e ofereceu-lhe, cortesmente, uma cadeira.

– Uma coisa eu nunca deixo de perguntar a mim mesma – disse ela, como sempre em francês, sentando-se com prontidão –, por que é que Ana não teria se casado? Que tolos que vocês foram, senhores, não casando com ela! Desculpem, mas vocês não entendem nada de saias. Muito gosta de discutir, senhor Pedro...

– Precisamente, não faço outra coisa senão discutir com o seu marido. Não compreendo por que é que ele quer ir para a guerra – disse Pedro, dirigindo-se à princesa sem o menor acanhamento, coisa, aliás, perfeitamente natural, tratando-se de um rapaz e de uma senhora jovem.

A princesa estremeceu. Evidentemente que as palavras de Pedro a tinham atingido no ponto sensível.

– É o que eu estou sempre a lhe dizer! – redarguiu ela. – Não compreendo, decididamente não compreendo como é que os homens não podem passar sem a guerra! E que nós, mulheres, não possamos fazer nada, não tenhamos voz nesse capítulo! Ora, ouça, faça de conta que é um juiz. Passo a vida a dizer-lhe a mesma coisa. André é ajudante de campo do tio, tem aqui uma brilhante situação. Toda a gente o conhece, toda a gente o aprecia. No outro dia, na casa dos Apraxine, ouvi uma senhora perguntar: "Aquele é o famoso príncipe André?" Palavra! – Ele pôs-se a rir. – É assim que o recebem em toda a parte. Tinha plena facilidade em vir a ser ajudante de campo do imperador. Sabes que o imperador lhe dirigiu graciosamente a palavra? Ana e eu estamos convencidas de que seria tão fácil! Que acha?

Pedro olhou para o príncipe André e, vendo que a conversa não agradava ao amigo, nada respondeu.

– Quando parte? – interrogou ele.

– Ah! Não me fales dessa partida, não me fales nisso. Não posso ouvir falar nisso – exclamou a princesa nesse mesmo tom de *coquetterie* satisfeita de si que ela mostrara quando, no salão de Ana Pavlovna, conversava com Hipólito, mas que naquele ambiente de intimidade familiar em que Pedro era recebido não caía nada bem. – Atualmente, quando me lembro de que temos de interromper todas as nossas queridas relações... E além disso, não sei, sabes, André? – Deu para o marido um ligeiro piscar de olhos. – Tenho medo, tenho medo! – acrescentou muito baixo, estremecendo.

O marido olhou para ela com o ar surpreendido que teria se estivesse mais alguém presente que não fosse Pedro e ele próprio, André. Depois, com uma fria polidez, disse:

– Que receias, Lisa? Não compreendo...

– Ora aqui está o egoísmo dos homens! Não há um que se salve: são todos, todos egoístas, para satisfazerem os seus caprichos! Só Deus sabe por que é que ele vai me deixar enclausurada no campo.

– Com meu pai e minha irmã, não te esqueças – articulou, tranquilamente, o príncipe André.

– Nem por isso estarei menos só, sem as *minhas* amigas... E ele ainda quer que eu não tenha medo.

Tinha adotado um tom de amuo e fazia um trejeito que lhe dava um ar já não alegre, mas quase animal, um ar de um pequenino esquilo. Calou-se, pensando não ser conveniente falar diante de Pedro do seu estado, no fundo a causa de tudo.

– Continuo a não compreender de que tens medo – disse, lentamente, o príncipe André, sem deixar de fitá-la.

A princesa corou e fez um gesto impetuoso.

– Não, André, acho que mudaste tanto, tanto...

– O teu médico aconselhou-te a que te deitasses cedo – disse o príncipe André. – Era melhor que te retirasses...

A princesa nada disse, mas, de súbito, o seu lábio sombreado por uma penugem ligeira pôs-se a tremer; André levantou-se, encolhendo os ombros, e começou a andar de um lado para o outro.

Pedro, com um ar espantado e ingênuo, olhava por detrás do pincenê ora para um ora para outro, e agitava-se, como se ele também quisesse levantar-se, mas continuava indeciso.

– Quero lá saber que Pedro esteja aqui – disse, abruptamente, a princesinha, e pelo seu delicado rosto perpassou, de súbito, um ricto como de quem vai chorar. – Há muito tempo que eu queria te dizer, André. Por que é que mudaste tanto para comigo? Que te fiz eu? Vais para a guerra e não tens pena de mim. Por quê?

– Lisa! – foi tudo quanto disse André.

Mas nesta palavra havia ao mesmo tempo uma súplica e uma ameaça, e sobretudo qualquer coisa em que se lia que ela havia de arrepender-se de ter proferido aquelas palavras. Precipitadamente, ela continuou:

– Tratas-me como uma doente ou como uma criança. Eu bem vejo. Achas que eras assim há seis meses?

– Lisa, peço-te que te cales – disse André numa voz cortante.

Pedro, cada vez mais perturbado com aquela troca de palavras, levantou-se e aproximou-se da princesa. Parecia não poder suportar a vista das lágrimas, e ele próprio estava quase a chorar.

– Sossegue, princesa. É o que lhe parece, porque eu próprio tive a mesma impressão... porque... é que... Ah! desculpe-me, sinto que estou a mais aqui... Ah! sossegue... Adeus.

O príncipe André segurou-o por um braço.

– Um momento, Pedro. A princesa é tão boa que não quererá privar-me do prazer de passar a noite contigo.

– Vê, vê, não pensas senão nele! – exclamou a princesa, sem poder reter as lágrimas, onde havia revolta.

– Lisa – disse o príncipe secamente, erguendo o tom da voz a uma altura tal que significava ter perdido por completo a paciência.

Subitamente, o arzinho de esquilo furioso que se pintara no rosto da princesa converteu-se num medo impressionante, digno de piedade. Lançou, furtivamente, com os seus belos olhos um rápido olhar ao marido e fez essa expressão tímida e submissa de um cão batido que foge com a cauda entre as pernas.

– *Mon Dieu, mon Dieu*! – murmurou, pegando na cauda do vestido, e, aproximando-se do marido, beijou-o na testa.

– *Bon soir,* Lise – disse o príncipe André erguendo-se e beijando-lhe a mão com cortesia, como se fosse uma estranha.

CAPÍTULO VIII

Os dois amigos ficaram silenciosos. Nem um nem outro ousavam falar. Pedro tinha os olhos pousados no príncipe André, que passava a fina mão pela testa.

– Vamos cear – disse ele, suspirando. Levantou-se e dirigiu-se para a porta.

Entraram na sala de jantar, elegantíssima, recém-arranjada e ricamente posta. Tudo, desde os guardanapos às pratas, à baixela e aos cristais, tinha esse aspecto novo característico das casas dos recém-casados. No meio da refeição o príncipe André apertou a cabeça entre as mãos e, como alguém muito preocupado que finalmente resolve abrir-se, principiou a dizer, com um nervosismo que Pedro não conhecia nele.

– Não te cases nunca, nunca, meu amigo; é o conselho que te dou. Não te cases antes de estares convencido de que fizeste tudo de que eras capaz, antes de teres deixado de amar a mulher que escolheste, antes de a teres visto bem; sem isso, tu te enganarás cruelmente e sem remissão. Casa-te quando fores velho e já não prestares para coisa alguma... Se não o fizeres, tudo quanto houver em ti de bom e de grande se perderá. Tudo irá por água abaixo. Sim, sim, sim! Não me olhes com essa cara de espanto. Se estás convencido de que serás capaz de fazer alguma coisa no futuro, verificarás que tudo acabou para ti, que tudo te está vedado, salvo o salão onde virás a encontrar-te ao nível de qualquer lacaio ou de qualquer imbecil... E aqui tens!

Fez um gesto enérgico.

Pedro tirou o pincenê, ficando com outra cara, ainda mais bondosa, e fitou o amigo com espanto.

– A minha mulher – continuou o príncipe André – é uma excelente senhora. É uma dessas raras pessoas que não fazem perigar a nossa honra. Mas, Deus meu, o que daria eu para não ter me casado! És tu a primeira e a única pessoa a quem digo isso, porque sou teu amigo.

Enquanto falava, o príncipe André cada vez se parecia menos com esse Bolkonski enterrado numa cadeira na casa de Ana Pavlovna deixando passar por entre os dentes, com os olhos piscando, frases francesas. Todos os músculos da sua face seca estavam agitados por movimentos nervosos; os seus olhos, em que o fogo da vida, até então, parecia extinto, brilhavam agora com um fulgor luminoso e claro. Parecia que quanto menos vida nele havia habitualmente, mais enérgico parecia nesses instantes de uma excitação quase anormal.

– Tu não compreendes por que eu falo assim. No entanto, estás diante da história de toda uma existência. Tu dizes Bonaparte e a sua carreira – continuou ele, embora Pedro nada tivesse dito acerca de Bonaparte. – Dizes: Bonaparte. Mas Bonaparte, quando trabalhava, quando caminhava, passo a passo, para o seu fim era livre, não tinha mais nada em vista senão esse objetivo, e atingiu-o. Porém, se tu te ligares a uma mulher, como um forçado com uma braga aos pés, perderás toda a liberdade. E tudo quanto em ti possa haver de esperança e de energia se tornará um peso morto, que te oprimirá de desgosto. Os salões, a má-língua, os bailes, a vaidade, as futilidades, eis daí por diante o círculo vicioso do qual é impossível uma pessoa evadir-se. Vou partir para a guerra, para a maior das guerras, e não sei nada, e não presto para nada. Sou muito amável e muito cáustico, e as pessoas ouvem-me quando eu falo na casa de Ana Pavlovna. E aí tens essa estúpida sociedade mundana sem a qual não podem passar nem a minha mulher nem essas mulheres... Se tu ao menos pudesses fazer uma ideia do que são todas as mulheres distintas e todas as mulheres em geral. Meu pai tem razão. O egoísmo, a vaidade, a tolice, a nulidade em tudo, aí tens a mulher quando se mostra tal qual é. Quando a gente a vê na sociedade julga que vale alguma coisa, e não vale nada, nada, nada! É o que te digo: não te cases, meu caro, não te cases – concluiu.

– Que vontade de rir que isso me dá – disse Pedro. – Pois é o André, o André, precisamente, que se considera a si próprio um incapaz, que considera falhada a sua vida? O André que tem o futuro diante de si, todo um futuro? O André...

"De que não será capaz?", pensou, mas o tom da sua voz denunciava claramente a alta estima em que ele tinha o amigo e o que esperava dele para mais tarde.

"Como ele pode falar assim!", dizia Pedro consigo mesmo.

E efetivamente Pedro via no príncipe André como que um modelo de todas as perfeições, precisamente porque ele era dotado no mais alto grau das qualidades que ele próprio não tinha, essas qualidades que mais do que quaisquer outras exigem força de vontade. Sempre lhe causara admiração a serenidade que o príncipe André sabia manter nas relações com as pessoas mais diversas e a sua memória extraordinária, as suas vastas leituras – tinha lido tudo, sabia tudo, compreendia tudo – e sobretudo a sua capacidade de trabalho e de assimilação. E se é verdade que frequentes vezes o impressionava, a ele, Pedro, a pouca tendência que o príncipe André manifestava pela reflexão e pela filosofia, coisas para que Pedro sentia mais inclinação, estava longe de pensar que isso constituísse um defeito; pensava até que representava uma força.

Nas melhores relações, nas mais amistosas e mais simples relações, a adulação ou os louvores são coisas indispensáveis, tal qual como o azeite é indispensável nas rodas dos carros.

– Sou um homem ao mar – murmurou o príncipe André. – Para que havemos nós de perder tempo a falar de mim? Falemos antes de ti – acrescentou depois de um curto silêncio e sorrindo, como se regressasse, finalmente, a um assunto mais consolador.

Nessa altura um sorriso apareceu nos lábios de Pedro.

– E para que havemos nós de falar de mim? – disse, abandonando-se a uma despreocupada alegria. – Que sou eu, no fim das contas? Eu sou um bastardo! – E, subitamente, corou até as orelhas. Via-se bem que fizera um grande esforço para pronunciar estas palavras. – Sem nome, sem fortuna... E, de resto, para falar francamente... – Quereria ter dito *tant mieux*, mas não concluiu a frase. – Enquanto espero, sou livre, estou satisfeito com a minha sorte. Mas o certo é que não sei o que hei de fazer. Seriamente, queria pedir-lhe que me aconselhasse.

O príncipe André olhou-o com bondade, mas, apesar disso, no seu olhar amável e amistoso sentia-se-lhe a superioridade.

– Gosto de ti, sobretudo, porque és tu, entre toda a gente das nossas relações, o único ser vivo. Dizes que estás satisfeito. Escolhe o que quiseres, é indiferente. Em toda a parte serás feliz. Só te peço uma coisa: deixa de conviver com esses Kuraguine, deixa a vida que levas. Isso não te convém: toda essa devassidão, esse convívio com hussardos, tudo que...

– Que quer, meu amigo? – disse Pedro encolhendo os ombros. – As mulheres, meu caro, as mulheres!

– Não compreendo – retorquiu André. – As mulheres decentes, sim, essas são outra coisa, mas as mulheres de Kuraguine... as mulheres e os vinhos, confesso-te que não compreendo!

Pedro vivia na casa do príncipe Vassili Kuraguine e acompanhava nas suas orgias o filho deste, Anatole, esse mesmo Anatole que queriam casar, para o corrigir, com a irmã do príncipe André.

– Quer saber? – disse Pedro, como se acabasse de ter uma feliz ideia. – Seriamente, há muito tempo que penso nisto. Com a vida que levo, nem posso decidir-me por coisa alguma, nem refletir seja sobre o que for. Só dores de cabeça e o nosso dinheiro perdido. Anatole convidou-me para esta noite, mas não vou.

– Dás-me a tua palavra de honra?
– Palavra de honra!

CAPÍTULO IX

Eram quase duas horas da madrugada quando Pedro saiu da casa do amigo. Era uma noite de junho, uma noite típica de Petersburgo, sem obscuridade. Meteu-se numa carruagem de aluguel, decidido a voltar para casa. Mas à medida que se aproximava, ia sentindo que não lhe era possível dormir numa noite daquelas, que mais parecia um crepúsculo ou uma aurora. A vista perdia-se ao longe pelas ruas desertas. No caminho, Pedro lembrou-se de que na casa de Anatole Kuraguine deviam estar reunidos os convivas habituais, os jogadores, que depois do jogo se entregavam, normalmente, ao prazer da bebida, um dos seus divertimentos favoritos.

"E se eu fosse para a casa de Kuraguine?", disse ele para consigo mesmo.

De súbito, porém, lembrou-se de que tinha dado a palavra de honra a André. Mas, de repente também, coisa natural nas pessoas que é de uso considerar-se sem caráter, sentiu um tão intenso desejo de voltar uma vez ainda a gozar aquela louca vida, que ele tão bem conhecia, que se decidiu. E então veio-lhe à mente que o compromisso tomado não valia nada, visto que antes de o ter assumido para com o príncipe André tinha prometido a Anatole que iria à casa dele; e depois, em conclusão, dizia consigo: "Todas essas palavras de honra são coisas convencionais, sem qualquer fundamento sério, sobretudo quando uma pessoa pensa que amanhã pode estar morta ou em circunstâncias tais que as palavras de honra e desonra não tenham o menor significado". Pedro costumava fazer muitas vezes raciocínios desse gosto, que tornavam nulos todos os seus projetos e todas as suas resoluções. E dirigiu-se para a casa de Kuraguine.

Quando chegou à escadaria da vasta construção formada pelas casernas da Guarda montada onde Anatole vivia, subiu os degraus iluminados e deparou-se com a porta aberta. Não havia ninguém no vestíbulo; por um lado e pelo outro só se viam garrafas vazias, sobretudos, galochas; cheirava a vinho. Ouviam-se ruídos de vozes e gritos distantes.

O jogo e a ceia tinham acabado, mas os convivas ainda não haviam se dispersado. Pedro despiu o sobretudo e entrou na primeira dependência, em que se viam ainda os restos do festim e onde um lacaio, julgando-se só, bebia, às escondidas, os restos de vinho dos copos. Da sala contígua saía um alarido: risos, gritos de pessoas conhecidas e grunhidos de ursos. Oito rapazes comprimiam-se, muito excitados, junto da janela aberta. Três outros entretinham-se com um ursinho novo, que um deles puxava por uma corrente para atemorizar os companheiros.

– Eu aposto por Stevens cem rublos! – gritou uma voz.

– Que ideia é essa de apostar por ele! – exclamou um terceiro. – Kuraguine, sê tu o árbitro.

– Está bem, então deixem o Michka[3]; vamos lá fazer a aposta.

– De um só trago, ou então perde! – gritou uma quarta voz.

– Iakov, traz uma garrafa, Iakov! – clamou o dono da casa, um rapagão magnífico, que estava no meio de todos os outros, envergando apenas uma ligeira blusa toda aberta no peito. – Um momento, meus amigos! Eh! Até que enfim, Petrucha, meu caro! – exclamou dirigindo-se a Pedro.

Uma outra voz, a de um homem de pequena estatura, de olhos azuis-claros, que contrastava pelos seus modos cordatos no meio de todas aquelas vozes avinhadas, gritou da janela: – Vamos, serve de árbitro na aposta! – Era Dolokov, um oficial do Regimento Seminov, famoso jogador e não menos famoso espadachim, que compartilhava dos aposentos de Anatole.

Pedro sorria, lançando um olhar alegre a toda a companhia.

– Não há maneira de ninguém se entender. De que se trata?

– Esperem, ele não está bêbado. Venha de lá uma garrafa – disse Anatole, e, pegando um copo de cima da mesa, deu dois passos para Pedro. – Antes de mais nada, bebe.

Pedro pôs-se a beber copo sobre copo, olhando de soslaio para toda aquela gente embriagada que tinha se juntado ao pé da janela e escutava o que se dizia. Anatole deitava-lhe vinho no copo e contava que Dolokov apostara com o inglês Stevens, oficial de marinha ali presente, que ele, Dolokov, seria capaz de beber uma garrafa de rum sentado na janela do segundo andar com as pernas dependuradas para a parte de fora.

– Então, despeja-me lá essa garrafa! – exclamou Anatole, apresentando a Pedro o último copo. – Enquanto não o beberes, não te largo.

– Não, já basta – tornou Pedro recusando, ao mesmo tempo que se aproximava da janela.

---

3. Nome familiar do urso naquele país. (N.E.)

Dolokov segurava o inglês por uma mão e explicava claramente, com precisão, as condições da aposta, dirigindo-se de preferência a Anatole e a Pedro.

Dolokov era de estatura mediana, frisado, com olhos azuis-claros. Tinha aproximadamente vinte e cinco anos. Não usava bigode, como os outros oficiais de infantaria daquela época, e tinha a boca, o traço mais característico da sua figura, completamente descoberta. Era uma boca com um desenho extraordinariamente fino. O lábio superior descia sobre o forte lábio inferior formando dois ângulos agudos, em cujos cantos se via sempre esboçado uma espécie de duplo sorriso, um sorriso de cada lado. No seu conjunto, sobretudo com os seus olhos decididos, impudentes e inteligentes, dava uma impressão que obrigava as pessoas a fitá-lo. Dolokov não era rico nem tinha qualquer parente. E conquanto Anatole gastasse dezenas de milhares de rublos, Dolokov compartilhava das suas instalações e sabia arranjar as coisas de tal maneira que o próprio Anatole e todos os seus conhecidos o estimavam mais que ao próprio dono da casa. Sabia todos os jogos e ganhava quase sempre. Por mais que bebesse, tinha sempre a cabeça no seu lugar. Kuraguine e Dolokov eram naquela época, tanto um como o outro, verdadeiras celebridades no mundo das cabeças loucas e dos boêmios de Petersburgo.

Trouxeram a garrafa de rum. Dois lacaios, azafamados e visivelmente estupefatos, desnorteados no meio dos gritos e das ordens que lhes davam, procuravam demolir o caixilho que impedia que uma pessoa se sentasse sobre o parapeito exterior da janela.

Anatole aproximou-se com ares vitoriosos. Tinha necessidade de quebrar fosse o que fosse. Afastou os lacaios e pôs-se a puxar pelo caixilho, o qual não cedeu. Quebrou um vidro.

– Experimenta tu, valentão! – exclamou dirigindo-se a Pedro. Pedro agarrou-se na dobradiça, puxou e arrancou com estrondo o enquadramento de madeira.

– Tudo fora, senão depois são capazes de dizer que eu me agarrei a alguma coisa – intimou Dolokov.

– O inglês perdeu a cabeça... Eh! Não é verdade? – inquiriu Anatole.

– Com certeza – disse Pedro olhando para Dolokov, que, com a garrafa na mão, se aproximava da janela através da qual se via o céu claro e a aurora que se confundia com o crepúsculo.

Dolokov, sempre com a garrafa na mão, saltou para cima da janela.

– Ouçam! – gritou de pé sobre o parapeito, voltado para a assistência. Todos se calaram. – Aposto – falava em francês para que o inglês o compreendesse, embora este não fosse um portento nessa língua –, aposto cinquenta imperiais; quer apostar cem? – acrescentou, para o inglês.

– Não, cinquenta – retorquiu este.

– Bom, aposto cinquenta imperiais em como sou capaz de beber a garrafa de rum até à última gota, de um só trago, sentado na janela, neste lugar – debruçou-se e apontou para o parapeito inclinado no sentido da rua –, e sem me segurar a coisa alguma... Está apostado?

– Perfeitamente – volveu o inglês.

Anatole voltou-se para este, e, segurando-o por um botão da farda, olhou-o de cima, pois o outro era de pequena estatura, e pôs-se a repetir-lhe em inglês as condições da aposta.

– Atenção! – gritou Dolokov, batendo com a garrafa na janela, para que o ouvissem. – Um momento, Kuraguine. Ouçam. Se houver alguém capaz de fazer o mesmo dou-lhe cem imperiais. Estão compreendendo?

O inglês disse sim com a cabeça, sem com isso querer dizer que tinha intenção de aceitar a nova aposta. Anatole não o largava, e, embora ele tivesse dado a entender que compreendera, traduzia-lhe para inglês as palavras de Dolokov. Um rapazola estafado, um hussardo da Guarda, que toda a noite estivera a perder no jogo, trepou à janela, debruçou-se e olhou lá para baixo.

– Ui! Ui! Ui!... – exclamou, apontando as pedras da calçada.

– Fora daí! – gritou Dolokov, obrigando a descer da janela o oficial, que, embaraçado nas esporas, tropeçou.

Depois de ter colocado a garrafa no parapeito da janela, para assim a ter à mão, Dolokov, com prudência e serenidade, içou-se para o rebordo do janelão. Depois de ter passado as pernas por cima do alizar e de haver avançado, com o auxílio das mãos, até o extremo do parapeito, escolheu o lugar, sentou-se, deixou pender as pernas, deslocou-se para a direita e para a esquerda e pegou na garrafa. Anatole trouxe duas velas e pousou-as sobre o parapeito, embora já fizesse dia claro. O dorso de Dolokov, de camisa branca, a cabeça anelada, recebia luz dos dois lados. Toda a gente tinha se juntado em volta da janela. O inglês estava na primeira fila. Pedro sorria sem dizer nada. Um dos presentes, mais velho do que os outros, furioso e apavorado, arremeteu, de súbito, para a janela e quis agarrar Dolokov pela camisa.

– Meus senhores, isto é uma loucura; o rapaz vai se matar! – exclamou esta criatura, mais razoável que as restantes.

Anatole deteve-o.

– Não lhe toques; se o assustas, ele se mata. Hein!... E nesse caso?... Hein!

Dolokov voltou-se, compôs-se e colocou-se em posição com o auxílio das mãos.

– Se mais alguém mete o bedelho na minha vida – disse, deixando cair as palavras dos lábios finos e cerrados –, obrigo-o a descer imediatamente por aqui. Está combinado?

Ao dizer "Está combinado?" voltou-se ainda, soltou as mãos, pegou na garrafa e levou-a à boca, atirando a cabeça para trás e erguendo no ar a mão livre para estabelecer o equilíbrio. Um lacaio que se tinha posto a apanhar os pedaços de vidro da janela deteve-se, sempre debruçado para o chão, sem perder de vista a janela e as costas de Dolokov. Anatole conservava-se direito, de olhos arregalados. O inglês, mordendo os lábios, desviava os olhos. Aquele que tentara intervir tinha-se afastado para um canto e estiraçara-se num divã com a cara para a parede. Pedro cobriu o rosto e um ligeiro sorriso parecia errar-lhe na face, onde se estampavam agora susto e terror. Todos se calaram. Pedro tirou a mão dos olhos. Dolokov mantinha-se na mesma posição, mas com a cabeça de tal modo caída para trás que os cabelos anelados, pela retaguarda, afloravam-lhe o colarinho, e a mão com que segurava a garrafa cada vez se erguia mais, animada por um certo tremor, e como se fizesse esforço. A garrafa, que se esvaziava a olhos vistos, elevava-se ao mesmo tempo no ar, obrigando a cabeça a descair para trás. "Que tempo que isto leva!", murmurou Pedro consigo mesmo. Parecia-lhe haver decorrido mais de meia hora. Subitamente, Dolokov fez um movimento de espinha para a retaguarda e a sua mão foi sacudida por um tremor nervoso, quanto bastou para fazer avançar o corpo sentado no parapeito resvaladiço. Todo ele se deslocou, e as mãos e a cabeça, com o esforço, estremeceram-lhe ainda mais. Uma das mãos ergueu-se para se agarrar ao alizar da janela, mas logo caiu. Pedro voltou a fechar os olhos e prometeu não tornar a abri-los. Subitamente percebeu que tinha havido um movimento na assistência. Abriu os olhos: Dolokov estava de pé sobre o parapeito, o rosto pálido e alegre.

– Vazia!

Atirou a garrafa ao inglês, que a agarrou no ar. Deu um pulo da janela. Todo ele cheirava a rum.

– Muito bem! Que valentão! Bela aposta, com os diabos! – dizia-se por todos os lados.

O inglês tinha puxado da bolsa e contava o dinheiro. Dolokov franzia as sobrancelhas sem dizer palavra. Pedro precipitou-se para a janela.

– Meus senhores. Quem é que quer apostar comigo? Estou pronto a fazer o mesmo! – gritou ele, de chofre. – De resto, dispenso as apostas. Venha de lá uma garrafa. Exatamente!... Uma garrafa.

– Isso mesmo! Isso mesmo! – exclamou Dolokov, rindo.

– Que mosca é que te picou? Estás maluco? Quem é que vai consentir nisso? Até a subir uma escada tens vertigens – dizia-se por aqui e por ali.

– Vão ver como eu a bebo. Deixem-me ver uma garrafa! – gritava Pedro, batendo no tampo duma mesa, com uma teimosia de bêbado. E trepou para cima da janela.

Agarraram-no por um braço; mas ele era tão forte que sacudia de si os que tentavam aproximar-se dele.

– É inútil, não desiste – disse Anatole. – Esperem aí, que eu ensino-o. Ouve lá, eu aposto contigo, mas fica para amanhã. Agora vamos todos para a casa da...

– Está bem – exclamou Pedro. – Vamos embora!... Mas o Michka também vai conosco. – Apoderou-se do urso e, agarrando nele com ambas as mãos para o obrigar a levantar-se, pôs-se a rodopiar com o bicho pelo meio da sala.

CAPÍTULO X

O príncipe Vassili cumpriu a promessa que tinha feito à princesa Drubetskaia na *soirée* na casa de Ana Pavlovna relativamente a seu único filho, Bóris. Falaram nele ao imperador, e a título excepcional foi promovido a alferes do Regimento Semionovski. Mas não foi nomeado ajudante de campo, nem adido ao quartel-general de Kutuzov, apesar dos pedidos e das intrigas de Ana Mikailovna. Pouco tempo depois da reunião na casa da dama de honra, Ana Mikailovna voltou para Moscou e foi instalar-se na casa dos Rostov, seus ricos parentes, onde sempre se hospedava. Era ali que tinha sido educado desde criança e onde ainda vivia o seu Bóris adorado, só agora admitido no exército e que acabava de ser promovido a alferes da Guarda. O regimento tinha saído de Petersburgo a 10 de agosto, e o rapaz, que ficara em Moscou por causa do equipamento, devia ir ao encontro dele em Radzivilov.

Na casa dos Rostov celebrava-se o aniversário das duas Natálias, a mãe e a filha mais nova. Desde a manhã que era um chegar e partir de carruagens sem-fim com visitas para o palácio da condessa Rostov, na Povarskaia[4], palácio que toda a gente conhecia em Moscou.

A condessa, acompanhada pela filha mais velha, uma linda mulher, estava no salão rodeada das suas visitas, que não cessavam de chegar.

A condessa Rostov era uma senhora de rosto magro, tipo oriental, dos seus quarenta e cinco anos, visivelmente esgotada por doze partos sucessivos. A lentidão do seu passo e a morosidade da sua fala, consequências do quebranto das suas forças, davam-lhe um ar de dignidade que inspirava respeito. A princesa Ana Mikailovna Drubetskaia também se encontrava presente, íntima da casa que era, ajudando-a a receber as visitas e a manter a conversação. A gente nova estava nas dependências dos fundos, desinteressada das visitas. O conde lá se encarregava de as acolher e de as conduzir, convidando todos para jantar.

– Estou-lhe muito reconhecido, muito, *mon cher* ou *ma chère* – dizia a qualquer pessoa, sem exceção, *ma chère* ou *mon cher*, sem pôr nisso qualquer distinção, quer as pessoas fossem de uma classe inferior ou superior –, estou-lhe muito reconhecido em meu nome e em nome das festejadas. Não deixe de vir jantar conosco: ficaria melindrado, *mon cher*. Peço-lhe, cordialmente, em nome da família, *ma chère*.

Essas mesmas palavras, com uma expressão sempre igual no rosto cheio e sorridente, bem escanhoado, e um aperto de mão enérgico, sempre o mesmo, e breves e frequentes flexões, repetia-as ele a todos, sem exceção e sem alterar uma vírgula. Depois de acompanhar aquele que partia, ei-lo que voltava para junto daquele ou daquela que ficava no salão. Puxava de uma cadeira e, com os modos de um homem à vontade em sociedade,

---

4. Rua de Moscou, que quer dizer "Rua dos Cozinheiros". (N.E.)

estendia as pernas desprendidamente, e, de mãos assentes nos joelhos, meneava a cabeça com um ar entendido, fazendo conjeturas sobre o estado do tempo, dando conselhos higiênicos, ora em russo, ora em francês, num francês bastante mau, mas pronunciado com segurança, e depois, como uma pessoa que se sente fatigada mas quer cumprir a sua obrigação até o fim, acompanhava as pessoas, assentando os cabelos ralos e brancos sobre a calva e tornando a repetir o eterno convite. Uma que outra vez, no regresso do vestíbulo, atravessava o jardim de inverno e a sala de espera, dirigindo-se a uma grande dependência pavimentada de mármore, onde se preparava uma mesa de oitenta talheres: lançava uma olhadela aos criados afadigados a carregar pratas e porcelanas, a arranjar a mesa e a estender as toalhas adamascadas, e mandava chamar Dimítri Vassilievitch, um jovem fidalgo, uma espécie de seu factótum, a quem dizia: – Atenção, Mitenka, é preciso que tudo esteja em ordem. Ótimo! Ótimo! – Depois acrescentava, inspecionando, satisfeito, a imensa mesa elástica. – O mais importante é uma mesa bem-posta. Bom, bom... – E voltava, contente, ao salão.

– Maria Lvovna Karaguine e sua filha! – anunciou em voz de baixo o imenso escudeiro às ordens da condessa entrando no salão. A condessa, pensativa, tomou uma pitada de rapé da sua caixa dourada com o retrato do marido.

– Ah! Que maçada essas visitas! – exclamou ela. – É a última que eu recebo. Que pessoa tão amaneirada! Manda entrar – ordenou para o lacaio numa voz áspera que queria dizer: "Bom, acabemos com isto!".

Uma senhora, alta, de grande corpulência, ar altivo, acompanhada de sua filha, uma menina de bochechas lustrosas, toda sorridente, entrou na sala no meio de um ruge-ruge de vestidos.

– Querida condessa, há quanto tempo... esteve de cama, pobrezinha... no baile dos Rasumovski... e a condessa Apraksina... fiquei tão feliz! – exclamavam vozes femininas muito animadas, interrompendo-se umas às outras mutuamente e confundindo-se com o farfalhar dos tecidos e o arrastar das cadeiras. Entabulou-se uma conversa tão pouco importante que permitia, assim que havia uma pausa, que as pessoas se levantassem e dissessem, no meio do burburinho da partida: "*Je suis bien charmée; la santé de maman... – et la comtesse Apraksine*", e, em seguida, no meio de um novo ruge-ruge, passassem para o vestíbulo, pusessem os seus agasalhos e partissem. A conversa travou-se sobre a grande novidade do dia, a doença do velho e riquíssimo conde Bezukov, um dos mais belos homens do tempo de Catarina, e o comportamento do seu filho ilegítimo, Pedro, que se tinha portado pessimamente na recepção na casa de Ana Pavlovna.

– Muito lamento o pobre conde – disse a visita que acabava de chegar –, está tão mal e ainda por cima com o desgosto daquele filho acaba por morrer!

– Que aconteceu? – inquiriu a condessa, fingindo ignorar o assunto a que aludia a interlocutora, embora já tivesse ouvido contar a história pelo menos umas quinze vezes.

– São aquilo as educações modernas! Aquele tempo no estrangeiro fez com que o rapaz se tornasse insubmisso, e agora, em Petersburgo, segundo dizem, fez tais horrores que tiveram de recorrer à polícia.

– Que me diz! – murmurou a condessa.

– São as más companhias – interveio a princesa Ana Mikailovna. – O filho do príncipe Vassili, ele e um tal Dolokov fizeram o diabo. Dois deles sofreram as consequências: Dolokov foi obrigado a descer de posto, e o filho do conde Bezukov, esse, mandaram-no para Moscou. Quanto a Anatole Kuraguine, valeu-lhe o pai, que conseguiu abafar o escândalo. Mas também foi afastado de Petersburgo.

– Que fizeram eles, afinal? – perguntou a condessa.

– São uns autênticos bandidos. Principalmente esse Dolokov – disse a visita. – É o filho de Maria Ivanovna Dolokov, uma senhora da maior respeitabilidade. Pois não sabem? Imaginem que arranjaram um urso e levaram-no com eles de carruagem para para a casa de umas atrizes. A polícia foi atrás deles, e eles não estiveram com meias medidas: apanham um guarda, amarram-no, costas com costas, com o urso e atiram os dois no Moika[5]. O urso pôs-se a nadar com o polícia às costas.

– Só queria ver a cara do polícia, *ma chère*! – exclamou o conde, rindo a solta.

– Parece impossível! Que horror! Como é que o conde pode achar graça de uma coisa dessas?

Mas as próprias senhoras não podiam suster o riso.

– Foi difícil salvá-lo, aquele desgraçado – continuou a visita. – E dizer que é o filho do conde Cirilo Vladimirovitch Bezukov

---

5. Canal do rio Neva, que separa o centro da cidade do bairro de Kazan. (N.E.)

quem se dedica a divertimentos tão intelectuais! E há quem o ache bem-educado e espiritual. Ora aqui têm o resultado dessas educações no estrangeiro! Tenho a certeza de que ninguém aqui o vai receber, apesar de toda a sua fortuna. Quiseram apresentá-lo a mim. Mas eu disse redondamente que não: tenho filhas.

– Por que diz que esse homem é assim tão rico? – perguntou a condessa, debruçando-se para ela de maneira a que as meninas não a ouvissem, e estas logo fingiram nada entender. – Dizem que só tem filhos naturais. Com certeza... Pedro também é filho natural.

A visita fez um gesto evasivo.

– Dizem que tem uma caterva de ilegítimos.

A princesa Ana Mikailovna interveio, desejosa, é claro, de mostrar que tinha relações e que conhecia em pormenor todas as intrigas mundanas.

– A verdade é esta – disse ela, com um ar entendido e quase em voz baixa. – A reputação do conde Cirilo Vladimirovitch toda a gente a conhece... Nem sequer sabe o nome dos filhos que tem, mas esse Pedro era o seu preferido.

– Que belo homem esse velho – murmurou a condessa – ainda o ano passado! Nunca vi um homem mais belo!

– Agora está muito mudado – observou Ana Mikailovna. – O que eu queria dizer é que o príncipe Vassili, parente dele pelo lado materno, é que devia ser o seu herdeiro direto, mas ele gosta muito de Pedro; mandou-o educar e até escreveu recomendando-o ao imperador... Por isso ninguém sabe para quem irá a sua imensa fortuna, se para o Pedro, se para o príncipe Vassili. Quarenta mil almas e milhões, milhões! Sei isso de fonte limpa, pois foi o próprio príncipe Vassili quem me contou. De resto, Cirilo Vladimirovitch também é meu primo afastado pelo lado materno. E é padrinho de Bóris – insinuou ela, como se não desse a menor importância ao fato.

– O príncipe Vassili está desde ontem em Moscou. Dizem que anda em inspeção – murmurou a visita.

– Sim, mas aqui *entre nous* – disse a condessa –, isso é um pretexto. O que ele veio fazer foi visitar o conde Cirilo Vladimirovitch logo que o soube muito mal.

– Seja como for, *ma chère*, é uma rica história – disse, de chofre, o conde, e, ao verificar que a interlocutora não o ouvia, voltou-se para as moças. – Estou a ver a cara do polícia!

E, imitando os gestos desesperados do pobre-diabo, pôs-se de novo a rir, com grandes gargalhadas sonoras e profundas, que lhe faziam estremecer todo o rechonchudo corpo, um corpo de quem come bem e bebe melhor. – Então, está combinado, janta conosco – disse ele.

CAPÍTULO XI

Houve um momento de silêncio. A condessa olhava para a sua visita com um sorriso amável, sem esconder, aliás, que não lhe seria desagradável vê-la erguer-se para ir embora. A filha já se preparava para se despedir, depois de lançar um olhar interrogativo à mãe, quando, de súbito, se ouviram na sala contígua passos precipitados de homens e senhoras, ao mesmo tempo que uma cadeira era arrastada e caía, impelida por alguém que passava. Então entrou na sala uma menina dos seus treze anos, que trazia alguma coisa na saia de musselina e que parava no meio do salão. Era evidente que fora por engano e sem premeditação que viera até ali. Simultaneamente, à porta, apareceram um estudante, de gola cor de framboesa, um oficial da Guarda, uma garota dos seus quinze anos e um rapazinho, gordo e rubicundo, com um casaquinho curto.

O conde precipitou-se para a pequena e impediu-lhe a entrada, abrindo os braços.

– Ah! aí vem ela! – gritou ele, rindo. – A heroína da festa. *Ma chère* fadazinha!

– Minha amiga, há tempo para tudo – disse a condessa, fingindo-se severa. – Estragas a pequena, Elie – acrescentou dirigindo-se ao marido.

– Bom dia, minha amiga, felicito-a... – disse a senhora Karaguine.

– Que criança deliciosa! – prosseguiu ela para a mãe.

Era uma menina de olhos negros, a boca muito grande, não bonita, mas cheia de vida, com os ombros infantis, descobertos, palpitando no corpete, graças à rapidez com que caminhara, os caracóis negros repuxados para trás, os braços pequeninos nus, as perninhas a sair de umas calças de rendas, e nos pés sapatos abertos. Estava naquela idade graciosa em que uma garota já não é criança e em que a criança ainda não é mulher. Depois de ter conseguido escapar-se dos braços do pai, correu para a mãe e, sem prestar a mínima atenção às suas severas repreendas, escondeu o rosto travesso nas rendas da mantilha materna e pôsse a rir. Enquanto ria ia falando, com palavras sincopadas, para a boneca que levava metida na saia.

– Vês?... Mimi... Vês?

E Natacha mais não pôde dizer – tudo a fazia rir. – Deixou-se pender contra a mãe e rompeu a rir com tanta vontade e tão alto que ninguém, nem mesmo a visita de maneiras afetadas, pôde resistir ao riso. Todos riram também.

– Vai-te embora, vai-te embora com esse horror! – exclamou a mãe, repelindo-a com uma cólera fingida. – É a minha filha mais nova – disse ela à visita.

Natacha deixou ver o rosto por momentos, no meio do fichu de rendas da mãe, olhou aquela de alto a baixo, rindo até às lágrimas, e voltou a esconder-se.

A visita, obrigada a admirar essa cena de família, pensou ser necessário dizer qualquer coisa.

– Dize-me cá, minha linda – perguntou a Natacha –, que parentesco tu tens com esta Mimi? – É tua filha, naturalmente.

Este tom de condescendência para se pôr ao seu nível de criança não agradou a Natacha, que nada disse e fitou a senhora com um ar sério.

Entretanto, todo o grupo jovial: Bóris, o oficial, filho da princesa Ana Mikailovna, o estudante Nicolau, filho mais velho do conde, Sônia, sua sobrinha de quinze anos, e o pequeno Petrucha, seu filho mais novo, procurava manter, dentro dos limites das conveniências, a animação e a alegria que fulguravam nos seus rostos. Via-se perfeitamente que lá para trás, nos aposentos dos fundos, de onde eles tinham surgido tão repentinamente, se falava de coisas bem mais agradáveis que intrigas mundanas, ou o estado do tempo, ou a *comtesse* Apraksina. Entreolhavam-se todos, rompendo a rir.

Os dois rapazolas, o estudante e o oficial, amigos de infância, eram da mesma idade, ambos bonitos moços, mas sem se parecerem um com o outro. Bóris era um rapagão louro, de traços finos e regulares, de uma beleza serena; Nicolau, um rapazinho frisado, com uma expressão aberta. No seu lábio superior apontava já um ligeiro buço e o todo da sua fisionomia revelava impetuosidade e entusiasmo. Nicolau ficou todo corado assim que entrou no salão. Via-se que procurava dizer qualquer coisa, mas não conseguia. Bóris, pelo contrário, mostrou-se logo à vontade e começou a contar, tranquilamente e com um ar satisfeito, que tinha conhecido a Mimi muito nova, com o nariz ainda intacto, que nos últimos cinco anos, se bem se lembrava, a pobre envelhecera terrivelmente e que tinha agora a cabeça rachada de alto a baixo. Ao mesmo tempo que falava ia olhando para Natacha. Esta voltara o rosto e olhava para o irmãozinho, que ria perdidamente, com os olhos cheios de lágrimas; de súbito, sem poder mais, saiu correndo. Bóris ficou muito sério.

– Naturalmente também quer ir embora, *Maman*? Precisa do carro? – disse ele para a mãe, sorrindo.

– Pois sim, manda atrelar – respondeu a mãe sorrindo igualmente.

Bóris, sem nada dizer, dirigiu-se para a porta e seguiu atrás de Natacha. O rapazinho gordo correu após eles, pouco contente de ter sido perturbado nos seus entretenimentos.

CAPÍTULO XII

À exceção da filha primogênita da condessa, a qual, quatro anos mais velha que a segunda, já podia dar-se ares de pessoa adulta, e das filhas da senhora que viera de visita, juventude era coisa que não havia no salão, se excluíssemos, além delas, Nicolau e a sobrinha Sônia. Esta era uma moreninha magra, uma miniaturazinha, com uns olhos doces, sombreados por longas pestanas, e uma farta trança negra que lhe dava duas voltas à cabeça; a tez olivácea acentuava-se-lhe mais ainda nos braços e no colo nus, magros, mas graciosos. A ligeireza dos seus passos, a languidez e a flexibilidade dos seus braços, os seus modos um pouco ardilosos e reservados davam-lhe ares de um lindo felino ainda não domesticado, mas prometendo vir a ser um bichano encantador. Evidentemente que ela sabia ser conveniente tomar parte, com o seu sorriso, na conversa geral, mas, sem dar por isso, por debaixo das longas pestanas, os olhos fugiam-lhe para o seu *cousin* que ia partir para a tropa. No seu olhar havia uma adoração tão apaixonada que ninguém se iludiria com aquele sorriso. Toda a gente via que se o bichano ali estava tão sossegado era apenas para, mal saísse do salão, logo pôr-se a correr e a saltar com o *cousin*, tal qual como Bóris e Natacha.

– Sim, *ma chère* – dizia o velho conde para a visita, apontando Nicolau. – Como o seu amigo Bóris saiu oficial, ele, por amizade para com o primo, não quer lhe ficar atrás. E lá vai deixar a universidade e a mim, seu velho pai; vai alistar-se, *ma chère*. E já lhe tínhamos arranjado um lugar no serviço dos arquivos. Ao que leva a amizade!

– E dizem que a guerra já foi declarada – observou a visita.

– Há muito tempo que se isso diz – volveu o conde. – Sim, diz-se e volta a dizer-se, e tudo fica na mesma. *Ma chère*, o que é que a amizade não faz? – repetia ele. – Vai para os hussardos.

A visita, como não sabia o que dizer, meneava a cabeça.

– Mas não, não se trata de amizade – interrompeu Nicolau, entusiasmando-se, como quem repele uma calúnia que lhe fosse odiosa. – Não se trata de amizade, mas apenas de que tenho a vocação de soldado.

Envolveu num olhar a prima e a filha da visita; ambas lhe dirigiram um sorriso de aprovação.

– Temos hoje para jantar o coronel Schubert, do Regimento de Hussardos de Pavolograndski. Está aqui de licença, e é ele quem o leva consigo. Que havemos de fazer? – disse o conde, encolhendo os ombros e falando, em tom prazenteiro, de um assunto que visivelmente lhe causava um grande desgosto.

– Já lhe disse, pai – replicou o filho –, que se não quer me deixar ir eu não partirei. Mas tenho a certeza de que não sirvo para mais nada senão para soldado; não nasci para ser nem diplomata nem funcionário; não sei esconder os meus sentimentos – acrescentou sem deixar de fitar as garotas com a bonita desenvoltura própria da sua idade.

A gatinha, que o comia com os olhos, parecia pronta a brincar e a mostrar a sua natureza felina.

– Bem, bem! – disse o velho conde. – Está sempre pronto a exaltar-se. Bonaparte deu uma volta na cabeça de toda esta gente. Só porque ele passou de simples tenente a imperador... Seja o que Deus quiser – rematou, sem reparar no sorriso escarninho da visita.

Os adultos puseram-se a falar de Bonaparte. Júlia, a filha da princesa Karaguine, voltou-se para o jovem Rostov:

– Que pena que não tenha estado na quinta-feira passada na casa dos Arkarov. Não calcula a falta que me fez! – disse-lhe ela, sorrindo com afabilidade.

O rapaz, lisonjeado, veio sentar-se junto dela. E sorrindo com a *coquetterie* própria da sua idade, entabulou uma conversa íntima, sem reparar que as suas amabilidades eram como um gládio de ciúme a trespassar o coração de Sônia, a qual, disfarçando a sua confusão, fingia estar alegre. No meio da sua conversa com Júlia, deteve os olhos em Sônia. Esta lançou-lhe um olhar cheio de amargura, retendo a custo as lágrimas, embora ainda lhe flutuasse um sorriso nos lábios, e levantando-se saiu. Toda a animação de Nicolau se desvaneceu. Aproveitou a primeira oportunidade para interromper o seu diálogo e, inquieto, lá foi à procura de Sônia.

– Oh, como toda esta juventude traz o coração na boca – exclamou Ana Mikailovna apontando para Nicolau, que saía da sala. – Priminhos, perigosos vizinhos! – acrescentou.

– É verdade! – disse a condessa, assim que desapareceu o raio de sol que a mocidade trouxera consigo ao salão. E, respondendo a uma pergunta que ninguém lhe tinha feito, mas que a preocupava: – Que contrariedades, que contrariedades as nossas para agora podermos gozar de uma certa alegria! E o certo é que ainda hoje sentimos muito mais terror que prazer. Estamos sempre com medo, sempre com medo! E é precisamente nesta idade que as meninas e os rapazes correm maior perigo.

– Tudo depende da educação que se recebe – disse a visita.

– Sim, tem razão – continuou a condessa. – Até agora tenho sido sempre a amiga íntima dos meus filhos e eles têm sempre confiado em mim. – E, ao falar assim, caía no erro de muitos pais, persuadidos de que os filhos não têm segredos para eles. – Sei que serei sempre a primeira confidente dos meus filhos, e que Nikolenka, com o seu feitio ardente, se um dia fizer uma asneira – os rapazes estão sempre sujeitos a isso – nunca se comportará como esses senhores de Petersburgo.

– Sim, são muito bons pequenos – afirmou o conde, que resolvia sempre os problemas embaraçosos dizendo que tudo estava bem. – Imagine! Quis assentar praça nos hussardos! Que lhe havemos de fazer, *ma chère*!

– Que linda menina é a sua filha mais nova! – disse a visita. – Que vivacidade!

– É, é – replicou o conde. – Parece-se comigo! E que linda voz! Não é por ser minha filha! A verdade diga-se. Vai ser uma verdadeira cantora, uma Salomoni. Anda tomando lições com um italiano.

– Não será cedo demais? Não é bom para a voz, segundo ouço dizer, aprender canto nessa idade.

– Cedo demais? – volveu o conde. – Então as nossas mães não se casaram dos doze para os treze anos?

– E já está enamorada do Bóris! Veja isso! – disse a condessa, sorrindo, disfarçadamente, e lançando um olhar à mãe do rapaz. Depois, como que respondendo a um pensamento que não deixava de a preocupar, continuou: – Imagine que eu a educava com severidade, que a proibia... Só Deus sabe o que ela seria capaz de fazer às escondidas. (A condessa queria dizer que se beijariam.) Mas, assim, conheço-lhe todos os pensamentos. É ela própria quem vem me contar todas as noites. É possível que eu a estrague: mas estou convencida de que é essa a melhor maneira. Já a mais velha a eduquei com mais severidade.

– Pois é, a mim educaram-me de maneira muito diferente – disse, sorrindo, a filha mais velha, a linda condessa Vera.

O sorriso não fazia de Vera mais bonita, como em geral acontece; pelo contrário, dava-lhe uma expressão pouco natural e desagradável até. Vera, a filha mais velha dos Rostov, era bonita, não era tola, tinha sido muito bem instruída, tinha uma educação excelente e uma bela voz; o que ela acabava de dizer era muito justo e a propósito, mas, coisa estranha, toda a gente, a principiar pela visita e pela própria condessa, a fitou como que surpreendida que ela tivesse falado daquela maneira, e todos sentiram um certo embaraço.

– Em geral somos sempre mais rigorosos com os filhos mais velhos; pensamos sempre fazer deles pessoas excepcionais – disse a visita.

– Para que havemos de esconder os nossos erros, *ma chère*? A minha querida condessa quis ser exemplar com a educação de Vera – observou o conde. – Mas o que se perdeu com isso? O resultado não foi nada mau – acrescentou, piscando o olho amistosamente para Vera.

As visitas ergueram-se, finalmente, para se despedirem, prometendo vir jantar.

– Isto é que são maneiras! Parecia que nunca mais se iam embora! – exclamou a condessa, ao ver, finalmente, as visitas pelas costas.

CAPÍTULO XIII

Quando Natacha saiu do salão a correr, não foi muito longe; ficou no jardim de inverno. E ali permaneceu ouvindo o que se dizia no salão e aguardando que Bóris chegasse. Principiava a impacientar-se, e já batia com os pés no chão, quase a chorar por não o ver aparecer, quando se principiaram a ouvir os passos do rapaz, uns passos nem muito lentos nem muito precipitados, compassadamente. Natacha correu a esconder-se atrás dos vasos das plantas.

Bóris ficou parado no meio da dependência, olhou em torno de si, sacudiu a manga do uniforme e aproximou-se de um espelho para mirar a sua bela figura. Muito quieta, Natacha espreitava lá do seu esconderijo, curiosa de ver o que ele faria. Bóris ficou alguns momentos diante do espelho, sorriu e dirigiu-se para a porta. Natacha quis chamá-lo, mas disse consigo: "Ele que me procure". Mal Bóris saíra, entrou Sônia, por outra porta, muito corada, e soltando palavras coléricas por entre um fio de lágrimas. Natacha conseguiu reprimir o seu primeiro movimento, que a impelia a correr para ela, e ficou no seu esconderijo como se estivesse debaixo do chapéu que torna as pessoas invisíveis, observando o que se passava. Tirava disso um prazer muito especial. Sônia balbuciava qualquer coisa de indistinto, sem desviar os olhos da porta do salão. A porta abriu-se e apareceu Nicolau.

– Sônia, que tens tu? Será possível?! – exclamou ele, correndo para ela.

– Não é nada, não é nada, deixa-me.

As lágrimas correram-lhe em fio.

– Sim, bem sei o que foi.

– Se sabes, é o que importa. Vai ficar com ela.

– Sônia! Ouve-me. Só uma palavra. Como é possível que estejamos a nos atormentarmos por causa de uma patetice? – volveu Nicolau, pegando-lhe nas mãos.

Sônia deixou-as ficar e enxugou as lágrimas. Natacha, sem um movimento, e retendo a respiração, olhava-os do seu canto com os olhos brilhantes "Que irá se passar?", pensava ela.

– Quero lá saber das outras, Sônia. Só tu és tudo para mim – disse Nicolau. – Hei de provar a ti.

– Por amor de Deus, não me digas essas coisas.

– Não volto mais, perdoa-me, Sônia!

Puxou-a para si e beijou-a.

"Sim, senhor, assim mesmo!", exclamou Natacha para si mesma, e quando Sônia e Nicolau partiram, seguiu-os e chamou Bóris.

– Bóris, venha cá – disse-lhe ela, com um arzinho de significativa astúcia. – Preciso lhe dizer uma coisa. Venha daí, venha daí – prosseguiu ela, conduzindo-o para o jardim de inverno, para o lugar onde estivera escondida atrás dos vasos das plantas.

Bóris seguiu-a sorridente.

– De que se trata? – perguntou ele.

Natacha perturbou-se, olhou em torno de si e, vendo a boneca que ficara em cima de um dos vasos, pegou nela.

– Dê um beijo em minha boneca – ordenou.

Bóris fitou-lhe o rosto animado com um enternecedor interesse, mas nada disse.

– Não quer? Então venha cá. – Desapareceu no meio da vegetação, atirando fora a boneca. – Chegue-se mais, chegue-se mais – murmurou.

Passou o braço pelo canhão da manga do oficial e no seu rosto purpurizado havia um ar ao mesmo tempo sério e medroso.

– E a mim, quer me beijar? – balbuciou numa voz quase imperceptível, olhando-o de viés, com um sorriso nos lábios e as lágrimas quase a saltarem-lhe dos olhos, tão grande era a emoção.

Bóris corou.

– Que estranha que a menina é! – exclamou ele, debruçando-se para ela, mas sem se decidir, e como que à espera.

Subitamente, Natacha saltou para cima de uma cadeira, ficando mais alta do que ele, envolveu-lhe o pescoço nos seus pequeninos braços nus e, inclinando a cabeça para trás, beijou-o em plenos lábios.

Em seguida esgueirou-se por entre os vasos do lado oposto e deteve-se, de cabeça baixa.

– Natacha – disse Bóris. – Bem sabe que gosto de você, mas...

– Gosta de mim? – perguntou ela, interrompendo-o.

– Sim, gosto de você, mas, por amor de Deus, não voltemos a fazer o que fizemos agora... Daqui a quatro anos... Então virei pedir a sua mão.

Natacha ficou pensando.

– Treze, catorze, quinze, dezesseis... – disse, contando pelos seus pequeninos dedos. – Está bem. Fica assim combinado?

E no seu rosto cheio de animação resplandeceu uma tranquila alegria.

– Combinado! – repetiu Bóris.

– Para sempre? – voltou a pequena. – Até a morte?

E, dando-lhe o braço, dirigiu-se com ele, toda ela felicidade, para a sala contígua.

CAPÍTULO XIV

A condessa estava tão cansada de atender as visitas que disse que não receberia mais ninguém, e o guarda-portão recebeu ordem de convidar para jantar todas as pessoas que viessem apresentar felicitações. Estava morta por se ver em *tête-à-tête* com a sua amiga de infância, a princesa Ana Mikailovna, que mal tinha visto desde que ela voltara de Petersburgo. Ana Mikailovna, com o seu bonito rosto como que intumescido de chorar, veio colocar-se muito junto da cadeira da condessa.

– Vou ser absolutamente sincera contigo – disse-lhe ela. – Acabaram-se as velhas amigas de outrora. É por isso que eu preciso tanto da tua amizade.

Ana Mikailovna, ao ver aproximar-se Vera, calou-se. A condessa apertou a mão da amiga.

– Vera – disse ela para a filha primogênita, que evidentemente não era a preferida –, vocês não percebem nada? Então ainda não compreendeste que estás a mais aqui? Vai procurar as tuas irmãs, ou então...

A formosa Vera deu um sorriso um pouco desdenhoso, sem dar a perceber, de maneira alguma, que se sentia ofendida.

– Se me tivesse dito mais cedo, mãe, já teria ido embora – disse ela, afastando-se.

Mas, ao passar pela sala do divã, viu que as duas janelas estavam simetricamente ocupadas pelos dois pares. Parou a olhar e deu um sorriso de desdém. Sônia estava sentada muito juntinho de Nicolau, que copiava uns versos para ela, os primeiros que tinha escrito na sua vida. Bóris e Natacha estavam na outra janela, e calaram-se quando a viram entrar. Sônia e Natacha olharam-na com um ar feliz, e ao mesmo tempo como se tivessem sido surpreendidas em flagrante.

Estas garotas, que então viviam a sua primeira história de amor, eram ao mesmo tempo divertidas e comovedoras para quem as contemplasse. Mas a verdade é que não foi grande a satisfação de Vera quando deu com elas.

– Quantas vezes já lhes pedi que não se apoderassem do que é meu? As meninas também têm um quarto.

Tirou o tinteiro das mãos de Nicolau.

– Espere, espere – exclamou ele, molhando a caneta.

– Não há dúvida de que não sabem fazer nada com jeito – prosseguiu ela. – Foi uma vergonha aquela entrada de vocês no salão.

Apesar da justeza da observação, ou até, precisamente, por isso mesmo, ninguém abriu boca, e os quatro limitaram-se a olhar uns para os outros. Vera continuou, com o tinteiro na mão:

— Gostaria de saber que segredinhos é que a Natacha e o Bóris têm para dizer um ao outro... nessa idade, e vocês também. Que patetice!

— E o que tu que tens com isso, Vera? — disse Natacha, com a voz mais pachorrenta deste mundo, para dizer alguma coisa.

Era evidente estar, como nunca, nesse dia disposta a ser boa e afetuosa para todos.

— Tudo isto é uma patetice — continuou Vera. — Sinto vergonha por vocês. Que segredos são esses?

— Toda a gente tem segredos. Nós também não nos metemos na tua vida e na do Berg — disse Natacha, que principiava a exaltar-se.

— Acho muito bom que se não metam na minha vida nem na dele, tanto mais que nada têm a dizer de nós. Deixa estar que hei de contar à mãe como tu te portas com Bóris.

— Natália Ilinitchna porta-se muito bem comigo — disse Bóris. — Nada tenho a censurar-lhe.

— Deixe-a lá, Bóris, você está querendo ser diplomata.

A palavra diplomata estava então em moda entre as crianças, com o significado particularíssimo que elas lhe davam.

— Que maçada! — exclamou Natacha, com a voz trêmula de irritação. — Por que é que ela está sempre se metendo comigo?... Tu não entendes nada — acrescentou, dirigindo-se a Vera —, não admira: nunca gostaste de ninguém. Não tens coração, não passas de uma Madame de Genlis (era uma alcunha, com todo o ar de muito ofensiva, inventada por Nicolau)... Aquilo de que mais gostas é de más-criações para com os outros. Deixa-nos em paz e vai lá fazer-te *coquette* com o Berg.

— Mas eu nunca andei correndo atrás de um rapaz diante de gente de fora...

— Era isso que tu querias, não é verdade?, dizer-nos coisas desagradáveis — disse Nicolau. — Conseguiste que todos ficássemos zangados. Vamos embora para o quarto das crianças.

E todos eles, como um bando de pássaros assustados, bateram as asas e saíram.

— A mim é que vocês disseram coisas desagradáveis; eu, por mim, não disse coisas desagradáveis a ninguém — replicou Vera.

– Madame Genlis! Madame Genlis! – gritaram já detrás da porta as suas vozes alegres.

A linda Vera, que acabara por irritar a todos, pôs-se a sorrir, e completamente indiferente ao que lhe tinham dito aproximou-se de um espelho e compôs a echarpe e o penteado. Ao ver a sua imagem no espelho, voltou à serenidade e à frieza habituais.

No salão falava-se ainda.

– Ah, *chère* – dizia a condessa –, também na minha vida nem tudo é cor-de-rosa. Não vês que pelo caminho que levamos a nossa fortuna não dura muito? E é tudo por causa do clube e da bondade dele. Julgas que descansamos quando vamos para o campo? Lá temos os espetáculos[6], as caçadas, e só Deus sabe que mais. Mas por que hei de ficar falando de mim? E tu, como é que conseguiste tudo o que querias? O que eu admiro, às vezes, Ana, é como tu podes, na tua idade, ir sozinha, por essas estradas, a Moscou, a Petersburgo, procurar os ministros, a gente importante, e como tu sabes falar a todos! O que eu te admiro! Conta, conta, como é que conseguiste? Não entendo.

– Ah, minha filha – replicou a princesa Ana Mikailovna –, Deus queira que nunca venhas a saber o que é ficar viúva, desamparada, com um filho nos braços a quem se quer doidamente. A idade pouco importa para a gente aprender – prosseguiu com altivez. – Aprendi à minha custa. Quando tenho de me dirigir a algum graúdo, mando-lhe uma palavrinha: "*La princesse une telle* deseja avistar-se com fulano ou sicrano". E meto-me num carro de praça e apresento-me uma, duas, três, quatro vezes, as necessárias para conseguir o que pretendo. Pouco me importa o que eles possam pensar de mim.

– Conta-me lá, a quem te dirigiste para pedir por Bóris? – perguntou a condessa. – Aí o tens já oficial da Guarda, enquanto o meu Nicolau ainda não passou de aspirante. Não tenho ninguém a quem o recomendar. A quem te dirigiste?

– Ao príncipe Vassili. Foi muito amável. Pôs-se logo à minha disposição. Falou ao imperador – disse a princesa Ana com um ar vitorioso, esquecendo por completo as humilhações a que tivera de sujeitar-se para alcançar os seus fins.

– Que tal está o príncipe Vassili? Envelheceu? – inquiriu a condessa. – Nunca mais o vi desde o tempo das nossas teatradas

---

6. Nos seus vastos domínios, os senhores russos organizavam espetáculos para os quais mantinham, com grandes dispêndios, orquestras e atores servos. (N.E.)

na casa dos Rumiantsov. Naturalmente já não se lembra de mim. *Il me faisait la cour* – acrescentou, sorrindo.

– Está a mesma pessoa – replicou Ana Mikailovna –, amável, atencioso. As grandezas não o fizeram perder a cabeça. "Lamento poder tão pouco, querida princesa – disse-me ele –, mas dê-me as suas ordens." É o que te digo, é uma excelente pessoa e um bom parente. Tu bem sabes, Natália, o que o meu filho representa para mim. Nem eu sei o que seria capaz de fazer pela sua felicidade. Mas estou em circunstâncias tão penosas – continuou ela, num tom acabrunhado, e baixando a voz –, tão penosas que me vejo atualmente numa situação terrível. Aquele infeliz processo em que eu me meti leva-me tudo quanto tenho, e não há maneira de andar para diante. Imagina que estou, *à la lettre*, sem vintém, e não sei como hei de arranjar dinheiro para pagar o equipamento de Bóris. – Puxou o lenço e pôs-se a chorar. – Preciso de quinhentos rublos, e tudo quanto tenho de meu, neste momento, é uma nota de vinte rublos. Aqui tens a minha situação... A minha única esperança, agora, é o conde Cirilo Vladimirovitch Bezukov. Se ele não vier em auxílio do afilhado – como sabes, é padrinho do Bóris – e não fizer alguma coisa por ele, tudo quanto eu consegui até agora não serve para nada: não poderei pagar o equipamento do rapaz.

A condessa, de lágrimas nos olhos, ficou calada e pensativa.

– Muitas vezes digo comigo mesma, e talvez não seja bonito: ali está o conde Cirilo Vladimirovitch Bezukov, um homem que vive sozinho... e tem uma fortuna imensa... Para que é que aquele homem vive? A vida para ele é um fardo, enquanto que o Bóris, coitado, agora é que principia a viver.

– Naturalmente não deixa de se lembrar dele no testamento – disse a condessa.

– Quem sabe lá, *chère amie*! Esses ricaços, esses nababos, são tão egoístas! Em todo o caso, estou disposta a ir visitá-lo com Bóris e dizer-lhe francamente o que se passa. Pensem de mim o que quiserem, tanto se me dá. Nada tem importância para uma mãe quando está em risco o destino do seu filho. – Levantou-se para sair. – São duas horas, o seu jantar é às quatro. Tenho tempo.

E como mulher ativa, da capital, que era, para quem o tempo é dinheiro, Ana Mikailovna mandou chamar o filho e saiu com ele.

– Adeus, minha querida – disse para a condessa, que a acompanhou até a porta. – Deseja-me sorte – segredou-lhe, a ocultas do filho.

– Vai visitar o conde Cirilo Vladimirovitch, *ma chère*? – inquiriu o conde, da sala de jantar, e aparecendo na antecâmara. – Se ele estiver melhor, convide Pedro em meu nome. Ele já esteve aqui em casa, já dançou com as pequenas. Convide-o em meu nome, sem falta, *ma chère*. Vamos a ver como se porta hoje o Taraska. Está farto de me dizer que o conde Orlov nunca deu um jantar como o que ele está me preparando.

CAPÍTULO XV

– *Mon cher* Bóris – disse a princesa Ana Mikailovna para o filho quando a carruagem da condessa Rostov, que os tinha conduzido, chegou à rua atapetada de palha e penetrou no grande pátio do conde Cirilo Vladimirovitch Bezukov. – *Mon cher* Bóris – repetiu, enquanto retirava a mão da velha romeira de peles e a pousava no braço do filho, num gesto ao mesmo tempo tímido e enternecido –, sê amável, mostra-te atencioso. O conde Cirilo Vladimirovitch sempre é teu padrinho e é dele que depende o nosso futuro. Lembra-te disso, *mon cher*, sê amável, como tu sabes, quando queres...

– Se eu tivesse a certeza de que de tudo isto sairia alguma coisa além da humilhação que nos separa... – replicou o filho com frieza. – Mas, visto que lhe prometi, cumprirei a minha palavra; é pela senhora que o faço.

O criado, embora tivesse visto a quem pertencia a carruagem parada diante da escada, quis ver quem entrava, mas mãe e filho, sem se fazerem anunciar, entraram diretamente no vestíbulo guarnecido de espelhos, entre duas fileiras de estátuas perfiladas nos seus nichos. O criado, observando com um olhar significativo a velha romeira de peles, perguntou quem procuravam – as princesas ou o conde? –, e ao verificar ser o conde, disse que, como Sua Excelência estava pior, Sua Excelência não recebia ninguém.

– Vamo-nos embora – disse o filho em francês.

– *Mon ami*! – implorou a mãe, tocando-lhe de novo no braço, como se quisesse tranquilizá-lo e dar-lhe coragem.

Bóris não disse nada, e sem despir o casacão olhou para a mãe com um ar inquiridor.

– Escuta aqui – disse Ana Mikailovna para o criado, num tom insinuante –, eu bem sei que o conde Cirilo Vladimirovitch está muito mal... e é precisamente por isso que eu aqui estou... Somos parentes... Não quero incomodar ninguém, meu amigo... Apenas desejava falar com o príncipe Vassili Sergueievitch; sei que ele está aqui. Vai anunciar-nos, por favor.

O criado, com toda a solenidade, voltou as costas e puxou o cordão da campainha que tocava no andar superior.

– A princesa Drubetskaia para o príncipe Vassili Sergueievitch – gritou ele a um escudeiro, de calção, escarpins e sobrecasaca, que acorrera e se debruçava da balaustrada da escadaria.

A princesa ajeitou as pregas do vestido de seda tingida, mirou-se no grande espelho de Veneza que pendia da parede e pôs-se a subir a escada, altivamente, ao longo da passadeira, com os seus sapatos cambados.

– Meu caro, tinha me prometido – voltou ela para o filho, pegando-lhe no braço para encorajá-lo. O filho, de olhos baixos, seguia-a sem dizer palavra.

Entraram num salão que conduzia aos aposentos reservados para o príncipe Vassili.

No momento em que mãe e filho, tendo chegado ao centro da sala, se dispunham a perguntar a um velho criado que viera ao seu encontro qual o caminho a seguir, o batente de bronze de uma das portas girou e o príncipe Vassili, de samarra de veludo, só com uma condecoração, como era próprio da intimidade, apareceu, acompanhando um sujeito moreno, de muito bom aspecto. Era o famoso Dr. Lorrain, de Petersburgo.

– Então é certo? – perguntou o príncipe.

– Meu príncipe, errar é próprio do homem, mas... – volveu o médico, gaguejando e pronunciando o latim à francesa.

– *C'est bien, c'est bien...*

Ao ver Ana Mikailovna e o filho, o príncipe Vassili despediu-se do médico e avançou em direção a eles, calado, mas com uma expressão interrogadora. O filho deu-se conta de que, repentinamente, os olhos da mãe exprimiam uma profunda aflição, e um ligeiro sorriso lhe aflorou aos lábios.

– É verdade, em que penosas circunstâncias havíamos de tornar a nos ver, príncipe... E como vai o nosso querido doente? – inquiriu ela, sem parecer notar o olhar frio e ultrajante que ele lhe lançava.

O príncipe Vassili olhou para ela e depois para Bóris, como quem interroga, sem saber o que há de fazer. Bóris inclinou-se polidamente. O príncipe Vassili, sem corresponder ao seu cumprimento, voltou-se para Ana Mikailovna e respondeu-lhe com um aceno de cabeça e um movimento de lábios nada otimista para o doente.

– Será possível?! – exclamou Ana Mikailovna. – Oh, é terrível!... Não pode uma pessoa pensar numa coisa dessas... É o meu filho – acrescentou, apontando Bóris. – Quis vir agradecer-lhe pessoalmente.

Bóris inclinou-se outra vez com toda a correção.

– Acredite, príncipe, um coração de mãe nunca mais esquecerá o que fez por nós.

– Sinto-me feliz por lhe poder ter sido útil, minha cara Ana Mikailovna – volveu-lhe o príncipe Vassili, compondo o jabô e pondo no seu gesto e na sua voz, em Moscou e na presença da sua protegida, não menos importância que em Petersburgo, na *soirée* de Ana Scherer. – Faça por ser um bom oficial e por se mostrar digno... – acrescentou, dirigindo-se a Bóris. – Tenho muito prazer... Está de licença? – Interrogou num tom totalmente indiferente.

– Aguardo ordens, Excelência, para me apresentar no meu novo regimento – replicou Bóris, sem mostrar qualquer ressentimento perante os modos abruptos do príncipe ou desejos de prosseguir na conversa, mas respondendo com uma tão respeitosa compostura que o príncipe olhou para ele atentamente.

– Está na casa de sua mãe?

– Vivo na casa da condessa Rostov – tornou Bóris, sem se esquecer de acrescentar: – Excelência.

– Ilia Rostov, que casou com Natália Chinchina – elucidou Ana Mikailovna.

– Bem sei, bem sei – disse o príncipe Vassili, com a sua voz inexpressiva. – Nunca pude entender como Natália resolveu se casar com aquele urso mal lambido! Uma pessoa completamente estúpida e ridícula. E ainda por cima jogador, segundo dizem.

– Mas muito boa pessoa, príncipe – acrescentou Ana Mikailovna, com um certo sorriso, como se ela fosse também de opinião que o conde Rostov era digno de um tal juízo, mas entendesse que as pessoas deviam mostrar indulgência para com um pobre velho. – Que dizem os médicos? – perguntou, depois de um breve silêncio, e afivelando, de novo, uma expressão de grande pesar no rosto cavado pelas lágrimas.

– Há pouca esperança – volveu o príncipe.

– E eu que tanto queria uma vez ainda agradecer a meu tio todas as atenções que ele tem tido para comigo e para com meu filho. Meu filho é afilhado dele – acrescentou, como se essa informação devesse causar uma grande alegria ao príncipe Vassili.

Este franziu as sobrancelhas, sem dizer nada. Ana Mikailovna percebeu que ele receava ver nela uma rival na disputa da herança do conde Bezukov, e procurou logo tranquilizá-lo.

– É apenas por muita estima e dedicação por meu tio – disse, deixando cair, negligentemente, e com convicção, esta última palavra. – Conheço-lhe muito bem o caráter nobre e franco, mas ele não tem junto de si senão as princesas... Tão novas... – Inclinou-se-lhe ao ouvido e acrescentou em voz baixa: – Ele já se preparou para a jornada, príncipe? Estas últimas horas são tão preciosas! Não há momento mais grave, é indispensável prepará-lo, visto estar tão mal. Nós, mulheres, príncipe – sorriu carinhosamente –, nós sabemos melhor do que ninguém falar dessas coisas. É indispensável que eu o veja. Por mais penoso que isso seja para mim... mas estou habituada ao sofrimento.

O príncipe compreendia, e mais do que nunca, que, como na *soirée* de Ana Scherer, não lhe ia ser fácil desembaraçar-se de Ana Mikailovna.

– Não acha que essa entrevista lhe seria muito penosa, *chère* Ana Mikailovna? – volveu ele. – É melhor esperarmos para amanhã. Os médicos previram uma crise.

– Mas não se deve esperar em tais momentos, príncipe. Lembre-se que é preciso pensar na salvação de sua alma... Ah! é terrível, os deveres de um cristão...

Uma porta dos aposentos interiores abriu-se e uma das sobrinhas do conde entrou, uma jovem de aspecto triste e frio, com o tronco completamente desproporcionado em relação às pernas.

O príncipe Vassili voltou-se para ela.

– Então, como está ele?

– Sempre na mesma. Não admira, com este barulho... – disse a princesa, olhando para Ana Mikailovna como se ela fosse uma desconhecida.

– Ah! querida, não a reconhecia! – exclamou Ana Mikailovna, com um sorriso feliz e avançando, ligeira, para a sobrinha do conde. – Acabo de chegar e estou à sua disposição para ajudar a tratar de meu tio. Calculo o que deve ter sofrido – acrescentou com um ar compadecido.

A princesa não disse nada, nem sequer sorriu, e voltou logo a desaparecer. Ana Mikailovna descalçou as luvas e instalou-se numa cadeira, em posição conquistada, fazendo sinal ao príncipe Vassili para sentar-se ao lado dela.

– Bóris! – disse para o filho, sorrindo-lhe –, eu vou ver o conde, meu tio; tu, entretanto, *mon ami*, procura por Pedro, e não te esqueças de lhe transmitir o convite dos Rostov. Querem-no lá para jantar. Naturalmente não vai, penso eu – acrescentou, para o príncipe.

– Por que não? – observou este, que não parecia lá muito bem-disposto. – Faria-me um grande favor se me livrasse daquele rapaz. Está aqui instalado. O conde ainda não pediu uma única vez para vê-lo.

Encolheu os ombros. Um escudeiro acompanhou Bóris, fazendo-o descer a escada e conduzindo-o depois por outra aos aposentos de Pedro Kirilovitch.

CAPÍTULO XVI

Pedro, que não conseguira decidir-se por uma carreira em Petersburgo, havia sido, de fato, recambiado para Moscou por causa do seu mau comportamento. A história que se contava na casa dos Rostov era exata. Pedro tinha tomado parte na cena da amarração do polícia ao lombo do urso. Regressara havia apenas breves dias e, como era seu costume, instalara-se na casa do pai. Embora calculasse que a história já seria conhecida em Moscou e que as senhoras da roda do pai, sempre maldispostas para com ele, já teriam aproveitado a ocasião para indispor o conde consigo, nem por isso deixara de se apresentar nos aposentos do pai assim que chegara. Ao entrar no salão, quartel-general das princesas, cumprimentou as senhoras que estavam a bordar enquanto uma delas lia um livro em voz alta. Eram três. A mais velha era de fisionomia severa e de aspecto cuidado, de tronco muito alto, a mesma que aparecera a Ana Mikailovna. Essa era a leitora; as duas mais novas, frescas e bonitas, tão parecidas que apenas se distinguiam pelo sinalzinho que uma delas tinha sobre o lábio e que a tornava ainda mais bonita, bordavam ao bastidor. Pedro foi recebido como um morto que ressuscita ou como um pestífero.

A mais velha interrompeu a leitura e, sem dizer nada, fitou-o de olhos espavoridos; a segunda, a que não tinha sinal, reproduziu exatamente a expressão da irmã; a mais nova, de feitio jovial e trocista, mergulhou a cabeça no trabalho para esconder o riso que lhe iria provocar a divertida cena com que já contava. Levantou o bastidor e inclinou-se para o bordado, como se estivesse absorta no seu trabalho, mal podendo suster o riso.

– Bom dia, minha prima – disse Pedro. – Não me reconhece?

– Conheço-o demais, conheço-o demais, sim, demais.

– Como está o conde? Posso vê-lo? – continuou, embaraçado, como sempre, mas sem se perturbar.

– O conde está mal física e moralmente, e, pelo que sei, Pedro tem feito o possível para lhe agravar os padecimentos morais.

– Posso vê-lo? – repetiu Pedro.

– Hum... Se o quer matar, sim; se o quer matar, então, faça o favor. Olga, vai ver se o caldo do tio está pronto; estamos quase na hora – acrescentou ela, mostrando com isso a Pedro que não faziam outra coisa senão aliviar os sofrimentos do pai, enquanto ele só servia, evidentemente, para o desassossegar.

Olga saiu. Pedro olhou as duas irmãs e disse, pedindo licença para se retirar:

– Então vou-me embora. Quando eu puder vê-lo, espero que mandem me chamar.

Saiu, e o riso meio abafado da mais nova ressoou-lhe nas costas.

No dia seguinte, o príncipe Vassili chegava e instalava-se na casa do conde. Mandou chamar Pedro e disse-lhe:

– Meu caro, se continua a comportar-se aqui como em Petersburgo, acabará muito mal, é o que lhe digo. O conde está muitíssimo doente: deves evitar vê-lo por completo.

A partir desse momento nunca mais ninguém pensou em Pedro, que passava os dias nos seus aposentos, no andar de cima.

Quando Bóris entrou no quarto, Pedro passeava de um lado para o outro, detendo-se, de vez em quando, num dos ângulos da sala, gesticulando ameaçadoramente diante da parede, como se desafiasse um inimigo invisível, e lançando olhares severos por cima do pincenê. Depois, retomava a sua caminhada, pronunciava palavras incompreensíveis, encolhia os ombros, agitava os braços.

– A Inglaterra viveu – articulava ele, franzindo as sobrancelhas, e apontando algo com o dedo. – M. Pitt como traidor à pátria e ao direito dos povos é condenado a...

Não pôde concluir a sentença que condenava Pitt. Julgava-se Napoleão e na companhia do seu herói atravessava já o perigoso Pas de Calais, a caminho da conquista de Londres, quando viu entrar um jovem e garboso oficial. Calou-se. Tinha deixado de ver Bóris quando já tinha seus catorze anos, e não se lembrava realmente dele. Apesar disso, travou-lhe do braço, com os seus modos atenciosos e espontâneos, sorrindo-lhe amistosamente.

– Lembra-se de mim? – perguntou Bóris, serenamente, e com um sorriso gracioso. – Vim com minha mãe visitar o conde, mas, segundo parece, ele não está bem de saúde.

– Sim, digamos, está doente. Estão sempre a incomodá-lo – replicou Pedro, procurando lembrar-se de onde conhecia aquele jovem.

Bóris via perfeitamente que Pedro não o reconhecia, mas não se achava na obrigação de lhe dizer quem era. E fitou-o sem o menor embaraço.

– O conde Rostov pede-lhe que vá hoje jantar na casa dele – disse, após uma pausa assaz longa e algo embaraçosa para Pedro.

– Ah, o conde Rostov! – exclamou Pedro muito contente. – Então é Ilia, o filho do conde. E eu que não o tinha reconhecido no primeiro momento. Lembra-se quando íamos passear no monte dos Pardais[7] com Madame Jacquot... Faz muito tempo, já.

– Está enganado – disse Bóris, sem pressa, e com um sorriso protetor e um pouco trocista. – Sou Bóris, o filho da princesa Ana Mikailovna Drubetskaia. Ilia é o Rostov pai. O filho chama-se Nicolau. E não conheço nenhuma Madame Jacquot.

Pedro abanou a cabeça e gesticulou, como se quisesse enxotar moscas ou abelhas importunas.

– Ah! o que estou dizendo? Confundo tudo. Há tantos parentes em Moscou! Já sei, Bóris... perfeitamente. Até que enfim estamos de acordo. Ora, diga-me, que pensa da expedição de Bolonha? Não acha que os ingleses ficarão em maus lençóis se Napoleão conseguir atravessar o canal? Na minha opinião a expedição é coisa viável. Desde que Villeneuve não faça alguma asneira.

---

7. Passeio célebre a sudoeste de Moscou. (N.E.)

Bóris não sabia absolutamente nada acerca da expedição de Bolonha, não lia os jornais, e era a primeira vez que ouvia falar em Villeneuve.

– Nós, aqui, em Moscou, preocupamo-nos mais com jantares e mexericos do que com política – disse ele no seu tom sereno e escarninho. – Nada sei a esse respeito, nem tenho opinião sobre o assunto. Moscou é uma cidade que presta sobretudo atenção aos escândalos. Neste momento não se fala noutra coisa senão de você e do conde.

Pedro sorria, e o seu sorriso bom parecia traduzir o receio de que o interlocutor se descaísse com uma palavra de que pudesse vir a arrepender-se. Mas Bóris falava distintamente, com nitidez e secura, fitando-o nos olhos.

– Moscou não tem mais que fazer senão mexericar – continuou. – Toda a gente está morta para saber a quem é que o conde vai deixar a sua imensa fortuna, embora muito bem possa acontecer que ele aqui fique para nos enterrar a todos, e faço votos para que assim seja.

– Sim, tudo isto é triste – murmurou Pedro. – Muito triste.

Ainda não deixara de temer que o oficial, estouvadamente, abordasse alguma conversa embaraçosa para ele.

– Como deve calcular – continuou Bóris, corando ligeiramente, mas sem alterar o seu tom e o seu semblante reservados –, como deve calcular, o que toda a gente espera de um ricaço é vir a receber dele alguma coisa.

"Ora, aí está", disse Pedro com os seus botões.

– E era precisamente isso que eu queria lhe dizer, para evitar equívocos: que está muito enganado se nos considera, a minha mãe e a mim, na categoria dessa gente. Nós somos bastante pobres, mas posso garantir-lhe, pelo menos no que me diz respeito, que é precisamente porque seu pai é rico que eu não me considero seu parente, e que tanto eu como minha mãe nunca lhe pediremos seja o que for, nem nada aceitaremos dele.

Levou seu tempo antes que Pedro compreendesse, mas assim que o conseguiu deu um pulo do divã, pegou em Bóris por debaixo do braço, com a sua vivacidade de gestos e a sua habitual maneira desajeitada, e, corando ainda mais que o seu interlocutor, pôs-se a dizer-lhe, num misto de pudor e embaraço:

– Que está a dizer? Será possível que... Quem é que seria capaz de pensar... Eu sei perfeitamente...

Mas Bóris mais uma vez lhe cortou a palavra.

– Estou satisfeito por ter-lhe dito tudo isto. Naturalmente não lhe foi muito agradável de ouvir, desculpe-me – acrescentou, para tranquilizar Pedro, quando quem devia esperar ser tranquilizado era ele próprio. – Mas espero que não o tenha ofendido. Tenho por princípio usar de franqueza... Que resposta quer que eu dê? Vai ao jantar dos Rostov?

Bóris, depois de assim ter se desembaraçado de um penoso dever e de ter transferido para outrem a falsa situação em que se encontrava, tornou-se muito amável, como era seu costume.

– Escute aqui – disse Pedro, tranquilizado –, você é uma pessoa extraordinária. O que acaba de me dizer é bonito, muito bonito. Claro que não me conhece. Há tantos anos que não nos vemos... desde crianças... Talvez suponha que eu... Sim, compreendo-o, compreendo-o perfeitamente. Não teria feito uma coisa dessas, não teria tido coragem, mas acho muito bem. Gostei muito de o conhecer. É curioso – acrescentou, após uma breve pausa e sorrindo – o que foi capaz de pensar de mim! – Pôs-se a rir. – Mas que importância tem isso? Havemos de ter ocasião de nos conhecermos melhor, não é verdade? – Apertou-lhe a mão. – Fique sabendo que eu ainda não pus os pés no quarto do conde. Não mandou sequer me chamar... Tenho pena dele... Mas que hei de fazer?

– Acha que Napoleão será capaz de levar a cabo a travessia? – perguntou Bóris, com um sorriso.

Pedro disse consigo mesmo que Bóris queria mudar de conversa, e, fazendo-lhe a vontade, pôs-se a descrever-lhe, pormenorizadamente, as vantagens e as dificuldades da tentativa de Bolonha.

Um criado veio procurar Bóris, mandado pela princesa, a qual ia partir. Pedro prometeu aparecer no jantar, e, para mais estreitar os seus laços com Bóris, apertou-lhe energicamente a mão, fitando-o amistosamente através dos cristais de seu pincenê... Depois de Bóris sair, continuou por muito tempo a passear no quarto, já não a rachar, de alto a baixo, inimigos invisíveis, mas sorrindo à lembrança daquele rapaz amável, ao mesmo tempo inteligente e resoluto.

Como é comum com a gente muito moça, especialmente se vive isolada, Pedro sentia por aquele rapaz um enternecimento sem razão de ser, prometendo para si mesmo fazer dele um verdadeiro amigo.

O príncipe Vassili acompanhava a princesa. Esta levava o lenço nos olhos e tinha o rosto coberto de lágrimas.

– É horrível, é horrível! – exclamava ela. – Mas hei de cumprir o meu dever custe o que custar. Hei de vir tomar conta dele. Não o podem deixar neste estado. Cada minuto que passa é tempo perdido. Não sei por que as princesas estão à espera. Que Deus me inspire a maneira de o preparar... Adeus, meu príncipe, que Deus o ajude!...

– Adeus, minha amiga – replicou o príncipe Vassili, ao deixá-la.

– Oh, que situação terrível! – disse a mãe para o filho, ao subirem para a carruagem. – Quase já não conhece ninguém.

– Não chego a compreender, mãe, quais são as relações dele com Pedro – observou o filho.

– O testamento há de nos dizer, meu amigo. E o nosso destino depende disso...

– Mas o que é que a leva a pensar que ele nos deixa alguma coisa?

– Ah, meu filho! Ele é tão rico e nós somos tão pobres!

– Isso não é uma razão, mãe.

– Ai, meu Deus, meu Deus, o estado em que ele está! – suspirava ela.

CAPÍTULO XVII

Depois que Ana Mikailovna e o filho saíram para se dirigir a casa do conde Cirilo Vladimirovitch Bezukov, a condessa Rostov ficou por muito tempo sozinha, de lenço nos olhos. Por fim, tocou a campainha.

– Que andas tu a fazer? – disse ela, irritada, para a criada, que tinha tardado alguns minutos a aparecer. – Não queres fazer as tuas obrigações? Nesse caso, posso arranjar-te outra casa.

A condessa ficara tão perturbada com as aflições e a humilhante pobreza da amiga que estava de mau humor, e quando se irritava falava sempre assim à pobre criada.

– Peço desculpa, minha senhora.

– Vai dizer ao senhor conde que venha cá.

O conde, no seu passo claudicante, veio ao encontro da mulher, com o ar habitual de quem é surpreendido a fazer qualquer coisa malfeita.

— Oh, condessinha! Aquilo é que é um *sauté* de galinholas *au madère* que nós lá temos, *ma chère*! Já o provei. Fiz muito bem em dar mil rublos ao Taraska. Vale-os bem!

Sentou-se ao lado da condessa, apoiando os cotovelos nos joelhos, os cabelos brancos em desordem.

— Que deseja, condessa?

— Olhe lá, querido... Que nódoa é essa? – disse ela, apontando-lhe o colete. – Naturalmente, foi o *sauté* – acrescentou, sorrindo. – É que preciso de dinheiro.

Tinha assumido uma expressão tristonha.

— Ah, condessinha!..

O conde apressou-se em ir buscar a carteira.

— Preciso de muito dinheiro, conde; de quinhentos rublos.

E, puxando do seu lencinho de cambraia, pôs-se a esfregar o colete do marido.

— É já, é já. Eh lá! Quem é que está aí? – gritou, no tom de um homem que sabe que basta chamar para logo acorrerem ao seu apelo. – Manda cá o Mitenka.

Mitenka, o jovem de boa família, a educar na casa do conde, e que estava à testa de todos os seus negócios, entrou na sala calmamente.

— Vem cá – disse o conde para o jovem, que se aproximou em atitude respeitosa. – Traz-me... – Ficou um momento a pensar. – Sim, setecentos rublos. Mas, toma cuidado, não me tragas dessas notas rasgadas e sujas, como da outra vez. Quero notas novas, são para a condessa.

— Sim, Mitenka, que sejam limpas – apoiou a condessa, com um profundo suspiro.

— Quando precisa desse dinheiro, Excelência? – perguntou Mitenka. – É bom que Sua Excelência saiba que... Mas não se aflija – acrescentou, notando que a respiração do conde se tornava opressa, sinal de que principiava a encolerizar-se. – Tinha me esquecido, precisamente... Quer já essa importância?

— Quero, quero, traga-a. É para a dares à condessa.

— Isto é que é um tesouro, esse Mitenka – prosseguiu ele, sorrindo, assim que o rapaz saiu. – Não me venham dizer que é impossível. Isso é que eu não posso tolerar. Tudo é possível.

— Ah, o dinheiro, conde, o dinheiro, as aflições que o dinheiro causa neste mundo! – exclamou a condessa. – E eu preciso muito deste dinheiro.

– Pois, sim, condessinha, toda a gente sabe que é uma perdulária – disse o conde; e, depois de beijar a mão da mulher, retirou-se para o seu gabinete.

Quando Ana Mikailovna voltou da casa de Bezukov, já a condessa tinha em seu poder o dinheiro, todo em notas novas, em cima de uma mesa, debaixo do lenço de assoar, e Ana Mikailovna viu perfeitamente que a amiga estava preocupada.

– Então, minha amiga? – inquiriu a condessa.

– Ah! que situação horrível a dele! Está irreconhecível. E tão mal, tão mal! Estive junto dele apenas uns momentos, e não lhe pude dizer uma única palavra...

– Annette, por amor de Deus, não digas que não! – exclamou, de súbito, a condessa corando muito, o que era estranho naquele rosto magro e grave, nada novo já, e tirou o dinheiro que tinha debaixo do lenço.

Ana Mikailovna compreendeu imediatamente de que se tratava e debruçou-se para beijar a amiga no momento propício.

– Aqui tens, da minha parte, para o uniforme de Bóris.

Ana Mikailovna abraçou-se então a ela a chorar. A condessa também chorou. Ambas choravam, porque ambas estavam de acordo e também porque eram pessoas de bom coração e excelentes amigas de infância e se viam obrigadas a preocupar-se com essa coisa desprezível que é o dinheiro e ainda também porque já não eram novas... Mas as suas lágrimas não eram amargas...

CAPÍTULO XVIII

A condessa Rostov estava sentada no salão, no meio de suas filhas, já entre um grande número de convidados. O conde tinha levado consigo os homens para mostrar-lhes, no gabinete, a sua coleção de cachimbos turcos. De vez em quando, vinha cá fora perguntar se ela ainda não tinha chegado. Estava-se à espera de Maria Dimitrievna Akrosimova, conhecida na sociedade por *le terrible dragon*, uma senhora a quem não distinguiam nem a fortuna nem os títulos, mas a inteireza e a franca simplicidade de maneiras. Maria Dimitrievna era conhecida da família imperial, e toda Moscou e toda Petersburgo a conheciam igualmente, e as duas cidades, posto a admirassem, nas costas dela zombavam do seu ar rude, contando anedotas a seu respeito. Todas as pessoas, sem exceção, a estimavam e a temiam um pouco.

No gabinete, cheio de fumaça, a conversa tinha por assunto a guerra, que um manifesto acabava de anunciar, e o serviço de recrutamento. Ainda ninguém tinha lido esse manifesto, mas toda a gente sabia da sua existência. O conde estava sentado numa otomana, entre dois fumadores, que conversavam. Quanto a ele, não fumava nem falava. Voltando a cabeça ora para um lado ou para o outro, olhava para os interlocutores com viva satisfação e ouvia o que diziam aquelas duas criaturas que ele pusera em contato.

Um deles era civil, de rosto magro, escanhoado, bilioso e cheio de rugas. Pendia já para a velhice, conquanto vestisse como um rapaz à moda. Sentava-se à turca na otomana, como se estivesse em sua própria casa, e, com a boquilha de âmbar ao canto da boca, lançava rolos de fumaça, de tempos a tempos, piscando os olhos. Era um velho celibatário, Chinchine de nome, primo da condessa, um má-língua, como se dizia nos salões moscovitas. Conversando, parecia conceder uma alta distinção ao seu interlocutor. Este era um oficial da Guarda, rosado e fresco, bem apertado, bem penteado e irrepreensível na sua farda. De cachimbo na bonita boca, soltava por entre os lábios rosados ligeiros rolos de fumaça, que subiam no ar em pequenos círculos. Era o tenente Berg, do Regimento Seminovski, atual camarada de Bóris, aquele a quem Natacha chamara, para irritar a irmã, o noivo da Vera. O conde tinha se sentado entre os dois e ouvia-os atentamente. A ocupação de que ele mais gostava, à parte o *boston*, que adorava, era precisamente o papel de auditor, sobretudo quando conseguia defrontar dois tagarelas.

– Hein, como é isso, *mon très honorable* Afonso Karlitch – dizia Chinchine, trocista, misturando as expressões o mais tipicamente russas com as frases francesas mais *recherchées*.
– Você tenciona locupletar-se à custa do Estado... quer tirar lucros do seu esquadrão?

– Não, Piotre Nikolaitch, apenas queria mostrar-lhe que a cavalaria oferece muito menos vantagens que a infantaria. Considere a minha posição, Piotre Nikolaitch...

Berg falava sempre com precisão, num tom calmo e cortês. Tudo quanto dizia lhe tocava a ele próprio de perto. E era capaz de estar calado horas sem se enfadar com isso nem causar aos outros o mínimo enfado. Mas desde que a conversa o tocasse pessoalmente, logo ele intervinha com exuberância e visível prazer.

— Considere a minha posição, Piotre Nikolaitch. Se eu estivesse na cavalaria, não teria mais de duzentos rublos de três em três meses, mesmo no posto de tenente, e atualmente tenho duzentos e trinta... — Um alegre e afetuoso sorriso acompanhava as suas palavras, e olhava para Chinchine e para o conde como se fosse a própria evidência os seus próprios êxitos, dele, Berg, serem como que a preocupação suprema de toda a humanidade. — Além disso, Piotre Nikolaitch, passando para a Guarda — continuou ele —, estou mais em evidência, e as vagas são em muito maior número na infantaria. E, depois, pode calcular como eu me arranjo com os duzentos e trinta rublos. Pois fique sabendo que faço economias e ainda mando dinheiro a meu pai — disse, entre duas baforadas.

— *La balance y est...* O alemão malha o milho em cima do cabo de um machado, *comme dit le proverbe*[8] — disse Chinchine, piscando o olho ao conde e mudando a posição do cachimbo.

O conde soltou uma gargalhada. Alguns dos convidados, verificando que Chinchine era a alma da conversa, aproximaram-se para ouvir. Berg, que não dava nem pela zombaria nem pela frieza que acolhiam as suas considerações, continuava a historiar que, graças à sua passagem pela Guarda, já ganhara um número sobre os seus camaradas de promoção; que, em tempo de guerra, um comandante de esquadrão pode morrer e que ele, na sua qualidade de mais antigo, muito facilmente poderia vir a substituí-lo; que no seu regimento toda a gente o adorava, e que o pai estava muito contente com ele. Berg deliciava-se claramente com todas essas revelações e parecia não passar-lhe sequer pela cabeça que os demais pudessem ter também os seus interesses. A verdade, porém, é que tudo quanto ele dizia tinha um ar tão decente e tão gracioso, era tamanha a candura do seu egoísmo juvenil que os seus interlocutores se sentiam desarmados.

— Bom, bom, meu filho, garanto-lhe que tanto na infantaria como na cavalaria, seja onde for, o seu futuro está garantido, isso prometo-lhe eu — disse Chinchine, batendo-lhe nas costas e erguendo-se da otomana.

Berg sorriu com um ar feliz. O conde, e com ele os seus hóspedes, penetraram no salão.

Estava-se naquele momento que antecede os jantares de cerimônia, em que os convidados, à espera da hora do jantar, não

---

8. Provérbio russo que exprime avareza. (N.E.)

se embrenham em grandes conversas, sentindo-se obrigados a agitar-se e a não ficarem calados, para assim darem a impressão de não terem pressa de ir para a mesa. Os donos da casa lançavam, de vez em quando, o seu olhar para a porta, e entreolhavam-se depois. Por sua vez, os convidados procuravam discernir nesses olhares quem se aguardava e o que ainda se aguardava: seria alguma importante pessoa de família retardatária ou alguma iguaria que ainda não estivesse pronta?

Pedro chegara um pouco antes de começar o jantar e, desajeitado, foi sentar-se, no meio do salão, na primeira cadeira que viu, atrapalhando o caminho a todos. A condessa quis obrigá-lo a falar, mas ele lançou um olhar ingênuo em torno de si por detrás das lentes, como se procurasse alguém, e não respondeu às suas investidas senão por monossílabos. Era incomodativo e só ele não percebia que estava sendo. A maior parte dos convidados, que tinha sabido da sua história com o urso, observava, curiosamente, aquele rapagão, corpulento e pacífico, perguntando cada um a si mesmo como é que um simplório daqueles, gordo e modesto, podia ter sido o autor da proeza em que um polícia se vira envolvido.

– Só agora chegou? – inquiriu a condessa.

– *Oui, madame* – respondeu ele, distraidamente.

– Não viu ainda meu marido?

– *Non, madame*. – Pôs-se a rir sem saber por quê.

– Ouvi dizer que esteve há pouco tempo em Paris. É interessante, não é?

– Muito interessante.

A condessa trocou um olhar com Ana Mikailovna, que percebeu aquela pedir-lhe que tomasse conta do rapaz. Sentando-se junto dele, pôs-se a falar-lhe do pai. Mas ele, como acontecera com a condessa, apenas lhe respondia por monossílabos. Os convidados estavam muito ocupados. Ouviam-se fragmentos de frases: "*Les Razomovski...*", "*Çà a été charmant...*", "*Vous êtes bien bonne...*", "*La comtesse Apraksine*". A condessa levantou-se e entrou no grande salão.

– Maria Dimitrievna? – ouviu-se perguntar.

– E, é ela mesma – respondeu uma grossa voz de mulher, e nesse mesmo momento Maria Dimitrievna entrava na sala.

Todas as moças, e até as senhoras, à exceção das mais idosas, se levantaram. Maria Dimitrievna deteve-se no limiar da porta. Grande e maciça, a cabeça erguida, onde os caracóis brancos mostravam bem rondar ela a casa dos cinquenta, envolveu num olhar toda a assembleia, e, como se quisesse arregaçá-las, ajeitou, sem pressa, as largas mangas do seu vestido. Maria Dimitrievna exprimia-se sempre em russo.

– As minhas felicitações à festejada e aos seus filhos – disse na sua voz alta e grave, que dominava todos os demais ruídos. – E tu, velho pecador – acrescentou, dirigindo-se ao conde, que lhe beijava a mão. – Hein! Te aborreces em Moscou? Não se pode arranjar aqui uma boa caçada? Nada a fazer, meu velho, enquanto estes pintainhos não crescerem... – E apontava para as filhas do conde. – Quer queiras quer não, tens de lhes arranjar casamento.

– Então, meu cossaco! (Chamava sempre a Natacha meu cossaco.) – Acariciou com a mão Natacha, que se aproximou, para beijá-la com um ar desembaraçado e alegre. – Bem sei que és uma peste, mas eu gosto de ti.

Retirou de uma enorme saca uns brincos de âmbar, em forma de pera, e, dando-os a Natacha, radiante com o seu aniversário e rubra de satisfação, voltou-lhe instantaneamente as costas para dirigir-se a Pedro.

– Olá, meu caro amigo! Vem cá – disse ela numa voz que procurava tornar suave e delicada. – Vem cá, meu caro...

E arregaçou ainda mais as mangas do vestido, num gesto que parecia uma ameaça. Pedro aproximou-se, olhando-a com candura através das lentes de seu pincenê.

– Aproxima-te, aproxima-te, meu caro! Mesmo a teu pai só eu era capaz de lhe dizer a verdade, quando ele estava disposto a ouvi-la, e Deus queira que tu, tu também a entendas.

Calou-se. Todos se calaram igualmente; aguardavam o que ia acontecer, sentindo que aquilo não passava de preâmbulo.

– Um lindo menino, não há dúvida! Um lindo menino!... O pai no leito de agonia, e ele a fazer loucuras, a obrigar um polícia a andar a cavalo num urso. É uma vergonha, meu filho, uma vergonha! Farias bem melhor se fosses para a guerra.

Voltou-lhe as costas e deu a mão ao conde, que mal podia suster o riso.

– Bom, suponho que são horas de irmos para a mesa – concluiu Maria Dimitrievna.

O conde e Maria Dimitrievna abriram a marcha; atrás deles seguia a condessa, acompanhada do coronel de hussardos, pessoa de acarinhar, porque era na sua companhia que Nicolau regressava ao seu regimento. Ana Mikailovna ia pelo braço de Chinchine. Berg ofereceu o dele a Vera. Júlia Karaguine, toda sorridente, acompanhava Nicolau. Os outros pares vinham depois, estendendo-se pelo salão além, e atrás de todos, um pouco à parte, as crianças, os preceptores e as governantas. Os lacaios apressaram-se, houve um rumor de cadeiras e uma orquestra principiou a tocar no momento em que os convivas se sentavam.

As notas da orquestra particular do conde misturavam-se ao tilintar das facas e dos garfos, ao ruído das conversas, às idas e vindas discretas dos criados. À cabeceira da mesa sentava-se a condessa, dando a direita a Maria Dimitrievna e a esquerda a Ana Mikailovna e às demais senhoras. Na outra cabeceira estava o conde, que tinha à sua esquerda o coronel de hussardos e à direita Chinchine e outros convidados masculinos. De um dos lados da grande mesa ficava a mocidade já crescida: Vera, ao lado de Berg, Pedro, com Bóris; do outro lado, as crianças, os preceptores, as governantas. O conde via a mulher, com a sua touca alta, de fitas azuis, através dos cristais das garrafas e das taças cheias de fruta, e ia enchendo os copos dos vizinhos, sem esquecer o seu próprio. A condessa, igualmente oculta por detrás dos ananases, sem descuidar dos seus deveres de dona de casa, trocava a sua piscadela de olhos com o marido, cujas calvície e face rubicunda lhe pareciam particularmente vermelhas em contraste com o cabelo branco. No lado das senhoras havia uma vozearia bem ritmada; no dos homens, as vozes iam-se tornando cada vez mais ruidosas, principalmente a do coronel de hussardos, que, cada vez mais corado, tanto comia e tão bem, que o conde o exibia como exemplo aos demais convidados. Berg, com um enternecido sorriso, falava a Vera do amor, esse sentimento não deste mundo, mas do céu. Bóris ia dizendo ao seu novo amigo Pedro o nome dos convivas, enquanto trocava olhares com Natacha, sentada diante dele. Pedro falava pouco, examinando todas estas caras novas, e comia abundantemente. Desde as duas qualidades de sopa, de que ele preferiu a *à la tortue*, e dos *kulebiaks*, até as galinholas, de todos os pratos e de todos os vinhos que o *maître*, com a garrafa envolta num guardanapo, parecia extrair misteriosamente do ombro do seu vizinho de mesa, murmurando: "Madeira seco", "Húngaro" ou "Vinho do Reno", de tudo se serviu. Pedro pegava no primeiro dos copos que lhe vinham à mão, dentre os quatro ornados com o monograma do conde, em fila diante de cada talher, e despejava-o, gulosamente, aumentando, de momento a momento, de afetuosidade para com os seus vizinhos de mesa. Diante dele, Natacha olhava para Bóris como as garotas de treze anos costumam olhar para os rapazes que acabam de beijá-las e por quem elas se julgam apaixonadas. Por vezes até o próprio Pedro recebia dela um olhar desse gênero, e esse olhar de menina risonha e animada dava-lhe vontade de rir sem que soubesse por quê.

Nicolau estava longe de Sônia, junto de Júlia Karaguine, e com ela se entretinha a conversar com o mesmo sorriso constrangido. Sônia sorria para todos, mas a verdade era estar visivelmente consumida de ciúme: ora empalidecia, ora corava, fazendo o possível para conseguir entender o que Nicolau e Júlia estavam dizendo. A preceptora lançava em torno de si olhares inquietos, pronta a cair a fundo sobre o primeiro que se lembrasse de se meter com as crianças. O preceptor alemão procurava gravar na memória toda a espécie de pratos, de sobremesas e de vinhos que iam sendo servidos para depois poder falar em tudo isso pormenorizadamente na carta que enviaria para a Alemanha. Sentira-se mortificado quando o *maître*, com a garrafa envolta no guardanapo, passara por ele sem o servir. Franzira as sobrancelhas, fingindo não querer vinho, mas a verdade é que se sentia ofendido por ninguém compreender que o vinho lhe era necessário não para o desalterar ou para lhe satisfazer a gula, mas apenas pelo desejo bem mais sério de se instruir.

CAPÍTULO XIX

No setor dos homens a conversa ia se animando cada vez mais. O coronel contava que o manifesto da declaração de guerra já era conhecido em Petersburgo e que um exemplar, que ele próprio vira, fora expedido pelo correio ao comandante em chefe.

– E por que diabo é que nós havemos de declarar guerra a Bonaparte? – disse Chinchine. – Já fez com que a Áustria metesse a viola no saco. Receio que seja agora a nossa vez.

O coronel era um alemão sólido, de grande estatura, aspecto sanguíneo, sem dúvida bom militar e bom patriota. As palavras de Chinchine magoaram-no.

– Por quê, meu caro senhor? – tornou ele, com o seu sotaque estrangeiro. – Por quê? Aí está o que o imperador sabe muitíssimo bem. No seu manifesto, diz que não pode continuar indiferente aos perigos que ameaçam a Rússia e que a segurança do império, a sua dignidade e a santidade das alianças...

Acentuou particularmente esta última palavra, como se nela estivesse a chave do problema.

E com a sua impecável memória de personalidade oficial repetiu as palavras do princípio do manifesto: "E o desejo do imperador, o seu único e invariável objetivo – que é o restabelecimento da paz na Europa assente em bases sólidas –, decidiram-no a dar ordens a uma parte do exército para atravessar a fronteira e a realizar esta nova aliança para dar cumprimento aos seus objetivos".

– E aqui tem porquê, meu caro senhor! – concluiu ele, levando o copo à boca cheio de compunção, enquanto com os olhos pedia a aprovação do conde.

– Conhece o provérbio: "Erema, Erema, melhor era que ficassem em casa a fiar a lã"[9]? – disse Chinchine, franzindo as sobrancelhas e sorrindo. – Isso nos convém admiravelmente. Suvorov já foi apanhado e vencido. E onde estão os nossos Suvoroves hoje em dia? *Je vous demande un peu*. – Chinchine estava sempre a transitar do russo para o francês.

– Temos de nos bater até a última gota de sangue – disse o coronel, deixando cair a mão em cima da mesa – e morrer pelo nosso imperador. E assim deve ser. Mas nada de raciocínios, raciocinar o menos possível. – Engrossou a voz, especialmente ao pronunciar a palavra *menos*, e voltando-se de novo para o conde. – É assim que nós, velhos hussardos, encaramos as coisas em última instância. E o senhor, que pensa o senhor disto, jovem hussardo? – prosseguiu, dirigindo-se a Nicolau, que, ao perceber que se falava da guerra, esquecera a interlocutora, todo ouvidos.

– Penso exatamente da mesma maneira – replicou Nicolau, que se entusiasmou e se pôs a mexer no prato e a deslocar os copos de forma tão brusca e incoerente que se diria correr naquele momento um grande perigo. – Estou convencido de que os russos só têm duas soluções: vencer ou morrer – continuou com o sentimento, em que todos os outros comungavam, de que estava exprimindo exatamente aquilo, que já fora dito, mas por palavras demasiado enfáticas e pomposas, e isso lhe causava uma espécie de embaraço.

---

9. Provérbio russo que significa que ninguém deve intrometer-se nos assuntos alheios. Erema ou Eremei é nome de mujique. (N.E.)

– É muito belo o que acaba de dizer – observou Júlia, que estava sentada a seu lado.

Sônia pôs-se a tremer e corou até as orelhas. Até mesmo a sua nuca e os seus ombros se ruborizaram ao ouvir Nicolau falar assim.

Pedro prestara atenção às considerações do coronel, e aprovava-as com a cabeça.

– Ora, aí está uma coisa acertada – observou.

– É verdade, um autêntico hussardo, meu rapaz – exclamou ainda o coronel, batendo de novo na mesa.

– Que barulho é esse que vocês estão fazendo por aí? – perguntou, do outro lado da mesa, a voz grave de Maria Dimitrievna. – Que estás a bater na mesa? – disse ela ao hussardo. – Contra quem é que estás tão exaltado? Até parece que tens diante de ti os franceses.

– O que eu estou a dizer é o que é – retrucou o coronel, sorrindo. – Tenho um filho que vai para a guerra, Maria Dimitrievna; sim, vai para a guerra.

– E eu, que tenho quatro filhos no exército, não estou a chorar por isso. Deus é grande. Podemos morrer tranquilamente na nossa cama e nada nos acontecer no campo de batalha – disse Maria Dimitrievna, elevando a sua grossa voz, que chegava, sem esforço, de extremo a extremo da mesa.

– E é verdade.

E a conversa continuou, a das senhoras de um lado, a dos homens de outro.

– Aposto que não és capaz de perguntar – disse a Natacha o irmãozinho. – Aposto!

– Vais ver – respondeu Natacha.

Seu rosto animou-se repentinamente de uma audácia rebelde e resoluta. Levantou-se, fez um sinal com os olhos a Pedro, que estava diante dela, convidando-o a escutar, e dirigiu-se à mãe:

– Mãe! Que doce vamos ter? – interrogou a vozinha de Natacha.

– Que aconteceu? – perguntou a condessa assustada. Mas, ao ver no rosto da filha que se tratava de uma brincadeira, ameaçou-a severamente com a mão, enquanto lhe mostrava uma expressão descontente.

As conversas interromperam-se.

– Mãe! Que doce vamos ter? – interrogou a vozinha de Natacha, irrefletidamente e num tom ainda mais decidido.

A condessa quis franzir as sobrancelhas, mas debalde. Maria Dimitrievna ameaçou-a com o seu dedo grosso.

– Eh, cossaco! – gritou-lhe.

A maior parte dos convidados observava os pais de Natacha para ver como eles iam encarar aquela aventura.

– Espera – disse a condessa.

– Mãe! Que doce vamos ter? – voltou Natacha, atrevidamente e no tom de uma criança caprichosa, certa de antemão de que a sua audácia não teria consequências.

Sônia e o gordo Pedro riam perdidamente.

– Como vês, perguntei – dizia ela, baixo, ao irmãozinho e a Pedro, a quem voltou a lançar uma olhadela.

– Temos gelado, mas tu não comes – disse Maria Dimitrievna.

Natacha viu que nada tinha a recear e, de resto, a própria Maria Dimitrievna não lhe metia medo algum.

– Maria Dimitrievna! Gelado de quê? Não gosto de gelados de nata.

– É de cenoura.

– Não é verdade. De quê? Maria Dimitrievna, de quê? – quase gritou. – Quero saber que gelado é!

Maria Dimitrievna e a condessa romperam a rir e, à imitação delas, todos os demais. Riam-se não da resposta de Maria Dimitrievna, mas da audaciosa obstinação e da presença de espírito daquela garota que sabia defrontá-la e ousava fazê-lo.

Natacha apenas se submeteu quando lhe disseram que o gelado era de ananás. Antes do gelado foi servido o champanhe. A música ressoou de novo, o conde trocou um beijo com a sua condessinha e os convidados ergueram-se para felicitá-la. Os copos tocaram-se, ao longo da mesa, com o do conde, com o das crianças e entre si. Os criados de novo principiaram a agitar-se, ouviu-se o rumor das cadeiras e na mesma ordem de entrada, apenas com as faces mais vermelhas, os convidados voltaram a dar entrada no salão e no gabinete do conde.

CAPÍTULO XX

Prepararam-se as mesas de jogo, organizaram-se os parceiros para o *boston* e toda a gente se espalhou pelos dois salões, a sala do divã e a biblioteca.

O conde, com as suas cartas em leque, a custo se mantinha, resistindo à tentação de dormir, como de costume, depois do jantar, e sorria a todos os presentes. A mocidade, arrastada pela condessa, reunia-se em volta do cravo e da harpa. Júlia foi a primeira, instada por todos, a tocar umas variações na harpa, e ela e as demais mocinhas pediram a Natacha e a Nicolau, de quem todos gabavam o talento musical, que cantassem qualquer coisa. Natacha, a quem tratavam como uma pessoa adulta, sentia-se, claro está, muito orgulhosa com isso, mas, ao mesmo tempo, tomava-a uma grande timidez.

– Que havemos nós de cantar? – perguntou.
– *A Fonte* – replicou Nicolau.
– Então, depressa, andem. Bóris, vem cá. Onde está Sônia?

Natacha olhou à sua roda e, ao ver que a amiga não estava presente, correu a buscá-la.

Tendo-a procurado no seu próprio quarto e não a encontrando ali, Natacha foi ver se ela estaria no quarto das crianças e também ali não a encontrou. Pensou então que devia estar no corredor, sentada na arca. A arca do corredor era o local onde se derramavam as dores de toda a jovem geração feminina da casa Rostov. E, efetivamente, Sônia lá estava, com o seu vestidinho cor-de-rosa vaporoso, que amarrotava entre os dedos, estendida na arca, o rosto escondido no sujo edredom listado da ama, e o rosto nas mãos, chorando, sacudida por grandes soluços que lhe faziam estremecer os ombrozinhos decotados. Natacha, que durante todo o dia tinha andado com uma expressão festiva, mudou, repentinamente, de aparência: seus olhos tornaram-se fixos, um frêmito lhe percorreu o colo, os cantos da sua boca descaíram.

– Sônia! Que tens tu?... Ah! Ah! que te aconteceu?...

E Natacha, fazendo um trejeito com a sua grande boca, que a tornou feia, pôs-se a soluçar, sem razão, apenas por ver que Sônia chorava. Sônia queria levantar a cabeça, queria responder-lhe, mas não pôde e ainda escondeu mais profundamente o rosto. Envolvendo a amiga nos braços, sentada sobre o edredom azul, Natacha chorava, continuava a chorar. Por fim, tendo serenado um pouco, Sônia ergueu-se, pôs-se a enxugar as lágrimas e abriu-se em confidências.

– Nicolau vai partir dentro de oito dias... foi chamado por um papel... ele é que me disse... E mesmo assim eu não choraria...
– Mostrou um bilhete que tinha apertado na mão e em que esta-

vam escritos versos de Nicolau. – Não choraria, mas tu não podes imaginar... ninguém pode imaginar o bom coração que ele tem.

E de novo se pôs a chorar pensando no bom coração de Nicolau.

– Tu, tu és feliz... Não tenho ciúmes... Gosto muito de ti, e Bóris também – continuou ela, ganhando coragem pouco a pouco. – Que gentil que ele é... e para vocês não há obstáculos. Mas Nicolau é meu primo... É preciso que o próprio metropolita... e mesmo assim não pode ser[10]. E depois, se disserem alguma coisa à mãe... – Sônia considerava a condessa sua mãe e como tal a tratava – ...ela vai dizer que eu prejudico a carreira do Nicolau, que não tenho coração, que sou uma ingrata, e, no entanto, tão certo como Deus estar nos céus... – Persignou-se. – Eu gosto tanto dele, dele e de todos vocês também... Só Vera... E por quê? Que lhe fiz eu? Estou tão reconhecida que daria de bom grado tudo, e a verdade é que não tenho nada para dar.

Sônia não pôde dizer mais, e de novo escondeu a cabeça nas mãos e no edredom. Natacha pôs-se a consolá-la, mas via-se, pela sua atitude, que ela compreendia a gravidade do sofrimento da sua amiga.

– Sônia! – exclamou ela, de repente, como se adivinhasse a verdadeira razão do sofrimento da prima. – É verdade? Vera falou contigo depois do jantar? É verdade?

– Estes versos foi Nicolau quem os escreveu; eu copiei outros. Ela encontrou-os em cima da minha mesa e disse que havia de os mostrar à mãe, e disse também que eu era uma ingrata, que a mãe nunca o deixaria casar comigo e que ele havia de casar com Júlia. Não viste como ele esteve ao lado dela todo o dia... Natacha? Por que é que tem de ser assim?

E de novo chorou mais amargamente do que nunca. Natacha obrigou-a a levantar-se, abraçou-se a ela, e sorrindo por entre as lágrimas procurou consolá-la.

– Não acredites, Sônia, minha querida, não acredites no que ela diz. Lembras-te do que nós dizíamos, Nicolau e nós as duas, na sala do divã? Lembras-te, depois do jantar? Como sabes, combinamos como tudo se havia de passar. Já não me lembro dos pormenores, mas deves lembrar-te como tudo se arranjava, como tudo era fácil. O irmão do tio Chinchine, por exemplo, casou com a prima em primeiro grau, e nós somos apenas segundos primos.

---

10. Os casamentos entre parentes são absolutamente interditos pela igreja russa. (N.E.)

E Bóris dizia que era muito fácil. Tu bem sabes que eu lhe contei tudo. E ele é tão inteligente e tão gentil! Deixa-te disso, Sônia, não chores mais, minha queridinha, minha Soniazinha. – E pôs-se a abraçá-la muito risonha. – Vera é má, não queiras saber dela. Tudo se há de arranjar, e ela não vai dizer nada à mãe. Nicolau há de te dizer que não pensa na Júlia.

E beijou-a na testa. Sônia parecia outra, a gatinha que ela era reanimou-se, seus olhos faiscaram, parecia pronta a saltar sobre as suas patinhas elásticas, a correr atrás do novelo de lã, coisas próprias da sua natureza.

– Achas que sim? Realmente? Juras? – disse ela, recompondo com vivacidade o vestido e os cabelos.

– Podes ter a certeza! – respondeu Natacha, ao mesmo tempo que lhe ajeitava na trança uma mecha de cabelos rebeldes.

Ambas desataram a rir.

– E agora vamos cantar *A Fonte*.

– Vamos.

– Viste aquele rapaz gordo, o Pedro, que estava sentado diante de mim? Que patusco que ele é! – disse Natacha, de súbito, detendo-se. – Como eu me diverti!

E Natacha saiu, numa carreira, corredor afora.

Sônia, depois de sacudir as penas do edredom que tinham ficado agarradas ao seu vestido e de esconder no colo magricela os versos do jovem Nicolau, a sua expressão se reanimou, e lá foi correndo também ligeira e jovial, atrás de Natacha, na direção da sala do divã. A pedido dos seus convidados, a gente nova cantou o quarteto de *A Fonte*, que foi recebido com muito entusiasmo. Depois Nicolau entoou uma canção que tinha aprendido havia pouco:

> Por uma linda noite, à luz do luar,
> Que ventura poder dizer-te a ti somente
> Que ainda há alguém cá neste mundo
> Que não pensa nem sonha senão contigo!
> Que os seus dedos tão bonitos,
> Errantes por sobre as cordas da harpa de ouro,
> Em apaixonadas ondas de harmonia
> Te chame, te chame ainda!
> Ainda um dia, mais dois dias, e o paraíso abrir-se-á...
> Mas, ai de nós, a tua amiga, já lá não a encontrarás...

As últimas palavras da canção ainda não tinham findado, já a juventude se preparava para o baile e a orquestra lançava as primeiras notas no meio do ruído de pés e de tossezinhas.

Pedro estava no salão, onde Chinchine se lançara numa discussão política com aquele rapaz chegado havia pouco do estrangeiro, discussão essa que enfadava imenso o próprio Pedro, e em que tomavam parte muitos outros convidados. Quando a música principiou, Natacha entrou na sala e, dirigindo-se imediatamente a Pedro, disse-lhe, rindo e corando ao mesmo tempo:

– A mãe disse-me que o convidasse para dançar.

– Tenho medo de fazer confusão com os passos – murmurou Pedro –, mas se quiser ter a bondade de ser minha professora...

E, inclinando-se profundamente, deu a larga mão à esbelta mocinha.

Enquanto os pares se organizavam e os músicos afinavam os instrumentos, Pedro conservou-se sentado ao lado da sua pequena dama. Natacha sentia-se inteiramente feliz: ia dançar com uma *grande personne*, que voltava de *l'étranger*. E ela lá estava, exibindo-se diante de todos, pronta a conversar, como se fosse uma pessoa adulta e exatamente com ele. Tinha um leque que uma amiga havia emprestado. E tomando a pose mais conforme ao código mundano – e só Deus sabe onde e quando ela aprendera tudo aquilo – abanava-se e sorria, com um ar rebelde, enquanto conversava com o companheiro.

– Que menina! Olhe para ela –, disse a velha condessa, atravessando o grande salão e apontando Natacha.

Natacha corou e pôs-se a rir.

– Por quê, mãe? Por que é que estás rindo? Que tem isso de extraordinário?

No meio da terceira escocesa, ouviu-se um rumor de cadeiras no salão onde o conde e Maria Dimitrievna estavam a jogar, e a maior parte dos convidados importantes e das pessoas de idade, para estenderem as pernas, meteram na algibeira carteiras e bolsinhas de dinheiro e vieram postar-se à porta do grande salão. À frente estavam Maria Dimitrievna e o conde, ambos muito bem-dispostos. O conde, fazendo uma cortesia joco-séria, à imitação do que é de uso nos bailes, ofereceu a mão, recurvando o braço, à sua dama. Depois, soergueu o busto, e seu rosto iluminou-se com um sorriso travesso e amável, e, assim que findaram as últimas marcas da escocesa, bateu palmas e gritou para a orquestra, dirigindo-se ao primeiro violino:

– Semione! Sabes tocar *Danilo Cooper*?

Era a dança favorita do conde, que ele dançava na juventude. *Danilo Cooper* era especialmente uma marca da inglesa.

– Olhem para o pai! – gritou Natacha no meio da sala.

Tinha-se esquecido por completo de que estava num baile como uma pessoa adulta. Dobrou-se em duas, a cabecinha coberta de caracóis junto aos joelhos, e rompeu a rir tão cristalinamente que toda a casa ficou cheia do seu riso alegre.

E com efeito cada pessoa olhava, divertida, aquele velho jovial que ao lado da sua venerável dama, a quem ele dava pelo ombro, arqueava os braços para marcar o compasso, descaía os ombros, encurvava as pernas, sapateava ligeiramente, e, com um sorriso cada vez mais franco no seu rosto cheio, mais não fazia que preparar os espectadores para o que se ia passar. Assim que ressoaram os compassos alegres e excitantes do *Danilo Cooper*, muito parecidos com os do ultrajovial *trepak* russo, todas as portas da sala se encheram de criados risonhos – os homens a um lado, as mulheres a outro – que acorriam para ver dançar o amo.

– Ah! O nosso paizinho! Que águia que ele é! – exclamou a ama, em voz alta, a uma das portas.

O conde dançava muito bem e sabia o que estava a fazer, mas a sua dama, essa, não percebia nada e recusava-se a dançar corretamente. A sua corpulenta figura ali estava toda direita, os grandes braços bamboleando, já sem bolsinha, que confiara à condessa. Apenas o seu belo e severo rosto tomava parte na dança. Todo o movimento que animava a redonda silhueta do conde se concentrava na sua fisionomia, cada vez mais risonha, e no narizinho arrebitado. Se o conde, cada vez mais excitado, era a surpresa de todos, graças à ligeireza e à agilidade nas piruetas e nos rodopios a que se atreviam as suas pernas já pouco firmes, Maria Dimitrievna, por menos que a isso se desse, mercê dos movimentos dos ombros ou dos braços no curso das suas reviravoltas ou no sapateado, não produzia menos efeito sobre os assistentes, que muito apreciavam naquela mulher o contraste entre a sua desenvoltura e a sua habitual severidade. A dança cada vez estava mais animada. Os pares *vis-à-vis* não conseguiam chamar para eles as atenções ou nem sequer com isso se importavam. Todos seguiam com o olhar o conde e Maria Dimitrievna. Natacha puxava pela manga a toda a gente, embora ninguém tirasse os olhos dos dois dançarinos, pedindo que olhassem para o pai. Nos intervalos, o conde, enquanto tomava fôlego, acenava aos músicos e pedia-lhes que acelerassem o ritmo. Quanto mais rápido era o compasso, mais depressa girava o conde em torno do par, ora nos bicos de pés ora nos calcanhares, e por fim, no momento em que ia reconduzi-lo, esboçou um último passo: levantou a perna cheia à retaguarda, inclinou, com um ar radiante, a cabeça perolada de suor, descrevendo, por fim, com a mão direita um largo círculo no meio de uma tempestade de aplausos e de gargalhadas, especialmente de Natacha. Os dois dançarinos detiveram-se, anelantes, enxugando o suor com seus lenços de cambraia.

– Ora, aqui tens como se dançava no nosso tempo, *ma chère*! –, exclamou o conde.

– Bravo! *Danilo Cooper*! – replicou Maria Dimitrievna, respirando estrepitosamente e arregaçando as mangas do vestido.

CAPÍTULO XXI

Quando na casa dos Rostov se dançava a sexta inglesa ao som de uma orquestra que já desafinava, tal a fadiga dos músicos, e os criados e cozinheiros, igualmente extenuados, se azafamavam nos preparativos da ceia, o conde Bezukov era acometido do seu sexto ataque. Os médicos tinham declarado não haver esperanças de salvação. Confessaram o doente, já em coma, ministraram-lhe a comunhão, fizeram os preparativos para a extrema-unção, e a casa assumiu o aspecto habitual em tais circunstâncias, com idas e vindas em todos os sentidos. Cá fora, ao portão, juntavam-se, escondendo-se à chegada das carruagens, os agentes das casas funerárias, na esperança de um bom negócio. O governador militar da praça de Moscou, que a cada momento enviava os seus ajudantes de campo para saber novas do estado de saúde do doente, veio pessoalmente, nessa noite, despedir-se daquela famosa personagem do tempo de Catarina: o conde Bezukov.

A suntuosa sala de visitas estava cheia. Todos se levantaram respeitosamente quando o governador militar, que se demorara quase meia hora à cabeceira do doente, saiu do quarto e atravessou a dependência, muito apressado, retribuindo, negligentemente, os cumprimentos, sempre seguido pelos olhos dos médicos, dos sacerdotes e da parentela do conde. O príncipe Vassili, que naqueles últimos dias tinha empalidecido e afilara, acompanhava o governador militar, segredando-lhe, por vezes, alguma coisa.

Quando voltou de o acompanhar, foi sentar-se sozinho no salão, de pernas cruzadas, cotovelos sobre os joelhos e cabeça nas mãos. Alguns instantes depois levantou-se e, a passo rápido, contrariamente aos seus hábitos, olhando em torno de si como que assustado, seguiu ao longo do grande corredor que conduzia às dependências da retaguarda, direto aos aposentos da mais velha das princesas.

As pessoas que se encontravam numa sala quase às escuras falavam entre si, de tempo em tempo, em voz muito baixa, calavam-se a cada momento, e dirigiam olhares interrogativos e de quem espera qualquer coisa para a porta que conduzia ao quarto do moribundo, a qual rangia ligeiramente sempre que alguém entrava ou saía.

– Todo o homem tem os seus dias contados, e ninguém pode fugir disso – dizia um eclesiástico velhinho a uma senhora que parecia não ter a tal respeito nenhuma ideia precisa.

– Não será já tarde demais para a extrema-unção? – observou a senhora, acrescentando a estas palavras um título eclesiástico.

– É um grande sacramento, minha senhora – replicou o sacerdote, passando a mão pela cabeça calva, onde só havia algumas, poucas, mechas de cabelos grisalhos cuidadosamente penteadas.

– Quem é? É o próprio governador militar? – perguntava-se a outro canto da sala. – Que novo que ele é!...

– Quem há de dizer que tem perto de setenta anos! Mas parece que o conde já não conhece as pessoas. Dizem que vão lhe dar a extrema-unção.

– Eu conheci uma pessoa a quem ministraram sete vezes a extrema-unção.

A segunda das jovens princesas, que acabava de sair do quarto do doente, os olhos cheios de lágrimas, foi sentar-se ao lado do Dr. Lorrain, que se colocara numa posição que lhe ficava bem, debaixo do retrato de Catarina, encostado a uma mesa.

– Excelente – dizia ele, referindo-se ao tempo –, excelente, princesa. Em Moscou tem-se a impressão de estar no campo.

– *N'est-ce pas?* – respondeu a princesa, suspirando. – Acha então que se pode dar de beber a ele?

Pareceu refletir.

– Tomou o remédio?
– Tomou.

O médico consultou o seu livro de notas.

– Pegue um copo de água fervida e deite-lhe dentro *une pincée* – e com os dedos finos fingiu o gesto – de *cremortartari*.

– Jamais aconteceu... – dizia um médico alemão a um ajudante de campo – que alguém tenha sobrevivido ao terceiro ataque.

– Mas que boa saúde ele tinha! – disse o oficial. – E quem será o herdeiro de todas estas riquezas? – acrescentou, em voz muito baixa.

– Aparecerão... – retorquiu o alemão sorrindo.

Todos os olhares voltaram a fixar-se na porta. Esta rangeu, e a jovem princesa, que tinha preparado o remédio prescrito por Lorrain, foi levá-lo ao doente. O médico alemão aproximou-se do médico francês.

– Acha que ele vai se aguentar até amanhã de manhã? – perguntou em francês, com um pronunciado sotaque.

Lorrain, de lábios apertados, fez com o dedo polegar um gesto negativo diante do nariz.

– Esta noite, o mais tardar – murmurou ele, em voz baixa, sorrindo com prudência, orgulhoso de tão claramente ter diagnosticado o estado do doente. E afastou-se.

Enquanto isto se passava, o príncipe Vassili abria a porta do quarto da princesa.

Era quase noite lá dentro; apenas as duas lamparinas em frente dos ícones o iluminavam. Cheirava bem a incenso e a flores. O mobiliário do quarto era todo em miniatura: pequeninos armários, pequeninas estantes e pequeninas mesas. Um biombo ocultava as cobertas brancas de uma cama alta de penas. Um cãozinho pôs-se a ladrar.

– Ah, é o senhor, *mon cousin*?

A princesa levantou-se, alisando os cabelos, que usava sempre, e até naquele momento, excessivamente repuxados, como se formassem uma peça única com o casco da cabeça e estivessem envernizados.

– Que foi? Que aconteceu? – perguntou ela. – Assustou-me.

– Não aconteceu nada. Sempre a mesma coisa. Vim apenas procurar-te para falarmos de negócios, Katicha – disse o príncipe, sentando-se, com um ar lasso, na cadeira que ela acabava de deixar devoluta. – Que quente que está aqui! Vem cá, senta-te. Temos de conversar.

– Julguei que tinha acontecido alguma coisa – disse a princesa e, com o seu ar fechado e severo, sentou-se diante do príncipe, disposta a ouvi-lo. – Quis ver se dormia um bocado, *mon cousin*, mas não foi possível.

– Então, minha querida? – disse o príncipe, pegando-lhe na mão e puxando-a para si, como era seu costume.

Era evidente que estas breves palavras significavam coisas que eles dois compreendiam perfeitamente sem as dizer.

A princesa, do alto do seu busto seco e estreito, alto demais para as suas curtas pernas, olhava fixamente o príncipe sem qualquer aparente emoção, os olhos cinzentos à flor da pele. Sacudiu a cabeça e lançou um olhar, acompanhado de um suspiro, às imagens sagradas. O seu gesto tanto podia exprimir mágoa e espírito de sacrifício como fadiga e necessidade de descanso. O príncipe Vassili interpretou-o como um sinal de cansaço.

– E tu supões – disse ele – que eu também não estou cansado? Estou fatigado como um cavalo de posta. Apesar disso, é absolutamente necessário que eu tenha uma conversa contigo, Katicha, uma conversa muito importante.

O príncipe Vassili calou-se, e as suas duas faces, sucessivamente, foram tomadas de um movimento nervoso que lhe dava um aspecto desagradável, aspecto esse que ele nunca tinha quando conversava em sociedade. Também os olhos não eram os seus olhos habituais: havia neles ora uma expressão escarninha e cínica, ora uma expressão aterrorizada.

A princesa segurava com os braços secos e magros o cãozinho que tinha nos joelhos, enquanto fixava o príncipe atentamente. Via-se que ela estava disposta a não ser a primeira a falar, ainda que tivesse de ficar calada até o dia seguinte.

– Como vê, cara princesa e minha prima, Katerina Semionovna – prosseguiu ele, não sem uma evidente luta interior, pensando no que ia dizer –, em momentos como este é preciso pensar em tudo. É preciso pensar no futuro, em si. Quero-as a todas como se vocês fossem minhas filhas, bem sabes.

A princesa continuava a fitá-lo, impassível e impenetrável.

– Numa palavra, eu também tenho de pensar na minha família – continuou, repelindo, de mau humor, a mesinha e sem olhar para ela. – Como sabes, Katicha, vocês as três, as irmãs Mamontov, e minha mulher são as únicas herdeiras diretas do conde. Bem sei, bem sei que te é penoso pensar nestas coisas e falar nelas. A mim também me custa. Mas, minha amiga, estou quase com sessenta anos e tenho de estar preparado para tudo. Sabes que mandei chamar Pedro e que o próprio conde, apontando para o retrato dele, quis que o trouxessem?

O príncipe Vassili interrogava-a com os olhos, mas não conseguia perceber se ela estava a pensar no que ele acabava de dizer-lhe ou se apenas olhava para ele.

– Há só uma coisa que eu estou sempre a pedir a Deus, *mon cousin* – replicou ela –, é que Deus o proteja e que faça com que a sua bela alma deixe em paz este...

– Pois claro – prosseguiu o príncipe com impaciência, afagando a calvície e puxando a si, colericamente, a mesinha que começara por repelir. – Mas o que é certo... o que é certo, o fato é que, como tu sabes, o conde, no inverno passado, redigiu um testamento pelo qual, em prejuízo dos seus herdeiros diretos e de todos nós, lega toda a sua fortuna a Pedro.

– Sim, ele já fez vários testamentos – disse serenamente a princesa. – Mas Pedro não pode herdar: é um filho ilegítimo.

– *Ma chère* – disse bruscamente o príncipe Vassili, puxando para si a mesinha e falando com animação e volubilidade. – E se houvesse uma petição ao imperador para a legitimação de Pedro? É evidente que em face dos serviços prestados, o apelo do conde seria atendido...

A princesa deu um sorriso em que se deixava perceber que sabia muito mais sobre o assunto que o seu interlocutor.

– Digo-te mais – continuou Vassili, pegando-lhe na mão. – O apelo está feito, embora não tenha sido enviado, e o imperador teve conhecimento do fato. Só resta saber se esse apelo foi ou não anulado. Se não o foi, assim que tudo tenha acabado – e soltou um suspiro, para deixar claro o que queria dizer com aquelas palavras – e logo que os papéis do conde sejam conhecidos, tanto o testamento como a carta serão transmitidos ao imperador, e o seu apelo será sem dúvida alguma satisfeito. Pedro, na sua qualidade de filho legítimo, será o único herdeiro.

– E a nossa parte? – disse a princesa, num tom irônico, como se tudo pudesse acontecer menos isso.

– Mas, minha pobre Katicha, é claro como o dia. Nessa altura será ele o único herdeiro legítimo de toda a fortuna e vocês nada receberão. É preciso que tu procures saber, minha querida, se o testamento e o apelo existem ou se foram destruídos. E se, por qualquer motivo, foram esquecidos, é preciso que saibas onde estão e descobri-los, pois...

– Ah! Isso agora é novidade! – interrompeu a princesa com um sorriso sardónico e sem que a sua expressão se alterasse. – Eu sou mulher; na sua opinião, todas as mulheres são estúpidas; mas o que eu sei muito bem é que um filho ilegítimo não pode herdar... *Un bâtard* – acrescentou, pensando com esta tradução da palavra "bastardo" demonstrar definitivamente ao príncipe que ele não tinha razão.

– Não há maneira de compreenderes, Katicha! Mas tu és inteligente. Como é que não compreendes que se o conde pediu ao imperador que o autorizasse a reconhecer o filho como legítimo, Pedro, nesse caso, deixa de ser Pedro e passa a ser o conde Bezukov, e pelo testamento é ele quem tem direito a tudo? Se o testamento e a carta não forem destruídos, nada mais te restará além da consolação de teres sido virtuosa e tudo que daí resulta. É certo e sabido.

– Sei perfeitamente que ele fez um testamento, mas também sei que esse testamento não tem valor. Pelo que vejo, julga-me pateta, *mon cousin* – disse a princesa com esse ar que tomam as mulheres quando supõem ter dito alguma coisa de espirituoso ou de ofensivo.

– Minha querida princesa Katerina Semionovna – exclamou com impaciência o príncipe Vassili –, eu não vim procurar-te para um duelo de palavras, mas na intenção com que se visita uma parenta, uma boa, excelente, uma verdadeira parenta, a fim de lhe falar dos seus interesses. Repito-te pela décima vez que se a carta ao imperador e o testamento a favor de Pedro se encontram entre os papéis do conde, nem tu nem as tuas irmãs, minha querida filha, herdarão seja o que for. Se não me acreditas, acredita ao menos nas pessoas competentes. Acabo de falar com Dimítri Onufreitch – o advogado da família – e ele disse-me a mesma coisa.

Houve, claramente, uma mudança rápida na maneira de pensar da princesa. Se a expressão dos seus olhos não se alterou, os seus finos lábios empalideceram, e quando começou a falar a sua voz passou por transições que nem ela própria esperava.

– Pois muito bem – disse. – Nunca pretendi nada, e nada pretendo.

Enxotou o cão do colo e ajeitou as pregas do vestido.

– É assim que as pessoas reconhecem, é assim que testemunham a sua gratidão àqueles que tudo sacrificaram por elas! – exclamou. – Muito bem! Excelente! Não preciso de nada, príncipe!

– Sim, mas tu não és a única. E as tuas irmãs? – volveu ele.

A princesa não o ouvia.

– Sim, há muito tempo que eu sei isso, mas tinha me esquecido de que nesta casa não podia esperar outra coisa senão baixeza, duplicidade, inveja, intriga, ingratidão, a mais negra ingratidão.

– Sabes ou não sabes onde está o testamento? – perguntou o príncipe Vassili com o tremor das faces ainda mais acentuado.

– Sim, tenho sido uma idiota, tenho tido confiança nas pessoas, gostei delas e sacrifiquei-me por elas. Mas só triunfam os covardes e os maus. Bem sei de onde vêm essas intrigas.

A princesa fez um movimento para se erguer, mas o príncipe reteve-a. Ela dava a impressão de uma pessoa que perdeu subitamente todas as ilusões sobre os outros seres. Lançou um olhar mau ao interlocutor.

– Ainda estamos a tempo, minha amiga. Lembra-te, Katicha, de que tudo isto foi feito de improviso, num momento de cólera, ou então de doença, e que depois tudo esqueceu. O nosso dever, minha querida, é reparar essa falta, suavizar-lhe os últimos momentos, não permitindo que ele leve a cabo essa injustiça, de não o deixar morrer com a ideia de que tornou alguém infeliz.

– Alguém que tudo sacrificou por ele – voltou a princesa, impaciente por se levantar; mas o príncipe deteve-a. – E isso é que ele nunca soube apreciar. Não, *mon cousin* – acrescentou, suspirando –, isto leva-me a pensar que neste triste mundo ninguém pode esperar recompensa, que neste triste mundo não há honra nem equidade. Neste mundo só a maldade e a mentira triunfam.

– Bom, *voyons*, sossega. Eu conheço o teu excelente coração.

– Não, eu tenho mau coração.

– Eu conheço o teu coração – repetiu ele –, aprecio a tua amizade e gostaria que tu tivesses a mesma opinião a meu respeito. Sossega, e falemos razoavelmente enquanto é tempo: talvez vinte e quatro horas, uma hora talvez. Conta-me tudo quanto sabes do testamento e principalmente diz-me se sabes onde ele está: tu deves saber. Pegaremos nele imediatamente e o levaremos ao conde. Ele com certeza se esqueceu dele, e quererá destruí-lo.

Tu sabes que o meu único desejo é cumprir religiosamente a sua vontade; não é para outra coisa que estou aqui. Eu não estou aqui senão para auxiliar a vocês, a vocês e a ele.

– Agora já sei tudo. Já sei de onde partem as intrigas. Vejo-o claramente – disse a princesa.

– Não é disso que se trata, minha querida.

– A alma de tudo isto é a sua *protegée*, a sua querida princesa Drubetskaia, Ana Mikailovna, que eu nem para criada de quarto quereria, essa horrível, essa ignóbil mulher.

– Não percamos tempo.

– Oh, não me diga nada! No inverno passado introduziu-se aqui em casa e contou tantas coisas horríveis ao conde, tantas vilanias a nosso respeito, e principalmente sobre Sofia – não as posso repetir –, que ele ficou doente e durante quinze dias não quis nos ver. Foi nessa altura, tenho certeza, que o tio redigiu esse sujo, esse infame papel. Mas eu supunha que não tinha importância.

– Vejamos! Por que é que não me falaste logo nisso?

– Está na pasta de couro que tem debaixo da almofada. Agora compreendo – disse ela, sem responder à pergunta do príncipe. – E se eu tenho qualquer pecado na consciência, um grande pecado, é o ódio que essa miserável me inspira – gritou, e tornou-se quase irreconhecível. – Que apareça outra vez por aqui! Ajustarei contas com ela. É uma questão de tempo.

CAPÍTULO XXII

Enquanto decorriam todas essas conversas na sala de visitas e nos aposentos da princesa, uma carruagem com Pedro, enviada para trazê-lo, e Ana Mikailovna, que entendera por bem acompanhá-lo, entrava no pátio da residência do conde Bezukov. No momento em que o carro deslizava maciamente por cima da palha estendida debaixo das janelas, Ana Mikailovna, que procurava consolar o companheiro, verificou que ele adormecera encolhido no seu canto e acordou-o. Pedro, tendo voltado a si, apeou-se atrás de Ana Mikailovna, e só então se lembrou da entrevista que ia ter com o pai moribundo. Tinha notado que a carruagem parara não junto da escadaria nobre, mas em frente da escada dos fundos. No momento em que punha os pés no chão, dois homens com aspecto de comerciantes acolheram-se apressadamente à sombra da parede.

Enquanto se deteve, Pedro pôde ver na sombra, de cada lado da entrada, outros homens do mesmo gênero. Mas nem Ana Mikailovna, o trintanário, ou o cocheiro, que não podiam ter deixado de dar por eles, lhes prestaram a mínima atenção. "Naturalmente, tem de ser assim", decidiu consigo mesmo, e foi seguindo a sua condutora. Ana Mikailovna, em passinhos rápidos, subia a estreita escada de pedra, fracamente iluminada, chamando Pedro, que ficava para trás: embora este não compreendesse por que lhe era absolutamente indispensável apresentar-se junto do conde, e muito menos ainda por que tinha de subir pela escada de serviço, a segurança e a pressa de Ana Mikailovna persuadiram-no da urgência do que ia fazer.

A certa altura, ia sendo derrubado por um grupo de homens, carregados com uns baldes, cujas grossas botas ressoavam no chão, mas eles encostaram-se à parede para dar passagem aos visitantes sem mostrar qualquer surpresa.

– É este o caminho para os aposentos das princesas? – perguntou Ana Mikailovna a um deles.

– É – replicou um dos lacaios, numa grossa voz atrevida, como se naquela altura tudo fosse permitido –, a porta à esquerda, minha senhora.

"Talvez o conde não tenha me mandado chamar", pensou Pedro na altura do patamar. "Era bem melhor eu ir para o meu quarto."

Ana Mikailovna deteve-se, para que Pedro a pudesse alcançar.

– Ah! meu amigo! – exclamou ela, pegando-lhe num braço, como tinha feito ao filho nessa mesma manhã. – Acredite que eu sofro tanto como você, mas seja homem!

– Realmente, era melhor eu não ir – disse Pedro, olhando para ela através das lentes do pincenê, com um ar afetuoso.

– Ah! meu amigo, esqueça o que lhe fizeram, lembre-se que foi seu pai... talvez na agonia. – Soltou um suspiro. – Quis-lhe logo como a um filho. Confie em mim, Pedro. Não esquecerei os seus interesses.

Pedro não compreendia nada; o mais claro para ele era pensar que as coisas deviam ser assim, e seguiu docilmente Ana Mikailovna, que já abria a porta.

A porta dava para o vestíbulo dos aposentos dos fundos. O velho criado das princesas estava sentado a um canto tricotando meias. Pedro nunca entrara naquela parte da casa, ignorava mesmo a existência de tais dependências. Ana Mikailovna perguntou pela saúde das princesas a uma jovem que trazia uma garrafa em cima de uma bandeja, e que tinha se juntado a eles, chamando-lhe "minha cara" e "minha boa menina", e em seguida conduziu Pedro ao longo de um corredor lajeado. A primeira porta à esquerda que abria para esse corredor levava aos aposentos das princesas.

De tão apressada que ia – em circunstâncias daquelas tudo se fazia apressadamente –, a criada de quarto que levava a bandeja com a garrafa não fechou a porta, e tanto Pedro como Ana Mikailovna, ao passarem, olharam involuntariamente para o quarto onde a princesa mais velha e o príncipe Vassili conversavam muito animadamente. Ao vê-los, este teve um movimento de impaciência e recuou; a princesa deu um pulo e fechou a porta com um gesto violento.

Esta atitude condizia tão pouco com a habitual serenidade da princesa, e o pânico que se pintou no rosto do príncipe Vassili era tão imprevisto na sua grave compostura, que Pedro parou, lançando, através das lentes de seu pincenê, um olhar inquiridor à sua condutora. Ana Mikailovna, sem trair qualquer surpresa, contentou-se em sorrir vagamente, suspirando, como se tudo aquilo para ela fosse coisa natural.

– Seja um homem, meu amigo; eu velarei pelos seus interesses – disse ela, ao mesmo tempo que apressava o passo ao longo do corredor.

Pedro não percebia do que se tratava e muito menos compreendia o que queria dizer: velar pelos seus interesses, mas consigo mesmo achava que devia ser assim. O corredor conduziu-os a uma dependência mal-iluminada que dava para a sala de visitas do conde. Era um dos compartimentos frios e luxuosos que Pedro conhecia muitíssimo bem, mas onde nunca entrava senão pela escada nobre. No centro desta sala via-se uma banheira vazia e havia água entornada no tapete. Ali cruzaram com um criado e um sacristão com um turíbulo, que caminhavam em pontas de pés, os quais nem sequer neles repararam. Depois entraram na sala de visitas, que Pedro conhecia muito bem, com as suas duas janelas à italiana e a sua porta para o jardim de inverno, onde havia um grande busto de Catarina e um retrato em corpo inteiro da mesma soberana. Eram as mesmas pessoas, por assim dizer nas mesmas atitudes, que ali estavam ainda conversando em voz baixa. Todos se calaram e fitaram Ana Mikailovna, que entrava, com o seu rosto pálido e como sulcado de lágrimas, e aquele grande e corpulento rapaz, que, de cabeça baixa, a seguia com toda a docilidade.

Podia ler-se nos traços de Ana Mikailovna que ela tinha a certeza de que se aproximava o momento decisivo. Com a segurança de uma petersburguesa a tudo habituada, entrou na sala, bem agarrada a Pedro, com um ar ainda mais ousado que o dessa manhã. Tinha a certeza de que, se trouxesse consigo a pessoa a quem o moribundo queria ver, logo seria recebida. Lançou um rápido olhar às pessoas ali presentes e, ao ver o confessor do conde, aproximou-se dele em passinhos miúdos, sem propriamente se inclinar, mas tornando-se como que menor, e dois eclesiásticos presentes lançaram-lhe a bênção.

– Graças a Deus que chegamos a tempo – disse ela aos sacerdotes –, todos nós, que somos da família, estávamos com tanto medo! Este rapaz é filho do conde – acrescentou em voz baixa. – Que instantes medonhos!

Ao dizer estas palavras, aproximou-se do médico.

– Caro doutor... – principiou – este jovem é filho do conde... Haverá alguma esperança?

O médico, sem dizer palavra, ergueu os olhos e encolheu os ombros, num ar de dúvida. Ana Mikailovna copiou exatamente a sua mímica, deu um suspiro quase que fechando os olhos e voltou-se para o lado onde estava Pedro. Parecia testemunhar-lhe uma atenção particularmente respeitosa e uma ternura contristada.

– *Ayez confiance en Sa miséricorde*! – exclamou ela indicando-lhe um divã onde pudesse esperar, enquanto se dirigia, sem fazer barulho, para a porta em que estavam fitos todos os olhares. Depois de a abrir silenciosamente, desapareceu.

Pedro, disposto a obedecer em tudo ao seu guia, encaminhou-se para o divã indicado. Assim que Ana Mikailovna desapareceu, pareceu-lhe que todos os olhares se dirigiam para ele com algo mais que curiosidade e simpatia. Viu que toda aquela gente cochichava entre si, apontando-o com os olhos, numa espécie de medo servil. Tiveram para com ele atenções que anteriormente nunca haviam tido. A senhora, para ele desconhecida, que conversava com o sacerdote levantou-se e ofereceu-lhe o seu lugar. O ajudante de campo abaixou-se para apanhar a luva dele que tinha caído. Quando ele passou, os médicos calaram-se respeitosamente e abriram alas para o deixar passar. Pedro tinha pensado, primeiro, em sentar-se em qualquer parte, para não incomodar a senhora; pensara em apanhar a luva e evitar os médicos, que aliás não lhe impediam a passagem, mas, de súbito, compreendeu que naquela noite se tornara uma personagem com a obrigação de cumprir uma espécie de rito terrível, aguardado por todos, e por conseguinte devia aceitar as solicitudes de todos. Recebeu a luva, sem dizer palavra, das mãos do oficial, sentou-se no lugar da senhora desconhecida, apoiando os seus grossos braços nos joelhos colocados simetricamente numa posição ingênua de estátua egípcia, e consigo decidiu que tudo aquilo justamente devia se passar assim e que naquela noite, para não perder a cabeça e não fazer disparates, não deveria agir como era sua vontade, mas confiando-se em absoluto à vontade daqueles que o guiavam.

Ainda não tinham se passado dois minutos, já o príncipe Vassili, com o seu cafetã decorado com três medalhas, o ar majestoso, a cabeça erguida, entrava na sala. Parecia ter emagrecido desde essa manhã; os seus olhos pareceram crescer quando viu Pedro, e percorreu a sala com o olhar. Aproximou-se dele, apertou-lhe a mão, coisa que até aí nunca fizera, e sacudiu-a energicamente, como se quisesse experimentar-lhe a resistência.

– Coragem, coragem, meu amigo. Ele pediu para vê-lo. Está bem.

E quis afastar-se.

Mas Pedro julgou necessário perguntar-lhe:

– Como está...?

Hesitou, sem saber como seria conveniente referir-se ao conde, o moribundo; teve vergonha de dizer: "meu pai".

– Ele teve um ataque, há meia hora mais ou menos. Coragem, meu amigo.

Pedro estava num tal estado de semiconsciência que a palavra *ataque* lhe deu a ideia imediata de que alguém o tinha atacado. Olhou perplexo para o príncipe Vassili, e só depois lhe ocorreu que aquela palavra podia significar uma doença. O príncipe Vassili, ao passar, disse umas palavras a Lorrain e encaminhou-se para a porta em pontas de pés. Não se pode dizer que fosse muito destro em caminhar dessa maneira, todo o seu corpo oscilava desajeitadamente. Atrás dele passou a mais velha das princesas, depois os padres e os sacristãos; seguiram-se alguns criados do conde. Atrás da porta ouviu-se um burburinho e Ana Mikailovna, sempre muito pálida, mas decidida no cumprimento do seu dever, apareceu, correndo, e tocando no braço de Pedro, murmurou:

— A bondade divina é inesgotável. Vai principiar a cerimônia da extrema-unção. Venha.

Pedro entrou no quarto, enterrando os pés no tapete fofo, e verificou que o ajudante de campo, a senhora desconhecida e alguns criados também o seguiam, como se já não fosse preciso pedir licença para se entrar naquele aposento.

CAPÍTULO XXIII

Pedro conhecia muito bem aquela grande dependência cortada por um arco e algumas colunas e forrada de tapetes persas. A parte que ficava por detrás das colunas, de um lado tinha uma grande cama de mogno com cortinados de seda, e do outro um oratório com as suas imagens, o qual, todo iluminado, era como uma igreja preparada para os ofícios da noite. Debaixo do enquadramento dos ícones iluminados estava uma grande cadeira de doente, com o espaldar coberto de almofadas brancas como neve, ainda não amarrotadas, e que acabavam de ser mudadas. Nessa cadeira perfilava-se a majestosa figura do pai, o conde Bezukov, muito sua conhecida, coberto até a cintura por uma manta verde-clara e os cabelos brancos, em que havia qualquer coisa de leonino, a coroar-lhe a testa ampla e as características linhas daquele rosto amarelento sulcado de pequenas rugas. Estava estendido exatamente debaixo das imagens, com as grossas mãos espessas emergindo da coberta, e sobre ela pousadas. Na mão direita, espalmada, entre o polegar e o indicador, erguia-se uma vela que um velho criado amparava debruçado sobre a cabeceira. Em turno, os padres, de pé, revestidos com os seus magníficos paramentos, muito brilhantes, os longos cabelos soltos, e as velas acesas, oficiavam com uma lentidão solene. Um pouco mais atrás viam-se as duas princesas mais novas, de lenço nos olhos, e diante delas, Katicha, a mais velha, com uma expressão má e resoluta, os olhos fixos nos ícones, o que queria dizer que não poderia responder por si caso viesse a olhar para outro lado. Junto à porta, Ana Mikailovna, com o seu ar de resignada tristeza e imploração, bem como a senhora desconhecida. O príncipe Vassili estava do outro lado dessa mesma porta, mais perto da cadeira, por detrás de uma poltrona de talha guarnecida de veludo, cujo espaldar voltara para si, apoiando nele a mão esquerda, em que segurava uma vela, enquanto com a direita se benzia e erguia os olhos ao céu, de cada vez que tocava na testa. Na sua face havia uma devoção tranquila e submissão à vontade divina. "Se não compreendem estes sentimentos, tanto pior para vocês", parecia dizer a sua expressão.

Atrás dele encontravam-se o ajudante de campo, os médicos e o pessoal masculino; como na igreja, havia separação de sexos. Todas as pessoas estavam caladas, persignando-se. Apenas se ouviam as orações litúrgicas, um canto baixo, profundo e contínuo, e nos momentos de silêncio movimento de pés e suspiros. Ana Mikailovna, com aquele ar significativo com que mostrava saber o que estava fazendo, atravessou o quarto para entregar uma vela a Pedro. Este acendeu-a e, entretido com as observações que fazia sobre os assistentes, pôs-se a persignar-se com a mesma mão com que segurava o círio.

A jovem princesa Sofia, a da pele rosada, ar trocista e um sinalzinho, olhava para ele. Depois sorriu, escondeu o rosto no lenço, e assim esteve muito tempo; daí a pouco, voltando a olhar para ele, pôs-se a rir. Evidentemente que ela não se sentia capaz de o olhar sem rir, mas como, ao mesmo tempo, não podia deixar de olhar para ele, para não ter essa tentação foi postar-se, sem ruído, atrás de uma coluna. A meio da cerimónia, as vozes dos sacerdotes calaram-se, repentinamente, e os padres puseram-se a dizer alguma coisa ao ouvido uns dos outros; o velho criado que segurava a vela do conde ergueu-se e voltou-se para o lado das senhoras. Ana Mikailovna avançou e, debruçando-se para o doente, tomou entre as suas mãos brancas e finas a mão livre pousada sobre a coberta verde e, virada de lado, pôs-se a tomar-lhe o pulso com um ar recolhido. Deram de beber ao doente; foi uma agitação em volta dele; depois cada um retomou o seu lugar e a cerimónia prosseguiu. Durante esta pausa, Pedro notou que o príncipe Vassili tinha saído de trás da poltrona e com o ar de quem sabe muito bem o que está fazendo, e lhe é completamente indiferente a presença dos outros, em vez de se aproximar do moribundo, passara ao lado dele, encaminhando-se para onde estava a mais velha das princesas, juntamente com quem se dirigiu para o fundo do quarto, em que estava o leito alto com cortinados de seda.

Tanto um como outro, depois, tinham desaparecido por

uma porta no extremo do aposento, e só no fim da cerimónia haviam reaparecido, um de cada vez, retomando os seus lugares. Pedro não prestou mais atenção a este pormenor que a qualquer outro, persuadido como estava de que tudo quanto se passasse naquela noite diante dos seus olhos assim tinha de ser e nunca de outra maneira.

Os cantos litúrgicos cessaram e ouviu-se então a voz de um dos sacerdotes felicitando o doente por haver recebido o sacramento. O moribundo continuava estendido sem dar sinais de vida e sem fazer o mais leve movimento. Todos aproximaram-se dele. Ressoaram passos, e ouviu-se o ciciar de vozes, entre as quais se distinguia a de Ana Mikailovna.

Pedro ouviu-a dizer:

– É indispensável levá-lo outra vez para a cama. Aqui é impossível.

O moribundo estava de tal modo rodeado pelos médicos, pelas princesas, pelos criados, que Pedro já não lhe via a cabeça vermelho-amarelada com a coroa de cabelos brancos que não perdera de vista durante toda a cerimónia, apesar da presença de toda aquela gente. Pelo movimento prudente das pessoas que o cercavam percebeu que estavam soerguendo-o para transportá-lo.

– Firma-te no meu braço, vais deixá-lo cair – dizia a voz abafada de um dos criados. – Mais baixo... Outro aqui... – murmuravam as vozes.

O resfolgar das respirações opressas e o andar arrastado pareciam mostrar que o peso que transportavam era superior às forças dos que o conduziam.

Aquele grupo, de que fazia parte Ana Mikailovna, passou diante do jovem, que durante alguns segundos, através das nucas e das costas, pôde ver os grossos e fortes peitorais nus e os ombros vigorosos do moribundo soerguidos pelas pessoas que lhe pegavam pelas axilas, e a cabeça branca, crespa, leonina. A cabeça, com a sua fronte extraordinariamente larga e a face musculosa, a bela boca sensual, o olhar frio, ainda majestoso, não estavam desfigurados pela morte. Era a mesma pessoa que ele tinha conhecido três meses antes, quando o conde o mandara para Petersburgo. Mas esta cabeça balouçava, inerte, a cada passada dos que transportavam o moribundo, e o seu olhar frio, insensível, não sabia onde fixar-se.

Durante alguns minutos houve agitação em volta da cama,

depois as pessoas que tinham transportado o conde afastaram-se. Ana Mikailovna tocou no braço de Pedro e disse-lhe: – Venha cá. – Pedro, sempre junto dela, aproximou-se da cama em que tinham estendido o doente, numa postura solene, de acordo com o sacramento que acabava de receber. Uma pilha de almofadas soerguia-lhe o busto. As mãos estavam dispostas simetricamente sobre a coberta de seda verde, com as palmas para baixo. Quando Pedro se aproximou, o conde olhou-o fixamente, mas com um olhar de que ninguém seria capaz de discernir o significado e a intenção. Ou esse olhar não queria dizer absolutamente nada além de significar que enquanto os nossos olhos estão abertos para algum lugar têm de olhar, ou então muito queriam dizer. Pedro ficou imóvel sem saber o que fazer, interrogando com o olhar a sua cicerone. Esta fez um rápido movimento de olhos, indicando-lhe a mão do moribundo, e com a boca imitou um beijo.

Pedro, inclinando a cabeça com precaução, para não se embaraçar na coberta, seguiu o conselho dela e aplicou os lábios sobre a mão carnuda e de grandes ossos. Nem a mão nem nenhum dos músculos do rosto do conde deram sinal de vida. Pedro continuou a olhar Ana Mikailovna interrogativamente, para lhe perguntar o que tinha a fazer. Esta indicou-lhe com a vista a cadeira ao lado da cama. Pedro ali se instalou, com toda a docilidade, continuando a perguntar-lhe, por acenos, se estava a proceder bem. Ana Mikailovna disse-lhe "sim" com um aceno de cabeça. Pedro retomou a sua pose ingénua da estátua egípcia, visivelmente incomodado por ver a sua desastrada pessoa ocupar tanto espaço, e recorrendo a todos os estratagemas de espírito para parecer o menor possível. Olhou para o conde. Este tinha os olhos pousados no lugar onde se encontrava a figura de Pedro antes de se sentar. Ana Mikailovna, pela sua atitude, traduzia a importância tocante que atribuía a estes derradeiros momentos de despedida entre pai e filho. Isto prolongou-se por dois ou três minutos, que a Pedro pareceram horas. Subitamente, um estremecimento perpassou pelas rugas da face do conde. O estremecimento acentuou-se, a boca, de contornos regulares, deformou-se. Só então Pedro compreendeu quão perto da morte estava seu pai. A boca toda contorcida soltou um estertor rouco e indistinto. Ana Mikailovna fixava o moribundo atentamente, na esperança de adivinhar o que ele queria, e mostrava-lhe ora Pedro, ora a poção, ora lhe mencionava em voz baixa o nome do príncipe Vassili, ora lhe indicava a coberta. O olhar e a fisionomia do moribundo traduziam impaciência. Fazia esforços para fixar o criado constantemente à cabeceira da cama.

– Quer que o virem para o outro lado – murmurou este, que se levantou para voltar para o lado da parede o pesado corpo doente.

Pedro ergueu-se para ajudar o criado.

Enquanto o mudavam de posição, um dos braços do conde ficou inerte para trás, e o conde fazendo baldados esforços para trazê-lo ao seu lugar. O conde ou viu o olhar aflito que Pedro deu para o braço sem vida, ou outro qualquer pensamento perpassou nesse instante pela cabeça do moribundo: olhou para o seu próprio braço, que já não lhe obedecia, depois para a expressão aflitiva de Pedro, em seguida de novo para o braço, e pelo seu rosto passou um débil e doloroso sorriso, que destoava na sua fisionomia, parecendo, por isso mesmo, escarnecer da sua própria impotência. Ao deparar-se com este sorriso, Pedro sentiu uma súbita crispação no peito, um formigueiro nas narinas, e as lágrimas vieram turvar-lhe a vista. Tinham colocado o moribundo voltado para a parede. Ouviu-se que suspirava.

– Está dormindo – disse Ana Mikailovna, ao ver uma das princesas que vinha substituí-la. – Vamos.

Pedro saiu.

CAPÍTULO XXIV

Na sala de visitas já não havia mais ninguém senão o príncipe Vassili e a mais velha das princesas, conversando animadamente debaixo do retrato de Catarina. Assim que viram chegar Pedro e a sua companheira, calaram-se. A princesa dissimulou alguma coisa, pelo menos foi isso que Pedro pareceu distinguir, e murmurou:

– Não posso ver esta mulher.

– Katicha mandou servir o chá na saleta – disse o príncipe a Ana Mikailovna. – Vá, minha pobre Ana Mikailovna, vá tomar alguma coisa, de outra maneira não poderá aguentar.

Nada disse a Pedro, limitando-se a apertar-lhe o braço com emoção. Pedro e Ana Mikailovna dirigiram-se para o *petit salon*.

– Não há nada como uma chávena deste chá russo para repor uma pessoa depois de uma noite em claro – exclamou Lorrain com uma vivacidade refreada, enquanto bebia, em pequenos goles, por uma chávena da China, sem asa, de pé, na salinha redonda, diante de uma mesa onde estavam alguns pratos frios e um serviço de chá. Em volta da mesa tinham-se juntado, para recuperar forças, todos quantos haviam passado a noite na casa do conde Bezukov. Pedro lembrava-se muitíssimo bem daquela salinha circular com os seus espelhos e os seus gueridons. Quando dos bailes que havia na casa, ele, que não sabia dançar, gostava de vir sentar-se naquela pequenina saleta, de onde ficava a ver as senhoras de vestido de noite e os ombros nus cobertos de pérolas e diamantes, as quais, ao atravessar aquela dependência, se miravam vivamente nos espelhos iluminados em que as imagens se multiplicavam indefinidamente. Naquele momento a saleta estava apenas iluminada por duas velas, e na obscuridade, em cima de um gueridom, havia, pousados desordenadamente, pratos e chávenas de chá, enquanto pessoas da mais variada natureza, em trajes comuns, falando entre si em voz baixa, se sentavam, exprimindo, em todos os seus movimentos e em todas as suas palavras, a ideia de que não esqueciam um só momento o que estava a passar-se naquela noite e o que devia passar-se ainda no quarto de dormir. Pedro nada comeu, embora muito lhe apetecesse fazê-lo. Ia interrogar com os olhos a sua condutora, mas viu que ela tornava a entrar, na ponta dos pés, na sala de visitas, em que ficara o príncipe Vassili e a mais velha das princesas.

Pedro pensou mais uma vez que assim tinha de ser, e, depois de hesitar alguns instantes, seguiu atrás dela. Ana Mikailovna estava de pé junto da princesa e ambas falavam ao mesmo tempo, em voz baixa, com animação.

– Perdão, minha senhora, eu julgo saber o que se deve fazer e o que não se deve fazer – dizia a princesa, certamente na mesma agitação em que se encontrava no momento em que tinha fechado violentamente a porta do quarto.

– Mas, minha querida princesa – volveu Ana Mikailovna, num tom modesto e insinuante, vedando à princesa o caminho para o quarto de dormir –, não seria penoso para o seu pobre tio, num momento destes, em que tanto necessita de repouso? Falar-lhe numa hora destas das coisas deste miserável mundo, quando a sua alma já está preparada...

O príncipe Vassili estava sentado numa cadeira, as pernas cruzadas uma em cima da outra, numa das suas posições habituais. No seu rosto havia movimentos convulsivos, suas faces moles pareciam, na parte inferior, mais largas do que de costume e fingia estar pouco atento à conversa das duas senhoras.

— Então, minha boa Ana Mikailovna, deixe Katicha. Bem sabe quanto o conde a estima.

— Não sei o que há aqui dentro – disse a princesa, dirigindo-se ao príncipe Vassili, e apontando para a pasta de couro que tinha na mão. – O que eu sei é que o verdadeiro testamento está no escritório dele e que aqui só se encontra papelada esquecida...

Quis passar, contornando Ana Mikailovna, mas esta fez um movimento rápido e de novo se atravessou no seu caminho.

— Bem sei, minha boa, minha querida princesa – disse, apoderando-se da pasta e segurando-a com tanta força que se via não estar disposta a largá-la da mão tão depressa. – Minha querida princesa, peço-lhe, suplico-lhe, poupe o doente. Imploro-lhe...

A princesa não deu resposta. Apenas se ouvia o ruído da luta que se travava para a conquista da pasta. Era evidente que se ela falasse não seria para dizer coisas amáveis a Ana Mikailovna. Mas esta resistia energicamente, embora a sua voz conservasse um tom suave e carinhoso.

— Pedro, venha cá, meu amigo. Suponho que não será a mais no conselho de família. Não é verdade, príncipe?

— Por que é que não diz alguma coisa, *mon cousin*? – gritou, subitamente, a princesa, e tão alto, que em toda a sala se ouviu a sua voz. – Fica calado quando uma pessoa estranha se atreve a intervir nos nossos assuntos e fazer uma cena no limiar do quarto de um moribundo? Intriguista! – exclamou ela com ódio, puxando pela pasta, com todas as suas forças.

Para não ser obrigada a abandonar a presa, e sob a violência do puxão, Ana Mikailovna viu-se forçada a dar alguns passos avante, e pegou-lhe no braço.

— Oh! – exclamou Vassili com espanto e num tom de censura. – *C'est ridicule* – prosseguiu ele, erguendo-se. – *Voyons*, largue, faça o favor.

A jovem princesa abriu as mãos.

— Largue – repetiu-lhe. – Eu encarrego-me de tudo. Vou já falar com ele. Sim, eu... Deixe isso comigo.

— Mas, *mon prince* – disse Ana Mikailovna –, depois de um sacramento tão solene, deixe-o descansar um momento. Pedro, vá, dê a sua opinião – prosseguiu ela, dirigindo-se ao jovem, o qual, tendo-se aproximado, observava, espantado, a figura da princesa conturbada pela cólera e os movimentos nervosos do rosto do príncipe.

– Lembre-se de que será responsável por tudo que vier a acontecer – disse o príncipe Vassili com severidade –, a senhora não sabe o que faz.

– Mulher infame! – gritou a princesa, lançando-se sobre ela, repentinamente, e arrancando-lhe a pasta das mãos.

O príncipe Vassili, baixando a cabeça, deixou cair os braços para mostrar que nada podia fazer.

Neste momento a porta, aquela porta horrível em que os olhos de Pedro se haviam fixado durante tanto tempo e que antes se tinha aberto tão suavemente, escancarou-se, de súbito, com fragor e veio bater de encontro à parede, enquanto a segunda das princesas se lançava na sala torcendo as mãos.

– Que estão fazendo aqui? – disse ela, num desespero. – Ele vai-se embora e deixam-me só.

A princesa mais idosa deixou cair a pasta. Ana Mikailovna baixou-se, lépida, e, pegando no corpo de delito, desapareceu no quarto de dormir. A princesa e o príncipe Vassili, recuperando a serenidade, foram-lhe no encalço. Daí a pouco, a mais velha das princesas voltou a aparecer na sala de visitas, o rosto pálido e seco, mordendo o lábio inferior. Ao ver Pedro, veio-lhe um ataque de cólera, que deixou expandir livremente.

– Agora pode ficar satisfeito! – exclamou. – Aí tem o que esperava.

E rompendo a soluçar, escondeu o rosto no lenço, desaparecendo da sala. O príncipe Vassili foi quem veio depois. Aproximou-se cambaleando do divã em que Pedro estava sentado e deixou-se cair com o rosto entre as mãos. Pedro viu que ele estava pálido e que o seu queixo tremia convulsivamente, como se tivesse febre.

– Ah, meu amigo! – exclamou, pegando no braço de Pedro, e a sua voz exprimia uma sinceridade e uma doçura que este nunca lhe tinha notado. – Os pecados que nós cometemos, tanto equívoco, e tudo isso para quê? Estou quase com sessenta anos, meu amigo... E eu... A morte é o fim de tudo. Ah, que coisa terrível é a morte!... – E principiou a soluçar.

Ana Mikailovna foi a última a sair do quarto. Aproximou-se de Pedro em passos lentos e sem fazer ruído.

– Pedro! – exclamou ela.

Pedro interrogou-a com os olhos. A princesa beijou o rapaz na testa, cobrindo-o de lágrimas. Ficou calada alguns momentos.

– Acabou...

Pedro olhou para ela através de seu pincenê.

– Vamos, eu acompanho-o. Tente chorar. Não há nada como as lágrimas para aliviar.

Levou-o para uma sala escura, e Pedro sentiu-se contente por ninguém poder ver-lhe a expressão. Ana Mikailovna afastou-se, e quando voltou a entrar na sala encontrou-o, de cabeça encostada ao braço, dormindo profundamente.

No dia seguinte, disse-lhe:

– Sim, meu amigo, é uma grande perda para todos nós. Não falo de você. Mas Deus o ajudará; é novo, e agora fica na posse de uma grande fortuna, assim o espero. O testamento ainda não foi aberto. Conheço-o o suficiente para saber que isso não lhe dará volta à cabeça, mas vai ter novos deveres a cumprir, e é preciso ser homem.

Pedro ficou calado.

– Talvez mais tarde lhe diga, meu amigo, que se eu não estivesse presente, só Deus sabe o que poderia acontecer. Ainda antes de ontem meu tio me prometeu que não se esqueceria de Bóris. Mas não teve tempo. Espero, meu amigo, que dê satisfação aos desejos de seu pai.

Pedro não entendia nada, contentando-se em olhar para Ana Mikailovna sem dizer palavra e corando com um ar embaraçado. Esta, depois da sua conversa com Pedro, voltou para casa dos Rostov e deitou-se. No dia seguinte pela manhã, contou aos Rostov e aos seus demais conhecidos os pormenores da morte do conde Bezukov. Segundo dizia, o conde tinha morrido como ela própria desejaria morrer, e que o seu passamento fora não só emocionante, mas até mesmo edificante: a última entrevista entre pai e filho, então, tinha sido de tal modo comovente que ela não podia lembrar-se dessa cena sem chorar, e lhe era impossível dizer qual dos dois se portara melhor naqueles terríveis momentos: se o pai, que nos últimos instantes se tinha referido a todos os acontecimentos importantes, recordando-se de cada pessoa e dizendo coisas tão comovedoras ao filho; se Pedro, que metia dó, de tal modo estava comovido, não obstante ter feito tudo para esconder a sua dor, para que o moribundo não se impressionasse. "É penoso, mas consola; eleva-nos a alma ver homens como o velho conde e seu digno filho." Ana Mikailovna aludiu também à atitude da princesa e do príncipe Vassili num tom de censura, mas pedindo muito segredo e falando ao ouvido das pessoas.

CAPÍTULO XXV

Em Lissia Gori, domínio do príncipe Nicolau Andreivitch Bolkonski, aguardava-se, de dia para dia, a chegada do jovem príncipe André e de sua mulher. Mas essa expectativa não alterava a ordem admirável que pautava a existência no solar do velho príncipe. O general em chefe príncipe Nicolau Andreivitch, aquele a quem as pessoas da sociedade tinham apelidado de rei da Prússia, desde que, no reinado de Paulo I, se recolhera às suas terras, nunca mais deixara a sua Lissia Gori, onde vivia com sua filha Maria e a dama de companhia desta, Mademoiselle Bourienne. E quando viera o novo reinado, embora lhe tivesse sido permitido regressar à capital, ali continuara a viver, sem nunca mais sair de lá, dizendo que se alguém precisasse dele era natural que se dispusesse a percorrer as cento e cinquenta verstas[11] que separavam Moscou do seu domínio, pois, quanto a ele, a verdade é que não precisava de nada nem de ninguém. Era sua opinião não haver senão duas fontes do vício humano: a ociosidade e a superstição, e senão duas virtudes: a atividade e a inteligência. Ele próprio se encarregava pessoalmente da educação da filha, e para desenvolver nela estas virtudes cardinais, a partir dos vinte anos começou a dar-lhe lições de álgebra e de geometria, não permitindo que ela ficasse desocupada o mais breve instante da sua vida. Quanto a ele, passava todo o seu tempo quer a escrever as suas memórias, quer a resolver problemas de alta matemática, quer a tornear caixas de rapé num torno mecânico, quer a trabalhar de jardineiro e a vigiar as construções que andava sempre a fazer no seu domínio. Partindo do princípio de que a ordem é a primeira condição de toda a atividade, na sua vida a ordem era levada ao extremo. As pessoas sentavam-se à mesa segundo ritmos inalteráveis e sempre iguais, e não somente sempre à mesma hora, mas, até mesmo, no mesmo minuto. Para com as

---
11. Medida russa equivalente a 1.066 metros. (N.E.)

pessoas que o cercavam, quer fosse a filha quer os criados, era rígida e invariavelmente exigente.

Esta é a razão por que, não sendo propriamente violento, inspirava um terror e um respeito em que não lhe levavam a palma os homens mais brutais. Embora ele se encontrasse na inatividade e já não tivesse nenhuma influência nos negócios públicos, não havia governador de província onde dispusesse de propriedades que não se sentisse na obrigação de se apresentar em sua casa sujeitando-se, à semelhança do arquiteto, do jardineiro ou da própria princesa Maria, a aguardar o momento em que o príncipe comparecia na sua vasta sala de visitas. E o certo é que todos naquela sala sentiam o mesmo receio e o mesmo respeito quando se abriam as altas portas maciças do gabinete e surgia a pequena figura do príncipe, com a sua cabeleira empoada, as suas mãozinhas secas e as suas sobrancelhas brancas, proeminentes, as quais, por vezes, quando ele as franzia, lhe velavam o fulgor do olhar brilhante, inteligente e sempre jovem.

No dia da chegada do casal, pela manhã, segundo o costume, a princesa Maria, à hora habitual, entrou na sala de visitas para apresentar os seus cumprimentos matinais, benzendo-se, medrosa, enquanto orava em voz baixa. Todos os dias entrava naquela sala e nem uma só vez deixava de rezar, pedindo a Deus que fizesse correr bem o encontro que ia ter com o pai.

O velho criado de cabeleira branca que estava na sala levantou-se sem fazer ruído e disse em voz baixa:

– Faça o favor de entrar.

Atrás da porta ouvia-se o monótono rolar do torno. A princesa empurrou timidamente o batente, e a porta abriu-se sem esforço, deixando-a parada no limiar. O príncipe, que trabalhava ao torno, depois de ter voltado a cabeça para trás prosseguiu na sua tarefa.

O enorme gabinete transbordava de objetos que, evidentemente, eram necessários a todo o momento. A grande mesa coberta de livros e plantas, as altas estantes da biblioteca, com as chaves nas respectivas fechaduras, a secretária alta para se escrever de pé, sobre a qual estava aberto um caderno, o torno, com as ferramentas espalhadas e as aparas de madeira pelo chão, tudo denunciava uma atividade constante, variada e metódica. Os movimentos das curtas pernas do príncipe, que calçava botas tártaras pregueadas de prata, e a pressão enérgica das suas mãos magras e nervosas proclamavam a força tenaz e bem-mantida de uma velhice vigorosa.

Depois de ter feito girar ainda algumas vezes a roda do torno, levantou o pé do pedal, limpou a goiva, guardando-a depois numa bolsa de couro pendente daquele e, aproximando-se da mesa, chamou a princesa. Nunca abençoava os filhos, e, estendendo à filha a face eriçada de pelos e ainda por barbear, disse-lhe severamente, embora com um olhar meigo e cuidadoso:

– Como vai isso?... Bom, então senta-te!

Pegou num caderno de exercícios de geometria, escrito com a sua própria caligrafia, e puxou a cadeira com o pé.

– Para amanhã! – exclamou, procurando rapidamente a página e marcando com a unha robusta os períodos que era preciso estudar.

A princesa debruçou-se para o caderno.

– Espera... uma carta para ti – disse de repente o velho, tirando de um saco suspenso da mesa um sobrescrito com letra feminina e pousando-o em cima do tampo da mesa.

Assim que a princesa viu a carta, toda ela se ruborizou. Pegou-a, pressurosa, fazendo uma grande vênia.

– É da tua "Heloísa"[12]? – perguntou o príncipe, mostrando, num frio sorriso, os dentes amarelados, mas ainda sólidos.

– E, é de Júlia – replicou a princesa, com um olhar tímido e um sorriso receoso.

– Ainda vou deixar passar mais duas cartas, mas a terceira hei de lê-la – disse o pai severamente. – Tenho cá os meus receios de que vocês escrevam muita tolice. A terceira eu vou ler.

– Pode ler esta, meu pai – respondeu a jovem, corando ainda mais e apresentando-lhe a carta.

– A terceira, eu disse a terceira – interrompeu o príncipe, repelindo a carta; e apoiando o cotovelo à mesa, puxou para si o caderno de geometria.

– Como vê, menina – principiou o velho, debruçando-se muito para a filha por cima do caderno e apoiando-se com uma das mãos nas costas da cadeira onde se sentava a princesa, que se sentiu envolta numa onda de cheiro de tabaco e desse aroma especial das pessoas idosas, muito do seu conhecimento. – Como vê, menina, estes triângulos são iguais; olhe, o ângulo A-B-C...

---

12. Alusão a Júlia, de *A Nova Heloísa*, de Rousseau. (N.E.)

A jovem princesa fitava, assustada, os olhos brilhantes do pai muito perto da sua cabeça. Suas maçãs do rosto cobriram-se de manchas vermelhas. Via-se perfeitamente que não compreendia e que estava cheia de medo; isso era o bastante para não poder entender as longas explicações do pai, por mais claras que fossem. Ou por culpa do professor ou da aluna, o certo é que todos os dias acontecia o mesmo. Os olhos da jovem turvavam-se, não via, não ouvia mais nada, para ela nada mais existia além daquele rosto seco e severo muito perto do seu, daquele hálito e daquele aroma, e o seu único desejo seria fugir o mais depressa possível do gabinete para, sozinha, resolver com tranquilidade o problema que o pai lhe propunha. O velho exaltava-se, afastava e aproximava com estrépido a cadeira em que estava sentado, procurando não se deixar encolerizar, mas não raramente acabava a ferro e fogo, no meio de injúrias e até, por vezes, atirando fora o caderno.

A princesa enganou-se na resposta que deu.

– Que estúpida que tu me saíste! – gritou-lhe o pai, empurrando o caderno e voltando-se bruscamente. De chofre, ergueu-se, deu alguns passos de um lado para o outro, pousou a mão na cabeça da filha e tornou a sentar-se. Aproximando a cadeira, continuou a explicar. – Assim não fazemos nada, princesa, assim não fazemos nada – disse, quando a filha fechava o caderno, depois da lição, disposta a partir. – Mas a verdade é que a matemática é uma coisa importante, menina. E o que eu não quero é que tu fiques como todas as nossas estúpidas senhoras. Com tempo e paciência hás de acabar por gostar da matemática. – Deu-lhe umas palmadinhas na face. – Hei de tirar-te da cabeça toda a estupidez que tens lá dentro.

Ela quis sair, mas ele deteve-a com um gesto, e tirou de cima da secretária um livro novo com as folhas ainda por abrir.

– Aqui tens um livro que a tua "Heloísa" te mandou, um tal *La Clef du Mystère*. É um livro religioso. Eu não gosto de interferir nas crenças religiosas de ninguém... Passei a vista pelo livro. Toma lá. E agora vai-te, vai-te embora.

Bateu-lhe no ombro e foi ele próprio quem fechou a porta depois de ela sair.

A princesa Maria voltou para o seu quarto, com aquele seu ar triste e receoso que raramente a abandonava e que ainda mais feios tornava os seus traços doentios e pouco regulares; sentou-se à sua mesa de trabalho, coberta de retratos, miniaturas, cadernos e livros. O sentimento da ordem que lhe faltava o pai tinha em excesso. Pousou o caderno de geometria e abriu a carta com impaciência. Era da sua mais íntima amiga de infância: precisamente essa tal Júlia Karaguine, que estivera na festa na casa dos Rostov.

Júlia escrevia, em francês:

Querida e excelente amiga. – Que coisa terrível e pavorosa é a ausência! Por mais que eu diga a mim mesma que a metade da minha existência e da minha felicidade está contigo, que, apesar da distância que nos separa, os nossos corações estão unidos por laços indissolúveis, o meu coração revolta-se contra o destino e é impossível para mim, não obstante os prazeres e as distrações que me cercam, vencer uma certa tristeza oculta que sinto no fundo do coração desde que nos separamos. Por que não estamos juntas como este inverno no teu gabinete sentadas no teu canapé, o canapé das confidências? Por que é que eu não posso, como há três meses, colher novas forças morais no teu olhar tão meigo, tão calmo e tão penetrante, olhar de que eu tanto gostava e que julgo ainda ver diante de mim enquanto vou te escrevendo!

Ao chegar a este ponto da carta, a princesa Maria soltou um suspiro e lançou um olhar para o espelho que estava à sua direita. O cristal devolveu-lhe uma desajeitada e enfezada figura. Os seus olhos, sempre tristes, fixavam o espelho com uma expressão particularmente desencantada. "Tudo para me lisonjear", pensou, e afastou os olhos do espelho, prosseguindo na leitura da carta. Na verdade, Júlia não lisonjeava a amiga: esta tinha, com efeito, uns olhos grandes tão profundos e tão luminosos que se diria irradiarem, de vez em quando, quentes raios de luz, olhos tão belos que a cada momento, apesar da fealdade dos traços do seu rosto, lhe emprestavam mais atrativos que se ela fosse, de fato, bonita. A princesa nunca seria, porém, capaz de descobrir esta bela expressão do seu olhar, essa expressão que lhe vinha aos olhos quando ela menos sonhava. Acontecia com ela o que tantas vezes se dá com outras pessoas: sempre que olhava para o espelho vinha-lhe à fisionomia um ar afetado e pouco natural que a tornava feia.

Continuou a ler:

Em Moscou não se fala noutra coisa senão em guerra. Um dos meus dois irmãos seguiu para o estrangeiro, o outro está na Guarda, que vai partir para a fronteira. O nosso querido imperador saiu de Petersburgo e segundo consta está disposto a expor a sua preciosa existência aos perigos da guerra. Deus queira que o monstro corso que acabou com a tranquilidade na Europa venha a ser esmagado pelo anjo que o Todo-Poderoso na sua infinita misericórdia nos deu por soberano. Sem falar nos meus irmãos, esta guerra privou-me de um dos conhecidos mais queridos do meu coração. Refiro-me ao jovem Nicolau Rostov, que no seu entusiasmo não pôde resignar-se a manter-se inativo e abandonou a universidade para se alistar no exército. Pois bem, querida Maria, devo confessar-te que, apesar de muito novo, a sua partida para a guerra foi para mim motivo de grande desgosto. Este rapaz, de quem te falei no verão passado, tem tanta nobreza e tanta juventude que é difícil encontrar-se alguém como ele, no tempo em que vivemos, entre os nossos velhos de vinte anos. É sobretudo tão franco e tão bom de coração! E tão puro, tão poético que as minhas relações com ele, embora fossem passageiras, as considero das mais doces alegrias do meu coração, que tanto já tem sofrido. Hei de contar-lhe um dia as nossas despedidas e o que dissemos no momento em que nos separamos. Por agora tudo isto ainda está muito fresco. Que feliz tu és, querida amiga, visto não conheceres alegrias tão grandes e dores tão pungentes! És feliz, porque estas são geralmente mais fortes do que aquelas. Bem sei que o conde Nicolau é muito novo para poder vir a ser para mim mais que um amigo, mas esta afetuosa amizade, estas nossas relações, tão poéticas e tão puras, o meu coração estava a pedi-las. Não falemos, porém, mais nisso. A grande nova do momento, assunto de toda Moscou, é a morte do conde Bezukov e a história da sua herança. Imagina que as três princesas não vieram a receber quase nada, o príncipe Vassili nada recebeu e quem tudo herdou foi Pedro, que, ainda por cima, foi reconhecido filho legítimo, herdando, portanto, também o título de conde Bezukov, e é hoje possuidor da maior fortuna de toda a Rússia. Dizem que o príncipe Vassili desempenhou um feio papel em toda essa história da herança do conde e que regressou a Petersburgo de orelha murcha.

Devo confessar-te que entendo muito pouco destas histórias de legados e de testamentos; o que sei te dizer é que, desde que o rapaz por todos nós conhecido por Pedro se tornou conde Bezukov e passou a dispor de uma das maiores fortunas da Rússia, muito me divirto a observar a mudança no tom e nas maneiras das mães com várias filhas para casar e até no tom e nas maneiras das próprias meninas em relação a esse indivíduo, o qual, aqui para nós, sempre me pareceu um zé-ninguém. Como, de dois anos para cá, toda essa gente se entretém a arranjar-me noivos que na maior parte dos casos eu nem sequer conheço, a crônica nupcial de Moscou neste momento faz de mim condessa Bezukov. Mas deves compreender que nada faço para vir a gozar dessa honra. A propósito de casamentos: queres saber? Há dias a tia de toda a gente, Ana Mikailovna, contou-me, pedindo-me o maior segredo, que se preparava aqui um casamento para ti. Trata-se, nem mais nem menos, do filho do príncipe Vassili, Anatole, rapaz que o pai gostaria de arrumar, casando-o com uma menina rica e distinta. Foi em ti que recaiu a escolha dos pais.

Não sei como encararás tu a história, mas sinto-me na obrigação de te avisar. Dizem que é um bonito rapaz e muito má pessoa; é tudo quanto pude apurar a seu respeito.

Mas basta de tagarelices. Estou no fim da minha segunda folha de papel, e minha mãe mandou-me chamar para irmos jantar na casa dos Apraksine. Lê o livro místico que junto te envio e que neste momento está fazendo furor aqui. Embora neste livro haja coisas difíceis de compreender para o fraco entendimento humano, é um livro admirável, cuja leitura serena eleva a alma. Adeus. Os meus respeitos ao senhor teu pai e cumprimentos a Mademoiselle Bourienne. Um abraço amigo. — JÚLIA.

P. S.: Manda-me notícias de teu irmão e da sua encantadora mulher.

A princesa refletiu, sorriu pensativamente, e, iluminada pelos seus brilhantes olhos, toda a sua expressão se transformou naquele instante. Levantando-se de chofre, aproximou-se da mesa no seu passo moroso. Pegou numa folha de papel e a mão deslizou-lhe, rápida. Eis a resposta à carta de Júlia:

Querida e excelente amiga. – A tua carta de 13 deu-me muita alegria. Ainda gostas então de mim, minha poética Júlia? Quer dizer que a ausência de que tanto mal dizes não teve sobre ti a sua habitual influência. Queixas-te da ausência! Que diria eu se tivesse coragem para me lamentar, eu, que me vejo privada de todos aqueles que me são queridos! Se não fosse a religião, nosso consolo, que triste seria a nossa vida. Por que julgas ver em mim um olhar severo quando me falas do teu afeto pelo rapaz? Neste capítulo só para mim sou dura. Compreendo muito bem esses sentimentos nas outras pessoas e, se não me é permitido aprová-los, por nunca ter passado por eles, a verdade é que não os condeno. Parece-me apenas que o amor cristão, o amor ao próximo, o amor aos nossos inimigos é mais meritório, mais suave e mais belo que os sentimentos inspirados pelos lindos olhos de um jovem a uma garota poética e amorável como tu.

A notícia da morte do conde Bezukov já tinha chegado aqui antes da tua carta, e meu pai sentiu-a muito. Segundo ele, era o penúltimo representante do grande século, e agora só falta chegar a sua vez, embora esteja disposto – diz – a fazer o quanto puder para que esse momento chegue o mais tarde possível. Que Deus nos proteja contra tamanha desgraça! Não sou da tua opinião a respeito de Pedro, pessoa que eu conheci em criança. Pareceu-me sempre ter um bom coração, e esta é a qualidade que eu mais prezo nas pessoas. Quanto à herança e ao papel que nela desempenhou o príncipe Vassili, acho isso muito triste para os dois. Ah, querida amiga, as palavras do nosso Divino Salvador – é mais fácil um camelo passar pelo fundo de uma agulha do que um rico entrar no reino dos Céus –, estas palavras são tremendamente verdadeiras; lastimo o primo Vassili e ainda lamento mais o Pedro. Tão novo e já esmagado ao peso de tamanha fortuna, que grandes não irão ser para ele as tentações deste mundo! Se me perguntassem o que eu desejo mais nesta vida, diria que quereria ser mais pobre que o mais pobre dos indigentes. Muito e muito obrigada, querida amiga, pelo livro que me mandaste e que tanto êxito tem tido aí. No entanto, visto me dizeres que no meio de muitas coisas boas outras há que o fraco entendimento humano não pode atingir, parece-me inútil perdermos tempo com uma leitura ininteligível, que por isso mesmo se tornará infrutífera. Nunca pude compreender a paixão que têm certas pessoas em perturbar o espírito consagrando-se à leitura de livros místicos que apenas servem para levantar dúvidas nas suas almas, exaltando a imaginação e dando-lhes um temperamento exagerado, em tudo contrário à simplicidade cristã. É bom lermos os Apóstolos e o Evangelho. Não procuremos compreender o que há de misterioso neles, pois, como poderíamos nós ousar, miseráveis pecadores que somos, nos iniciarmos nos terríveis segredos da Providência enquanto estivermos ligados a este despojo carnal que levanta entre nós e o Eterno um impenetrável véu? Limitemo-nos pois a estudar os princípios sublimes que o nosso Divino Salvador nos confiou para nosso governo na terra; procuremos nos conformar com eles e segui-lo, nos persuadir de que quanto menos asas dermos ao nosso fraco espírito humano mais isso agrada a Deus, que rejeita toda a sabedoria que não vem d'Ele; e que quanto menos procurarmos aprofundar aquilo que ele houve por bem esconder do nosso entendimento, tanto mais depressa ele revelará a nós graças ao seu divino espírito.

Meu pai não me falou em qualquer pretendente; disse-me apenas que tinha recebido uma carta e que aguardava a visita do príncipe Vassili. Quanto ao projeto de casamento em que falas, vou te dizer, querida e excelente amiga, que o casamento, na minha opinião, é uma instituição divina a que nós devemos nos sujeitar. Por mais penoso que isso seja para mim, se Deus Todo-Poderoso algum dia vier a impor-me os deveres de esposa e de mãe, fica certa de que procurarei cumpri-los tão fielmente quanto puder, sem me preocupar com o exame dos meus sentimentos em relação àquele que ele me destinar para marido.

Recebi uma carta de meu irmão anunciando-me a sua chegada a Lissia Gori na companhia da mulher. Será breve a minha alegria, pois ele segue daqui para tomar parte nessa guerra infeliz, para a qual nós somos arrastados só Deus sabe como e por quê. Não é só aí, turbilhão dos negócios e centro do mundo, que não se fala senão em guerra, mas até aqui, no meio dos trabalhos agrícolas e da paz da natureza, que é assim que o homem da cidade em geral vê o campo, se fazem sentir os boatos de guerra. Meu pai só fala em marchas e contramarchas, coisas de que nada compreendo; e antes de ontem, no decurso do meu passeio habitual pelas ruas da aldeia, assisti a uma cena dilacerante... Passava um comboio de recrutas, alistados nestas terras, que seguiam para os quartéis... Era de ver o estado das mães, das mulheres e dos filhos daqueles que partiam, e de ouvir os soluços de uns e outros! Parece que a humanidade esqueceu as leis do seu Divino Salvador, que não fez outra coisa senão pregar o amor e o perdão das ofensas, para não pensar senão na arte de nos matarmos uns aos outros.

Adeus, querida e boa amiga, que o nosso Divino Salvador e a sua Santa Mãe te tenham na sua santa e poderosa guarda. – MARIA.

– Ah! estás a expedir o correio, princesa, eu já expedi o meu. Escrevi à minha pobre mãe – disse, sorrindo, Mademoiselle Bourienne, com a sua voz cheia e agradável, em que alguma coisa arranhava. Na atmosfera triste e sombria em que a princesa vivia, a presença de Mademoiselle Bourienne era uma nota de alegre frivolidade e de autossatisfação.

– Princesa, preciso preveni-la – acrescentou ela, baixando a voz. – O príncipe teve uma altercação... – E o seu defeito de pronúncia acentuou-se especialmente ao pronunciar a palavra "altercação". Parecia que estava a ouvir a si mesma. – Uma altercação com Miguel Ivanoff. Está muito maldisposto, muito rabugento. Tenha cuidado, bem sabe.

– Ah, querida amiga... – replicou a princesa –, já lhe pedi que nunca me prevenisse sobre o estado de espírito de meu pai. Como eu não me atrevo a julgá-lo, não gosto que os outros o julguem.

A princesa olhou para o relógio e, ao ver que já passavam cinco minutos da hora fixada para o seu cravo, precipitou-se no salão, diligentíssima. Entre o meio-dia e as duas horas, de acordo com o horário estabelecido, o príncipe dormia a sesta, e ela devia estudar cravo.

CAPÍTULO XXVI

O velho criado cabeceava, sentado na sala de espera, ouvindo o ressonar do príncipe no seu imenso gabinete de trabalho. Do outro extremo da casa, através das portas fechadas, chegavam até ali, pela vigésima vez, os compassos difíceis da sonata de Dusseck.

Nesse momento parava diante da escadaria principal uma carruagem e um pequeno carro. Da carruagem apeou-se o príncipe André, que ajudou a sua mulherzinha a descer, deixando-a subir a escada diante de si. O velho Tikon, com a sua cabeleira postiça, espreitou pela porta da sala de espera e disse, em voz baixa, que o príncipe estava a descansar, apressando-se em fechar a porta. Tikon sabia muitíssimo bem que nada, absolutamente nada, nem mesmo a chegada do filho ou qualquer outro acontecimento imprevisto deveriam perturbar a rotina do seu amo. O príncipe André, claro está, sabia isso tão bem como o próprio Tikon. Consultou o relógio, para verificar se os hábitos do pai não tinham sido alterados desde que o vira pela última vez, e, persuadido de que tudo estava na mesma, disse para a mulher:

– Dentro de vinte minutos estará de pé. Vamos ver a princesa Maria.

A princesinha engordara um pouco, mas os seus olhos e a sua boca sorridente, que um ligeiro buço sombreava, continuavam a ter o ar alegre e gentil sempre que ela falava.

– Mas, é um palácio! – disse para o marido, olhando em roda, no mesmo tom em que se felicita o organizador de um baile. – Vamos, depressa, depressa!

Falando, ia sorrindo para todos, para Tikon, para o marido, para o criado que a conduzia.

– É Maria que está a estudar? Devagar, é preciso surpreendê-la.

O príncipe André seguiu-a com o seu ar cortês e triste.

– Estás mais velho, Tikon – disse ele, de passagem, ao velho que lhe beijava a mão.

Antes de terem chegado à dependência onde se ouvia o cravo, viram sair de uma porta lateral uma bonita francesinha loura. Mademoiselle Bourienne parecia louca de contentamento.

– Que felicidade para a princesa... – disse ela. – Enfim, é preciso que eu a previna.

– Não, não, por favor... é Mademoiselle Bourienne, já a conheço. Sei a amizade que lhe tem minha cunhada... – disse a mulher de André, beijando-a. – Ela não nos espera?

Aproximaram-se da porta da saleta, de onde continuavam a sair sempre os mesmos compassos indefinidamente repetidos. André parou, franzindo as sobrancelhas, como se sentisse uma penosa impressão.

A princesa sua mulher entrou. O motivo da sonata foi interrompido no meio; ouviu-se um grito, os passos pesados de Maria e beijos ressoaram. Quando André entrou, por sua vez, viu as duas cunhadas, que pouco se tinham conhecido na época do casamento, abraçadas uma a outra, beijando-se mutuamente, sem escolher onde. Mademoiselle Bourienne ali estava, com a mão no coração, sorrindo cheia de beatitude, e tão pronta a rir como a chorar. André encolheu os ombros e franziu as sobrancelhas, como costumam fazer os amadores de música quando um instrumento desafina. Por fim, as duas mulheres separaram-se e, em seguida, para recuperarem o tempo perdido, recomeçaram a estreitar-se nos braços uma da outra, a beijarem-se mutuamente, rompendo em soluços, com grande surpresa do príncipe, e abraçando-se de novo. Mademoiselle Bourienne pôs-se também a soluçar. O príncipe André deu sinal de uma certa impaciência; mas elas achavam tão natural chorar assim que não era possível a elas imaginarem o seu mútuo encontro de outra maneira.

– Ah! querida Maria!... Ah! Maria!... – disseram, de repente, transitando das lágrimas para o riso. – Esta noite sonhei... – Não nos esperava, pois não!... Ah! Ah! Maria, emagreceu... E retomou...

– Conheci a senhora princesa... – interveio Mademoiselle Bourienne.

– E eu que não sabia!... – exclamou a princesa Maria. – Ah! André, não o tinha visto.

André apertou a irmã contra si e disse-lhe que ela ainda não deixara de ser a mesma choramingas. Maria olhou para o irmão e, no meio das suas lágrimas, deteve nele o quente e suave olhar cheio de enternecimento dos seus grandes olhos luminosos, lindíssimos naquele momento.

A princesa Lisa falava sem descanso. O seu labiozinho superior não fazia outra coisa senão agitar-se continuamente, de cima para baixo, sobre o lábio inferior, e um perpétuo sorriso lhe iluminava os dentes e os olhos. Historiava um incidente que lhe tinha acontecido na muda de Spass, o qual poderia ter sido perigoso para ela no estado em que estava, e imediatamente se pôs a dizer que deixara todos os seus vestidos em Petersburgo e que não iria ter nada que vestir, que André tinha mudado muito, que Kitti Odintsova casara com um velho, e que ela arranjara para Maria um noivo muito bom, mas que haviam de conversar sobre isso mais tarde. A princesa Maria, calada, não deixava de fitar o irmão, e os seus lindos olhos estavam plenos de afetuosidade e tristeza. Via-se bem que os seus pensamentos tomavam um caminho muito diverso dos da sua cunhada. Enquanto esta falava da última festa a que assistira em Petersburgo, a princesa Maria voltou-se para o irmão.

– Está então resolvido a ir para a guerra, André? – interrogou ela, no meio de um suspiro. Lisa estremeceu também.

– Sim, e amanhã mesmo – replicou ele.

– Deixa-me aqui, e só Deus sabe por que, quando podia ser promovido.

A princesa Maria não a deixou acabar e, seguindo o curso dos seus pensamentos, disse para a cunhada, indicando afetuosamente com os olhos o volume do seu ventre.

– É realmente verdade? – perguntou.

Lisa mudou de expressão. Deu um suspiro.

– Sim, é verdade – volveu ela. – Ah, é assustador...

Os lábios contraíram-se-lhe. Encostou o rosto ao da cunhada e subitamente principiou a chorar.

– Precisa descansar – disse o príncipe André franzindo as sobrancelhas. – Não é verdade, Lisa? Leva-a contigo, que eu vou ver o pai. Como vai ele? Sempre na mesma?

– Sim, está sempre na mesma: não sei como tu o vais achar – respondeu Maria com jovialidade.

– Sempre as mesmas horas e os passeios pelas avenidas? E o torno? – perguntou André, com um sorriso imperceptível que queria dizer que apesar de todo o seu amor e o seu respeito filiais conhecia as fraquezas do pai.

– Sim sempre as mesmas horas, e o torno e, ainda por cima, as matemáticas e as minhas lições de geometria – replicou alegremente a princesa Maria, como se essas lições de geometria fossem uma das maiores alegrias da sua vida.

Passados que foram os vinte minutos necessários para o descanso do velho, Tikon veio buscar o príncipe para o conduzir junto do pai. O velho dispensara-se de cumprir o seu programa em honra do filho: mandara-o entrar para os seus aposentos enquanto se vestia para o jantar. Conservava os velhos costumes: o cafetã e o pó. E quando André apareceu, já não com o aspecto e as maneiras entediadas que costumava aparentar nos salões, mas com o ar animado que mostrava em suas conversas com Pedro, o velho estava no seu gabinete de *toilette*, enterrado numa poltrona de marroquim, de penteador, confiando a cabeça aos cuidados de Tikon.

– Eh, o guerreiro! Então queres te bater com Bonaparte? – exclamou, abanando a cabeça empoada tanto quanto lhe permitia Tikon, que estava a entrançar-lhe o rabicho.

– Trata de te portares à altura, ou então não tarda muito que também nós estejamos a fazer parte do número dos seus súditos. Como vai isso? – acrescentou, oferecendo-lhe a face.

O velho estava de ótima disposição, depois do sono que costumava fazer antes de jantar. Tinha por hábito dizer que a sesta depois de jantar era prata e antes de jantar, ouro. Por debaixo das suas espessas sobrancelhas ia lançando ao filho olhadelas matreiras. O príncipe André aproximou-se e beijou o pai no local designado. Não respondeu ao tema favorito da conversa paterna, aos seus gracejos sobre os militares do tempo e especialmente sobre Bonaparte.

– Sim, viemos vê-lo, meu pai; minha mulher, que está no seu estado interessante, e eu – disse, observando, com o seu vivo olhar, nem por isso menos respeitoso, todos os movimentos da fisionomia paterna. – Como tem passado de saúde?

– Só estão doentes, meu rapaz, os imbecis e os estroinas, e tu conheces-me. Estou sempre ocupado, da manhã à noite, e sou pessoa sóbria; por conseguinte, tenho saúde.

– Louvado seja Deus! – exclamou o filho, sorrindo.

– Deus não é chamado aqui. Então conta-me – prosseguiu, voltando a sua cisma familiar –, como é que os alemães ensinaram vocês a combater o Bonaparte segundo a sua nova ciência, a chamada estratégia?

O príncipe André sorriu.

– Deixe-me tomar fôlego, meu pai – dizendo isso, não deixava de mostrar, pela sua expressão, que as manias do pai não o impediam de o adorar e de o venerar. – Nem sei ainda onde é que vai nos instalar.

– Tolice, tolice – exclamou o ancião, sacudindo o rabicho, para ver se estava a seu gosto, e dando o braço ao filho. – Os aposentos da tua mulher estão preparados. A Maria se encarregará de a conduzir até lá, e ela os mostrará a vocês, e hão de ter muito que dizer. Isso é lá com elas. Estou muito contente que ela tenha vindo. Senta-te, senta-te, e conta-me. O exército de Mikelson, sim, bem sei, e o de Tolstói também... Operações simultâneas... e o exército do Sul, o que vai fazer? A Prússia, a neutralidade, sim, bem sei. E a Áustria?

Enquanto falava, tinha-se levantado da poltrona e andava de um lado para o outro, seguido por Tikon, que lhe ia apresentando as diversas peças de vestuário.

– E a Suécia? Como é que vamos atravessar a Pomerânia?

O príncipe André, perante a insistência do pai, primeiro contrariado, depois numa animação crescente, e deixando de falar russo para falar francês, como era seu costume, principiou a expor o plano da futura campanha. Aludiu à forma como um exército de oitenta mil homens deveria ameaçar a Prússia, para obrigá-la a abandonar a neutralidade e arrastá-la para a guerra, a maneira como uma parte desse exército viria juntar-se ao sueco, em Stralsund, como duzentos e vinte mil austríacos, reunidos a cem mil russos, deviam agir na Itália e sobre o Reno, como cinquenta mil russos e o mesmo número de ingleses viriam a desembarcar em Nápoles e como no seu total um exército de quinhentos mil homens deveria atacar os franceses em diversas frentes. O príncipe não mostrava o mínimo interesse por essa exposição e nem parecia mesmo ouvi-la, continuando a vestir-se enquanto andava de um lado para o outro. Por três vezes interrompeu o filho de maneira assaz inesperada. A primeira foi para gritar: – O branco! O branco!

Com isto queria dizer que Tikon não estava lhe dando o colete que ele queria. A segunda, deteve-se para perguntar:

– E é para breve o parto? – Depois abanou a cabeça reprovadoramente. – É mau! Continua, continua.

A terceira vez foi quando o príncipe André chegava ao cabo da sua exposição. Pôs-se então a cantarolar, numa voz de velho, em falsete:

– Malbroug vai para a guerra. Sabe Deus quando voltará.

O filho contentou-se em sorrir.

– Não posso dizer que estou de acordo com esse plano – disse ele. – Limito-me a expô-lo tal como ele é. Napoleão também já tem o seu, que é tão bom quanto este.

– Bom, não me disseste nada de novo. – E, pensativamente, o velho príncipe repetiu, resmungando entre dentes: – *Dieu sait quand reviendra.* – E agora para a mesa.

CAPÍTULO XXVII

À hora precisa, o príncipe, empoado e barbeado, deu entrada na sala de jantar, onde o aguardavam a nora, a princesa Maria, Mademoiselle Bourienne e o arquiteto, que, por estranha fantasia, se sentava com o príncipe à mesa, embora esse homem, insignificante pessoa que era, no ponto de vista social, não contasse com tanta deferência. O príncipe, que era muito respeitador da etiqueta e das diferenças de classe e só muito raramente sentava à sua mesa os mais importantes funcionários da província, quando menos se esperava, quisera mostrar, na pessoa do arquiteto Mikail Ivanovitch, o qual tinha por hábito assoar-se, disfarçadamente, em um grande tabaqueiro, que os homens para ele eram todos iguais. Várias vezes explicara à filha que Mikail Ivanovitch em nada era inferior a qualquer deles. À mesa era muito comum o príncipe dirigir a palavra ao pouco falador Mikail Ivanovitch.

Na sala de jantar, imensa como todas as dependências da casa, as pessoas de família e os criados aguardavam a chegada do príncipe, de pé, atrás de cada cadeira; o chefe, de guardanapo no braço, vigiava a mesa, piscando o olho aos criados, enquanto ia e vinha, no seu passo tranquilo, entre o grande relógio e a porta por onde o príncipe devia entrar.

André contemplava um grande quadro de moldura dourada, novo para ele, com a árvore genealógica dos príncipes Bolkonski, simétrico com outro quadro, do mesmo tamanho, que representava muito mal – obra, é claro, de algum pintor criado no solar[13] – um príncipe soberano, com a coroa, provavelmente um descendente de Rurik e antepassado da família dos Bolkonski. O príncipe André observava essa árvore genealógica, abanando a cabeça. A certa altura principiou a rir, como quando se olha para uma caricatura.

– Ora aqui está ele! – exclamou para a princesa Maria, que se aproximara.

Maria encarou com o irmão sem esconder estar surpreendida. Não percebia por que ele estava a rir. Tudo quanto o pai fazia para ela era motivo de veneração, e não admitia críticas.

– Cada um tem o seu calcanhar de Aquiles – prosseguiu André. – Um homem tão inteligente e prestar-se a uma coisa tão ridícula!

A princesa não podia admitir a audácia dessas observações, e preparava-se para responder quando se ouviram os passos, que todos esperavam, vindos do gabinete de trabalho do príncipe. O velho militar entrou na sala de jantar com o seu passo rápido e vivo, como se quisesse opor-se, com aqueles seus modos animados, à ordem severa que reinava na casa. Na mesma altura

---

13. Os grandes senhores russos mantinham, por vezes, pintores servos a quem encarregavam de pintar os retratos da família. (N.E.)

o grande relógio deu duas horas, e outro, retinindo fracamente, respondeu-lhe, lá de dentro, do salão. O príncipe deteve-se. Por sobre as espessas sobrancelhas proeminentes, as suas pupilas severas, vivas e brilhantes observaram todas as pessoas presentes, fixando-se na mulher do príncipe André. Esta sentiu nesse momento a impressão que costumam sentir os cortesãos no ato da chegada do soberano, um sentimento misto de temor e de respeito, que o príncipe inspirava a todos quantos dele se aproximavam. Depois passou a mão pelos cabelos da jovem princesa e deu-lhe umas pancadinhas na nuca um pouco atabalhoadamente.

– Estou muito contente, estou muito contente de a ver – disse, olhando-a fixamente uma vez mais, e, de chofre, voltou-se para sentar-se à mesa. – Tomem os seus lugares, tomem os seus lugares! Mikail Ivanovitch, sente-se.

O velho príncipe indicou à nora um lugar a seu lado. Um criado ajudou-a a sentar.

– Sim, senhor, sim, senhor! – exclamou, ao ver as amplas formas da princesa. – Chama-se a isto não perder tempo! Hein, que marota!

E rompeu num riso seco, frio e desagradável, o riso que tinha sempre, um riso só da boca, não dos olhos.

– É preciso andar, andar o máximo possível, o máximo possível – acrescentou.

A princesinha não ouvia ou não queria ouvir o que ele dizia. Estava calada e parecia preocupada. Só quando o príncipe lhe perguntou pelo pai, principiou a falar e a sorrir. Interrogou-a acerca das pessoas que ambos conheciam. Então ela sentiu-se à vontade e pôs-se a tagarelar, transmitindo-lhe os cumprimentos de alguns conhecidos, contando-lhe casos de má-língua da cidade.

– A condessa Apraksina, coitada, perdeu o marido, e desfez-se em lágrimas – dizia ela, cada vez mais animada.

À medida que se entusiasmava, o príncipe ia olhando para ela cada vez mais severamente, e, de súbito, como se a tivesse estudado o suficiente e acabasse por fazer dela uma ideia exata, desviou para outro lado a sua atenção, dizendo a Mikail Ivanovitch:

– Pois é verdade, Mikail Ivanovitch, as coisas não vão correr bem para o nosso Bonaparte. Como me contou o príncipe André – falava sempre de André na terceira pessoa –, estão a juntar-se forças contra ele. E nós que sempre o consideramos uma nulidade.

Mikail Ivanovitch, que desconhecia por completo o momento em que ambos tinham falado de Bonaparte, mas que percebia que se estavam a servir dele para abordar a conversa do costume, lançou um olhar surpreso ao moço príncipe, sem saber o que ia passar-se.

– Sim, é um grande estratega! – disse o príncipe ao filho, apontando-lhe o arquiteto.

E a conversa de novo incidiu sobre a guerra, sobre Bonaparte, os generais e os estadistas do tempo. O fato é que o velho príncipe estava realmente convencido não só de que todos os grandes homens do momento eram criançolas, ignorando, inclusive, o bê-a-bá da guerra e da política, mas também que Bonaparte não passava de um insignificante francês, que triunfara apenas por não haver para se lhe opor um Potenkine ou um Suvorov. Estava mesmo convencido de que não haveria na Europa dificuldades políticas nem realmente haveria guerra. Estava-se apenas a representar uma comédia de marionetes, em que os homens da época fingiam desempenhar um papel muito sério. O príncipe André acolhia com grandes gargalhadas essas troças e, é claro, divertia-se a excitar o pai e a ouvi-lo.

– Tudo o que é de outros tempos lhe parece excelente – disse ele –, mas não é verdade que o próprio Suvorov caiu na armadilha que lhe preparou Moreau e não foi capaz de se ver livre dela?

– Quem te disse isso? Quem te disse isso? – interrogou o príncipe. – Suvorov! – E afastou de diante de si o prato, que Tikon pressurosamente levantou. – Suvorov!... Pensa um pouco, príncipe André. Eram dois homens: Frederico e Suvorov... Moreau! Mas esse Moreau teria ficado prisioneiro se Suvorov tivesse as mãos livres, e as suas mãos estavam ligadas pelo *Hofskriegswurstschnappsrath*. Nem o diabo teria sido capaz de se ver livre dele. Ora, ainda os há de ver, esses *Hofskriegswurstschnappsrath*! Se Suvorov não pode levar a melhor, como é que Mikail Kutuzov conseguirá? Sim, meu amigo – prosseguiu –, com os generais que temos nada podemos contra Bonaparte. O que nós precisávamos era de franceses – ladrão para roubar outro ladrão. Lá mandaram o alemão Pahlem a Nova York, à América, para apanhar o francês Moreau para o exército russo. Lindo serviço!... Eram, porventura, alemães os Potenkines, os Suvorovs ou os Orlovs? Não, meu rapaz, ou vocês, lá para os vossos lados, perderam a cabeça, ou então sou eu quem está a ficar maluco. Deus vos acuda, mas cá estamos para ver. E dizem eles que Bonaparte é um grande general! Hum! Hum!...

— Não tenho a pretensão de pensar que todas as medidas tomadas sejam de primeira ordem – replicou o príncipe André –, mas não posso compreender que o pai tenha uma tal opinião acerca do Bonaparte. Pode rir-se à vontade. O que não há dúvida é que Bonaparte é um grande general!

— Mikail Ivanovitch! – exclamou o velho príncipe, dirigindo-se ao arquiteto, o qual, todo absorvido a comer o assado, teria preferido que o esquecessem. – Eu lhe disse que Bonaparte era um grande estrategista? Aqui está um da mesma opinião.

— Mas com certeza, Excelência – replicou o arquiteto.

E o príncipe riu de novo com o seu riso frio.

— Bonaparte nasceu num sino. Tem magníficos soldados. E principiou por se atirar aos alemães. Desde que o mundo é mundo que toda a gente venceu os alemães. E eles nunca venceram ninguém, a não ser quando se batem uns contra os outros. Foi combatendo contra eles que Napoleão se tornou glorioso.

E o príncipe pôs-se a expor todos os erros que, segundo ele, tinham sido cometidos por Bonaparte em todas as suas campanhas, e até mesmo nos negócios públicos. O filho não o contrariava, mas era claro que, apesar de toda aquela argumentação, ele, tal como o velho pai, nunca mudaria de opinião. André ouvia, procurando dominar-se, para não fazer qualquer objeção, surpreendido, no entanto, que aquele velho, há tantos anos ali isolado no meio das suas terras, fosse capaz de julgar e de conhecer, em todos os seus pormenores e com tanta finura, a situação militar e política da Europa dos últimos anos.

— Julgas que um velho como eu nada entende dos problemas atuais? – concluiu ele. – Que queres que eu faça então? De noite não durmo. Vamos lá, onde é que esse teu grande general já demonstrou que o era de fato?

— Isso levaria tempo – replicou o filho.

— Que tenhas muita saúde mais o teu Bonaparte. Mademoiselle Bourienne, aqui tem outro admirador do patife do seu imperador – exclamou ele num francês excelente.

— Bem sabe que não sou bonapartista, meu príncipe.

— Só Deus sabe quando voltará... – cantarolou o príncipe, na sua voz de falsete, e foi a rir, num riso igualmente em falsete, que se levantou da mesa.

A princesinha estivera calada durante toda a discussão e até ao fim do jantar, olhando, alarmada, primeiro a princesa Maria e depois o sogro. Quando se levantaram da mesa, travou do braço da cunhada e levou-a consigo para a sala contígua.

– Que homem espirituoso o seu pai! – observou ela. – É por isso, naturalmente, que me mete medo.

– Oh, é tão bom! – replicou a cunhada.

CAPÍTULO XXVIII

O príncipe André devia partir no dia seguinte à tarde. O velho príncipe, sem alterar os seus hábitos, retirou-se depois do jantar. A princesinha estava nos aposentos da cunhada. André vestiu uma farda de viagem, sem dragonas, e pôs-se a fazer as malas, com o auxílio do criado de quarto, no aposento que lhe fora reservado. Após haver examinado ele próprio a carruagem em que ia partir e a instalação das bagagens, deu ordem para atrelarem. No quarto apenas conservava os objetos que levaria consigo: um pequeno cofre, um estojo de *toilette* de viagem, de prata, duas pistolas turcas e um sabre, presente do pai, que este lhe trouxera de Otchakov. Todos esses objetos estavam em perfeito estado; tudo como novo e limpo, cada coisa no seu estojo de pano cautelosamente afivelado.

No momento em que um homem parte para uma viagem ou se prepara para mudar de vida, são muitos os pensamentos que o assaltam, desde que seja pessoa capaz de reflexão. Todo o passado lhe ocorre e faz projetos sobre o futuro. André parecia preocupado e comovido. Com as mãos atrás das costas, ia e vinha, em passo rápido, de um extremo ao outro do quarto, o olhar fixo e abanando a cabeça. Quer sentisse medo de partir para a guerra, quer sofresse por ter de deixar a mulher, e talvez as duas coisas o preocupassem, era natural que não quisesse que o vissem naquele estado, pois, ao ouvir passos no vestíbulo, mudou rapidamente de atitude, deteve-se diante da mesa, como para afivelar a cobertura da mala, e de novo no seu rosto transpareceu a expressão serena e impenetrável de sempre. Eram os pesados passos da princesa Maria.

– Disseram-me que tinhas mandado atrelar! – articulou ela, arquejante (via-se que viera a correr). – E eu que tanto queria conversar contigo a sós. Só Deus sabe quanto tempo vamos estar separados! Não estás zangado por eu ter vindo? É que mudaste tanto, Andriucha – acrescentou, como para justificar a sua pergunta.

A princesa Maria sorriu ao tratá-lo por Andriucha. Via-se que achava estranho aquele belo homem de aspecto severo ser o mesmo Andriucha, aquele garoto magricela e travesso seu companheiro de infância.

– E Lisa onde está? – perguntou ele, que apenas lhe respondera com um sorriso.

– Estava tão cansada que adormeceu no meu quarto num divã. Ah! André! Que tesouro de mulher tu tens! – exclamou, sentando-se num canapé, diante do irmão. – É uma verdadeira criança, tão gentil, tão alegre! Gosto tanto dela.

O príncipe André nada disse, mas a irmã viu a expressão irônica e um pouco desdenhosa que lhe invadiu o rosto.

– Temos de ser indulgentes para com as suas pequenas loucuras. Quem não as tem? André, não te esqueças de que foi criada e educada na sociedade. E a verdade é que a sua situação está longe de ser cor-de-rosa. Temos de nos colocar na posição dos outros. *Tout comprendre c'est tout pardonner.* Pensa na sorte que a espera, coitadinha. Depois da vida que tem tido, ficar por aqui, no campo, separada do marido, e sozinha, sobretudo no estado em que está. É penoso!

André sorria, olhando para a irmã, como costumamos sorrir ao ouvir alguém em que julgamos ler como num livro aberto.

– Mas tu também vives no campo e não achas que a vida aqui seja assim uma coisa tão terrível! – observou ele.

– Comigo é outra coisa. Para que havemos de falar de mim? Não quero outra vida, e não posso desejar vida diferente, porque não conheço senão esta. Mas pensa, André, o que representa para uma senhora de sociedade enterrar-se numa aldeia, nos melhores anos da sua vida, e só, pois o pai está sempre ocupado, e eu... tu bem sabes como eu sou pobre *en ressources* aos olhos de uma mulher habituada à melhor sociedade. Só Mademoiselle Bourienne...

– Não posso com essa Bourienne – replicou André.

– Não digas isso! É uma moça gentil e boa, e ainda por cima tão infeliz! Já não tem ninguém no mundo, absolutamente ninguém. Para dizer a verdade, não só já não me é necessária, como até me incomoda. Tu bem sabes que fui sempre um pouco selvagem, e agora ainda mais. Aprecio estar só... *Mon père* gosta muito dela. Tanto ela como Mikail Ivanovitch são as duas pessoas para quem ele tem sido sempre amável e bom. É um verdadeiro benfeitor para eles. Como diz Sterne, "nós gostamos das pessoas menos pelo bem que elas nos fizeram que pelo bem que lhes fizemos a elas". *Mon père* tomou conta dessa moça, órfã, *sur le pavé.* Tem muito bom coração. E *mon père* adora a maneira como ela lê. É ela quem lhe faz a leitura em voz alta, todas as tardes. Lê muito bem.

– Confessa, Maria, tu deves passar o teu mau bocado, penso eu, por causa do feitio do pai... – disse, de súbito, André.

Maria principiou por mostrar-se surpreendida e depois sentiu-se assustada com a pergunta.

– Eu? Eu? Passar um mau bocado? – tartamudeou.

– Ele foi sempre irascível, mas agora ainda se tornou mais difícil, creio eu – e exprimia-se tão à vontade sobre o caráter do pai que só podia ter um fim: irritá-la ou experimentá-la.

– Tu és muito bom, André, mas tens um certo orgulho – observou a princesa, seguindo antes o curso dos seus pensamentos que propriamente o fio da conversa –, e isso é um grande pecado. Achas que se pode permitir a um filho julgar o seu pai? E, mesmo que se admita uma coisa dessas, achas que um homem como *mon père* possa inspirar outros sentimentos que não sejam de *vénération*? Sinto-me tão satisfeita e feliz ao pé dele! Só queria uma coisa: que todos vocês fossem tão felizes como eu.

O príncipe André abanou a cabeça como quem não está muito convencido.

– A única coisa que me é penosa, vou dizer-te a verdade, André, é a opinião de meu pai em assuntos religiosos. Não compreendo que um homem tão inteligente não veja o que é claro como a luz do dia e se desoriente até ao ponto a que chegou. Só isso me faz infeliz. Mas nos últimos tempos verifiquei que está um pouco melhor. Ultimamente as suas troças são menos ácidas e até consentiu em receber um frade e esteve muito tempo a conversar com ele.

– Pois bem, minha querida, receio que tu e o teu frade estejam a perder o seu latim – observou André em tom trocista, mas amável.

– *Ah! mon ami.* Não faço outra coisa senão pedir a Deus, e espero que Ele me ouça. André – acrescentou ela, timidamente, depois de uma breve pausa –, tenho que te fazer um grande pedido.

– De que é que se trata, minha amiga?

– Promete-me, antes de mais nada, que não me recusarás o que vou te pedir. Não é nada que te custe a fazer e nem é coisa indigna de ti. Promete-me, Andriucha – suplicou ela, metendo a mão na bolsinha de trabalho e apalpando alguma coisa sem tirar a mão, como se tivesse entre os dedos precisamente o objeto em questão, objeto que ela não podia mostrar senão depois de ter obtido a promessa que pedira.

Olhava para o irmão timidamente e com olhos suplicantes.

– Ainda mesmo que isso me custasse muito?... – replicou o príncipe André, que parecia desconfiar do que se tratava.

– Podes pensar o que quiseres. Sim, eu bem sei, tu és como *mon père*. Podes pensar o que quiseres, mas faz isso por mim. Peço-te. O pai do meu pai, o nosso avô, trouxe-a consigo em todas as campanhas. – E continuava sem tirar da bolsinha o objeto que tinha entre os dedos. – Então, prometes?

– Claro! De que se trata?

– André, que esta imagem te proteja. Promete-me que não a deixarás mais. Prometes?

– Se ela não pesar muito e não me arrancar o pescoço... Já que isso te dá prazer... – disse ele, e verificando, ao mesmo tempo, que a sua atitude causava uma penosa impressão na irmã, mudou de tom. – Com muito prazer, podes crer, com muito prazer, minha amiga – acrescentou.

– Mesmo contra tua vontade ele te salvará, te concederá a sua graça e te chamará para si, pois é verdade e consolação – murmurou, numa voz trêmula, erguendo nas duas mãos, diante do irmão, num gesto solene, uma antiga imagem oval do Salvador, com o rosto negro, numa moldura de prata suspensa de uma cadeia de filigrana do mesmo metal.

A princesa Maria benzeu-se, beijou a imagem e entregou-a ao irmão.

– Aceita-a, André, aceita-a por mim.

Os seus grandes olhos esplendiam de bondade e de doçura. Iluminavam-lhe o rosto magro e doentio, embelezando-o. O irmão quis pegar na imagem, mas ela deteve-o. André compreendeu, benzeu-se também e beijou-a. Havia nele uma expressão ao mesmo tempo enternecida – estava comovido – e trocista.

– *Merci, mon ami.*

Beijou-o na testa e voltou a sentar-se no divã. Ficaram calados.

– Sim, André, já te disse, sê bom e generoso como sempre foste. Não julgues Lisa com tanta severidade. Ela é gentil e boa e está neste momento numa situação bem triste.

– Creio nada te ter dito, Macha, que possa ser interpretado como uma censura a minha mulher ou mostrar-te que esteja descontente com ela. Por que é que estás sempre a me dizer a mesma coisa?

A princesa Maria corou, calando-se, como se se sentisse culpada.

– Por mim, não te disse nada, mas outras pessoas, sem dúvida, já te falaram no caso. E isso me é penoso.

Manchas vermelhas cobriram a testa e as faces de Maria. Quis dizer qualquer coisa, mas não pôde articular palavra. O irmão adivinhara. A princesinha, depois do jantar, chorara e dissera que receava um parto difícil, que estava cheia de medo e lamentara-se da sua sorte, do sogro, do marido. Depois de chorar, adormecera. O príncipe André teve pena da irmã.

– Podes ter a certeza, Macha, não a censurei, nunca a censurei por qualquer coisa e nunca censurarei a minha mulher em coisa alguma. E eu próprio nada tenho a censurar-me no meu comportamento para com ela. E sempre assim será, seja qual for a situação em que venha a encontrar-me. Mas, queres saber a verdade... queres saber se eu sou feliz, se ela é feliz? Pois bem, não, não sou, não somos. Por quê? Não sei...

Ao dizer estas palavras, levantou-se, aproximou-se da irmã e, inclinando-se para ela, beijou-a na testa. Os seus belos olhos incendiaram-se e neles brilhou um invulgar lampejo de lucidez e bondade. Não era na irmã que o seu olhar se fixava, mas nas trevas, para além da porta aberta por detrás dela.

– Vamos ter com ela. É preciso dizer-lhe adeus. Ou, antes, vai tu sozinha, acorda-a, eu já lá vou ter. Petruchka! – gritou ele, chamando o criado de quarto. – Vem cá, leva estas coisas. Põe isto junto do assento, aquilo à direita.

A princesa Maria levantou-se e encaminhou-se para a porta. Aí deteve-se.

– André, se você fosse crente, dirigir-se-ia a Deus pedindo-lhe que lhe desse o amor que não sente e a sua oração teria sido ouvida.

– Sim, é possível – volveu André. – Vai, Macha, já vou ao teu encontro.

Quando se dirigia aos aposentos da irmã, na galeria que estabelecia a comunicação entre os dois corpos da casa, o príncipe encontrou Mademoiselle Bourienne, que lhe sorriu graciosamente. Era a terceira vez naquele dia que ele encontrava no seu caminho, e nos lugares mais solitários, o seu sorriso simples e entusiasta.

– Julgava-o no seu quarto! – exclamou ela, corando um pouco e baixando os olhos.

O príncipe lançou-lhe um olhar severo; tomara repentinamente uma expressão irritada. Não lhe respondeu, e, sem a fixar nos olhos, dirigiu-lhe um olhar tão desdenhoso que a francesa ficou toda corada, retirando-se sem dizer mais nada. Quando o príncipe entrou nos aposentos da irmã, sua mulher já estava acordada e através da porta aberta ouvia-se a sua vozinha alegre, que desfiava com volubilidade o rosário das palavras. Parecia que procurava recuperar o tempo perdido depois de uma longa abstenção.

– Não, mas calcule, a velha condessa Zuboff com brincos falsos e a boca cheia de dentes postiços, como se quisesse desafiar os anos... Ah! ah! ah! Maria!

Era a quinta vez que André ouvia a mulher diante de estranhos pronunciar esta mesma frase sobre a condessa Zuboff, acompanhada do mesmo riso. Entrou sem fazer ruído. A mulher, redondinha e rosada, o trabalhinho na mão, estava sentada numa poltrona e falava ininterruptamente, contando coisas de Petersburgo e repetindo, outrossim, verdadeiras frases feitas. André aproximou-se dela, acariciou-lhe os cabelos e perguntou-lhe se se sentia refeita da viagem. Ela respondeu-lhe e continuou a tagarelar.

Uma carruagem puxada por seis cavalos estava diante da escada. Lá fora era noite, uma noite sombria de outono. O cocheiro nem sequer podia ver os varais do carro. Na escada agitavam-se pessoas com lanternas na mão. A imensa casa tinha todas as grandes janelas iluminadas. No vestíbulo juntavam-se, acotovelando-se, os criados servos, que todos queriam dizer adeus ao jovem príncipe. Na grande sala estava reunida toda a gente da casa: Mikail Ivanovitch, Mademoiselle Bourienne, a princesa Maria e a jovem esposa de André. Este último tinha sido chamado ao gabinete do pai, que queria despedir-se dele a sós. Todos os estavam aguardando.

Quando André entrou no gabinete do pai, o velho príncipe, de óculos e roupão branco, traje com que não recebia ninguém, a não ser o filho, estava sentado à sua mesa e escrevia. Voltou-se.

– Vais-te embora? – interrogou ele, continuando a escrever.
– Vim dizer-lhe adeus.
– Dá cá um beijo, aqui. – Indicava-lhe o local. – Obrigado, obrigado.
– Por que é que está me agradecendo?
– Porque tu não és homem para fazer amanhã o que podes fazer hoje... Não te agarras às saias das mulheres. A tropa antes de tudo. Obrigado! Obrigado! – Continuava a escrever e a pena ia-lhe salpicando o papel. – Se tens seja o que for para me dizeres, fala. Posso fazer as duas coisas ao mesmo tempo.
– Queria falar-lhe de minha mulher... Estou bastante preocupado por ter de deixá-la entregue ao senhor.
– Que estás dizendo? Vamos, de que precisas?
– Quando chegar a hora do parto, peço-lhe que mande vir de Moscou um médico parteiro... Para que ele esteja presente nesse momento.

O velho príncipe pousou a pena e, como se não compreendesse, fitou no filho um olhar severo.

– Bem sei que nada se pode fazer quando a natureza não obra por si mesma – disse André, visivelmente perturbado. – Reconheço que num milhão de casos deste gênero só um, talvez, não corre bem, mas ela tem lá essa mania, e eu também. Temos de acreditar que a enfeitiçaram. Teve sonhos e tem medo.
– Hum! Hum!... – tartamudeou o velho, continuando a escrever. – Está bem, farei o que me pedes.

Firmou, com uma larga assinatura, a carta que escrevera e depois voltou-se bruscamente para o filho. Pôs-se a rir.

– Espetaste-te, hein?!
– Que diz, meu pai?
– A tua mulher – respondeu ele, conciso e sem subterfúgios.
– Não compreendo – replicou o filho.
– Não há nada a fazer, meu velho. São todas a mesma coisa: não podemos nos descasar. Não tenhas receio; não direi nada a ninguém; mas tu sabes com o que podes contar.

Agarrou o filho com a mão ossuda e delgada, abanou-o, olhando-o, fixamente, com as suas pupilas vivas, como se o quisesse atravessar de lado a lado. Depois, de novo, soltou uma gargalhada fria.

O filho deu um suspiro, e com isso confessava que o pai tinha adivinhado. O velho continuou a dobrar e a lacrar a carta, manejando o lacre, o sinete e o papel com a sua agilidade habitual.

– Nada a fazer! É uma bela mulher! Farei tudo o que for preciso, esteja descansado – disse ele, continuando a sua tarefa.

André calou-se. Estava ao mesmo tempo contente e descontente de que o pai o tivesse compreendido. O velho ergueu-se e entregou a carta ao filho.

– Ouve – disse-lhe ele. – Não te preocupes com a tua mulher. O que se puder fazer, se fará. E agora ouve. Aqui tens uma carta para Mikail Ilarionovitch. Peço-lhe aqui que te mande para onde for necessário e não te conserve muito tempo no estado-maior: é um lugar detestável. Diz-lhe que me lembro sempre dele e da nossa velha amizade. Depois manda-me dizer como é que ele te recebeu. Agora vem cá.

Falava com tanta volubilidade que não acabava, sequer, a maior parte das palavras, mas o filho estava muito habituado a ouvi-lo. Conduziu-o até junto duma papeleira, abriu-a, puxou uma gaveta e tirou de lá um caderno verde coberto pelos caracteres da sua caligrafia alongada, cerrada e ágil.

– Naturalmente, eu morrerei antes de ti. Quero que saibas que estão aqui os meus apontamentos. É necessário transmiti-los ao imperador depois da minha morte. Aqui está um papel de crédito e uma carta: é um prêmio para aquele que escrever a história das campanhas de Suvorov. Manda isto para a Academia. Aqui está o meu diário. Lê-o depois que eu for embora, tens que aprender.

André não disse ao pai que ainda teria certamente muitos anos para viver. Compreendia que o momento não era para dizer coisas dessas.

– Tudo farei, meu pai – disse ele.

– E agora adeus! – Deu-lhe a mão a beijar e apertou-o nos braços. – Lembra-te de uma coisa, príncipe André: se fores morto, eu, velho como sou, sentirei uma grande dor... – Calou-se bruscamente e continuou em seguida numa voz firme e sonora: – Mas se eu vier a saber que tu não te portas como filho, que és, de Nicolau Bolkonski, isso para mim será... uma vergonha! – rematou.

– Aí está uma coisa que meu pai podia ter evitado dizer-me – observou o filho sorrindo.

O velho ficou calado.

– Há ainda outra coisa que lhe queria pedir – prosseguiu André. – Se eu for morto e se me nascer um filho, não o afaste de sua casa, e, como ontem lhe disse, deixe-o crescer a seu lado. Peço-lhe, pai.

– Não será necessário entregá-lo a tua mulher? – disse o velho, soltando uma gargalhada.

Estavam calados em frente um do outro. O pai olhava o filho bem nos olhos e o queixo tremia-lhe, num movimento nervoso.

– A despedida acabou... vai! – disse repentinamente. – Vai – repetiu, numa voz forte e colérica, abrindo a porta.

– Que foi? O que aconteceu? – perguntaram as duas princesas, ao verem André e a furtiva silhueta do velho, de roupão branco, sem cabeleira, de óculos, com fulgurações de voz irritada.

André limitou-se a suspirar, sem responder.

– Bom – disse ele, dirigindo-se à mulher.

Pôs nesta simples palavra um acento trocista, que parecia dizer: "Chegou agora o momento de tu fazeres as tuas choraminguices".

– *André, déjà?!* – exclamou a princesinha empalidecendo e olhando-o com terror.

André tomou-a nos braços. A princesa soltou um grito e caiu-lhe desmaiada no ombro.

O príncipe André, com todo o cuidado, afastou-a, examinou o estado da mulher e fê-la assentar, docemente, numa poltrona.

– *Adieu, Marie* – disse para a irmã em voz baixa; beijou-a, pegando-lhe nas mãos, e afastou-se em passos rápidos.

A jovem princesa continuava estendida na poltrona; Mademoiselle Bourienne aspergia-lhe o rosto. A princesa Maria, enquanto amparava a cunhada, com os seus lindos olhos rasos de lágrimas não deixava de olhar a porta por onde o príncipe André desaparecera, traçando sobre ele o sinal da cruz. Do gabinete vinham, como se fossem tiros de pistola, as explosões furiosas, e muito repetidas, do velho que se assoava estrepitosamente. Mal André saiu abriu-se a porta do gabinete e apareceu uma figura severa de roupão branco.

– Foi-se embora? Bom, está bem! – disse o velho, lançando um olhar irritado à princesinha, ainda estendida, desmaiada. Depois abanou a cabeça, furioso, e bateu com a porta.

SEGUNDA PARTE

CAPÍTULO PRIMEIRO

Em outubro de 1805, os exércitos russos ocupavam um certo número de cidades e de burgos do arquiducado da Áustria, onde estavam chegando constantemente regimentos frescos, vindos da Rússia, grande encargo para a população, indo concentrar-se ao pé da fortaleza de Braunau. Braunau era o quartel-general do comandante em chefe, Kutuzov. A 11 de outubro de 1805, um dos regimentos de infantaria acabado de chegar estacionava, a cerca de meia milha da cidade, aguardando a visita do comandante em chefe. Embora as localidades e a paisagem nada tivessem de russo – eram pomares, muros de pedra, telhados, montanhas ao longe – e não obstante o caráter estrangeiro da população, que olhava os soldados cheia de curiosidade, o regimento tinha exatamente o aspecto de qualquer outro regimento russo que se estivesse preparando para uma revista onde quer que fosse em plena Rússia.

Na véspera à noite, na última etapa, o regimento recebera a comunicação de que o general em chefe viria inspecioná-lo. Embora as próprias palavras da ordem do dia tivessem parecido pouco claras ao comandante do regimento e delas se não pudesse inferir que as tropas deveriam envergar fardamento de campanha, foi resolvido, em conselho dos comandantes de batalhão, apresentar o regimento de grande uniforme, partindo do princípio de que mais vale tudo do que nada. E foi assim que os soldados, depois de uma marcha de trinta verstas, passaram a noite em claro, arranjando-se e polindo-se, enquanto os oficiais do estado-maior e comandantes de companhia contavam os homens e os repartiam. Pela manhã o regimento deixara de ser uma massa desordenada e em tropel, como na véspera, durante a última etapa, para se transformar numa massa compacta de dois mil homens em que todos sabiam o lugar que lhes competia e o que tinham a fazer e em que cada botão, cada correia estava onde devia estar, luzindo de asseio. Nem só no exterior reinava a ordem; se o general comandante se lembrasse de espreitar por debaixo das fardas, poderia verificar que cada soldado vestia camisa lavada, e em cada uma das mochilas havia os objetos da ordem – "savão e sovela", como diziam os soldados. Apenas um pormenor causava certa preocupação. Era o calçado. Mais de metade do regimento tinha as botas rotas. A culpa, no entanto, não era do comandante, pois, apesar das constantes reclamações, a intendência austríaca nada fornecera do que se pedira e o regimento já caminhara mil verstas.

O general comandante era um militar já idoso, de pele sanguínea, sobrancelhas e suíças grisalhas, de sólida estatura, largo de peito e de ombros. Envergava um uniforme novo, todo flamante, bem vincado, com grandes dragonas douradas, que em vez de lhe esmagarem os ombros maciços os soerguiam. Dava a impressão de alguém contentíssimo de desempenhar um dos atos mais solenes da sua vida. Passeava de cá para lá diante dos cordões da tropa, um pouco trôpego no andar e as costas algo vergadas. Via-se bem que admirava o seu regimento, que estava orgulhoso dele e que lhe dera a própria alma. Apesar disso, o seu andar hesitante parecia querer dizer que além dos interesses militares o preocupavam ideias puramente mundanas, a que não era estranho o belo sexo.

– Bom, Mikaila Mitritch – disse ele para um dos comandantes de batalhão. Este oficial deu um passo em frente sorrindo; via-se bem que ambos estavam de muito boa disposição. – Não tivemos mãos a medir esta noite. Sim, senhor, de qualquer maneira o regimento não é dos piores... bem!

O comandante de batalhão percebeu o gracejo e pôs-se a rir.

– Até no campo de manobras do tsar faria boa figura.

– Hein?! – exclamou o comandante.

Nesta altura, na estrada que vinha da cidade, onde haviam colocado sentinelas, apareceram dois cavaleiros: um ajudante de campo seguido de um cossaco.

Era o estado-maior que o enviava para esclarecer o general sobre o ponto pouco claro da ordem do dia, a saber, que o general em chefe desejava encontrar o regimento exatamente no mesmo estado em que ele se apresentava durante as marchas, de capote, as armas nas gualdrapas, sem preparativos de qualquer espécie. Kutuzov recebera na véspera um membro do Conselho Superior de Guerra, chegado de Viena, que vinha propor-lhe e pedir-lhe que operasse o mais depressa possível a sua junção com os exércitos do arquiduque Fernando e de Mack, e Kutuzov, que considerava essa junção desvantajosa, entre outros argumentos favoráveis ao seu ponto de vista tinha a intenção de mostrar ao general austríaco o estado lamentável do exército que chegava da Rússia. Era por isso que ele desejava passar revista ao regimento, e, deste modo, quanto mais deplorável o estado dos homens maior a sua satisfação. Conquanto o ajudante de campo não fosse conhecedor de todos esses pormenores, transmitiu ao comandante do regimento o desejo expresso do general em chefe no sentido de encontrar os homens de capote e gualdrapas e acrescentou que, no caso contrário, seria grande o seu descontentamento. Ao ouvir estas palavras, o comandante baixou a cabeça, encolheu os ombros e deixou cair os braços, num gesto de lassidão.

– Fizemos bonito! – exclamou. – Era o que eu lhe dizia, Mikaila Mitritch. Estamos em campanha, quer dizer, de capotes às costas. Ah, meu Deus! – acrescentou, avançando com um ar decidido. – Senhores comandantes de companhia! – gritou, na sua voz de comando. – Sargentos!.. Sua Excelência demora-se? – prosseguiu, dirigindo-se ao ajudante de campo com um acento de respeitosa deferência para com a pessoa a quem aludia.

– Dentro de uma hora, segundo creio.
– Teremos tempo de mudar de fardas?
– Não sei, general...

O comandante do regimento, avançando ele próprio pelo meio das fileiras, tratou de mandar envergar os capotes. Os comandantes de companhia começaram a correr, os sargentos mexiam-se. Os capotes não estavam em muito bom estado. Instantaneamente, os esquadrões, até então silenciosos e em ordem, principiaram a ondular, a debandar; ouviu-se um burburinho de vozes. Por toda a parte havia soldados que iam e vinham, atarefados, movimentos de ombros que sacudiam as mochilas, sacos que se punham à cabeça, capotes que se extraíam dos sacos ou braços que se levantavam para enfiar as mangas.

Meia hora depois tudo voltara ao estado primitivo, e de tal maneira que os esquadrões negros estavam cinzentos. O comandante, no seu trôpego andar, apresentou-se diante do regimento e, à distância, percorreu-o com os olhos.

– Que vem a ser isto? Que significa isto? – gritou ele, detendo-se. – Comandante da 3ª companhia!...

– Ao general o comandante da 3ª companhia! Ao general o comandante da 3ª companhia! – ouviu-se repetir nas fileiras, e um ajudante de campo deslocou-se para procurar o oficial, que tardava em aparecer.

Quando as vozes prestáveis gritando que o general "perguntava pela 3ª" chegaram, a pouco e pouco, ao seu destino, o oficial procurado saiu das fileiras, e, embora fosse já de certa idade e pouco habituado a correr, tomou a marcha acelerada, desajeitadamente, na ponta dos pés, em direção ao general.

Os traços do capitão exprimiam o desassossego do estudante a quem o professor pergunta uma lição que ele não estudou. O nariz vermelhusco, natural consequência de certa intemperança, cobrira-se-lhe de manchas e a boca tremia-lhe. O comandante do regimento olhava-o dos pés à cabeça enquanto ele, meio sufocado, se aproximava, encurtando o passo, pouco a pouco.

– Não tarda que mande os seus homens vestir *sarafanas*! Que quer dizer isto? – gritou o comandante, com o queixo saliente, apontando para as fileiras da 3ª companhia, onde se via um soldado com um capote que não era da cor da ordem, o qual se salientava no meio de todos os outros. – E tu, onde é que tu estavas? Estamos à espera do general em chefe e tu abandonas o teu posto? Hein?... E vou-te ensinar a vestir os teus soldados para se apresentarem à revista!... Hein!...

O comandante da companhia, sem tirar os olhos do general, apertava cada vez mais os dois dedos contra a pala do quepe, como se só aquele gesto o pudesse salvar.

– Então, o que tens a dizer? Quem é que na tua companhia anda mascarado de húngaro? – prosseguiu o comandante do regimento, em tom ao mesmo tempo severo e gracioso.

– Excelência...

– O quê, Excelência? Excelência! Excelência! Que quer dizer isso? Excelência! Ninguém sabe o que vem a ser isso.

– Excelência, é Dolokov, que foi degradado... – volveu o oficial, em voz muito baixa.

– E então, foi degradado em marechal ou em soldado? Se é soldado deve vestir-se como os outros, de acordo com o regulamento.

– Excelência! Foi Vossa Excelência quem o autorizou para a marcha...

– Autorizei-o? Autorizei-o? Ora aí está, são todos assim, vocês, os rapazes! – exclamou o comandante do regimento, serenando um pouco. – Eu autorizei-o? Dizem-lhes uma coisa, e vocês, imediatamente... – Calou-se. – Dizem-lhes uma coisa e vocês... E então? – concluiu, de novo furioso. – Queira mandar vestir os seus homens convenientemente.

E o comandante do regimento, depois de lançar um olhar ao ajudante de campo, prosseguiu na sua inspeção, caminhando sempre vacilante. Via-se bem que até o próprio furor lhe era agradável e que, percorrendo as fileiras, procurava ainda qualquer outro pretexto para se encolerizar. Tendo passado uma descompostura a um oficial por causa de uma gorjeira mal polida e a outro por virtude de um mau alinhamento, avançou para a 3ª companhia.

– Isto é que é posição? Onde tens o teu pé? Onde tens o teu pé? – gritou, em voz furibunda, dirigindo-se a Dolokov (o do capote azulado), embora estivesse este precedido de cinco homens.

Dolokov retificou imediatamente a posição da sua perna, na fileira, e fixou o general com os seus olhos brilhantes e escarninhos.

– Por que é que tu estás com um capote azul? Tira isso... Sargento! Dispam-no!... Cana... – Não teve tempo de acabar.

– General! Eu devo executar as ordens que me dão, mas não suportar... – disse precipitadamente Dolokov.

– Não se fala na forma!... Não se fala, não se fala!...

– Não sou obrigado a tolerar injúrias – concluiu Dolokov, em voz alta e inteligível.

Os olhos do general e os do soldado encontraram-se. O general não respondeu, contentando-se em repuxar, colérico, a bandoleira muito esticada.

– Mude de capote, faz favor – disse ele, afastando-se.

CAPÍTULO II

– Aí vem! – gritou nesta altura a sentinela.

O comandante do regimento, corando, correu para o seu cavalo; trêmulo, pousou o pé no estribo, montou, desembainhou a espada e, com ar radioso e decidido, abrindo a boca de lado, preparou-se para dar as vozes de comando. O regimento sacudiu-se, como um pássaro que espaneja as asas, e ficou imóvel.

– Sentido!... – gritou, numa voz vibrante, onde havia para ele, general, satisfação, para o regimento, severidade, e para o comandante que chegava, deferência.

Uma caleche vienense, alta e azul, tirada por seis cavalos, vinha avançando, com um ligeiro ruído de ferragens, num trote rápido, ao longo da larga estrada desempedrada, que dois renques de árvores ladeavam. Atrás da caleche galopavam os oficiais às ordens e uma escolta croata. Sentado ao lado de Kutuzov vinha um general austríaco, de uniforme branco, que contrastava no meio dos uniformes negros dos oficiais russos. A caleche parou em frente das fileiras do regimento. Kutuzov e o companheiro conversavam em voz baixa, e aquele teve um vago sorriso no momento em que, no seu andar pesado, punha os pés no estribo do carro, dando a impressão de não perceber estarem ali dois mil homens que, de respiração suspensa, fitavam nele os olhos, nele e no comandante do regimento.

Uma voz de comando ressoou, o regimento ondulou de novo e apresentou armas. No meio de um silêncio de morte, ouvia-se a voz débil do general em chefe. O regimento soltou um urro: "Saúde para Sua Ex... celência... lência... lência...".[14] E de novo tudo ficou silencioso. Kutuzov, de princípio, deixou-se estar parado enquanto o regimento desfilava; depois, ao lado do general de farda branca, a pé e seguido da comitiva, percorreu de um lado para o outro as fileiras dos soldados.

Pela maneira como o general comandante do regimento saudava com a sua espada o general em chefe, comendo-o com os olhos, sempre hirto e correto, e pela forma como ele, inclinando-se para diante, seguia o general na sua marcha através das fileiras de soldados, só com dificuldade dominando o andar claudicante, e ainda pelo modo como se aproximava, a galope, à mínima palavra ou ao mínimo gesto do seu superior, era evidente estar cumprindo as suas obrigações de subordinado com mais satisfação ainda do que cumpria as suas obrigações de comandante. O regimento, graças à severidade e ao zelo do seu general comandante, apresentava-se em muito melhor estado do que os demais regimentos chegados na mesma altura a Braunau. Ao todo havia apenas, entre doentes e retardatários, duzentos e dezessete homens. E tudo estava em perfeito estado, salvo as botas dos soldados.

Kutuzov percorreu as fileiras, detendo-se, de tempos a tempos, para dirigir algumas palavras amáveis aos oficiais seus conhecidos da guerra da Turquia, e por vezes, dirigia-se também aos soldados. Ao inspecionar as botas, encolheu os ombros por mais de uma vez, apontando-as ao general austríaco, como a dizer que, se a ninguém podia censurar, nem por isso devia dei-

---
14. Frase obrigatória do soldado russo. (N.E.)

xar de verificar o mau estado em que se encontrava o calçado do regimento. O comandante a todo o momento se precipitava para a frente, com receio de perder qualquer palavra do que se dizia a respeito do seu regimento. Na retaguarda de Kutuzov, a uma distância que permitia ouvir todas as palavras pronunciadas em voz baixa, seguia a comitiva, composta de vinte pessoas, que falavam umas com as outras e por vezes até se riam. O militar que seguia na primeira fila atrás do general em chefe era um garboso ajudante de campo: nem mais nem menos que o príncipe Bolkonski. A seu lado marchava Nesvitski, oficial de alta estatura e muito gordo, de belo rosto sorridente e bom, com os olhos sempre úmidos. Nesvitski não podia deixar de se rir dos modos de um oficial de hussardos morenaço que marchava a seu lado. Este, impassível, de ar imperturbável, fitava, muito sério, as costas do comandante do regimento, copiando cada um dos seus movimentos. De cada vez que este vacilava em cima das pernas ou dobrava a espinha, ele imitava-lhe tal qual o gesto e a curvatura. Nesvitski ria e acotovelava os outros, chamando-lhes a atenção para a pantomima.

Kutuzov passava lenta e pesadamente por diante daqueles milhares de olhos como que desorbitados no esforço de não o perderem de vista. Ao chegar por alturas da 3ª companhia, o general em chefe parou bruscamente. A comitiva, que não contava com aquela paragem, não pôde evitar de colidir com ele.

– Eh, Timokine! – exclamou ele, reconhecendo o comandante do nariz vermelhusco que fora repreendido por causa do capote azul.

Teria parecido impossível que alguém pudesse tomar uma posição mais hirta que aquela que Timokine assumira quando das observações que fizera o comandante do regimento, mas a verdade é que no momento em que o general em chefe o interpelou tal era a sua rigidez na posição de sentido que, se a cena se prolongasse, lhe teria sido impossível conservar essa atitude. Por isso mesmo Kutuzov, compreendendo a sua posição, e porque não lhe queria senão bem, seguiu adiante com um sorriso imperceptível na sua face inchada e desfigurada pela cicatriz de uma velha ferida.

– Mais um camarada de Ismail[15] – disse ele. – Um valente militar! – Estás contente com ele? – perguntou ao comandante do regimento.

---

15. Célebre episódio militar russo de 1790. (N.E.)

O comandante do regimento, sem saber que a sua imagem se estava a reflectir no espelho do oficial de hussardos que se seguia atrás dele, deu um passo em frente, estremeceu e disse:

– Contentíssimo, Alta Excelência!

– Todos nós temos as nossas fraquezas – observou Kutuzov, sorrindo e afastando-se. – Aquele tinha a sua predilecção por Baco.

O comandante do regimento teve receio de ser censurado por isso e não respondeu. O oficial de hussardos neste momento reparou na cara do capitão do nariz vermelho e na rigidez com que ele apresentava o ventre na posição de sentido e imitou-o tão flagrantemente que Nesvitski não pôde conter o riso. Kutuzov voltou-se. Era evidente que o oficial de hussardos tinha uma mobilidade de expressão extraordinária. No mesmo instante em que Kutuzov voltava a cabeça, assumia ele uma máscara apropriada à circunstância e assumia imediatamente o ar mais sério, mais respeitoso e mais inocente deste mundo.

A 3.ª companhia era a última, e Kutuzov ficara pensativo, como que a procurar lembrar-se de algo. O príncipe André, saindo da comitiva do general, aproximou-se dele e disse-lhe em francês, em voz baixa:

– Permito-me dizer-lhe que me pediu lhe lembrasse o degradado Dolokov, deste regimento.

– Onde é que está o Dolokov? – perguntou Kutuzov.

Dolokov, que tinha envergado um capote cinzento de soldado, não esperou que o chamassem. A silhueta bem desenhada de um soldado louro e de olhos azuis saiu das fileiras. Aproximou-se do general em chefe e apresentou armas.

– Alguma queixa? – perguntou Kutuzov, franzindo um pouco as sobrancelhas.

– É Dolokov – esclareceu o príncipe André.

– Ah! – exclamou Kutuzov. – Espero que a lição te sirva de emenda. Cumpre o teu dever de soldado. O imperador é clemente. E eu não te esquecerei, se o mereceres.

Os brilhantes olhos azuis fixaram-se no general em chefe com a mesma arrogância com que se tinham pousado no comandante do regimento, como se Dolokov quisesse desse modo rasgar o véu de convenções que tanto distanciava um general em chefe de um simples soldado.

– O único favor que peço, Mui Alta Excelência – disse ele, na sua voz lenta, sonora e firme –, é que me seja permitido apagar a minha falta e mostrar a minha dedicação ao imperador e à Rússia.

Kutuzov fez meia-volta. Houve nos seus olhos um sorriso no gênero daquele que por eles perpassara depois da sua entrevista com o capitão Timokine. Franziu as sobrancelhas, como se com isso quisesse significar que tudo quanto Dolokov lhe tinha dito, que tudo quanto ele próprio lhe poderia ter respondido era coisa desde há muito, muito tempo, conhecida, que tudo isso o enfadava grandemente e que não era nada disso que seria preciso dizer. Voltou as costas e encaminhou-se para a caleche.

O regimento formou por companhias e dirigiu-se para os acantonamentos, não distantes de Braunau, onde devia reabastecer-se de botas e de fardamentos e descansar depois de tão duras jornadas.

– Não tem razão de queixa de mim, Prokor Ignatich? – interrogou o comandante do regimento no momento em que se avizinhou da 3ª companhia, que partia para o seu destino, e ao aproximar-se do capitão Timokine, que ia na vanguarda. Depois de uma revista tão bem-sucedida, o rosto do general brilhava de mal reprimida alegria. – É serviço do tsar... Não pode ser de outra maneira... Às vezes, durante as inspeções, uma pessoa está um bocadinho excitada... Eu sou o primeiro a pedir desculpa, conhece-me bem... Os meus agradecimentos! – E estendeu a mão ao capitão.

– Desculpe-me, general, se eu ouso... – replicou o capitão, com o seu nariz muito vermelho, sorrindo, e mostrando deste modo que lhe faltavam dois dentes da frente, partidos, com uma coronhada, em Ismail.

– E a propósito, comunique a Dolokov que eu não me esquecerei dele se tiver juízo. E diga-me, faz favor, que é que ele faz, como é que ele se comporta? E...

– É muito pontual no serviço, Excelência... mas quanto ao caráter... – redarguiu Timokine.

– Quê? Que há quanto ao caráter? – inquiriu o general.

– Há dias, Excelência... Às vezes é bem-educado, bom rapaz, sensível. Outras vezes é uma verdadeira fera. Dizem que matou um judeu na Polônia, como sabe...

– Sim, sim, é verdade; mas ainda assim é preciso que a gente seja tolerante para um rapaz que caiu em desgraça. Tem muito boas relações... E também é preciso...

– Eu compreendo, Excelência – disse Timokine, com um sorriso em que se lia que compreendera o desejo do superior.

– Sim, sim.

O comandante do regimento foi em busca de Dolokov, pelo meio das fileiras, e estacou o cavalo.

– No primeiro combate podes ganhar os teus galões – disse-lhe.

Dolokov fitou-o sem dizer palavra e sem alterar o seu ar sorridente e trocista.

– Bom, agora está tudo em ordem. Um copo de aguardente a cada homem – acrescentou, de maneira a que todos o ouvissem. – A todos, obrigado! Louvado seja Deus! – E, ultrapassando a companhia, aproximou-se de outra.

– Sim, apesar de tudo, é boa pessoa; é um tipo com quem a gente se entende – disse Timokine a um oficial subalterno que marchava a seu lado.

– Numa palavra, um rei de copas!... – comentou este rindo. Era a alcunha do comandante do regimento entre os seus homens.

A boa disposição dos oficiais depois da revista propagou-se aos soldados. O batalhão marchava alegremente. Havia ditos nas fileiras.

– Diziam que Kutuzov era cego de um olho...

– E é... Não tem um olho.

– Não é verdade... rapazes, vê melhor do que tu. Viu tudo, até as botas e meias...

– Ah, rapazes, quando ele me olhou para as pernas... eu disse cá comigo...

– E o outro, o austríaco, que vinha com ele? Parecia que lhe tinham despejado em cima uma lata de cal. Estava todo enfarinhado. Aposto que eles dão lustro na farda, como nós damos às espingardas.

– Eh, Fedechu!... Ouviste-o dizer quando principiava a batalha? Estavas tão perto dele. Dizem que Bonaparte em pessoa está em Brunov.

– Bonaparte? Que tolice! É só isso que tu sabes? Desconheces que os prussianos já se revoltaram? Os austríacos estão a tratar-lhes da saúde. Quando eles acabarem, então é que principia a guerra com Bonaparte. E aquele a dizer que Bonaparte está em Brunov! É um imbecil, claro está! Abre-me melhor essas orelhas!

– Ah, esses malditos furriéis! A 5ª, como tu estás vendo, já está na aldeia. A esta hora já eles estão a fazer o *kacha*, e nós ainda tão longe.

– Não tens um biscoito?

– E ontem deste-me o tabaco? Está bem, rapaz. Bom, bom, Deus seja contigo!

– Se ao menos fizessem alto... Assim, ainda vamos andar mais umas cinco verstas de barriga vazia.

– Hein! Era bem melhor que os alemães nos oferecessem carruagens. Vai ou não vai? Colossal!

– Isto por aqui, rapazes, é tudo gente de pé descalço. Ao menos lá para cima eram polacos, súditos da coroa russa, enquanto agora, rapazes, são tudo alemães.

– Os cantores à frente! – gritou o capitão.

E na vanguarda do batalhão reuniram-se, vindos de diversos lados, uns vinte homens. O tambor-mor voltou a cabeça para os cantores e, com um aceno, entoou a lenta canção dos soldados, que começa assim:

"Não é a aurora, o sol que está a nascer..." e termina: "É, é, rapazes, é a glória que nos espera com o tio Kamenski..." Esta canção tinha sido composta na Turquia e atualmente cantavam-na na Áustria, apenas com esta pequena variante: onde estava "tio Kamenski" estava agora tio "Kutuzov".

Depois de ter entoado o último verso, com um ar marcial e fazendo um amplo gesto com a mão, o gesto de quem atira qualquer coisa para longe, o tambor, um belo soldado dos seus quarenta anos, grande e seco, envolveu num olhar severo os seus cantores, franzindo as sobrancelhas. Depois, bem certo de que todos os olhos estavam fitos nele, deu a impressão de erguer, com as duas mãos, à altura da cabeça algum objeto precioso e invisível, conservou-o aí alguns segundos e, de repente, foi como se o tivesse atirado para longe:

Ai, minha casa, minha casa,
Minha casa nova em folha.

Vinte vozes entoaram o refrão, e o tocador de ferrinhos, apesar do peso do equipamento, saltou para a frente do batalhão e, de costas, sempre a andar, agitando os ombros, parecia ameaçar quem quer que fosse com o seu instrumento. Os soldados marcavam o compasso com os braços, cantando, e a sua marcha acompanhava o ritmo da canção. Lá para trás ouviu-se um rolar de rodas, um chiar de molas, um trote de cavalos. Era Kutuzov e a sua comitiva que regressavam à cidade. O general em chefe fizera um sinal indicando que os soldados podiam continuar a marchar livremente, e no seu rosto, assim como no dos membros da sua comitiva, lia-se contentamento, o contentamento que lhes causava ouvir aquelas canções, ver o soldado que dançava e o aspecto jovial dos seus camaradas. Na segunda fileira, no flanco direito, por onde a caleche ultrapassou o regimento em marcha, chamava a atenção, sem dar por isso, o soldado de olhos azuis, Dolokov, que, marcial e gracioso como poucos, marchava ao ritmo da canção, olhando para todos, que passava com o ar de quem tem pena de que não fossem todos com ele, de que não fizessem todos parte da sua companhia. O alferes de hussardos da comitiva de Kutuzov, aquele mesmo que parodiara o comandante do regimento, deixou passar a caleche e aproximou-se de Dolokov.

Durante algum tempo, em Petersburgo, o alferes Jerkov fizera parte do grupo de boêmios de que Dolokov fora o chefe. Já o tinha encontrado no estrangeiro naquela situação de soldado, mas achara melhor não o conhecer. Agora, depois da conversa de Kutozov com o ex-oficial, veio para ele com a satisfação de quem encontra um velho amigo.

– Meu querido amigo, como vais tu? – lançou, no meio do alarido das vozes, procurando acertar o passo da sua montada com os dos soldados.

– Eu? – redarguiu Dolokov friamente. – É como estás vendo.

A galharda canção parecia sublinhar a alegre despreocupação das palavras de Jerkov e a deliberada frieza de Dolokov.

– Bom, e então, que tal te dás com os teus chefes? – perguntou Jerkov.

– Muito bem. É boa gente. E tu, conseguiste meter-te no estado-maior?

– Estou em missão. Sou adido.

Calaram-se.

Lá vai o falcão, lá vai.
Da minha manga direita partiu.

Dizia a canção, acordando uma involuntária sensação de coragem e bravura. A conversa dos dois teria sido muito diferente, com certeza, se não decorresse ao som daquela canção.

– É verdade que os austríacos foram derrotados? – perguntou Dolokov.

– Quem diabo o sabe? É o que dizem.

– Tanto melhor – replicou Dolokov, seco e breve, ao ritmo da cadência.

– Aparece uma destas noites. Jogamos uma partida de faraó – disse Jerkov.

– Estás então cheio de dinheiro?

– Aparece.

– Não posso. Fiz uma promessa. Não bebo nem jogo enquanto não me reintegrarem no meu posto.

– Bom, então no primeiro combate...

– É o que vais ver.

Calaram-se ambos outra vez.

– Se precisares de alguma coisa aparece no estado-maior; estou às tuas ordens... – voltou Jerkov.

Dolokov pôs-se a rir.

– É melhor não te preocupares comigo. Aquilo que eu precisar não o pedirei a ninguém; eu próprio me encarregarei de obter.

– Bom, sim, eu apenas...

– Bom, e eu também...

– Até à vista.

– Adeus.

E bem longe e bem livre
Na nossa terra natal.

Jerkov cravou as esporas no seu cavalo; este, excitado, deu duas ou três voltas no mesmo lugar, sem saber como havia de partir. Depois, sacudiu a cabeça e largou a trote, contornando o batalhão, para se aproximar da caleche, seguindo ao ritmo do canto.

CAPÍTULO III

De regresso da inspeção, Kutuzov, acompanhado do general austríaco, penetrou no seu gabinete e, chamando um ajudante de campo, ordenou-lhe que lhe trouxessem certos papéis relativos ao estado das tropas em campanha e a correspondência emanada do arquiduque Fernando, que comandava a vanguarda. O príncipe André Bolkonski entrou daí a pouco, com os papéis pedidos, no gabinete do general em chefe. Diante de um mapa estendido sobre a mesa sentavam-se Kutuzov e o general austríaco membro do Conselho Superior de Guerra.

– Ah!... – exclamou Kutuzov, olhando para Bolkonski, como se quisesse lhe dizer que esperasse, continuando, porém, em francês a conversa principiada.

– Só tenho uma coisa a dizer, general – Kutuzov punha na sua linguagem expressões e entoações distintas, destacando nítida e lentamente cada palavra, e via-se bem que tinha prazer em ouvir-se a si próprio. – Só tenho uma coisa a dizer. Se isso não dependesse senão da minha vontade, há muito que teriam sido satisfeitos os desejos de Sua Majestade o imperador Francisco. Há muito que eu já teria operado a minha fusão completa com o arquiduque. E, acredite na minha palavra de honra, entregar o alto-comando do exército a um general mais competente e mais hábil do que eu, coisa que não falta na Áustria, e ver-me livre de uma responsabilidade tão pesada, eis o que seria um grande alívio para mim. Mas as circunstâncias são mais fortes do que nós, general.

Kutuzov sorriu com o ar de quem quer dizer: "Você está no seu pleno direito de não acreditar em mim, e o certo é que isso não me dá o mínimo cuidado, mas o que você não tem é motivo para pretender tal coisa. E aí é que está a questão".

O general austríaco não tinha cara de muito satisfeito, mas via-se obrigado a responder a Kutuzov no mesmo tom.

– Pelo contrário – volveu ele, numa voz irritada e desabrida, em perfeita contradição com as palavras lisonjeiras que pronunciava. – Pelo contrário, a participação de Vossa Excelência na obra comum é altamente apreciada por Sua Majestade, mas nós somos de opinião de que os adiamentos atuais privam os gloriosos exércitos russos e o seu general em chefe dos louros que eles estão habituados a conquistar nos campos de batalha... – Era evidente que esta última frase ele já a trazia preparada.

Kutuzov inclinou-se, sem deixar de sorrir.

– Nesse caso, fundamentando-me, especialmente, na última carta com que me honrou Sua Alteza o arquiduque Fernando, tenho razão para crer que as tropas austríacas, sob o comando de um colaborador tão hábil como o general Mack, obtiveram uma vitória decisiva e já não têm necessidade da nossa ajuda.

O general franziu as sobrancelhas. Embora ainda não houvesse notícias seguras de uma derrota austríaca, já havia muitas indicações que confirmavam os boatos desfavoráveis postos a correr; por isso a suposição de Kutuzov de que os austríacos estavam vitoriosos tinha mais um ar de mofa que outra coisa. Kutuzov continuava a sorrir disfarçadamente, sempre com o mesmo ar de quem diz que havia razões para crer que assim fosse. Efetivamente, a última carta que recebera do exército de Mack falava em vitória e numa situação estratégica a todos os títulos excelente.

– Deixe ver essa carta – disse Kutuzov para o príncipe André. – Queira fazer o favor de ouvir.

E Kutuzov, com o seu sorriso trocista aos cantos dos lábios, leu em alemão ao general austríaco o passo seguinte da carta do arquiduque Fernando:

Todas as nossas forças, cerca de setenta mil homens, estão já concentradas, de sorte que nós podemos atacar e esmagar o inimigo no caso de ele vir a atravessar o Lech. Visto que Ulm está em nosso poder, temos a vantagem de conservar as duas margens do Danúbio, e deste modo, em qualquer altura, desde que o inimigo não atravesse o Lech, somos nós quem podemos atravessar o Danúbio, lançando-nos sobre as linhas de comunicação, e voltar a atravessar o Danúbio mais abaixo. Se o inimigo se lembrasse de lançar todas as suas forças contra os nossos fiéis aliados, nós não o deixaríamos realizar essa operação. Deste modo, aguardaremos, corajosamente, o momento em que o exército imperial russo esteja inteiramente preparado para encontrar, em seguida, muito facilmente as possibilidades de dar ao inimigo o destino que ele merece.

Kutuzov, concluída que foi a leitura de toda essa fraseologia, soltou um suspiro de alívio e fitou com amabilidade e atenção o membro do Conselho Superior de Guerra.

– Mas Vossa Excelência sabe muito bem que uma das regras da prudência é prever sempre o pior – observou o general austríaco, que estava morto por acabar com aquela brincadeira e chegar aos fatos.

Não pôde impedir-se de lançar um olhar ao ajudante de campo.

– Perdoe-me, general – interrompeu Kutuzov, voltando-se igualmente para o príncipe André. – Ouça, meu amigo, vá pedir ao Kozlovski todos os relatórios dos nossos espiões. Aqui tem duas cartas do conde de Nostitz, aqui tem a carta do arquiduque Fernando e mais isto – acrescentou, entregando-lhe diversos papéis. – Com tudo isto faça-me um memorando, uma nota, bem clara, em francês, mencionando tudo o que sabemos acerca das operações do exército austríaco. Depois, entregue tudo a Sua Excelência.

O príncipe André inclinou-se de modo a fazer entender que tudo compreendera desde as primeiras palavras: não só o que fora dito, como também o que Kutuzov teria desejado dizer-lhe. Pegou nos papéis e, depois de uma continência circular, dirigiu-se para a sala de visitas pisando silenciosamente o tapete.

Embora ainda não se tivesse passado muito tempo depois que André deixara a Rússia, ele já tinha mudado bastante. Os seus traços fisionômicos, os seus gestos, o seu andar não conservavam já quase nada daquele ar afetado de outrora, do seu falso ar de fadiga e de indolência. Dava a impressão de um homem que não tem tempo de pensar na opinião que os outros possam ter a seu respeito, ocupado que está a fazer seja o que for que ele considera muito interessante. Parecia mais satisfeito consigo próprio e com os outros que dele se aproximavam. No seu sorriso e no seu olhar havia mais alegria e sedução.

Kutuzov, que ele fora encontrar já na Polônia, acolhera-o muito amavelmente, prometera-lhe não o esquecer, distinguira-o entre todos os demais ajudantes de campo, trouxera-o consigo a Viena e confiara-lhe missões muito sérias. De Viena escrevera ao seu velho camarada, o pai do príncipe André.

"O teu filho promete vir a ser um oficial fora do vulgar, pelos serviços prestados e pela firmeza da sua pontualidade no serviço. Considero-me feliz por ter ao meu dispor um tal subordinado."

No estado-maior de Kutuzov, entre os seus camaradas e em geral no exército, o príncipe André, tal como acontecia na sociedade de Petersburgo, gozava de duas reputações absolutamente opostas. Uns – a minoria – consideravam-no um ser diferente de todos os demais, esperavam dele grandes coisas, ouviam-no, admiravam-no e imitavam-no: e com estes ele era simples e amável. Os outros – a maioria – não gostavam dele, consideravam-no um indivíduo inchado de orgulho, com um caráter frio e desagradável. Mas de tal modo André se comportava para com eles que estes o estimavam e até mesmo o temiam.

Ao penetrar na sala de visitas, depois de ter deixado o gabinete de Kutuzov, o príncipe André, com os papéis na mão, aproximou-se do seu camarada, o ajudante de campo de serviço, Kozlovski, que estava a ler um livro junto à janela.

– Então, príncipe? – perguntou Kozlovski.
– Ordem para redigir uma nota explicando a razão pela qual não avançamos.
– E por quê?
André fez-lhe sinal de que também não sabia.
– Não há notícias de Mack? – perguntou Kozlovski.
– Não.
– Se fosse verdade de ter sido derrotado já haveria notícias.
– Provavelmente – redarguiu André, dirigindo-se para a porta de serviço.

Nessa altura entrava, num repente, batendo com a porta um general austríaco de grande estatura, de capote, um lenço preto amarrado à cabeça, e pendente do pescoço o colar de Maria Teresa: acabava, evidentemente, de chegar. O príncipe André deteve-se.

– O general em chefe, Kutuzov? – disse rapidamente o recém-chegado com um duro sotaque alemão, olhando em roda, e dirigindo-se, sem se deter, para a porta do gabinete.

– O general em chefe está ocupado – replicou Kozlovski, interceptando os passos do general desconhecido e vedando-lhe o caminho. – Quem devo anunciar?

O general desconhecido mediu com um olhar de desdém Kozlovski, que era de pequena estatura, como que surpreendido de não o terem reconhecido.

– O general em chefe está ocupado – repetiu tranquilamente Kozlovski.

O general franziu as sobrancelhas e os lábios tremeram-lhe de cólera. Puxou de uma agenda, traçou apressadamente algumas palavras a lápis, rasgou a folha, entregou-a, aproximou-se da janela a passos rápidos, deixou-se cair numa cadeira e ficou-se a olhar os circunstantes, como que a dizer: "Com que direito é que me olham assim?". Em seguida ergueu a cabeça, estendeu o pescoço, como se fosse falar, e depois, como se fosse cantarolar qualquer coisa, negligente, emitiu um som estranho, que logo saiu estrangulado. A porta do gabinete abriu-se e no limiar apareceu Kutuzov. O general da cabeça amarrada, com o ar de quem procura evitar um perigo, aproximou-se de Kutuzov em largos passos rápidos das suas magras pernas, fazendo uma vênia ao general russo.

– Está vendo o pobre Mack – articulou, numa voz alterada.

Kutuzov, de pé à porta do seu gabinete, conservou durante instantes uma expressão absolutamente impassível. Depois, um vinco, como uma vaga, lhe perpassou pela face, e as rugas da testa desapareceram-lhe: inclinou-se com deferência, fechou os olhos, deixou passar Mack adiante, sem dizer palavra, e em seguida puxou a porta.

O boato já então espalhado da derrota dos austríacos e da rendição do exército inteiro em Ulm era exato. Meia hora depois eram enviados ajudantes de campo em todas as direções anunciando que dentro em pouco também o exército russo, até aí inativo, se iria defrontar com o inimigo.

O príncipe André era um dos raros oficiais do estado-maior a quem interessava, antes de mais nada, a marcha geral das operações militares. Ao ver Mack e tendo conhecido por miúdo os pormenores da sua derrota, compreendeu que metade da campanha estava perdida, que os exércitos russos se encontravam numa situação bastante crítica, e anteviu com nitidez o destino reservado às tropas e o papel que a ele próprio competiria. Sem querer experimentou uma alegria violenta ao pensar que a presunçosa Austria estava humilhada e que dentro de uma semana talvez lhe fosse dado tomar parte num combate entre russos e franceses, o primeiro desde Suvorov para cá. Mas receava o gênio de Bonaparte, capaz de vencer a bravura dos exércitos russos, e ao mesmo tempo não podia admitir que o seu herói fosse posto em xeque.

Emocionado e transtornado pelos seus pensamentos, André retirou-se para os seus aposentos na intenção de escrever ao pai a sua carta cotidiana. No corredor encontrou-se com o seu camarada Nesvitski e o jocoso Jerkov; como sempre, estavam ambos muito alegres:

– Por que é que estás tão macambúzio? – perguntou Nesvitski, ao ver o rosto pálido e os olhos brilhantes do príncipe André.

– Não há grande motivo para estarmos contentes – redarguiu Bolkonski.

Na mesma altura em que os três camaradas se encontravam, cruzava com eles, noutro ponto do corredor, o general austríaco Strauch, adido ao estado-maior de Kutuzov para efeitos de abastecimento das tropas russas, e um membro do Conselho Superior de Guerra, que chegara na véspera. O largo corredor tinha espaço suficiente para que os generais passassem livremente, apesar da presença dos três oficiais, mas Jerkov, acotovelando Nesvitski, segredou-lhe, num frouxo de riso:

– Eles aí estão!... Eles aí estão!... Em linha, deixem-nos passar! Façam favor de os deixar passar!

Era evidente que os generais queriam passar sem chamar a atenção para honras supérfluas. O burlesco Jerkov assumiu de súbito um ar de estúpida alegria que afetava não poder dominar.

– Excelência – disse ele em alemão, dando um passo em frente e dirigindo-se ao general austríaco. – Tenho a honra de o felicitar.

Numa vênia e desastradamente, como as crianças quando aprendem a dançar, fez deslizar um pé, depois o outro.

O general membro do Conselho Superior de Guerra mediu-o de alto a baixo com um olhar severo; mas ao reparar na gravidade daquele sorriso tolo não pôde recusar-lhe um momento de atenção. Semicerrou os olhos atento.

– Tenho a honra de o felicitar. Chegou o general Mack, em muito bom estado, apenas com uma feridazinha aqui – acrescentou, abrindo-se em sorrisos e apontando para a sua própria testa.

O general franziu as sobrancelhas, voltou as costas e continuou o seu caminho.

– *Gott wie naïv!*[16] – exclamou, furioso, depois de ter dado alguns passos.

Nesvitski, rindo, passou o braço por detrás do príncipe André, mas este, empalidecendo ainda mais, sacudiu-o, tomando um ar descontente, e voltou-se para o lado de Jerkov. O nervosismo em que o puseram a presença de Mack e as notícias sobre a situação, além da lembrança do que aguardava o exército russo, fizeram-no explodir perante o gracejo despropositado de Jerkov:

– Meu caro senhor – exclamou numa voz incisiva, com um ligeiro tremor no queixo –, se lhe dá prazer fingir de palhaço, não serei eu quem o impeça disso, mas devo adverti-lo de que se tornar a ter a audácia de se fazer de histrião na minha presença eu lhe ensinarei como deve comportar-se.

Nesvitski e Jerkov ficaram tão surpreendidos com estas palavras que fitaram Bolkonski sem dizer palavra, os olhos muito abertos.

---

16. Meu Deus, que ingenuidade! Em alemão, no original. (N.E.)

– Por quê? Limitei-me a apresentar-lhe as minhas felicitações – balbuciou Jerkov.

– Eu não estou brincando com o senhor, peço-lhe que se cale! – gritou-lhe Bolkonski, e, tomando o braço de Nesvitski, seguiu em frente, deixando Jerkov no meio do corredor, sem saber o que responder.

– Então, que é isso? – disse Nesvitski para o sossegar.

– Quê?! – exclamou o príncipe André, detendo-se, tomado ainda de exaltação. – É preciso que compreendas que nós ou somos oficiais ao serviço do nosso tsar e da pátria, que nos regozijamos com os êxitos gerais e deploramos os fracassos, ou então não passamos de simples criados, indiferentes à vida dos nossos amos. Quarenta mil homens dizimados e o exército dos nossos aliados desbaratado, e achas que é caso para rir... – acrescentou, como se esta frase em francês viesse fortalecer o seu raciocínio. – Está certo para um rapaz sem importância, como esse indivíduo de que fizeste um amigo, mas não para ti, não para ti. Só os garotos é que se divertem dessa maneira – continuou em russo, pronunciando a palavra "garotos" com um sotaque francês, pois receou que Jerkov o pudesse ouvir.

Ficou um momento silencioso, como que à espera de ouvir o que o alferes replicaria. Mas este fez meia-volta e saiu do corredor.

CAPÍTULO IV

O regimento dos hussardos de Pavlogrado estava acantonado a umas duas milhas de Braunau. O esquadrão de que era *junker*[17] Nicolau Rostov ocupava a aldeia alemã de Saltzeneck. Na mais confortável casa da povoação fora alojado o comandante do esquadrão, o capitão Denissov, a quem todos conheciam, na divisão de cavalaria, por Vaska Denissov. O *junker* Rostov, desde que se juntara ao regimento, na Polônia, estava aboletado com o comandante do esquadrão.

A 11 de outubro, no mesmo dia em que a notícia do desastre de Mack pusera o quartel-general em sobressalto, a vida de campanha do esquadrão prosseguia tão tranquilamente como até essa data. Denissov, que perdera a noite, ainda não regressara a casa, quando Rostov, de manhãzinha, voltou a cavalo da distribuição da

---

17. Membro da classe de proprietários de terras da Prússia, durante o século XIX e início do século XX. (N.E.)

forragem. No seu uniforme de *junker*, Rostov aproximou-se dos degraus da porta, impelindo o cavalo, depois passou a perna por cima da garupa, num gesto rápido e juvenil, ficou um momento com o pé no estribo, como se o deixasse com saudades, e por fim saltou para o chão, chamando a ordenança.

– Eh! Bondarenko, amigo do meu coração! – exclamou ele para um hussardo que se tinha precipitado para o cavalo. – Leva-o a passear, meu velho! – continuou, com essa ternura fraterna e jovial que os rapazes, quando se sentem felizes, testemunham a toda a gente.

– Às suas ordens, Excelência – respondeu o "pequeno russo", sacudindo alegremente a cabeleira.

– Toma atenção, dá-lhe um bom passeio.

Outro hussardo tinha igualmente se precipitado, mas Bondarenko já tomara conta do bridão. Era evidente que o *junker* costumava dar boas gorjetas e que valia a pena servi-lo. Rostov passou a mão pela cernelha do cavalo, acariciando-o depois pela garupa, e ficou alguns instantes parado nos degraus da entrada. "Esplêndido! Isto é que vai dar um cavalo!", disse consigo mesmo, sorrindo, com o sabre suspenso da mão. Depois galgou rapidamente os degraus, fazendo tilintar as esporas. O alemão na casa de quem estava aboletado, de colete de flanela e boné de algodão, empunhando uma forquilha para apanhar estrume, olhava para a cena plantado na soleira da porta do estábulo. Assim que viu Rostov, seu rosto iluminou-se. Sorriu alegremente e piscou-lhe o olho!

– *Schön gut'Morgen! Schön gut'Morgen!*[18] – repetiu com visível satisfação por ter oportunidade de saudar o rapaz.

– *Schön fleissig! Hoch Oestreicher! Hoch Russen!* – exclamou Rostov com o mesmo ar amistoso e jovial que lhe andava sempre no rosto. – *Kaiser Alexander hoch!*[19]– acrescentou, dirigindo ao proprietário as próprias palavras que este muitas vezes tinha repetido.

– *Und die ganze Welt hoch!*[20]

Rostov, imitando o alemão, agitou no ar a barretina e gritou, rindo:

---

18. Bom dia! Bom dia! Em alemão, no original. (N.E.)

19. Já a trabalhar! Vivam os austríacos! Vivam os russos! Viva o imperador Alexandre! Em alemão, no original. (N.E.)

20. E viva o mundo inteiro! Em alemão, no original. (N.E.)

– *Und vivat die ganze Welt!* – Embora o alemão, que andava a limpar a estrebaria, não tivesse qualquer motivo para estar alegre, o que, aliás, se dava também com Rostov, que fora com o seu pelotão buscar forragens, os dois homens olharam um para o outro cheios de entusiasmo e de fraternal afeto, trocaram sinais amistosos com a cabeça e separaram-se, aquele para regressar à cavalariça, este para entrar na casa onde habitava na companhia de Denissov.

– Que é do teu amo? – perguntou Rostov a Lavruchka, o velhaco impedido de Denissov, muito popular no regimento.

– Desde ontem à noite que ninguém lhe põe a vista em cima. Está claro que jogou e perdeu – replicou Lavruchka. – Quando ganha, já sei, volta para casa cedo, para se gabar, mas quando não aparece logo pela manhã, isso só quer dizer que está sem dinheiro. Aparece aí furioso. Devo servir o café?

– Está bem, traz, traz.

Dez minutos mais tarde, Lavruchka trazia o café.

– Lá vem ele – disse o impedido. – Isto vai ser bonito!

Rostov olhou para a janela e viu Denissov, que regressava para casa. Denissov era um homenzinho vermelhusco de cara, com uns olhos muito negros e brilhantes, de bigodes e cabelos desgrenhados. Trazia o dólmã desabotoado, e as pregas das largas calças flutuavam-lhe nas pernas; a barretina, toda amarrotada, caía-lhe para a nuca. Macambúzio, de cabeça baixa, aproximou-se da escada.

– Lavruchka! – gritou, colérico, escamoteando o *r*. – Vem cá, tira-me isto, idiota!

– Bom, já vou, sim senhor – disse a voz de Lavruchka.

– Oh!, já estás levantado! – exclamou Denissov, ao entrar em casa.

– Há quanto tempo! – tornou-lhe Rostov. – Já fui à forragem e já vi a *Fraulein* Matilde.

– Caramba! Pois eu, meu rapaz, ontem fiquei limpo! – exclamou Denissov, que não pronunciava os *rr*. – Que azar! Que azar! Começou logo que te foste embora. Eh! Chá!

Denissov, de sobrancelhas franzidas, com uma espécie de sorriso que lhe descobria os dentes curtos e sólidos, pôs-se a desgrenhar os cabelos com as duas mãos, metendo os dedos curtos pela espessa floresta das guedelhas pretas.

– Foi o diabo que me levou à casa daquele Rato! (Era a alcunha de um dos camaradas de regimento) – disse ele, passando as duas mãos pela testa e pelas faces. – Imagina tu que não tive uma única carta, uma única.

Denissov pegou no cachimbo aceso, que o criado lhe entregara, apertou-o na mão e o fez crepitar; depois bateu com ele no sobrado, continuando a gritar.

– Vasa simples ganha, *paroli* perdido: vasa simples ganha, *paroli* perdido![21]

O tabaco aceso do cachimbo tinha ido todo para o chão; quebrou o cachimbo e atirou-o fora. Depois ficou calado, fitando Rostov alegremente, com os olhos pretos cintilantes.

– Ainda se ao menos tivesse havido mulheres... Mas não, além do copo, não havia mais nada que fazer. Ah! Se a gente em breve se pudesse bater! E a valer! Eh! Quem está aí? Voltara-se para a porta, ao ouvir uns passos pesados, que se detiveram, um ressoar de botas e de esporas e uma tosse respeitosa.

– É o sargento! – disse Lavruchka.

Denissov ainda mostrou um ar mais descontente.

– Que chateação! – exclamou, atirando uma bolsa em que havia algumas moedas de ouro. – Conta, meu velho, conta, Rostov, conta o dinheiro que aí está e esconde-me a bolsa debaixo do travesseiro. – Em seguida saiu da sala ao encontro do sargento.

Rostov pegou no dinheiro e maquinalmente começou a separar as moedas novas das moedas velhas, em montinhos, pondo-se a contá-las.

– Ah! Telianine! Bom dia! Ontem à noite fiquei limpo! – dizia Denissov na sala contígua.

– Onde, onde? Na casa de Bikov ou do Rato?... Calculava isso – respondeu outra voz, esta aflautada, e em seguida entrou o tenente Telianine, um oficial de pequena estatura, do mesmo esquadrão.

Rostov atirou para debaixo do travesseiro a bolsa de Denissov e apertou a mão úmida que lhe estendiam. Telianine fora expulso da Guarda, antes da campanha, por um motivo qualquer. Era um oficial bem-comportado, mas ninguém gostava dele; Rostov em especial, que não podia vencer nem dissimular a insensata aversão que aquele homem lhe inspirava.

– Então, moço cavaleiro, está contente com o meu Gratchik? – perguntou ele. (Gratchik era um cavalo de sela, para passeio, que Telianine vendera a Rostov.)

---

21. Expressão usada no jogo do faraó. (N.E.)

O tenente nunca olhava direito para o interlocutor; os olhos giravam continuamente de um lado para o outro.

– Vi-o passar há um bocado...

– Oh, é ótimo, é um bom cavalo – retorquiu Rostov, embora o animal que ele comprara por setecentos rublos nem metade valesse. – Mas está a coxear da mão direita... – acrescentou.

– Está com o casco fendido. Não tem importância. Hei de lhe ensinar como se põe um cravo.

– Obrigado – tornou Rostov.

– Fica combinado. Não é segredo. Mas ainda há de vir a agradecer-me o cavalo que lhe vendi.

– Então o melhor é mandar buscar o cavalo – disse Rostov, morto por se ver livre do oficial, e saiu da sala para dar ordens nesse sentido.

No vestíbulo, Denissov, de cachimbo na boca, acocorado à turca no limiar da porta, ouvia o relatório do sargento. Ao ver Rostov, franziu as sobrancelhas, mostrando-lhe, por cima do ombro, com o dedo polegar, Telianine, que ficara sentado no quarto atrás dele, e abanou a cabeça em sinal de aversão.

– Ali está um tipo que eu não tolero! – exclamou sem se importar com a presença do sargento.

Rostov fez um gesto de ombros que queria dizer: "Eu também não, mas que havemos de fazer?", e depois de dar as suas ordens, voltou para o pé de Telianine.

Telianine continuava sentado na atitude indolente que mostrara momentos antes, esfregando as pequenas mãos brancas.

"Há cada cara neste mundo!", dizia para consigo Rostov, ao voltar ao quarto.

– Então, mandou buscar o cavalo? – inquiriu Telianine, levantando-se e lançando um olhar distraído à sua roda.

– Mandei.

– Ora vamos lá ver isso. Vim apenas para pedir a Denissov as ordens de ontem. Tem-nas com você, Denissov?

– Não, ainda não. Eh! Onde é que vai?

– Vou ensinar a este rapaz como se ferra um cavalo – disse Telianine.

Desceram a escada e dirigiram-se à cavalariça. O tenente ensinou a Rostov como convém pregar os cravos numa ferradura e voltou para casa.

Quando Rostov regressou, em cima da mesa havia uma garrafa de aguardente e uma salsicha. Denissov estava sentado e a pena rangia sobre o papel. Olhou para Rostov com uma expressão sombria.

– Estou a escrever-lhe – disse.

Pôs o cotovelo na mesa, apoiou-se, com a caneta na mão, e, evidentemente contentíssimo por ter oportunidade de dizer de uma só vez tudo o que tinha intenção de escrever, pormenorizou a Rostov o conteúdo da carta entre mãos.

– Como vês, meu velho – comentou –, enquanto não gostamos de alguém é como se estivéssemos a dormir. Não somos mais que pó... Mas assim que um homem começa a amar, é como se fosse Deus, sente-se puro, é como nos primeiros dias da Criação... Que temos ainda? Manda-o para o diabo que o carregue! Não tenho tempo – gritou para Lavruchka, que se aproximava, sem se perturbar.

– Que quer que eu faça? Foi o senhor quem o mandou. O sargento vem pelo seu dinheiro.

Denissov franziu as sobrancelhas, quis levantar a voz, mas calou-se.

– Ora esta! Que chateação! – disse como para consigo mesmo. – Que dinheiro há ainda na bolsa? – perguntou a Rostov.

– Sete moedas novas e três velhas.

– Isso é que é uma espiga! Que estás tu a fazer aí, idiota? Vai chamar o sargento – gritou Denissov para Lavruchka.

– Se tu quiseres, Denissov, eu empresto-te dinheiro. Eu tenho dinheiro – disse Rostov corando.

– Não gosto de pedir dinheiro emprestado aos amigos, não, não gosto – balbuciou Denissov.

– Se não aceitares o meu dinheiro, como camarada que és, fico contrariado. Realmente tenho dinheiro – repetiu Rostov.

Denissov aproximou-se da cama, para tirar a bolsa de baixo do travesseiro.

– Onde é que puseste a bolsa, Rostov?

– Aí sob o travesseiro.

– Não está aqui nada.

Denissov atirou para o chão os dois travesseiros. A bolsa não estava.

– É extraordinário!

– Espera. Naturalmente não procuraste bem! – interveio Rostov, pegando os travesseiros, um por um, e sacudindo-os.

Levantou igualmente a colcha e sacudiu-a. A bolsa, nada.

– Terei me esquecido? Qual o quê! Até disse para comigo que tu a punhas debaixo da cabeça como se fosse um tesouro. Foi aí que eu pus a bolsa. Onde está ela? – acrescentou, dirigindo-se a Lavruchka.

– Eu não pus os pés no quarto. Onde a pôs é que ela deve estar.

– Mas não está!

– É sempre assim, deixa as coisas em qualquer parte e depois esquece-se delas. Veja nos bolsos.

– Não, se eu não tivesse pensado que era como se fosse um tesouro – repetiu Rostov. – Lembro-me perfeitamente de que a arrumei.

Lavruchka desfez a cama, espreitou por debaixo das barras, sob a mesa, revolveu a casa inteira e acabou por ficar parado no meio do quarto. Denissov seguia, sem dizer palavra, todos os movimento de Lavruchka, e quando o viu, parado no meio do quarto, os braços abertos, declarando que a bolsa não estava em parte alguma, olhou para Rostov.

– Rostov, deixa de brincadeiras...

Rostov sentiu pousado nele o olhar de Denissov, ergueu os olhos e voltou logo a baixá-los. Todo o sangue das veias, que lhe estava parado na garganta, subiu ao rosto. Quase não podia respirar.

– Aqui não estiveram senão o tenente e os senhores dois. Tem de estar em algum lugar – disse Lavruchka.

– Pois então, filho de uma velha, mexe-te, procura – gritou subitamente Denissov, corando muito e lançando-se sobre o impedido com um gesto ameaçador. – A bolsa já ou, então, o chicote! Vai tudo corrido a chicote!

Rostov, olhando Denissov bem de frente, abotoou o dólmã, afivelou o sabre e pôs a barretina.

– É o que eu te digo, é preciso que a bolsa apareça – gritava Denissov, sacudindo a ordenança pelos ombros e encostando-a à parede.

– Basta, Denissov: eu sei quem a levou – disse Rostov, que avançou para a porta, sem erguer os olhos.

Denissov soltou Lavruchka, refletiu um momento e, compreendendo, certamente, a quem Rostov aludia, agarrou-o por um braço.

– Que imbecilidade! – gritou com tamanha violência que as veias do pescoço e da testa se lhe intumesceram. – É o que eu te digo: estás doido, não consentirei uma coisa dessas! A bolsa tem de estar aqui! Ainda que eu tenha de arrancar a pele deste miserável, a bolsa há de aparecer.

– Eu sei quem a levou – repetia Rostov, em voz trêmula, encaminhando-se para a porta.

– E eu repito-te que não te atrevas a fazer uma coisa dessas! – gritou Denissov, lançando-se sobre o *junker*, para não o deixar partir.

Mas Rostov soube evitá-lo, olhando-o fixamente e bem de frente com tamanho rancor que se diria ser Denissov o seu maior inimigo.

– Estás percebendo o que dizes? – articulou, com a voz trêmula.

– Além de mim mais ninguém havia neste quarto. Por isso, se não foi o outro...

Não pôde concluir, e desapareceu.

– Diabos levem a ti e a todos os outros! – ouviu Rostov, quando se afastava.

Rostov dirigiu-se para a casa de Telianine.

– O meu amo não está, foi ao estado-maior – disse-lhe a ordenança. – Aconteceu alguma coisa? – acrescentou, ao ver os traços descompostos do *junker*.

– Nada.

– Por pouco que o apanhava aqui – continuou o impedido.

O estado-maior ficava a três verstas de Saltzeneck. Rostov, sem voltar para casa, montou a cavalo e para lá se dirigiu. Na aldeia onde estava instalado o estado-maior havia um albergue frequentado pelos oficiais.

Foi para aí que Rostov se encaminhou. À porta estava o cavalo de Telianine.

Na segunda sala do albergue encontrou o tenente abancado diante de um prato de salsichas e de uma garrafa de vinho.

– Ah! então por aqui, meu rapaz? – disse ele, sorrindo e erguendo as sobrancelhas.

– É verdade – volveu Rostov, como se dizer coisa tão simples lhe custasse muito, e sentou-se a uma mesa vizinha.

Ambos ficaram calados. Estavam presentes dois alemães e um oficial russo. Ninguém falava, e apenas se ouvia o tinir das facas de encontro aos pratos e o ruído das maxilas do tenente, que mastigava. Quando Telianine acabou de almoçar, puxou de uma bolsa. Com os dedos delicadamente soerguidos fez deslizar a argola, pegou uma moeda de ouro e franzindo as sobrancelhas pagou ao criado.

– Depressa, se fazes favor – recomendou.

A moeda era nova, Rostov levantou-se e aproximou-se de Telianine.

– Deixe-me ver essa bolsa – disse em voz muito baixa, quase ininteligível.

Com o olhar esquivo e o ar sempre preocupado, Telianine deu-lhe a bolsa.

– É bonita, não é?... É... é... – disse, empalidecendo repentinamente. – Pode vê-la, meu rapaz.

Rostov pegou a bolsa, examinou-a, fez o mesmo ao dinheiro que ela continha e depois fitou Telianine. O tenente, como de costume, deixou errar os olhos, sem os fixar, e de repente, pareceu divertir-se.

– Se chegarmos a Viena, tenho a impressão de que deixamos lá tudo, mas por agora não há onde gastar o nosso dinheiro senão nestes antros. Dê cá a bolsa, meu rapaz, vou andando.

Rostov não disse palavra.

– Que é que vai fazer? Vem almoçar? Não se come nada mal aqui – prosseguiu Telianine. – Deixe ver.

Estendeu a mão para a bolsa. Rostov deixou que ele a tomasse. Telianine guardou-a num dos bolsos dos calções de montar, enquanto erguia as sobrancelhas, despreocupadamente, e abria a boca como para dizer: "Pois claro, meto a minha bolsa na algibeira, não há nada mais simples, e ninguém tem nada com isso".

– Então, meu rapaz? – disse, com um suspiro, e por debaixo das sobrancelhas erguidas lançou um olhar a Rostov.

Faíscas elétricas correram e saltaram entre os olhos de ambos, duas, três vezes, num relâmpago.

– Venha cá – disse Rostov, pegando-lhe num braço. E conduziu-o quase à força para junto da janela.

– Esse dinheiro é de Denissov. O senhor o pegou – murmurou-lhe ao ouvido.

– O quê?... O quê?... Atreve-se?... O quê?... – disse Telianine.

Saíra nestas palavras qualquer coisa de desesperado, como a pedir perdão. Ao ouvir esta voz, Rostov sentiu que lhe tiravam como que um grande peso de cima dos ombros. Uma grande alegria o tomou, ao mesmo tempo que sentia piedade pelo infeliz que estava diante dele. Mas era preciso ir até ao fim.

– Só Deus sabe o que esta gente vai pensar – balbuciou Telianine, pegando na barretina e dirigindo-se para uma salinha que estava vazia. – Temos de nos explicar.

– Eu sei o que digo e posso prová-lo – afirmou Rostov.

– Eu...

Todos os músculos do rosto assustado e pálido de Telianine estremeceram. O seu olhar continuava fugidio, mas fito no chão, e não ousava levantar os olhos para Rostov; abafou uma espécie de soluço.

– Conde!... Não perca um homem... Aqui tem este miserável dinheiro, tome conta dele... – Atirou-o para cima da mesa. – Tenho um pai, que é velho, tenho uma mãe!...

Rostov pegou no dinheiro, evitando o olhar de Telianine, e, sem dizer palavra, abalou. Mas ao chegar ao limiar da porta, deteve-se e voltou atrás.

– Meu Deus! – exclamou com as lágrimas nos olhos. – Como é que pôde?

– Conde – disse Telianine, aproximando-se do *junker*.

– Não me toque – tornou Rostov, recuando. – Se está precisado de dinheiro tome o que aí está.

Atirou-lhe a bolsa e saiu a correr da estalagem.

CAPÍTULO V

Na noite do mesmo dia, na casa de Denissov, travava-se uma animada conversa entre os oficiais do esquadrão.

– E eu, na minha opinião, acho que Rostov deve apresentar as suas desculpas ao comandante do regimento – dizia para o próprio Rostov, vermelho como uma papoula, e emocionadíssimo, um capitão, muito alto, de cabelos grisalhos, grandes bigodes e um rosto duro, sulcado de rugas.

O capitão Kirsten já por duas vezes fora degradado em soldado raso, por questões de honra, e das duas vezes recuperara o seu antigo posto.

– Não consinto a ninguém que me chame mentiroso! – exclamou Rostov. – Ele disse-me que eu estava mentindo, e eu retorqui-lhe que quem mentia era ele. E é assim que as coisas ficarão. Está no seu direito, se quiser, pôr-me de serviço todos os dias e mandar-me deter até. Eu é que não lhe apresentarei desculpas, visto que se ele, como comandante do regimento, entende que não lhe fica bem dar-me satisfações...

– Calma, calma, meu rapaz; ouça lá – interrompeu o capitão, na sua voz de baixo, cofiando tranquilamente os longos bigodes. – Disse ao comandante do regimento, na presença de outros oficiais, que um oficial tinha roubado...

– Não tenho culpa que a conversa se tivesse passado diante de outros oficiais. Talvez eu, realmente, não devesse ter falado diante deles; falta-me o jeito diplomático. Se escolhi os hussardos é porque estava convencido de que aqui ninguém se preocupava com essas finezas; e vai ele e diz que eu estava a mentir... Então é ele quem deve me apresentar desculpas...

– Tudo isso está certo, ninguém diz que o senhor é um poltrão. Não é disso que se trata. Pergunte a Denissov se isso é conveniente, se um *junker* deve pedir satisfações ao comandante do seu regimento.

Denissov, mordiscando o bigode, ouvia a conversa de sobrecenho carregado, sem querer, ao que parecia, intervir na discussão. Quando o capitão formulou a sua pergunta, ele meneou a cabeça negativamente.

– O senhor falou nessa vilania ao comandante diante dos oficiais – prosseguiu o capitão. – Bogdanitch (era o nome do comandante do regimento) mandou-o calar.

– Não me mandou calar, mas disse-me que eu não falava a verdade.

– Sim, mas o senhor respondeu-lhe umas tolices, e é preciso pedir-lhe desculpa.

– De maneira alguma! – exclamou Rostov.

– Não esperava isto de si – disse o capitão num tom ao mesmo tempo sério e severo. – O senhor não quer apresentar desculpas; mas, meu amigo, não há dúvida de que é culpado, não só perante ele, mas perante o regimento inteiro, perante todos nós. Ouça: se ao menos o senhor tivesse pensado dois minutos e se tivesse se aconselhado, mas não, foi logo dizendo tudo o que pensava, e diante dos oficiais. Que é que o comandante tinha a fazer? Entregar um oficial à justiça e enlamear todo o regimento? Desonrar o regimento inteiro por causa de um miserável? Era isto que se devia ter feito, na sua opinião? Mas nós não pensamos assim: Bogdanitch teve razão: disse-lhe que o senhor não falava a verdade. É desagradável, mas que quer, meu velho, foi o senhor quem assim o quis. E agora, que se pretendem abafar as coisas, o senhor, por amor-próprio, não quer apresentar desculpas e deseja pôr tudo em pratos limpos. Está furioso por o terem posto de serviço permanente, mas que é que lhe custava apresentar desculpas a um oficial velho e honesto? Seja qual for, de resto, a atitude de Bogdanitch neste caso, o certo é que é um velho coronel digno e valente; e o senhor sente-se ofendido, e, quanto a manchar o regimento, isso não o incomoda? – A voz do capitão tremia, comovida. – O senhor não vai ficar aqui muito tempo. Se hoje está neste regimento, amanhã já estará em qualquer outra parte, como ajudante de campo. Pouco lhe importa que se venha a dizer: "Entre os oficiais do Pavlogrado há ladrões!". Mas a nós, a nós, isso não nos é indiferente. Não é verdade, Denissov? Isso a nós não nos é indiferente.

Denissov calava-se e não se mexia, fitando Rostov, de tempos a tempos, com os seus olhos pretos muito vivos.

– O senhor preza acima de tudo o seu amor-próprio e não quer apresentar desculpas – continuou o capitão –, mas aos velhos, àqueles que têm envelhecido no regimento, e se Deus quiser nele hão de morrer, a esses, a honra do regimento importa muito, e Bogdanitch sabe-o bem. Queremos-lhe muito! Não está certo! Que o senhor esteja ou não ofendido, eu, por mim, gosto de dizer a verdade. Não está certo!

O capitão levantou-se e voltou as costas a Rostov.

– Ele tem razão, diabos me levem! – exclamou Denissov, erguendo-se de um salto. – Vamos, Rostov, vamos!

Rostov, corando e empalidecendo ao mesmo tempo, fitava ora um oficial ora outro.

– Não, meus senhores, não... Não devem pensar... Eu compreendo muito bem, fazem mal em pensar que eu seria capaz.... Eu, por mim... sou pela honra do regimento... Mas falar nisso para quê?... Hei de o mostrar com ações, e para mim a honra da bandeira... Bem, pouco importa, é verdade, sou culpado!... – Tinha as lágrimas nos olhos. – Sou culpado, inteiramente culpado!... Que é que querem mais?

– Bom, está bem, conde – disse, voltando-se, o capitão, e bateu-lhe no ombro com a sua grande manopla.

– Eu tinha-te dito – acrescentou Denissov – que ele era um bom camarada.

– Assim está bem, conde – repetiu o capitão, que o tratava pelo título como se isso fosse uma recompensa do seu gesto. – Vá apresentar as suas desculpas, Excelência. Está bem!

– Meus senhores, estou pronto a tudo, nunca mais ninguém ouvirá falar deste caso – protestou Rostov, numa voz comovida. – Mas desculpas não, aos diabos, desculpas não. Que querem que eu faça? Que peça desculpa, como um garoto, que implore perdão?

Denissov pôs-se a rir.

– Tanto pior para você. O Bogdanitch é rancoroso. Há de lhe fazer pagar caro a sua obstinação – disse Kirsten.

– Com mil diabos, não, não é obstinação! Não lhes posso dizer o que sinto... não posso.

– Bom, faça o que entender! – exclamou o capitão-adjunto. – E esse miserável, onde é que ele se meteu? – perguntou a Denissov.

– Deu parte de doente; amanhã a ordem de serviço há de dá-lo como doente – respondeu este.

– A doença; não há outra desculpa – disse o capitão-adjunto.

– Doente ou não, que não me caia nas mãos, dou cabo dele! – gritou Denissov, feroz.

Jerkov entrou na sala.

– O que há? – perguntaram os oficiais imediatamente.

– Ordem de marcha, meus senhores. Mack rendeu-se com todo o seu exército.

– Não pode ser!

– Vi com os meus próprios olhos.

– Quê? Tu viste Mack vivo? Em carne e osso?

– Para a guerra! Para a guerra! Vamos beber pela boa-nova. E tu, que estás a fazer aqui?

– Mandaram-me regressar ao meu regimento precisamente por causa desse diabo do Mack. O general austríaco queixou-se de mim; felicitei-o pelo seu regresso... Que é isso, Rostov? Que tens? Parece que acabas de sair de um banho quente.

– Temos estado metidos numa tal confusão estes últimos dois dias!

Um ajudante de campo do regimento entrou nesse momento e confirmou a notícia trazida por Jerkov. Havia ordem para se porem em marcha no dia seguinte de manhã.

– Para a guerra, meus senhores!

– Graças a Deus; estávamos criando bolor.

CAPÍTULO VI

Kutuzov tinha retirado para Viena, fazendo saltar as pontes do Inn em Braunau e a do Traun em Lintz. No dia 23 de outubro, o exército russo atravessava o Enns. As bagagens, a artilharia e as colunas de tropas atravessaram-no em pleno dia, formando colunas dos dois lados da ponte.

O tempo estava suave, uma atmosfera de outono, mas chuvosa. A longa perspectiva que se descobria das eminências ocupadas pelas baterias que defendiam a ponte ora se estendia por detrás das cortinas de musselina formadas pela chuva oblíqua, ora se alargava, e na luz brilhante do sol podiam distinguir-se os objetos à distância como cobertos por uma camada de verniz. Lá embaixo via-se a cidadezinha, com as suas casas brancas de tetos vermelhos, a sua catedral e a sua ponte, em cujos flancos corria, em fileiras apressadas, a onda dos exércitos russos. Na curva que o Danúbio ali formava viam-se barcos, uma ilha e um castelo com um parque cercado pelas águas da confluência do Enns e do Danúbio. Depois via-se a margem esquerda do rio, escarpada e coberta de pinheirais, misteriosos horizontes de cumeadas verdejantes e de desfiladeiros azulados; um pouco mais adiante, as torres de um convento emergindo de um pinheiral selvagem, tão cerrado que parecia uma floresta virgem; na distância, e defronte, na outra margem do Enns, numa eminência, entreviam-se as patrulhas inimigas.

À frente da bateria, lá no alto, estava o comando da retaguarda: um general, com um oficial às ordens, que examinava o terreno pelo óculo. Um pouco mais para trás, sentado sobre a carreta de uma peça de artilharia, via-se Nesvitski, enviado à retaguarda pelo general em chefe. O cossaco que o acompanhava apresentava-lhe um saco de provisões e um frasco, e Nesvitski regalava os oficiais com pastéis e *kümmel* autêntico. Estes formavam roda em torno dele, muito alegres, uns de joelhos, outros escarranchados, à turca, na erva molhada.

— Não era um imbecil qualquer o príncipe austríaco que mandou construir ali um castelo. Que lugar magnífico! Eh! Então? Os senhores não comem? – dizia Nesvitski.

— Obrigado, príncipe – respondeu um dos oficiais, que parecia encantado de se ver assim a conversar com um membro tão importante do estado-maior. – Soberbo local, realmente!

Passamos diante do parque e vimos lá dentro dois veados; que magnífica residência!

– Olhe, príncipe – disse outro oficial, desejoso de comer mais um pastel, mas sem coragem de o pedir e, por isso mesmo, fingindo examinar a paisagem. – Olhe, a nossa infantaria acabou agora mesmo de lá chegar. Lá diante, ao pé daquele prado, por detrás da aldeia, três soldados estão a puxar qualquer coisa. Vão fazer uma rica limpeza no palácio – acrescentou com evidente aprovação.

– Sem dúvida – disse Nesvitski. – Não, cá por mim, o que eu gostaria – acrescentou, metendo um pastel pela boca abaixo – era de ir até ali.

Apontava para o convento torreado que se descobria no alto da colina. Sorriu; os olhos fizeram-se-lhe pequeninos e brilhantes.

– Não há dúvida, deve ser uma beleza, meus senhores!

Os oficiais puseram-se a rir.

– Dar um susto nas freirinhas. Parece que são italianas, e novas, segundo dizem. Palavra de honra, dava cinco anos de vida para ir até lá.

– Tanto mais que elas devem estar aborrecidíssimas – disse, rindo, um oficial mais atrevido do que os outros.

Entretanto, o oficial às ordens de serviço apontava qualquer coisa ao general. Este pôs-se a observar pelo óculo.

– Sim, senhor, lá estão eles, lá estão eles! – exclamou, encolerizado, afastando o óculo e encolhendo os ombros. – Lá estão eles e vão cair em cima de nós na altura da travessia do rio. Que estarão fazendo ali?

Do outro lado do rio via-se o inimigo a olho nu e uma das suas baterias, por cima da qual se elevava um fumozinho leitoso. A fumaça foi acompanhada, momentos depois, de uma detonação longínqua e viram-se as tropas russas estugar o passo na passagem do rio.

Nesvitski, para se fazer valer, levantou-se e, sorrindo, aproximou-se do general.

– Vossa Excelência não quer comer também um poquinho? – disse-lhe ele.

– A coisa vai mal – declarou o general, sem lhe responder. – Os nossos estão atrasados.

– Quer que vá lá, Excelência? – inquiriu Nesvitski.

– Vá, sim, faça favor – tornou o general, repetindo-lhe as ordens dadas já em pormenor –, e diga aos hussardos que sejam os últimos a atravessar e que queimem a ponte, como eu ordenei, e que voltem a inspecionar as matérias inflamáveis que lá estão.

– Muito bem – respondeu Nesvitski.

Chamou o cossaco que lhe segurava o cavalo, disse-lhe que guardasse as provisões e o cantil, e, ligeiro, instalou a sua pesada corpulência em cima do cavalo.

– Palavra de honra que vou fazer uma visita às freiras – disse para os oficiais, que olhavam para ele sorrindo, e pôs-se a descer a colina ao longo de um caminho que serpenteava.

– Ouça, capitão, veja até onde isso vai – gritou o general, dirigindo-se ao comandante dos artilheiros. – Vamos, para entreter o tempo.

– Serventes, a postos! – comandou o oficial.

Momentos depois os artilheiros acorriam alegremente, saindo dos seus bivaques, e punham-se a carregar as peças.

– Primeira peça! – exclamou o comandante.

A primeira peça deu um salto à retaguarda. Ouviu-se o estampido de um trovão metálico e o projétil passou, assobiando, por cima da cabeça dos russos, no sopé da colina; muito longe do lugar onde estava o inimigo uma nuvem de fumo veio assinalar o sítio onde o projétil tinha caído.

Soldados e oficiais rejubilaram ao ouvir a detonação.

Todos se levantaram e puseram-se a observar, lá no fundo, os movimentos das tropas russas, tão visíveis como se estivessem na palma de uma mão, e mais adiante o movimento do inimigo, que se aproximava. Nessa altura, o sol rompeu as nuvens e aquele belo tiro de canhão isolado fundiu-se com o seu fulgor radioso, criando uma sensação de bravura jovial.

CAPÍTULO VII

Por cima da ponte já tinham passado dois projéteis inimigos, e o tumulto ali era grande. No meio da ponte estava Nesvitski. Tinha-se apeado e ei-lo ali com a sua corpulenta pessoa cerrado contra o parapeito. Voltava-se para o cossaco, que, com os dois cavalos pela arreata, ficara alguns metros mais atrás. De cada vez que tentava avançar, os soldados e as viaturas obrigavam-no a retroceder, e comprimiam-no de novo de encontro às guardas da ponte. Nada mais podia fazer do que rir.

– Eh, tu, lá de diante – dizia o cossaco para um soldado que conduzia uma grande viatura, forçando a marcha por cima dos próprios pés dos soldados, contra os quais avançavam rodas e cavalos. – Eh, tu, não podes esperar? O general quer passar.

O soldado do comboio, sem prestar atenção à palavra "general" que lhe atiravam, gritava para os soldados que lhe impediam a marcha: "Eh, camaradas, pela esquerda, esperem um bocado!". Mas os camaradas, ombro com ombro, embaraçando-se nas baionetas, avançavam pela ponte afora em massa compacta. Debruçando-se sobre o parapeito, o príncipe Nesvitski via as pequenas vagas rápidas e rumorosas do Enns, que, misturando-se e quebrando-se de encontro aos pegões da ponte, se perseguiam umas as outras. Em cima da ponte também se espraiavam ondas vivas e monótonas de soldados; barretinas, com grandes cordões, envoltas em suas capas, mochilas, baionetas, lanças e, debaixo das barretinas, figuras poderosamente musculadas, de faces cavadas, um ar de fadiga e despreocupação, pernas que se moviam na lama viscosa colada às pranchas da ponte. De tanto em tanto, por entre as vagas iguais dos soldados, emergia, qual a espuma branca nas águas do Enns, um oficial com o seu casacão e uma máscara que ressaltava no meio das dos soldados; de quando em quando, como se fosse um feixe de palha levado pelas águas, flutuava, por cima das vagas da infantaria, um hussardo a pé, uma ordenança ou um civil; e outras vezes, como uma prancha flutuante, via-se sobrenadar, cercado por todos os lados, um furgão de regimento ou uma viatura de oficial cobertos de couro, carregadíssimos.

– Parece que se rompeu um dique – disse o cossaco, detendo-se desesperado. – Ainda faltam muitos?

– Metade e outros tantos! – exclamou, piscando o olho, um soldado folgazão que naquele momento passava, de capote esfarrapado; atrás dele surgiu um soldado já velho.

– Se *ele* (*ele* era o inimigo) se lembrasse agora de nos dar um calor em cima da ponte – murmurou para um camarada taciturno, não tínhamos tempo de nos coçarmos.

E seguiu adiante. Atrás dele vinha outro a guiar uma carroça.

– Onde é que diabo meteram a chave? – gritava uma ordenança, que acompanhava a viatura, espiolhando-lhe as traseiras.

Tanto o homem como a carroça afastaram-se. Depois apareceu um grupo de soldados muito alegres e que se via bem estarem embriagados.

– É o que te digo, meu velho, quando ele lhe atirou com a coronha da espingarda... – dizia, rindo, um dos militares, que tinha o cabeção do capote levantado e fazia grandes gestos.

– Ah, sim, que rico presunto – respondeu outro soldado, escancarando a boca.

E foram andando, de modo que Nesvitski não conseguiu entender quem é que tinha sido agredido nem o que é que queria dizer aquele presunto.

– Por que é que se puseram agora a correr? Só porque *ele* lhes mandou um balázio, já pensam que estão todos perdidos – disse um sargento, furioso.

– Quando ela passou por mim, a granada – exclamou um soldado muito novo que, ao rir, abria uma boca enorme –, julguei ir desta para melhor. Caramba, sempre tive um desses medinhos! – acrescentou, como que orgulhoso de ter tido medo.

E também este foi andando para diante. Depois chegou uma viatura que não se parecia com qualquer uma das que tinham passado. Era uma carroça alemã tirada por dois cavalos, carregada, ao que parecia, com o recheio de uma casa inteira. Atrás da carroça, guiada por um alemão, vinha amarrada uma bela vaca malhada, de grandes tetas. Sobre um colchão de penas ia deitada uma mulher que dava de mamar a uma criança, uma velha e uma moça, sadia e corada. Via-se perfeitamente que aqueles emigrantes tinham sido autorizados a circular mercê de uma licença especial. Os olhos de todos os soldados seguiam as duas mulheres e, enquanto o comboio ia passando, a passo, todas as observações as tinham por objeto. Em todas as faces se notava a expressão agarotada que a presença daquelas mulheres sugeria.

– Então, minha salsicha, mudamos de casa?

– Está à venda, tiazinha? – interrogou outro soldado, acentuando a última sílaba[22] e dirigindo-se ao alemão que caminhava, de cabeça baixa, com grandes passadas e um ar ao mesmo tempo furioso e assustado.

– Olha para o vestido dela! Ah! Com mil diabos!

– Hein! Agradava-te estares aboletado lá em casa, Fedotov?

– Tenho visto muita mulher, meu filho!

---

22. O acento da palavra *matuchka*, que traduzimos por "tiazinha", é em geral na primeira sílaba. Dirigindo-se a um estrangeiro, o soldado julgou fazer bem, pronunciando mal a palavra. (N.E.)

– Aonde é que vais? – perguntou um oficial de infantaria, que comia uma maçã, e que também estava de olhos arregalados, todo sorridente, para a mocetona.

O alemão, cerrando os olhos, fazia menção de não perceber.

– Queres? – disse o oficial, oferecendo a maçã à jovem.

A moça sorriu e pegou na maçã. Tanto Nesvitski como os demais em cima da ponte não perderam de vista as mulheres enquanto elas não passaram. Atrás delas continuaram a passar os mesmos soldados, dizendo sempre as mesmas coisas, e finalmente houve uma paragem geral, como costuma acontecer frequentemente à saída das pontes, os cavalos embaraçaram-se nas viaturas do regimento e toda aquela massa de tropa ficou detida.

– Que diabo de paragem é esta? Não há ordem! – gritavam os soldados. – Vê lá onde pões os pés! Com os demônios, não sei por que é que esperam! O bom e o bonito seria se *ele* pusesse fogo na ponte. – Olha, lá fica esmagado aquele oficial... – E de todos os lados choviam comentários deste gênero: cada um olhava para o vizinho e ia fazendo pressão no sentido da saída da ponte.

Estando a olhar para as águas do Enns, que corriam por debaixo da ponte, Nesvitski sentiu, de repente, um ruído novo para ele, algo que se aproximava muito depressa... uma coisa muito grande veio cair com estrondo nas águas.

– Hein! Boa pontaria! – exclamou, carrancudo, um soldado, ali a dois passos, que se voltara ao ouvir o estampido.

– Dá-nos coragem para andarmos mais depressa – disse outro soldado com inquietação.

A multidão voltou a mover-se. Nesvitski compreendeu que aquilo fora bala de canhão.

– Eh! Cossaco! O cavalo – gritou. – Vamos, rapazes, afastem-se! Mexam-se! Deixem passar!

Foi com dificuldade que conseguiu chegar até o pé da montada. Sem nunca deixar de gritar à multidão, conseguiu avançar. Os soldados cerravam fileiras para lhe dar lugar, mas acabavam por se comprimir contra ele de tal modo que lhe imobilizavam a perna, sem querer, eles próprios vítimas da compressão dos outros.

– Nesvitski! Nesvitski! Eh, malandro! – exclamou, nessa altura, atrás dele uma voz rouca.

Nesvitski voltou-se e viu, a uns quinze passos de distância, separado dele pela massa viva da infantaria em marcha, uma criatura muito vermelha, muito negra, toda farrapos, a barretina atirada para a nuca, com um dólmã garbosamente aos ombros: era Vaska Denissov.

– Diz-lhes que nos deixem passar, a esses demônios, a esses filhos do diabo! – gritava Denissov, visivelmente num dos seus acessos de fúria. Os olhos negros e brilhantes como carvão rolavam-lhe nas órbitas inflamadas. Brandia o sabre que não tirara da bainha na pequena mão nua, tão vermelha como a cara.

– Ah! Vaska! – volveu-lhe, alegremente, Nesvitski. – Que fazes aqui?

– É impossível fazer avançar o esquadrão – gritava Vaska Denissov, mostrando os dentes brancos e esporeando o belo murzelo, um beduíno puro-sangue, que, ao picar-se nas baionetas, eriçava as orelhas, resfolgando, espargindo de espuma tudo à sua volta, escarvava com as patas as tábuas da ponte, pronto a saltar por cima do parapeito se o cavaleiro que o montava consentisse.

– O quê? Como carneiros, sim, como autênticos carneiros! Ao largo!... Deixem passar!... Façam alto, viaturas! Com mil diabos! Esperem, que eu lhes digo, vai à espadeirada... – E, com efeito, arrancando o sabre da bainha, pôs-se a agitá-lo no ar.

Os soldados, aterrorizados, encolheram-se uns contra os outros, e Denissov pôde aproximar-se de Nesvitski.

– Que, que dizes? Hoje ainda não bebeste nada? – exclamou Nesvitski para Denissov, assim que o viu perto dele.

– Que queres, eles nem para isso nos dão tempo! – replicou Vaska Denissov. – Todo o dia temos andado com o regimento, de um lado para o outro. Se é preciso que a gente se bata, vamos a isso. Mas, assim, que quer dizer isto?

– Que elegante estás hoje! – observou Nesvitski, olhando para o seu dólmã novo e para a gualdrapa do seu cavalo.

Denissov sorriu, tirou o lenço do bolso, todo perfumado, e levou-o ao nariz de Nesvitski.

– Claro que não pode ser de outra maneira, vamos para o campo de batalha! Barbeei-me, lavei os dentes e perfumei-me.

A imponente estatura de Nesvitski, acompanhada do seu cossaco, assim como o ar decidido de Denissov, que espadeirava para a direita e para a esquerda, em altos gritos, deram tal resultado que os dois conseguiram esgueirar-se para o outro lado da ponte, detendo os peões. Nesvitski, à saída, foi encontrar o coronel a quem devia entregar a mensagem, e, depois de cumprida a sua missão, voltou.

Denissov, que tinha conseguido abrir caminho, deteve-se à entrada da ponte. Segurando, negligentemente, o seu cavalo, que escoiceava e resfolgava, via passar diante dele o seu esquadrão. Sobre as pranchas da ponte ressoavam ferraduras; eram alguns cavalos que vinham a trote. O esquadrão, com os oficiais à frente, alinhado a quatro, surgiu na ponte e começou a sair do outro lado.

Os homens da infantaria, obrigados a parar em cima da lama espezinhada da ponte, olhavam para os hussardos, asseados e elegantes, que diante deles iam desfilando galhardamente, com essa hostilidade especial, misto de inveja e de troça, que em geral se observa entre os vários corpos de um exército.

— Isto é que é uma tropa bonita! Parece até que vai a caminho da parada de Podnovinskoie!

— Para que serve esta gente? Só para olhar! — exclamou outro soldado.

— Eh! infantaria! Isso não é poeira? — zombou um hussardo, cujo cavalo, corcoveando, salpicara de lama um dos peões.

— Gostaria de te ver depois de duas boas marchas de mochila às costas. Deviam ficar bonitos os teus alamares! — replicou o soldado de infantaria, limpando a lama da cara com a manga. — Aí empoleirado pareces mais um pássaro do que gente!

— E tu, Zikine, devias ficar bem a cavalo. Tens boa figura — dizia, trocista, um cabo a um pobre soldado de infantaria, muito magro, dobrado ao peso da mochila.

— Monta num pau e já terás cavalo — zombou um hussardo.

CAPÍTULO VIII

O resto da infantaria apressava-se em atravessar a ponte, comprimida à entrada, como num funil. Por fim, tendo passado todas as viaturas, houve menos precipitação, e o último batalhão penetrou na ponte. Apenas os hussardos de Denissov permaneciam na outra extremidade, frente ao inimigo. Este, que se via perfeitamente ao longe da colina oposta, ainda não era visível do nível da ponte, pois, na ravina por onde corriam as águas do rio o horizonte era limitado pelas cumeadas vizinhas a uma meia versta de distância. Ali defronte ficava um baldio, onde evolucionavam, por aqui e por ali, patrulhas de cossacos. De súbito, nos cabeços em frente da estrada surgiram soldados de túnica azul e artilharia. Eram os franceses. A patrulha de cossacos, a trote, retirou-se do sopé das colinas. Oficiais e soldados do esquadrão de Denissov, procurando falar sobre outra coisa e olhar para outro lado, não deixavam de pensar no que ali estava, naqueles cabeços, e a todo o momento olhavam as manchas que se iam formando no horizonte, e que sabiam perfeitamente serem soldados inimigos. O tempo, para a tarde, clareara, o sol dardejava os seus raios sobre as águas do rio e as montanhas sombrias que o cercavam. Tudo estava sereno; dos montes vizinhos chegavam, de quando em quando, toques de clarins e vozes do inimigo. Entre o esquadrão e os franceses nada mais havia além de algumas pequenas patrulhas. Um espaço vazio de cerca de trezentas sajenes[23] os separava. O inimigo tinha cessado fogo, e isso mesmo ainda tornava mais agudo o sentimento da grave ameaça que representava aquela inacessível e insondável faixa de terreno entre os dois adversários.

"Um passo para além daquela linha que lembra a que separa os vivos dos mortos e eis-nos no mundo desconhecido do sofrimento e da morte. E lá adiante que é que está? Lá adiante, para além deste campo e desta árvore e daquele telhado iluminado pelos raios do sol? Ninguém sabe e ninguém o deseja saber. Todas as pessoas têm medo de transpor aquela linha e ao mesmo tempo há como que uma tentação de o fazer; e o certo é que todos sabem que mais tarde ou mais cedo haverá que transpô-la e conhecer o que lá existe, do outro lado da linha, exatamente como é inevitável virmos a saber o que fica do outro lado da morte. E no entanto todos nós nos sentimos fortes, saudáveis, cheios de vida." Eis o que sente, sem dar por isso, todo o soldado diante do inimigo, e essa sensação, naquele instante, dá um brilho particular, um sentimento de rude alegria ao menor incidente.

Sobre o outeiro ocupado pelo inimigo surgiu a fumaça de um tiro de peça e a bala passou, assobiando, por cima da cabeça dos soldados do esquadrão de hussardos. Os oficiais, que estavam em grupo, retomaram os seus lugares. Os homens procuraram fazer alinhar as suas montadas. O silêncio reinou. Todos olhavam o inimigo, ao longe, aguardando uma ordem. Passaram uma segunda e uma terceira balas. Era evidente que faziam pontaria sobre os hussardos, mas os projéteis, com um assobio monótono, passavam-lhes sobre as cabeças e iam cair, algures, lá para trás

---

23. Medida russa de comprimento equivalente a 2,13 metros. (N.E.)

deles. Os hussardos não se voltavam, mas, de cada vez que se ouvia o sibilar da bala, todo o esquadrão, como a uma voz de comando, todas aquelas feições, tão variadas na sua uniformidade, retinham a respiração enquanto o projétil passava, e viam-se os homens fincar-se nos estribos e depois encurvar-se. Os soldados, sem mexer a cabeça, entreolhavam-se de viés, examinando, curiosos, a impressão que sentiam os camaradas. Todos os rostos, desde o de Denissov até o do clarim, denunciavam, por qualquer coisa de nervoso nos lábios e no queixo, um desejo de luta, certo enervamento, certa emoção. O sargento franzia as sobrancelhas fitando os soldados, como se os ameaçasse de os castigar. O *junker* Mironov curvava-se sempre que o projétil passava. Rostov, no flanco esquerdo, no seu Gratchik, um belo cavalo, apesar do seu casco fendido, tinha o aspecto feliz de um colegial chamado a prestar provas de exame diante de uma grande assembleia e confiante no seu triunfo. Olhava para todos com os seus olhos claros e luminosos, como se lhes quisesse mostrar a sua perfeita serenidade sob a metralha. Mas o certo é que, sem que desse por isso, também ele, como os demais, mostrava, na expressão, que qualquer coisa de novo e de grave estava a se passar.

– Quem é que está fazendo sinais lá embaixo? *Junker* Mironov! Não está certo! Olhem para mim! – gritou Denissov, que, não podendo sossegar, evolucionava, no seu cavalo, à frente do esquadrão.

O rosto de nariz esborrachado e os cabelos negros de Vaska Denissov, a sua minúscula pessoa já bastante trabalhada pela vida, as suas mãos nodosas, de dedos curtos e peludos, empunhando o sabre nu, eram os mesmos de sempre, sobretudo quando à noite já tinha despejado duas ou três garrafas. Apenas parecia um pouco mais corado que de costume. Erguendo a cabeça hirsuta, como as aves quando bebem, e esporeando impiedosamente, com as pernas curtas, o seu bom beduíno, ei-lo que se põe a galopar, o corpo atirado para trás, ao longo do outro flanco do esquadrão, e, numa voz rouca, grita que preparem as pistolas. Aproximou-se de Kirsten. O capitão, sobre a sua égua vasta e majestosa, veio, a passo, ao encontro de Denissov. De grandes bigodes, estava sério, como sempre; só os olhos lhe brilhavam mais que habitualmente.

– Então! – exclamou. – Parece-me que isto não vai dar em nada. Vais ver, vamos acabar por bater em retirada.

– Não sei que diabo é que eles estão a fazer! – resmungou Denissov. – Ah! Rostov! – gritou para o *junker* ao ver-lhe o ar jovial. – Ah! Até que enfim, não tiveste que esperar muito!

E sorria, como para o encorajar, vendo-se que estava muito contente por vê-lo. Rostov sentia-se feliz. Nessa altura surgiu na ponte o coronel. Denissov dirigiu-se para ele a galope.

– Excelência, deixe-me atacar! Dou cabo deles.

– É de atacar que se trata, realmente – volveu o coronel, numa voz enfadada, franzindo as sobrancelhas, como quem sacode uma mosca importuna. – Que diabo vocês estão fazendo aqui? Bem vê que os flancos já retiraram. Leve o esquadrão.

O esquadrão voltou a atravessar a ponte e saiu da zona de fogo sem perder um único homem. Atrás dele seguiu, igualmente, o segundo esquadrão, exposto também ao fogo do inimigo, e os últimos cossacos evacuaram a margem.

Depois de terem passado a ponte, os dois esquadrões de Pavlogrado bateram em retirada, um atrás do outro, para as cumeadas. O comandante do regimento, Karl Bogdanitch Schubert, aproximou-se do esquadrão de Denissov e seguiu a passo não longe de Rostov, sem lhe prestar a menor atenção, embora fosse a primeira vez que o via desde o caso de Telianine. Rostov, consciente do seu papel, na dependência do homem perante o qual agora se sentia culpado, não perdia de vista a estatura atlética, a cabeça loura e o pescoço vermelho do comandante do regimento. Ora se convencia de que Bogdanitch se fingia indiferente e que não pensava senão em experimentar a sua bravura de *junker*, e então empertigava-se e lançava em torno de si um olhar jovial; ora supunha que Bogdanitch fazia de propósito, conservando-se junto dele, para assim lhe mostrar o quanto era corajoso; ora ainda pensava que o seu inimigo enviava deliberadamente o esquadrão a um ataque duro para castigar a ele, Rostov, e consigo mesmo ia dizendo que depois da refrega iria ter com ele e generosamente lhe estenderia a mão, a ele, ferido, em sinal de reconciliação.

Jerkov, cuja alta estatura e largos ombros eram bem conhecidos dos hussardos de Pavlogrado, regimento que ele abandonara havia pouco, aproximou-se do coronel. Depois de ter sido expulso do estado-maior, tinha deixado o regimento dizendo que não era tão tolo que fosse condenar-se a trabalhos forçados nas fileiras quando podia ganhar muito mais sem fazer coisa alguma nas ordenanças, e tivera artes de conseguir ser nomeado oficial de ordenança do príncipe Bagration. Era portador de uma ordem para o seu velho coronel da parte do comandante da retaguarda.

– Coronel! – exclamou, com um ar sério e sombrio, dirigindo-se ao inimigo de Rostov e trocando um olhar com os camaradas. – Há ordem para voltar para trás e lançar fogo à ponte.

– Ordem? E quem a deu? – perguntou o coronel, num tom grosseiro.

– Não sei, meu coronel, não sei quem deu a ordem – replicou Jerkov, muito sério. – O príncipe só me disse: "Monta e vai dizer ao coronel que os hussardos devem retirar o mais depressa possível e queimar a ponte".

Depois de Jerkov chegou um oficial de ordenança com a mesma ordem. Atrás deste oficial aproximou-se igualmente o corpulento Nesvitski, montado num cavalo de cossaco, que só muito a custo fazia galopar.

– Que é isto, coronel?! – exclamou assim que chegou. – Eu disse-lhe que queimasse a ponte, e agora diz que não sabe quem deu esta ordem? Está tudo doido, ninguém entende nada.

O coronel, sem pressa, deu ordem ao regimento para fazer alto, e dirigindo-se a Nesvitski:

– Falou-me de matérias inflamáveis – disse. – Mas, quanto a pôr fogo na ponte, nada me comunicou.

– Que me diz, camarada? – exclamou Nesvitski, que tinha refreado o seu cavalo, tirando a barretina e passando a gordurosa mão pelos cabelos ensopados de suor. – Que me diz? Não lhe comuniquei que queimasse a ponte depois de derramar as matérias inflamáveis?

– Eu não sou seu "camarada", senhor oficial do estado-maior, e o senhor não me disse que pusesse fogo na ponte! Sei muito bem o que estou fazendo, e tenho por hábito cumprir rigorosamente as ordens que me dão. O senhor disse que se queimaria a ponte, mas não quem o faria. Ora eu não poderia sabê-lo por obra do Espírito Santo.

– Ah! É sempre a mesma coisa – volveu Nesvitski com um gesto de indiferença. – Que fazes aqui? – interrogou, dirigindo-se a Jerkov.

– O mesmo que tu. Estás encharcado! Deixa que eu torço-te a roupa.

– O senhor disse, senhor oficial do estado-maior... – continuou o coronel, num tom ofendido.

– Coronel – interrompeu o oficial de ordenança –, é preciso agir, de outra maneira o inimigo acaba por colocar a sua artilharia ao alcance da ponte.

O coronel olhou sem dizer palavra ao oficial de ordenança, o corpulento oficial do estado-maior Jerkov, e franziu as sobrancelhas.

– Porei fogo na ponte – volveu ele, num tom solene, como se com isso quisesse dizer que, apesar de todas as maçadas que lhe davam, cumpriria o seu dever.

Esporeando os flancos do seu cavalo com as suas grandes pernas musculosas, como se o pobre animal fosse o culpado de tudo, o coronel avançou e deu ordens ao segundo esquadrão, aquele, precisamente, a que pertencia Rostov, e estava sob as ordens de Denissov, para voltar à ponte.

"Sim, é isto mesmo", pensou Rostov, "quer-me experimentar!" Sentiu um aperto no coração e o sangue subiu-lhe ao rosto. "Vai ver se eu sou poltrão", pensou.

De novo, a fisionomia jovial dos homens do esquadrão retomou a expressão preocupada que tinha quando sob o fogo das peças de artilharia. Rostov, sem baixar os olhos, olhava para o seu inimigo, o comandante do regimento, tentando descobrir-lhe nos traços a confirmação das suas suspeitas. Mas o coronel nem uma só vez olhou para ele. Como sempre, no campo de batalha era severo e solene. Uma ordem de comando se ouviu.

– Depressa! Depressa! – exclamaram algumas vozes em volta dele.

Embainhando os sabres, com grande barulho de esporas, e a toda a pressa, os hussardos apeavam-se, sem que eles próprios soubessem o que tinham a fazer. Persignaram-se. Rostov já não se preocupava com o coronel. Não tinha tempo. Nele havia medo, um medo cheio de ansiedade, receoso de ficar para trás dos seus hussardos. Tremia-lhe a mão quando entregou o cavalo ao soldado encarregado de tomar conta dele e sentia bater violentamente o coração dentro do peito. Denissov, o corpo atirado para trás, passou, gritando, junto dele. Rostov não via nada além dos hussardos a correrem apressados à sua volta, embaraçando-se nas esporas no meio do retinir de sabres.

– Uma maca! – gritou uma voz à sua retaguarda.

Rostov não percebeu o que é que aquilo queria dizer – pedir uma maca; corria, e não pensava senão em chegar primeiro do que outro qualquer. Mas já perto da ponte, como não via onde punha os pés, enterrou-se num lamaçal mole e espezinhado e, desequilibrando-se, caiu com as mãos para a frente. Os outros continuaram, ultrapassando-o.

– Dos dois lados, capitão – dizia a voz do comandante do regimento, que, depois de ter tomado uma certa dianteira, se conservava, a cavalo, a pequena distância da ponte, com um ar alegre e triunfante.

Rostov, limpando as mãos cheias de lama no calção de montar, lançou os olhos ao seu inimigo e quis avançar ainda mais; entendia que quanto mais adiante fosse melhor seria. Mas Bogdanitch, sem olhar para ele, sem o reconhecer sequer, gritou-lhe furioso: – Quem é aquele que vai a correr pelo meio da ponte? À direita! *Junker*, para trás!... – Depois, dirigindo-se a Denissov, que para exibição da sua coragem avançava, a cavalo, pelo tabuleiro da ponte: – Para que é que se há de expor, capitão? Desmonte.

– Tem sempre alguma coisa a dizer – replicou Vaska Denissov, voltando-se no selim.

Entretanto, Nesvitski, Jerkov e o oficial da comitiva tinham-se reunido, ao abrigo do tiro do inimigo, e observavam ora este pequeno grupo de homens de barretina amarela, de jaquetas verde-escuro, com alamares e calções azuis de montar, que se agitava perto da ponte, ora, do outro lado, ao longe, as túnicas azuis, que se aproximavam, e grupos à mistura com cavalos, que se via logo serem baterias.

"Conseguiremos ou não deitar fogo à ponte? Quem o conseguirá primeiro? Serão eles capazes de chegar a tempo, ou serão os franceses que conseguirão aproximar-se tanto que os possam alvejar, dizimando-os a todos?" Eis as perguntas que a si próprios formulavam involuntariamente, na maior angústia, todos aqueles homens do exército imobilizado perto do rio, contemplando, à clara luz do sol, que ia descendo no horizonte, tanto os hussardos em cima da ponte como, na outra margem, as baionetas e as peças de artilharia dos túnicas azuis em marcha.

– Caramba! Os hussardos vão apanhar uma coça! – dizia Nesvitski. – Já não estão longe do alcance da metralha.

– Foi um erro mandar tanta gente – observou o oficial do estado-maior.

– Efetivamente – comentou Nesvitski –, ali apenas teriam sido precisos dois valentes.

— Ah! Excelência! — interveio Jerkov, sem perder de vista os hussardos, e sempre com aquele seu ar ingênuo, que levava os outros a perguntarem-se a si próprios se ele estava falando a sério ou não. — Ah! Excelência! Que é que está a dizer? Mandar lá dois homens, e depois quem é que nos havia de condecorar com a ordem de Vladimiro? Enquanto que assim, se eles forem dizimados, poderemos citar todo o esquadrão na ordem do dia, propondo-o para a condecoração, e apanhá-la nós também. O nosso Bogdanitch sabe muito bem o que faz.

— Olhem! — exclamou o oficial do estado-maior. — Lá começa a metralha.

Apontou para as peças de artilharia francesas, que acabavam de ser desatreladas e que apressadamente principiavam a ser distribuídas.

Do lado francês, nos grupos onde estavam as peças, apareceu um fumozinho, a seguir outro e quase simultaneamente um terceiro, e quando o estampido do primeiro tiro chegou onde estavam os oficiais russos viu-se um quarta fumaça. Houve duas detonações, uma atrás da outra, e por fim uma terceira.

— Oh! Oh! — gemeu Nesvitski, como se sentisse uma dor pungente, agarrando no braço do oficial de ordenança. — Olhe, olhe, lá caiu um!

— Dois, creio eu!

— Se eu fosse o tsar, nunca faria guerra — disse Nesvitski, voltando os olhos.

Os canhões franceses foram apressadamente carregados de novo. A infantaria de túnica azul avançou para a ponte em passo acelerado. Ainda se viam núcleos de fumo; em diversos pontos crepitava a metralha e rebentava sobre a ponte. Mas desta vez Nesvitski não pôde distinguir o que se passava. Subiu da ponte uma fumarada espessa. Os hussardos tinham conseguido lançar-lhe fogo, e as baterias francesas já não disparavam para impedir a operação, mas simplesmente por estarem em linha de fogo e aquele ser um alvo sobre o qual podiam lançar metralha.

Antes que os hussardos pudessem voltar para junto dos cavalos, ainda os franceses fizeram três descargas. Duas delas tinham sido mal dirigidas, e haviam-se perdido: a terceira caíra no meio de um grupo de hussardos e abatera três.

Rostov, sempre absorvido pela ideia de Bogdanitch, parara no meio da ponte, sem saber que fazer. Sempre se tinha representado a guerra como um acutilar alguém, mas a verdade é que não via ninguém a quem espadeirar; de resto, quanto a cooperar no incêndio da ponte, também não o podia fazer, pois não se havia munido, como os outros, de tições de palha. Continuava de pé na ponte, indeciso, quando, de repente, sentiu crepitar sobre o pavimento como que uma saraivada de nozes, e viu um hussardo perto dele cair gemendo sobre o parapeito. Rostov correu para ele, com os outros. Alguém gritou de novo: "Uma maca!". Quatro homens agarraram-no e ergueram-no.

– Oh! Oh!... Deixem-me, por Deus! – gritava o ferido; mas nem por isso eles o largaram, e estenderam-no na maca.

Nicolau Rostov afastou-se, e, como se procurasse alguma coisa, pôs-se a olhar ao longe as águas do Danúbio, o céu, o sol, que cintilava. Que lindo lhe parecia o céu! Que azul estava, e que sereno e profundo! Como o fulgor do sol em declínio era vivo e solene! Como cintilavam, amistosas, as águas do longínquo Danúbio! E as montanhas azuladas mais para além, o mosteiro, as misteriosas ravinas, os pinheirais envoltos até o alto pelo nevoeiro!... Lá adiante era a serenidade, a felicidade... "Se eu lá estivesse nada teria a desejar, não, nada teria a desejar, dizia Rostov consigo. "No meu coração e neste sol há tanta felicidade, enquanto que neste lugar... só há gemidos, dor, terror, e esta confusão, esta pressa... E lá estão a gritar outra ordem e todos começam a recuar, correndo, e eu também corro com eles, e ela aí está, aí está, a morte em cima de mim, em volta de mim... Um segundo, e nunca mais verei este sol, estas águas, estes desfiladeiros..."

Neste momento o sol escondeu-se por detrás das nuvens: Rostov viu passar diante dele outras macas. O horror que lhe inspiravam a morte e aquelas macas, o seu amor pelo sol e pela vida, tudo se confundia numa só impressão de desordem e de angústia.

– Oh! meu Deus! Tu que estás lá no alto, no céu, salva-me, perdoa-me e protege-me! – murmurou.

Os hussardos corriam para os seus cavalos, as vozes eram mais fortes e mais calmas, as macas tinham desaparecido.

– Eh, camarada, cheiraste a pólvora?... – gritou-lhe ao ouvido a voz de Vaska Denissov.

"Tudo acabou; mas eu sou um poltrão, sim, sou um poltrão", disse para si mesmo Rostov, e, soltando um profundo suspiro, pegou o bridão do seu Gratchik, que arrastava uma pata, tomando-o das mãos de quem tinha ficado guardando-o, e saltou para a sela.

– Que era aquilo? Era metralha? – perguntou a Denissov.

– E que metralha! – exclamou este. – Eles sabem afinar os canhões pela última moda. Mas aquilo não é o meu gênero! Um ataque da cavalaria é outra coisa: é ali, cara a cara! Mas isto, com os diabos, é atirar ao alvo, nada mais!

E Denissov lá se foi reunir a um grupo parado a pequena distância de Rostov, onde estavam o coronel, Nesvitski, Jerkov e o oficial de ordenança.

"No entanto, parece-me que ninguém deu por nada", pensou Rostov. E, realmente, ninguém tinha dado por nada, pela simples razão de que todos sabiam muitíssimo bem qual a impressão que sente um *junker* no dia do seu batismo de fogo.

– Agora já têm o que dizer a nosso respeito – disse Jerkov. – Vão me promover a alferes num abrir e fechar de olhos.

– Peço que comuniquem ao príncipe que fiz saltar a ponte – disse o coronel com um ar jovial e triunfante.

– E se ele perguntar pelas perdas?

– Uma bagatela! – replicou ele, na sua voz de baixo. – Dois hussardos feridos e outro morto no seu posto... – Não pôde esconder um sorriso de satisfação e frisou muito as últimas palavras: "no seu posto".

CAPÍTULO IX

Perseguido por um exército francês de cem mil homens, comandados por Bonaparte, acolhido hostilmente pelas populações, que tinham perdido a confiança nos seus aliados, causticado pela falta de abastecimentos e obrigado a agir completamente à margem das previstas condições da guerra, o exército russo, os trinta e cinco mil homens de Kutuzov, retirava apressadamente para jusante do Danúbio, não se detendo senão naqueles pontos onde o inimigo o atacava e não procedendo senão a operações de retaguarda na medida em que se tornavam necessárias para poder continuar a retirar sem perda de material e de bagagens. Houve os combates de Lambach, de Amsteten e de Melk, mas, não obstante a bravura e a resistência das tropas russas, aliás reconhecidas pelo próprio inimigo, essas escaramuças de nada mais serviram que não fosse para acelerar a retirada.

As tropas austríacas salvas da capitulação de Ulm, e que se tinham juntado às de Kutuzov em Braunau, separaram-se agora do exército russo, e Kutuzov via-se reduzido às suas fracas forças, já esgotadas. Não se podia pensar sequer em defender Viena.

Em vez de uma guerra ofensiva, maduramente refletida segundo as regras dessa nova ciência que se chamava a estratégia, cujo plano lhe tinha sido comunicado durante a sua estada em Viena pelo Conselho Superior de Guerra, o único e quase inacessível objetivo que se oferecia agora a Kutuzov consistia, para não perder o seu exército, à imitação do que fizera Mack em Ulm, em reunir-se às tropas que chegavam da Rússia.

A 28 de outubro, Kutuzov atravessa com o seu exército para a margem esquerda do Danúbio e pela primeira vez faz alto, depois de ter deixado o rio entre ele e as principais forças francesas. A 30, ataca a divisão de Mortier, que se encontrava na margem esquerda, e esmaga-a. Nessa operação tomaram-se pela primeira vez troféus de guerra: uma bandeira e peças de artilharia. Dois generais inimigos foram feitos prisioneiros. Pela primeira vez desde que tinham batido em retirada, havia quinze dias, as tropas russas faziam alto e depois do combate não só tinham conservado o campo de batalha, mas, inclusive, haviam perseguido os franceses. Embora as tropas estivessem cobertas de andrajos, extenuadas, reduzidas de um terço, em virtude dos retardatários, dos feridos, dos mortos e dos doentes; embora os doentes e os feridos da outra margem do Danúbio tivessem sido abandonados com uma nota de Kutuzov confiando-os à humanidade do inimigo; embora os grandes hospitais e as casas de Krems estivessem cheios, a vitória sobre Mortier tinha levantado muito o moral dos soldados. No exército em peso e no quartel-general corriam os boatos mais animadores, ainda que malfundamentados, sobre a imaginária aproximação de colunas chegadas da Rússia, de uma vitória dos austríacos e de um recuo de Napoleão, aterrorizado.

O príncipe André, durante o combate, permanecera ao lado do general austríaco Schmidt, que tinha sido morto nessa operação. O cavalo que o príncipe montava fora ferido, e ele próprio recebera uma escoriação num braço produzida por uma bala.

Graças a uma mercê especial do general em chefe, fora encarregado de transmitir a nova desta vitória à corte austríaca, que já não se encontrava em Viena, ameaçada pelos franceses, mas em Brünn. Na própria noite da batalha, emocionado, mas não fatigado, a despeito da sua compleição assaz delicada – suportava melhor as fadigas físicas que muitos homens de forte constituição –, chegava a Krems, a cavalo, com um relatório de Dokturov, dirigido a Kutuzov. André fora imediatamente expedido para Brünn, como correio. A sua escolha, além da distinção que implicava, equivalia a uma importante promoção.

Estava uma noite escura e cheia de estrelas; a estrada desenhava-se a negro na neve que caíra na véspera, o dia do combate. Ora rememorando as impressões que a batalha lhe deixara, ora pensando com alegria no efeito que iriam produzir as novas da vitória, e lembrando-se do acolhimento que lhe tinham feito o general em chefe e os seus camaradas, deixava-se levar pela *britchka* de viagem na sensação de um homem que, depois de muito esperar, vê, finalmente, raiar a aurora de uma felicidade muito desejada. Mal fechava os olhos, logo lhe crepitavam nos ouvidos a fuzilaria e as descargas da artilharia, à mistura com o fragor do rodar das viaturas e a sensação da vitória. Outras vezes pensava que os russos tinham sido derrotados e que ele próprio fora morto em combate; mas logo acordava, num sobressalto, contente por poder verificar que nada disso era verdade e que, pelo contrário, tinham sido os franceses quem debandaram. De novo se recordava de todos os pormenores da vitória, da sua calma e da sua bravura durante o combate, e, tranquilizado, adormecia... À noite sombria e estrelada sucedia agora uma manhã clara e alegre. A neve fundia aos primeiros raios de sol, os cavalos galopavam, rápidos, e à direita e à esquerda, indefinidamente, desfilavam constantemente novos campos, florestas, povoados.

Numa das estações de posta cruzou-se com um comboio de feridos russos. O oficial que o dirigia, deitado numa carroça da vanguarda, cobria de grosseiras injúrias um soldado. Compridos carros alemães lá iam aos solavancos pela estrada esburacada. Cada um deles levava entre seis e sete feridos, sujos e pálidos, todos envoltos em ligaduras. Alguns deles falavam, e pareceu-lhe que se exprimiam em russo, outros comiam pão, os mais atingidos olhavam, sem nada dizer, com uma curiosidade tranquila e infantil própria de doentes, para o correio que ia passando por eles a galope.

O príncipe mandou parar a *britchka* e perguntou a um dos soldados em que combate é que ele tinha sido ferido. "Anteontem, no Danúbio", respondeu o soldado. Sacando da bolsa, o príncipe deu-lhe três ducados de ouro.

– É para todos – disse ele ao oficial que se aproximou. – Tratem de se curar, rapazes, ainda há muito que fazer.

– Que novidades há? – interrogou o oficial, desejoso de conversar, dirigindo-se ao ajudante de campo.

– Boas! Vamos embora! – gritou para o postilhão, e prosseguiu no seu caminho.

Já era escuro quando chegou a Brünn e se viu cercado de altas construções, com lojas e janelas vivamente iluminadas, olhando todos aqueles revérberos, aquelas belas carruagens, que rolavam, estrepitosas, pelos pavimentos, aquela atmosfera animada de grande cidade, que tão atraente era para o militar depois da vida em campanha. Apesar da sua rápida viagem e de não ter dormido, ao chegar ao palácio ainda se sentia mais excitado do que na véspera. Nos seus olhos havia um brilho de febre, e os pensamentos atravessavam-lhe o cérebro com uma rapidez e uma nitidez extraordinárias. Os mais insignificantes pormenores do combate se lhe pintavam, vivos, no espírito, já não confusos, mas muito nítidos, no relatório conciso que ele pensava fazer ao imperador Francisco. Entretanto iam-se representando as perguntas ocasionais que lhe seriam feitas e pensando nas respostas que lhes daria. Supunha que iria ser imediatamente apresentado ao imperador. Mas à entrada nobre do palácio um funcionário correu ao seu encontro e, ao ver que se tratava de um correio, conduziu-o para outra porta.

– No corredor à direita. Lá Sua Alta Nobreza encontrará o ajudante de campo de serviço – disse-lhe o funcionário. – Ele o conduzirá até junto do ministro da Guerra.

O ajudante de campo de serviço veio ao encontro do príncipe André; pediu-lhe que esperasse e foi avisar o ministro da Guerra. Cinco minutos depois voltou a aparecer e, fazendo uma vênia cheia de deferência e deixando-o passar adiante, levou-o, ao longo de um corredor, até o gabinete de trabalho do ministro. O ajudante de campo, com a sua requintada cortesia, parecia querer impedir qualquer familiaridade da parte do oficial russo. A jovial disposição do príncipe André foi diminuindo à medida que se aproximava do gabinete do ministro da Guerra. Sentia-se melindrado e, sem que ele próprio se desse conta disso, essa irritação breve se tornou em profundo desdém, desdém, aliás, que nada justificava. O seu espírito inventivo sugeriu-lhe imediatamente algumas reflexões que lhe davam o direito de tratar com um certo desprezo tanto o ajudante de campo como o próprio ministro.

"Não há dúvida, a eles não custa nada obterem vitórias sem cheirar a pólvora!", dizia com os seus botões. Piscava o olho com uma expressão trocista e foi propositadamente que penetrou negligente no gabinete do ministro. As suas impressões desfavoráveis ainda mais se acentuaram quando se lhe deparou aquela personagem, sentada a uma grande mesa, que permaneceu pelo menos dois minutos sem prestar qualquer atenção ao visitante. O ministro inclinava a cabeça calva, com as suas têmporas grisalhas, no meio de duas velas de cera, enquanto lia, anotando-os a lápis, uns papéis que tinha diante de si. Acabava a leitura desses papéis, sem nunca ter levantado a cabeça, quando a porta se abriu e uns passos se aproximaram.

– Tome e transmita – disse ele para o ajudante de campo, dando-lhe os papéis, e sem prestar ainda a mínima atenção ao correio.

O príncipe André depreendeu que ou o ministro da Guerra dava menos importância ao que se passava com o exército de Kutuzov do que a qualquer outro assunto que o solicitava, ou então, que era isso mesmo que ele pretendia fazer compreender ao correio russo. "Mas isso me é completamente indiferente", murmurou para si mesmo o príncipe André. O ministro juntou os papéis que ficaram em cima da mesa, acertou-os bem, depois levantou os olhos. Tinha uma expressão enérgica e inteligente. Mas precisamente no momento em que se voltou para o príncipe, esse ar de homem inteligente e decidido transformou-se, evidentemente consequência de um hábito muito consciente. Apenas conservou o sorriso simplório, hipócrita, que não vale a pena ocultar, o sorriso do homem que se vê obrigado a receber, uns após outros, muitos peticionários.

– Da parte do marechal Kutuzov? – perguntou ele. – São boas notícias, não é verdade? Teve um combate com Mortier? Uma vitória? Já era tempo!

Pegou no ofício que lhe era pessoalmente dirigido e pôs-se a lê-lo, dando sinais de mortificação.

– Oh, meu Deus! Meu Deus, Schmidt! – exclamou em alemão. – Que desgraça! Que desgraça!

Tendo lido o ofício, pousou-o em cima da mesa e olhou para o príncipe André, com uma expressão evidentemente muito preocupada.

– Oh, que desgraça! A operação, diz o senhor, é decisiva? No entanto, Mortier não foi feito prisioneiro. – Ficou um momento pensativo. – Felicito-o por me ter trazido boas notícias, ainda que a morte de Schmidt nos faça pagar caro a vitória. Sua Majestade vai querer vê-lo, naturalmente, mas hoje não. Muito obrigado. Pode retirar-se. Esteja amanhã à saída, depois da parada. De resto, eu o mandarei prevenir.

O sorriso simplório, que desaparecera durante a conversa, tornou de novo ao rosto do ministro.

– *Au revoir*, muito agradecido! O imperador há de naturalmente querer vê-lo – repetiu, numa reverência.

Quando deixou o palácio, o príncipe André deu-se conta de que todo o interesse e toda a satisfação que a vitória lhe tinha comunicado estavam agora a desvanecer-se, prejudicados pela indiferença de um ministro da Guerra e de um ajudante de campo assaz cortês. Todo o seu tesouro de bons sentimentos desaparecera num abrir e fechar de olhos; a batalha, para ele, já não era mais que uma recordação longínqua de outrora.

CAPÍTULO X

O príncipe André tinha se hospedado em Brünn na casa de um dos seus amigos, o diplomata russo Bilibine.

– Meu querido príncipe, nem imagina o prazer que me dá – disse Bilibine, vindo ao encontro do seu hóspede.

– Franz, leva a bagagem do príncipe para o seu quarto de dormir! – prosseguiu, dirigindo-se ao criado que acompanhava Bolkonski. – Que me diz? Um mensageiro da vitória? Ótimo! Mas eu estou doente, como vê.

O príncipe André, depois de se ter lavado e preparado, penetrou no luxuoso gabinete do diplomata e dispôs-se a fazer as honras a uma refeição expressamente preparada para ele. Bilibine sentou-se, calado, junto do fogão.

Depois daquela viagem, e sobretudo desde que se encontrava em campanha, privado de todo o conforto de asseio e elegância, o príncipe André sentia agora, no meio daquele luxo a que estava habituado desde pequeno, uma agradável impressão de alívio. Além disso, experimentava uma grande satisfação, depois da recepção dos austríacos, em conversar, não em russo, visto que ambos falavam francês, mas com um russo que, como ele supunha, compartilhava da aversão geral dos seus compatriotas, naquele momento particularmente viva, por todos os austríacos.

Bilibine era um homem dos seus 35 anos, celibatário, e pertencia à mesma sociedade que o príncipe André. Tinham se conhecido em Petersburgo, mas as suas relações haviam se estreitado quando da última estada do príncipe André em Viena, na comitiva de Kutuzov. André era um moço a quem esperava um brilhante futuro na carreira das armas, mas Bilibine ainda estava destinado a ir mais longe na da diplomacia. Era ainda novo, mas não como diplomata, uma vez que ingressara na carreira com dezesseis anos de idade e que tinha estado em Paris e em Copenhague e que em Viena, agora, desempenhava um posto importante.

O chanceler e o embaixador russo em Viena conheciam-no e estimavam-no. Não fazia parte do número desses diplomatas, bastante vulgares que julgam necessário não se ter senão qualidades negativas, absterem-se de certas coisas e falarem bem francês para serem excelentes funcionários. Ele era desses que gostam de trabalhar e sabem trabalhar, e, não obstante a indolência de que era dotado, acontecia passar noites inteiras sentado à mesa de trabalho. Qualquer que fosse a tarefa que tivesse a executar fazia-a sempre bem. O que o interessava não era o "porquê" das coisas; mas o "como". Pouco lhe importava a questão diplomática a tratar; mas redigir habilmente com finura e elegância uma circular, um memorando ou um relatório, isso dava-lhe grande prazer. Além da perícia na redação, apreciava-se nele igualmente o *savoir-faire* quando era necessário apresentar-se e falar nas altas esferas.

Bilibine gostava tanto da conversa quanto do trabalho, desde que ela fosse espirituosa e distinta. Quando em sociedade estava sempre à espreita do momento de dizer algo digno de ser notado e só com essa condição consentia embrenhar-se numa conversa. A sua conversação era toda salpicada de sentenças originais e espirituosas, e de interesse geral. Preparava as suas frases no silêncio do gabinete expressamente para que elas pudessem vir a ser espalhadas, para que as mais significativas pessoas da sociedade pudessem lembrar-se delas facilmente e repeti-las de salão em salão. E, efetivamente, os ditos de espírito de Bilibine espalhavam-se nos salões de Viena, e por vezes tinham influência nos assuntos considerados sérios.

Era magro de cara, pálido e fatigado. Tinha o rosto sempre coberto de grossas rugas regulares e como que bem lavadas, como costuma acontecer às extremidades do corpo depois do banho. O movimento dessas rugas constituía o seu principal jogo fisionômico. Ora a fronte se lhe cavava em largas pregas e as sobrancelhas se lhe franziam, ora, pelo contrário, se lhe abaixavam e nas faces se lhe formavam grossas rugas. Nos seus pequenos olhos, profundamente enterrados nas órbitas, havia sempre um olhar alegre e franco.

– Então, conte-nos agora as suas proezas – disse ele.

Bolkonski, muito modestamente, sem nunca referir o seu próprio nome, contou o que se tinha passado e a recepção que tivera da parte do ministro da Guerra.

– Receberam-me com a minha novidade como a um cão num jogo de manilha – concluiu.

Bilibine pôs-se a rir e as pregas do rosto desvaneceram-se-lhe.

– No entanto, meu caro... – voltou ele, contemplando as unhas à distância e piscando o olho esquerdo –, apesar da alta estima que o exército ortodoxo russo me merece, confesso que a sua vitória não é das mais vitoriosas.

Continuou assim a falar francês, não pronunciando em russo senão as frases a que queria atribuir intenção irônica.

– Como assim? Vocês precipitaram-se com toda a massa das suas tropas sobre o desgraçado do Mortier e da sua única divisão, e o tal Mortier lhes foge das mãos? Onde é que está então a vitória?

– Em todo o caso, falando a sério – replicou o príncipe André –, o certo é que podemos dizer, sem nos vangloriarmos, que foi um pouquinho melhor do que em Ulm...

– E por que é que não souberam trazer-nos então ao menos um marechal, pelo menos um marechal?

– Porque nem tudo acontece como é nosso desejo, e regularmente, como na parada de um quartel. Nós pensávamos, como lhe dissemos, estar na retaguarda dos franceses às sete horas da manhã, e às cinco da tarde ainda não tínhamos chegado lá.

– E por que é que vocês não conseguiram estar lá às sete horas da manhã? Era a essa hora que deviam ter chegado – disse, sorrindo, Bilibine. – Era preciso ter chegado às sete horas da manhã.

– E por que é que vocês não sugeriram a Bonaparte, pelas vias diplomáticas, que teria sido melhor vê-lo deixar Gênova? – disse o príncipe André no mesmo tom.

– Sim, bem sei – interrompeu Bilibine. – Bem sei que vocês pensam que não há nada mais fácil que aprisionar marechais sem sair do canto do fogão. É, verdade, mas, ainda assim, por que diabo é que vocês não aprisionaram um? Não se mostre surpreendido de ver que o ministro da Guerra, assim como o seu augusto soberano, o imperador e rei Fernando, não ficam extraordinariamente contentes com a vossa vitória, e que eu próprio, um pobre secretário da embaixada da Rússia, não me sinto na necessidade, em sinal de satisfação, de presentear o meu criado Franz com um táler para que ele vá passear com a sua *liebchen* até o Prater... embora seja verdade que aqui não há nenhum Prater...

Fitou nos olhos o príncipe André e de súbito toda a pele da sua testa se desenrugou.

– Agora, meu caro, cabe-me a vez de lhe pôr um "porquê" – disse Bolkonski. – Confesso-lhe que não entendo... É possível que haja aqui alguma sutileza diplomática muito acima do meu fraco entendimento, mas há uma coisa que eu não compreendo: Mack perde todo o seu exército, o arquiduque Fernando e o arquiduque Carlos não dão sinal de vida e cometem erros sobre erros; enfim, apenas Kutuzov consegue obter uma verdadeira vitória, quebrar o charme dos franceses, e o ministro da Guerra não se interessa sequer por saber os pormenores.

– Ora aí está precisamente o problema, meu caro. *Voyez-vous, mon cher*: hurra pelo tsar, pela Rússia, pela fé! Tudo isso está muito bem, mas a nós o que importa, quero dizer, à corte da Áustria, o que importa a nós as vossas vitórias? Tragam-nos uma boa vitória dos arquiduques Carlos ou Fernando, tanto vale um arquiduque como o outro, como muito bem sabe, ainda que não seja senão uma vitória contra uma companhia de bombeiros de Bonaparte, e, então, isso seria outra coisa, e cá estaríamos nós para a proclamar a salvas de canhão. Enquanto que o presente caso parece de propósito para nos irritar. O arquiduque Carlos nada faz, o arquiduque Fernando cobre-se de opróbrio. Abandona-se Viena, não se defende mais Viena; é como se nos dissesse: Deus está conosco, mas vocês, vocês vão lá passear com a sua capital. Vocês tinham um general, chamado Schmidt, de quem todos nós gostávamos. Vocês mandam-no para a linha de fogo, e depois veem-nos cantar vitória! Tem de concordar que não há nada mais exasperante que estas notícias que você nos traz. É como se fosse de propósito, como se fosse de propósito. E, além disso, mesmo que vocês tivessem obtido realmente uma brilhante vitória, mesmo que o arquiduque Carlos tivesse obtido uma vitória, em que é que isso iria alterar a marcha geral dos acontecimentos? Agora é tarde, agora que Viena já foi ocupada pelas tropas francesas.

– Ocupada, como? Então Viena está ocupada?

– Não só ocupada, mas Bonaparte está em Schoenbrünn e o conde, o nosso querido conde Wurbna, está pronto a receber as suas ordens.

Bolkonski, depois das impressões de viagem, do acolhimento que recebera, sobretudo depois do jantar que acabava de ingerir, tão fatigado estava que se dava conta de que já não compreendia muito bem o sentido das coisas que lhe diziam.

– Esta manhã mesmo esteve aqui o conde Lichtenfeld – prosseguiu Bilibine –, que me mostrou uma carta onde se descrevia em pormenor a parada dos franceses em Viena. O príncipe Murat e toda a gente... Como vê, a vossa vitória não é grande motivo de alegria. O príncipe não podia ser recebido como um salvador.

– Para falar a verdade, isso me é indiferente, absolutamente indiferente – disse o príncipe André, que acabava de compreender que o combate de Krems tinha realmente pouca importância ao pé de acontecimentos magnos como a tomada da capital austríaca. – Que me diz? Então Viena foi tomada! E a ponte, e a famosa cabeça de ponte, e o príncipe Auersperg? Entre nós tinha corrido o boato de que o príncipe Auersperg era o defensor da cidade.

– O príncipe Auersperg está do lado de cá do rio, do nosso lado, e defende-nos. Na minha opinião acho que ele nos defende muito mal, mas defende-nos. Viena, porém, fica na outra margem. Não, a ponte ainda não foi tomada, e espero que não o seja, visto estar minada e haver ordem para fazê-la ir pelos ares. Se assim não fosse, há muito tempo que nós estaríamos nas montanhas da Boêmia e o vosso exército já teria passado um mau quarto de hora, apanhado entre dois fogos.

– Mas, em todo o caso, isso não quer dizer que a campanha tenha acabado – observou o príncipe André.

– Na minha opinião já acabou. E é o que pensam os homens importantes destas paragens embora não tenham coragem de dizê-lo. Acontecerá o que eu dizia no princípio da guerra, que não será a vossa escaramuça de Durenstein e de, maneira geral, a pólvora que resolverá a questão, mas aqueles que a inventaram... – acrescentou Bilibine, repetindo um dos seus *mots*: após o que desfranziu a pele da testa e fez uma pausa.

— O problema está em saber o que se vai decidir na entrevista de Berlim entre o imperador Alexandre e o Rei da Prússia. Se a Prússia entrar na aliança, compelirão a Áustria, e haverá guerra. Se não o fizer, tudo consistirá em as partes se entenderem para formular os primeiros artigos de um novo Campo Fórmio.

— Mas que gênio extraordinário! — exclamou, subitamente, o príncipe André, cerrando o seu pequeno punho e batendo com ele em cima da mesa. — E que sorte tem esse homem!

— Buonaparte? — perguntou Bilibine, franzindo a testa e sugerindo assim que uma frase espirituosa estava a caminho. — Buonaparte? — repetiu, acentuando especialmente o *u*. — Em todo o caso, visto que ele agora de Schoenbrünn dita leis à Áustria, é preciso conceder-lhe a graça do *u*... Decididamente, faço uma inovação e chamo-lhe Bonaparte *tout court*.

— Zombaria à parte — interrompeu o príncipe André. — Acha que a campanha está terminada?

— Eis a minha opinião: a Áustria é o peru da farsa, e a verdade é que não está habituada a isso. E ela acabará por se vingar. Encontra-se nesta situação, antes de mais nada, porque as suas províncias estão devastadas — dizem que o exército ortodoxo é terrível para a pilhagem... —; o exército está vencido, a capital foi tomada e tudo isso *pour les beaux yeux* de Sua Majestade da Sardenha. Por isso mesmo, *entre nous, mon cher*, cheira-me que estão a nos enganar, cheira-me a uma entente com a França e a projetos de paz, uma paz secreta feita separadamente.

— Isso não pode ser! — exclamou o príncipe André. — Seria indigno.

— Quem viver verá — replicou Bilibine, desfranzindo de novo a testa, para indicar que tinha acabado a conversa.

Quando o príncipe André se recolheu ao quarto que lhe tinham preparado e se estendeu entre os lençóis brancos, numa cama de penas, e pousou a cabeça em travesseiros tépidos e perfumados, teve a impressão de que a batalha cuja vitória viera anunciar estava longe, muito longe. A aliança prussiana, a traição da Áustria, o recente triunfo de Bonaparte, a revista militar a que o imperador iria assistir e a recepção que o esperava para o dia seguinte, tudo isso lhe ocupava o espírito.

Fechava os olhos, mas, nesse mesmo instante, enchiam-se-lhe os ouvidos do ruído da fuzilaria, das descargas dos canhões, do rodar das viaturas, e eis que de novo descem das montanhas os mosqueteiros em linha de atiradores; os franceses disparavam, o coração batia-lhe e dirigia-se para as primeiras linhas com Schmidt, enquanto as balas assobiavam alegres em torno dele, ele, príncipe André, sentia como que uma sensação da vida multiplicada, coisa que não tornara a sentir desde a infância.

Acordou...

"Ah, tudo isto já vai longe!...", murmurou, sorrindo para si mesmo, com um sorriso feliz e infantil, e voltou a adormecer, mergulhando num sono despreocupado e profundo.

CAPÍTULO XI

No dia seguinte, acordou tarde. Ao recordar as impressões passadas, a primeira coisa de que se lembrou foi que seria nesse dia apresentado ao imperador Francisco; depois pensou no ministro da Guerra, no ajudante de campo austríaco, todo oficioso, em Bilibine e na conversa que com ele tivera na véspera. Tendo envergado o seu uniforme de gala, que há muito não vestia, a fim de se apresentar no palácio, com a sua tez fresca e remoçada, com um belo aspecto, o braço na tipoia, penetrou no gabinete de Bilibine. Ali estavam quatro personalidades do corpo diplomático. Bolkonski já conhecia o príncipe Hipólito Kuraguine, secretário da embaixada; Bilibine apresentou-o aos restantes.

Estes cavalheiros, pessoas da sociedade, jovens, ricos e alegres companheiros, tanto em Viena como em Brünn formavam uma roda à parte a que Bilibine, como que o seu chefe, chamava os nossos... Esta roda, quase exclusivamente composta de diplomatas, não se interessava pelos assuntos militares e políticos, e só uma coisa a preocupava: a vida da alta sociedade, algumas relações femininas e problemas de carreira. Acolheu no seu seio o príncipe André com vivo prazer e como se fosse um dos seus, honra que concedia a muito poucas pessoas. Por cortesia, e para entabular conversa, dirigiram-lhe algumas perguntas sobre o exército e a batalha que se tinha travado e de novo a conversa se dispersou em ditos sem continuidade, gracejos e fofocas.

– Mas o cúmulo – disse um deles, que estava a contar a história de um camarada que fora posto em xeque –, o cúmulo é que o chanceler lhe disse cara a cara que a sua nomeação para Londres era uma promoção, e que ele como tal a considerava. Imaginem a cara dele ao ouvir essas palavras...

– Mas o que é mais grave, meus senhores, é que eu vou atraiçoar o Kuraguine – aqui está este D. Juan, este homem terrível, que aproveita a infelicidade dos outros.

O príncipe Hipólito estava afundado numa poltrona, com as pernas apoiadas nos braços da cadeira. Pôs-se a rir.

– Fale-me disso – disse ele.

– Oh! D. Juan! Oh! Serpente! – exclamaram várias vozes.

– Talvez não saiba, Bolkonski – disse Bilibine, dirigindo-se ao príncipe André –, que todas as atrocidades cometidas pelo exército francês, e ia dizer pelo russo, nada são quando comparadas com as devastações que este homem tem feito entre as mulheres.

– A mulher é a companheira do homem – declarou Hipólito, contemplando as suas próprias pernas por detrás dos vidros do lornhão.

Bilibine e os nossos romperam a rir, olhando curiosamente para Hipólito. O príncipe André compreendeu que esse Hipólito, de que quase sentira ciúmes por causa da sua atitude para com a mulher, coisa que ele intimamente reconhecia, era o bobo daquela sociedade.

– Ah! tenho de lhe apresentar uma amostra de Kuraguine – disse muito baixo Bilibine a Bolkonski. – É impagável quando fala de política. É preciso ver os ares importantes que toma.

Sentou-se perto de Hipólito, e enrugando a testa, pôs-se a conversar com ele sobre política. André e os outros formaram círculo em volta deles.

– O gabinete de Berlim não pode exprimir um sentimento de aliança – principiou Hipólito Kuraguine, fitando o auditório com um olhar de entendido – sem exprimir... como na sua última nota... compreende... compreende... e depois se Sua Majestade o imperador não faltar ao princípio da nossa aliança. Espere, não acabei... – disse para o príncipe André, pegando-lhe num braço. – Acho que a intervenção será mais forte do que a não intervenção. – Calou-se um momento. – Não se poderá imputar por fim não ter recebido o nosso despacho de 28 de outubro. Eis como tudo isto acabará.

Soltou o braço de Bolkonski para indicar que tinha concluído.

– Demóstenes, eu te reconheço pela pedra que tens escondida na tua boca de ouro – exclamou Bilibine, cujo topete estremecia com as gargalhadas.

Todos se puseram a rir, Hipólito ainda mais do que os outros. Não podia mais, sufocava, mas não conseguia reter o estrépito desordenado de um riso que lhe distendia todos os traços do rosto, ordinariamente inexpressivo.

– Vou fazer-lhes uma proposta, meus senhores – disse Bilibine. – Bolkonski é meu hóspede, e temo-lo aqui, em Brünn, e é meu desejo que lhe façamos as honras, tanto quanto nos seja possível, de todas as distrações que se podem encontrar aqui. Se estivéssemos em Viena a coisa era fácil. Mas aqui, neste horrível buraco morávio, é mais difícil, e peço-vos a todos que me ajudem. É preciso prestar-lhe as honras de Brünn. Vocês encarreguem-se do teatro; eu trato do problema mundano. Tu, Hipólito, claro está, encarregas-te das mulheres.

– Temos de lhe mostrar a Amélia; é uma pérola! – interrompeu um dos *nôtres*, beijando a ponta dos dedos.

– Numa palavra, este sanguinário militar – disse Bilibine –, temos de torná-lo homem de sentimentos mais humanitários.

– Mal tive tempo de gozar o prazer da vossa companhia, meus senhores, e já sou obrigado a deixá-los – disse Bolkonski, consultando o relógio.

– E aonde vai?

– Ver o imperador.

– Oh! Oh!

– Bom, *au revoir*, Bolkonski! *Au revoir*, príncipe! Venha então jantar cedo! – exclamaram várias vozes. – Contamos com o senhor.

– Não deixe de fazer o elogio da intendência para o serviço dos abastecimentos e de transportes na sua entrevista com o imperador – disse Bilibine ao reconduzir Bolkonski.

– Gostaria muito, mas sinto-me incapaz – respondeu este, sorrindo.

– Enfim, faça o que puder e fale muito. Ele adora as audiências e não gosta de falar nem sabe, como vai ter ocasião de verificar.

CAPÍTULO XII

À saída, o imperador Francisco contentou-se em conceder um olhar ao príncipe André, que se encontrava no local indicado no meio dos oficiais austríacos, e em dirigir-lhe um aceno com a sua grande cabeça. Mas depois desta cerimônia, o ajudante de campo que o recebera na véspera aproximou-se do príncipe, cortesmente, para lhe comunicar que o imperador desejava conceder-lhe uma audiência. O monarca recebeu-o de pé no meio do seu gabinete. Antes mesmo de se proferirem as primeiras palavras, o príncipe André notou o embaraço do imperador, que corava e não sabia que dizer.

– Diga-me, quando é que principiou a batalha? – inquiriu com precipitação.

O príncipe André respondeu-lhe. Outras perguntas vieram atrás desta, e tão banais como ela: "Kutuzov está bem de saúde?" "Já chegou há muito tempo a Krems?" etc. Parecia que o imperador não tinha outro objetivo senão formular um número determinado de perguntas. Quanto às respostas, era evidente que elas não lhe interessavam.

– A que horas principiou a batalha? – perguntou.

– Não posso precisar a Vossa Majestade a que horas começaram as hostilidades na frente militar, mas em Dürrenstein, onde eu me encontrava, as tropas atacaram às dez da noite – replicou Bolkonski com animação, supondo que naquela altura lhe seria dado fazer a descrição verídica, já preparada na sua mente, de tudo quanto sabia e vira.

Mas o imperador sorriu e interrompeu-o:

– Quantas milhas?

– Desde onde e até que ponto, Majestade?

– De Dürrenstein a Krems.

– Três milhas e meia, Majestade.

– Os franceses abandonaram a margem esquerda?

– Segundo o que sabemos pelos nossos informantes, os últimos atravessaram o rio de noite em jangadas.

– Em Krems há forragens com abundância?

– Não as forneceram em tais quantidades...

O imperador cortou-lhe a palavra:

– A que horas foi morto o general Schmidt?

– Às sete, segundo parece.

– Às sete horas! Muito triste! Muito triste!

Acrescentou que lhe agradecia e fez uma vênia. O príncipe André saiu e viu-se imediatamente cercado pelos cortesãos. De todos os lados lhe lançavam olhares amáveis; só ouvia gentilezas em torno de si. O ajudante de campo da véspera censurou-o por não ter-se hospedado no palácio e ofereceu-lhe a sua casa. O ministro da Guerra aproximou-se para felicitá-lo pela cruz de

Maria Teresa, de terceira classe, que o imperador lhe conferira. O camarista da imperatriz convidou-o a apresentar-se nos aposentos de Sua Majestade. A arquiduquesa também quis vê-lo. Não sabia a quem prestar atenção e durante alguns minutos procurou concentrar-se. O embaixador da Rússia tomou-o pelo braço, arrastou-o para o vão de uma janela e pôs-se a fazer-lhe perguntas.

A despeito das previsões de Bilibine, a notícia que ele trazia fora recebida com alegria. Deu-se ordem para se realizar um *Te Deum* em ação de graças. Kutuzov foi agraciado com a grã-cruz de Maria Teresa e todo o exército recebeu condecorações e louvores. Bolkonski teve convites de toda a parte e durante toda a manhã viu-se obrigado a fazer visitas aos principais dignatários austríacos. Depois de terminadas essas visitas, às cinco horas da tarde, ruminando já a carta que iria escrever a seu pai, a propósito da batalha e da jornada a Brünn, regressou à casa de Bilibine. Diante da escadaria estava parada uma *britchka*, meio carregada de bagagens, e Franz, o criado de Bilibine, apareceu à porta sobraçando uma grande mala.

Antes de voltar para casa de Bilibine, o príncipe André fora a uma livraria abastecer-se de livros para se distrair durante a campanha e ali se tinha demorado bastante.

– Que se passa? – perguntou.

– *Aeh, Erlaucht! Wir ziehen noch weiter. Der Bosewicht ist schon wieder hinter uns her!*[24] – disse Franz, instalando, com dificuldade, a mala em cima da *britchka*.

– Que aconteceu? O que é? – interrogou o príncipe André.

Bilibine veio ao seu encontro. O seu rosto, sempre tão calmo, estava emocionado.

– Não, não, confesse que é engraçado... – disse ele – essa história da ponte de Thabor. (Era uma ponte de Viena.) Atravessaram-na sem um tiro.

O príncipe André não entendia nada.

– Mas de onde vem que não sabe uma coisa que todos os cocheiros da cidade já sabem?

– Venho de casa da arquiduquesa. Nada me disseram.

– E não viu que estão todos fazendo as malas?

– Não... De que se trata? – perguntou o príncipe André com impaciência.

---

24. Ah! Excelência! Mudamos de casa. O bandido já está em cima de nós! (N.E.)

— De que se trata? Trata-se de que os franceses atravessaram a ponte que Auersperg defendia. Não a fizeram ir pelos ares, de modo que Murat já vem aí a galope pela estrada de Brünn e que ainda hoje ou amanhã estará aqui.

— Quê? Aqui? E por que é que não explodiram a ponte, se estava minada?

— É isso que eu lhe pergunto. É o que ninguém sabe, nem mesmo Bonaparte.

Bolkonski encolheu os ombros.

— Então, se a ponte foi atravessada, isso quer dizer que o exército está perdido. Vai ter a retirada cortada – disse ele.

— É precisamente isso – replicou Bilibine. – Ouça. Os franceses entram em Viena, como eu lhe disse. Está certo. No dia seguinte, quer dizer, ontem, os senhores marechais Murat, Lannes e Belliard montam a cavalo e dirigem-se para a ponte. Note que são todos três gascões. "Meus senhores", diz um deles, "os senhores sabem que a ponte de Thabor está minada e contaminada e que é precedida de uma terrível cabeça de ponte e de quinze mil homens que receberam ordens de explodi-la e de nos impedir de atravessá-la. Mas ao nosso imperador Napoleão seria muito agradável que nós a tomássemos. Vamos nós os três e tomemos a ponte". "Vamos", responderam os outros. E lá vão os três e tomam a ponte, atravessam-na, e agora, com todo o seu exército deste lado do Danúbio, dirigem-se sobre nós, sobre vocês e sobre as comunicações.

— Basta de gracejos – disse o príncipe André, num tom grave e triste. A notícia, para ele, era ao mesmo tempo penosa e agradável.

Desde que soubera que o exército russo se encontrava numa situação perigosa, viera-lhe ao espírito ser ele a pessoa destinada a salvá-lo da situação em que se encontrava, que aquilo seria o seu Toulon que o arrancaria à obscuridade de simples oficial para lhe abrir o caminho da glória. Ouvindo Bilibine, via-se já de volta ao exército, no conselho de guerra, onde exporia a única sugestão que salvaria as tropas e seria encarregado de pôr em prática o seu plano.

— Basta de gracejos – repetiu.

— Não estou gracejando – continuou Bilibine. – Nada há de mais verdadeiro e mais triste. Aqueles cavalheiros chegam sozinhos à ponte e acenam com lenços brancos. Afirmam que existe um armistício e que eles, os marechais, vêm parlamentar com o príncipe Auersperg. O oficial de serviço fá-los penetrar na cabeça de ponte. Eles contam-lhe uma enfiada de histórias: dizem-lhe que a guerra acabou, que o imperador Francisco marcou uma entrevista com Bonaparte, que eles precisam se encontrar com o príncipe de Auersperg, numa palavra, todas as mentiras deste e do outro mundo. O oficial manda procurar Auersperg. Aqueles senhores abraçam os oficiais, dizem facécias, cavalgam as peças de artilharia e entretanto um batalhão francês penetra por debaixo da ponte, sem ser visto, lança à água os sacos com as matérias incendiárias e avança para a cabeça de ponte. Por fim, chega o próprio tenente-general, o nosso príncipe Auersperg von Mautern. "Caro amigo! Flor do exército austríaco, herói das guerras turcas! A nossa inimizade acabou, podemos apertar as nossas mãos... O imperador Napoleão está morto por conhecer o príncipe Auersperg." Numa palavra, aqueles cavalheiros, que para alguma coisa são gascões, tão bonitas palavras dizem a Auersperg, tão lisonjeado ele se sente com essa súbita intimidade com os marechais franceses, está tão deslumbrado com a presença do manto e das plumas de avestruz de Murat, que só vê fogo e esquece o fogo que deveria fazer contra o inimigo. (Apesar do interesse da sua história, Bilibine não se esqueceu de fazer uma pausa depois de pronunciar a frase, para dar tempo a ser bem apreciada.) O batalhão francês entra em passo acelerado na cabeça de ponte, encrava os canhões, e a ponte é tomada. Mas, ainda falta o melhor da história – prosseguiu ele, deixando à graça que encontrava na sua própria narrativa o cuidado de serenar a sua própria emoção –, o que ainda é mais curioso é que o sargento de guarda ao canhão que devia dar o sinal da inflamação da mina, ao ver chegar os franceses, quis disparar, mas Lannes segurou-lhe no braço. O sargento, que naturalmente era mais inteligente do que o general, aproximou-se de Auersperg e disse-lhe: "Príncipe, estão a ludibriá-lo, aqui estão os franceses!". Murat, vendo que perderia a partida se deixasse o sargento prosseguir, dirige-se a Auersperg com uma surpresa fingida, como verdadeiro gascão que é: "Não estou reconhecendo a disciplina austríaca tão apregoada", observa; "consente que um subalterno lhe fale nestes termos?" É genial. O príncipe Auersperg fica furioso e manda prender o sargento. Não, mas confesse que é engraçada toda essa história da ponte de Thabor. Não é nem estupidez nem covardia.

– É traição, talvez – disse o príncipe André, vendo diante dos seus olhos os capotes cinzentos, os feridos, a fumaça da pólvora, o crepitar da fuzilaria e a glória que o aguardava.

– Também não. Isso coloca a coroa em muito maus lençóis – prosseguiu Bilibine. – Não é nem traição, nem covardia, nem estupidez; é como em Ulm... – Fez menção de refletir, procurando o que havia de dizer – É puro Mack. Estamos mackados – disse, por fim, contente com o trocadilho que descobrira, um trocadilho novinho em folha, um desses trocadilhos que deveriam ser repetidos.

As rugas que até ali tinham se acumulado na testa desapareceram subitamente, o que traduzia a sua satisfação, e, com um ligeiro sorriso, pôs-se a olhar para as unhas.

– Aonde vai? – lançou ele, de repente, ao príncipe André, que se levantara para retirar-se.

– Vou-me embora.

– Para onde?

– Para o exército.

– Mas tinha dito que ainda ficaria dois ou três dias!

– Disse, mas agora resolvi partir imediatamente.

E o príncipe André, depois de ter dado ordens para se preparar a partida, retirou-se para os seus aposentos.

– Quer saber, meu caro – disse Bilibine entrando nos aposentos do príncipe –, pensei melhor. Por que é que vai embora?

E provar que o seu raciocínio era indiscutível, todas as rugas do seu rosto se desvaneceram.

O príncipe André interrogou com os olhos o interlocutor, sem responder.

– Por que é que vai embora? Sei que entende que o dever lhe impõe que se apresse a juntar-se às tropas, agora que o exército russo está em perigo. E eu compreendo isso, meu caro, é heroísmo.

– De maneira nenhuma – replicou o príncipe André.

– Mas o senhor é um filósofo. Seja então um verdadeiro filósofo integralmente: encare as coisas de outro ponto de vista e chegará à conclusão de que o seu dever, pelo contrário, é proteger-se contra o perigo. Deixe isso para aqueles que não têm préstimo para coisa alguma... Não lhe deram ordens para regressar e não o despediram ainda daqui. Por isso pode ficar e ir conosco para onde nos levar a nossa pouca sorte. Parece que vamos para Olmütz. É uma linda cidade. E faremos os dois a viagem juntos, tranquilamente, na minha caleche.

– Deixe de brincadeiras, Bilibine – disse Bolkonski.

– Falo-lhe com toda a sinceridade, e como se falasse a um amigo. Raciocinemos. Por que é que vai partir quando pode perfeitamente ficar aqui? De duas uma (as rugas formaram-se em volta da sua fronte esquerda): ou a paz será assinada antes que tenha tempo de chegar ao seu destino, ou então irá assistir ao desastre e à vergonha de todas as forças de Kutuzov.

E Bilibine desfranziu a testa, persuadido de que o seu dilema era irrefutável:

– Não posso raciocinar dessa maneira – replicou, friamente, o príncipe André, e para si mesmo murmurou: "Eu parto exatamente para salvar o exército".

– Meu caro, o senhor é um herói – concluiu Bilibine.

CAPÍTULO XIII

Nessa mesma noite, depois de se ter despedido do ministro da Guerra, Bolkonski partiu para se juntar ao exército, sem saber sequer onde poderia encontrá-lo e correndo o risco até de ser feito prisioneiro pelos franceses em plena estrada.

Em Brünn toda a corte preparava as suas malas, e as bagagens pesadas já tinham sido expedidas para Olmütz. Perto de Etzelsdorf, o príncipe André encontrou-se na estrada por onde retirava a toda a pressa, e na maior desordem, o exército russo. A estrada estava tão atravancada com as viaturas que a carruagem não podia avançar. Depois de ter pedido um cavalo ao comandante dos cossacos, o príncipe André, esfomeado e caindo de fadiga, ultrapassou as viaturas e partiu à procura do general em chefe e da sua carruagem. Ao longo do caminho chegavam-lhe aos ouvidos os boatos mais sinistros, e o certo é que a desordem daquele exército em fuga confirmava esses boatos.

"Este exército russo que o ouro da Inglaterra transportou lá dos confins do universo vai receber de nós o mesmo destino" (o destino do exército de Ulm). Lembrava-se dessas palavras da proclamação de Bonaparte às tropas no princípio da campanha e essas palavras despertavam nele um sentimento de admiração por esse herói de gênio, à mistura com o orgulho ferido e o desejo de glória. "E se não me resta senão morrer?", pensava ele. "E então! Se assim for preciso, saberei morrer tão bem como os outros!"

O príncipe André contemplava com tristeza as filas intermináveis de destacamentos, de carroças, de parques de artilharia e ainda de galeras, e viaturas de todos os modelos possíveis que se confundiam, se ultrapassavam umas as outras, em três, quatro filas, obstruindo a estrada enlameada. De todos os lados, atrás, adiante, tão longe quanto o permitia a transmissão do som, só se ouvia o estrondo de rodas, carroças, galeras, patas de cavalo, estalidos de chicote, gritos, injúrias dos soldados, das ordenanças e dos oficiais. Nos acostamentos da estrada viam-se a todo o instante quer cavalos rebentados ou meio mortos, quer viaturas despedaçadas, ao pé das quais, esperando não se sabia o quê, soldados isolados se sentavam, quer tropas em debandada, que se dirigiam em grupo para os povoados vizinhos e de lá traziam galinhas, carneiros, forragens ou sacos a abarrotar. Nas subidas e nas descidas a multidão tornava-se mais densa e ouvia-se um clamor constante. Soldados com lama até os joelhos procuravam agarrar-se aos canhões e às viaturas enquanto os chicotes estalavam, as patas dos cavalos escorregavam, os freios se partiam e as vociferações pareciam rebentar os peitos. Os oficiais que vigiavam a marcha iam e vinham pelo meio das viaturas. As suas vozes de comando perdiam-se no meio do alarido geral e via-se, pela expressão dos seus rostos, que se sentiam impotentes para impedir a desordem.

"Ei-lo, o querido exército ortodoxo!", dizia Bolkonski consigo mesmo, lembrando-se das palavras de Bilibine.

Na esperança de perguntar a um desses homens onde se encontrava o general em chefe, aproximou-se de uma viatura. Precisamente do seu lado oposto avançava uma estranha carruagem, tirada por um único cavalo, evidentemente arranjada pelos soldados com o que lhes viera às mãos, e que era um misto de telega, de cabriolé e de caleche. Conduzia-a um soldado, e uma mulher toda embrulhada em xales ia sentada debaixo do tejadilho de couro. O príncipe André aproximou-se e dispunha-se já a dirigir-se ao soldado quando reparou nos gritos desesperados que essa mulher soltava. O oficial que dirigia o comboio chicoteava o soldado que conduzia a caleche porque ele queria ultrapassar os demais, e o chicote tinha atingido a cobertura da carruagem. A mulher soltava gritos agudíssimos. Ao ver o príncipe André, deitou a cabeça fora da cobertura, agitando os braços magros libertos dos xales, e gritou:

– Senhor ajudante de campo, senhor ajudante de campo... Por piedade... Proteja-me... Que vai ser de nós?... Sou a mulher do médico dos 7 de caçadores... Não nos deixam passar: ficamos para trás, perdemo-nos dos nossos...

– Volta ou esborracho-te como uma carocha! – gritava ao soldado o oficial iracundo. – Volta com a tua caranguejola.

– Senhor ajudante de campo, proteja-me! Que quer dizer isto? – gritava a mulher do médico.

– Deixem passar este carro. Não veem que leva uma mulher? – disse o príncipe André, avançando para o oficial. Este olhou para ele e sem responder voltou-se para o soldado:

– Eu vou ensinar-te como elas cantam... Para trás!...

– Deixe-o passar, já lhe disse – repetiu o príncipe, de dentes cerrados.

– E tu, quem és tu? – lançou, de repente, o oficial, voltando-se para o príncipe num ataque de fúria. – Quem és tu? (E era com uma entoação particularmente ofensiva que ele pronunciava esta palavra.) És o comandante, talvez? Aqui o comandante sou eu, e não tu. Para trás, tu – repetia –, ou esborracho-te como uma carocha.

A expressão tinha lhe agradado, sem dúvida.

– É espevitado, o ajudantezinho de campo! – exclamou uma voz atrás dele.

O príncipe André viu perfeitamente que o oficial estava num desses paroxismos de cólera em que as pessoas já não sabem o que dizem. Percebeu que a sua intervenção em defesa da mulher da campana estava a dois passos de o lançar naquilo que ele mais receava no mundo: o ridículo. Mas o seu instinto venceu-o. Assim que o oficial acabou de falar, aproximou-se dele com uma expressão transtornada pela ira, puxando do chicote.

– Queira deixar passar! – gritou, escandindo as palavras.

O oficial esboçou um gesto e deu-se pressa em afastar-se.

– É tudo por causa deles, desses tipos do estado-maior – resmungou ele. – Faça o que quiser.

O príncipe André, apressadamente, sem erguer os olhos, afastou-se da mulher do médico, que lhe chamava seu salvador, e, lembrando-se com desgosto dos mínimos pormenores dessa cena constrangedora, galopou até a povoação onde, como lhe tinham dito, se encontrava o general em chefe.

Assim que chegou, apeou-se e dirigiu-se à primeira casa que viu, na intenção de descansar um instante, de comer alguma coisa e de pôr um pouco de ordem nos penosos pensamentos que o assaltavam. "É uma leva de bandidos, não é um exército", dizia ele consigo mesmo aproximando-se de uma janela. Nessa altura uma voz conhecida chamou-o pelo nome.

Voltou-se. A uma janelinha assomava o rosto simpático de Nesvitski, que estava a comer, na companhia de outro ajudante de campo. Apressou-se a perguntar a Bolkonski se ele não sabia nada de novo. Naquelas fisionomias muito suas conhecidas lia o príncipe André preocupação e inquietude. Era sobretudo a expressão habitualmente risonha de Nesvitski que mais o impressionava.

— Onde está o general em chefe? – perguntou Bolkonski.

— Aqui, nesta casa – respondeu o ajudante de campo.

— Então é verdade que vão assinar a paz e a capitulação? – perguntou Nesvitski.

— É isso que eu lhes pergunto. Nada sei senão que passei momentos bem probantes para encontrar-me com vocês.

— E o que se passa aqui, camarada, é horroroso! Tenho de pedir desculpa, camarada. Fizemos troça de Mack, mas o certo é que a nossa situação é bem pior – disse Nesvitski. – Senta-te e come alguma coisa.

— A esta hora, príncipe, já não encontrará nem uma carroça nem nada, e o seu Piotr[25] só Deus sabe onde está – disse o outro oficial.

— Então onde é que está o quartel-general?

— Vamos dormir em Znaim.

— Cá por mim, tratei de carregar tudo de que preciso em cima de dois cavalos – disse Nesvitski –, e arranjaram-me umas ótimas albardas. Estou preparado para atravessar os montes da Boêmia. As coisas estão feias, meu filho. Mas que tens tu? Pareces pálido. Por que é que estás a tremer? – perguntou Nesvitski, ao ver que o príncipe André estremecia, como se tivesse tocado numa garrafa de Leyde.

— Não tenho nada – replicou.

Recordara-se naquele momento do recente encontro com a mulher do médico e do oficial do comboio.

— Que faz aqui o general em chefe? – inquiriu.

— Não sei de nada – disse Nesvitski.

— Tudo o que eu posso compreender é que isto é uma vergonha e vergonha a dobrar! – exclamou o príncipe André e dirigiu-se para a habitação onde estava o general em chefe.

---

25. Referência a Bagration, que se chamava Piotre Ivanovitch Bagration. (N.E.)

Ao passar viu a carruagem de Kutuzov, os cavalos de sela da comitiva, extenuados, e os cossacos que conversavam em voz baixa. Depois penetrou no vestíbulo. Tal qual como lhe tinham dito, o próprio Kutuzov lá estava na companhia do príncipe Bagration e de Weirother. Weirother era o general austríaco que tinha substituído Schmidt. No vestíbulo o pequeno Kozlovski estava de cócoras diante de um escriba. Este escrevia precipitadamente sobre uma cuba voltada de fundo para o ar, com as mangas do uniforme arregaçadas. Kozlovski tinha um aspecto desfeito. Via-se perfeitamente que também ele não pregara o olho em toda a noite. Olhou para o príncipe André sem lhe fazer sequer um aceno de cabeça.

– Na segunda linha... Está escrito? – continuou ele, ditando – os regimentos de granadeiros de Kiev, de Podolski...

– Não consigo acompanhá-lo, Vossa Alta Nobreza – interrompeu o escriba, sem grande respeito, colérico, erguendo os olhos para o oficial. Através da porta ouviu-se nesta altura a voz animada e descontente de Kutuzov, interrompida por outra voz desconhecida. Pelo tom destas vozes, pela pouca atenção que Kutuzov lhes prestava, pelo desrespeito desse escriba que caía de cansaço, por esse mesmo escriba e Kozlovski estarem sentados no chão, junto de uma cuba, tão perto do general em chefe, pelo fato de os cossacos que aguardavam os cavalos rirem alto mesmo junto da janela, por tudo isso, o príncipe André concluiu que deviam ter-se passado coisas sumamente lamentáveis.

Interrogou Kozlovski com impaciência.

– Já vou, príncipe – replicou Kozlovski. – A disposição das tropas de Bagration...

– Que há a respeito da capitulação?

– Não há capitulação. Estão tomadas as disposições para a batalha.

O príncipe André avançou até a porta de onde vinham as vozes. Mas no momento em que ia abri-la, estabeleceu-se o silêncio lá dentro, a porta abriu-se, e Kutuzov, com o seu nariz aquilino no rosto inchado, apareceu no limiar. O príncipe André ficou diante dele, mas a expressão do olho intacto do general em chefe indicava claramente que os pensamentos e as preocupações o absorviam tão completamente que o não deixavam ver coisa alguma. Olhou de frente o seu ajudante de campo sem o reconhecer.

Então, está pronto? – perguntou a Kozlovski.

– É já, Excelência.

Bagration, um homenzinho de rosto duro e imóvel, de tipo oriental, seco, de meia-idade, surgiu por detrás do general em chefe.

– Tenho a honra de me apresentar – repetiu o príncipe André, em voz alta, exibindo um sobrescrito.

– Ah! é de Viena? Bom. Mais tarde.

Kutuzov saiu para a escada exterior na companhia de Bagration.

– Bom, príncipe, adeus – disse-lhe ele. – Que Cristo esteja contigo. Abençoo-te para que tenhas grandes êxitos.

Os traços de Kutuzov enterneceram-se; de súbito as lágrimas vieram-lhe aos olhos. Puxou Bagration com a mão esquerda, e com a direita, onde tinha um anel, num gesto evidentemente familiar, traçou sobre ele o sinal da cruz, apresentando-lhe, ao mesmo tempo, a face inchada. Mas Bagration beijou-o no pescoço.

– Que Cristo seja contigo! – repetiu Kutuzov, dirigindo-se para a sua caleche. – Sobe comigo – disse a Bolkonski.

– Excelência, eu queria ser útil aqui. Consinta que eu fique no destacamento do príncipe Bagration.

– Sobe – repetiu Kutuzov, e, ao ver que Bolkonski hesitava: – Tenho grande necessidade de bons oficiais, grande necessidade.

Sentaram-se os dois na caleche, e durante alguns instantes rodaram em silêncio.

– Há ainda muito, muito que fazer – disse ele, como se, com a sua perspicácia de velho, compreendesse tudo quanto naquele instante estava a se passar na alma de Bolkonski. – Se ele amanhã conseguir salvar a metade do seu destacamento, darei graças a Deus – acrescentou como se falasse a si mesmo.

O príncipe André olhou para Kutuzov e involuntariamente reparou, ali tão perto dele, nas escaras muitíssimo bem lavadas da cicatriz que o general em chefe tinha na testa no lugar onde uma bala, em Ismail, lhe atravessara a cabeça e o olho. "Ah, sim, este tem o direito de falar com tanta calma da perda de tantos homens!", murmurou Bolkonski para si mesmo.

– É precisamente por isso que eu lhe pedi que me deixasse fazer parte daquele destacamento – disse o príncipe André.

Kutuzov não respondeu. Parecia ter esquecido o que lhe diziam, e para ali estava cismador. Cinco minutos depois, suavemente embalado pelas molas da caleche, Kutuzov voltou-se para o príncipe André. Na sua expressão já não havia a mínima sombra de sofrimento. Perguntou, com fina ironia, pormenores sobre a entrevista com o imperador, inquiriu dos comentários que se faziam na corte a respeito do caso de Krems e interrogou o príncipe acerca de certas senhoras que ambos conheciam.

CAPÍTULO XIV

Kutuzov tinha recebido no dia 1º de novembro, do seu serviço de informações, a indicação de que o exército que ele comandava se encontrava numa situação quase irremediável. O relatório dizia que os franceses, com forças imensas, depois de terem atravessado a ponte de Viena, marchavam sobre as linhas de comunicação de Kutuzov com as tropas procedentes da Rússia. Se Kutuzov decidisse continuar em Krems, os cento e cinquenta mil homens de Napoleão lhe cortariam todas as suas comunicações, cercar-lhe-iam o exército inteiro de quarenta mil homens, absolutamente extenuados, e ele se veria na situação em que Mack se encontrara em Ulm. Se resolvesse abandonar a linha de comunicação com a Rússia, ver-se-ia obrigado a meter-se pelas regiões desconhecidas das montanhas de Boêmia, sem estradas, lutando contra um inimigo superior em número e a abandonar toda a esperança de vir a operar a sua junção com Boekshevden. Se, enfim, decidisse bater em retirada pela estrada de Krems a Olmutz, a fim de se reunir aos exércitos que vinham da Rússia, corria o risco de ser ultrapassado pelos franceses, que já tinham atravessado a ponte de Viena, e assim ser obrigado a aceitar a batalha durante a marcha, com todas as viaturas e as bagagens, tendo diante de si um inimigo três vezes mais numeroso e que o atacaria por dois lados.

Kutuzov escolheu esta última alternativa.

Os franceses, segundo o relatório do informador, depois de terem atravessado a ponte de Viena, dirigiam-se, em marchas forçadas, para Znaim, que ficava na linha de retirada de Kutuzov, mais de cem verstas para além do ponto onde ele estava. Atingir Znaim antes dos franceses era proporcionar ao seu exército uma grande oportunidade de salvação; consentir que os franceses o ultrapassassem em Znaim era, com certeza, expor todo o exército a uma derrota comparável à de Ulm, ou então à destruição total. A verdade, porém, é que preceder os franceses com todo o seu exército seria impossível. A estrada que o inimigo seguia de Viena para Znaim era mais curta e melhor do que a que os russos seguiam, a que ia de Krems a Znaim.

Na mesma noite em que Kutuzov recebeu esta informação, mandou a guarda avançada de Bagration, ou seja, quatro mil homens, pela montanha, à direita, passar da estrada que ia de Krems a Znaim para a que ia de Viena a Znaim. Bagration devia executar esta marcha sem se deter, passar em frente de Viena, voltando as costas a Znaim, e, no caso de aí chegar antes dos franceses, demorá-los o tempo que lhe fosse possível. Quanto a Kutuzov, esse se dirigiria a Znaim com todos os abastecimentos.

Depois de ter percorrido quarenta e cinco verstas, com soldados esfomeados e descalços, sem caminhos, através das serras, por uma noite de tempestade, e abandonando a terça parte dos seus efetivos, Bagration chegou a Hollabrünn, na estrada de Viena-Znaim, algumas horas antes dos franceses, que de Viena se dirigiam àquela cidade.

Kutuzov ainda precisava, pelo menos, de vinte e quatro horas de marcha, com as bagagens, para chegar a Znaim; e por isso, para salvar o exército, Bagration, com quatro mil soldados extenuados e cheios de fome, devia deter durante vinte e quatro horas todo o exército inimigo, que se encontrava em Hollabrünn, o que era, evidentemente, impossível. A fortuna, porém, sempre caprichosa, tornou possível o impossível. O bom êxito do ardil que havia dado aos franceses, sem um tiro, a ponte de Viena levou Murat a tentar um ardil semelhante junto de Kutuzov. Ao encontrar, na estrada de Znaim, o desbaratado destacamento de Bagration, Murat convenceu-se de que estava na presença de todo o exército de Kutuzov. Para mais completamente o desbaratar resolveu aguardar que chegassem de Viena os seus soldados retardatários, e nessa intenção propôs aos russos um armistício de três dias, com a condição de tanto de um lado como do outro não haver qualquer deslocamento de tropas e se conservarem as respectivas posições.

Murat afirmou haver já propostas de paz e que, para evitar um inútil derramamento de sangue, melhor seria um armistício. O general austríaco conde de Nostitz, que se encontrava na vanguarda, acreditou nas propostas do parlamentário de Murat e recuou, descobrindo o destacamento de Bagration. Outro parlamentário levou às linhas russas a notícia das propostas de paz oferecendo às tropas um armistício de três dias. Bagration replicou não poder responder quer negativa quer afirmativamente, e enviou o seu ajudante de campo a Kutuzov com um relatório sobre as propostas apresentadas.

Um armistício para Kutuzov era a única maneira de ganhar tempo e de permitir ao destacamento de Bagration algum descanso enquanto as bagagens, cujo movimento os franceses desconheciam, faziam, pelo menos, mais uma etapa a caminho de Znaim. Aquela proposta dava aos russos um meio único e inesperado de salvarem o seu exército. Assim que recebeu essa notícia, Kutuzov enviou imediatamente ao campo inimigo o único oficial do estado-maior que tinha à sua disposição, o general Wintzegerode. Este devia não só aceitar a proposta de armistício, mas oferecer mesmo propostas de capitulação, enquanto Kutuzov enviava à retaguarda os seus ajudantes de campo com instruções no sentido de se apressar o mais rápido possível a evacuação das viaturas pela estrada de Krems-Znaim. Só o destacamento de Bagration, sempre esfomeado e derreado, devia continuar imóvel diante de um inimigo oito vezes superior, escondendo o movimento das bagagens e do exército inteiro.

Kutuzov não se enganou no que dizia respeito à proposta de capitulação, que não obrigava a coisa alguma e dava tempo de pôr a salvo grande parte das bagagens, tanto mais que não tardaria que o erro de Murat fosse descoberto. Bonaparte, então em Schoenbrünn, a vinte e cinco verstas de Hollabrünn, assim que recebeu o relatório de Murat e o projeto de armistício e de capitulação, percebeu logo tratar-se de um ardil e endereçou-lhe a seguinte carta:

Ao príncipe Murat

Schoenbrünn, 25 brumário, ano 1805, às oito horas da manhã.

Não tenho palavras com que lhe possa exprimir o meu descontentamento. Apenas está sob o seu comando a minha guarda-avançada, e não tem o direito de propor tréguas sem ordem minha. Rompa imediatamente o armistício e avance contra o inimigo. Far-lhe-á saber que o general que assinou esta capitulação não tinha poderes para isso, que só o imperador da Rússia tem esse direito.

Sempre, contudo, que o imperador da Rússia ratificar a dita convenção, eu próprio a ratificarei; mas trata-se apenas de um ardil. Marchai, aniquilai o exército russo... a sua posição permite-lhe tomar todas as bagagens e toda a artilharia russas.

O ajudante de campo do imperador da Rússia é um... Os oficiais nada são sem poderes; este não tinha nenhum... Os austríacos deixaram-se burlar na passagem da ponte de Viena; o senhor, Murat, deixa-se ludibriar por um ajudante de campo do imperador.

Napoleão

Esta tremenda carta foi enviada a Murat por um ajudante de campo de Bonaparte expedido a toda a brida. O próprio Bonaparte, sem confiança nos seus generais, fez-se transportar, com toda a sua guarda, para o local das operações, a fim de não deixar fugir a vítima esperada. Quanto aos quatro mil homens do destacamento de Bagration, esses armavam alegremente as suas tendas de campanha, secavam-se, aqueciam-se e, pela primeira vez havia três dias, preparavam o seu *kacha* sem que ninguém entre eles pudesse saber ou sequer suspeitar o que os aguardava.

CAPÍTULO XV

Às quatro horas da tarde, o príncipe André, que reiterara com insistência o seu pedido junto de Kutuzov, dirigiu-se a Grunt e apresentou-se a Bagration. O ajudante de campo de Bonaparte ainda ia ao encontro de Murat e a batalha ainda não principiara. No destacamento de Bagration nada se sabia do que se passava: falava-se da paz, sem que, de resto, pessoa alguma acreditasse nisso. Falava-se também de uma batalha próxima sem que igualmente ninguém acreditasse que ela estava para tão breve. Bagration, que conhecia Bolkonski e o sabia ajudante de campo seleto e de toda a confiança, recebeu-o com uma distinção particular e atenções de comandante, dizendo-lhe que muito provavelmente, nesse dia ou no dia seguinte, seria necessário baterem-se e que lhe dava inteira liberdade para ele escolher: podia ficar a seu lado durante a batalha ou na retaguarda, dirigindo a retirada, "o que também era muitíssimo importante".

– De resto hoje é provável que não aconteça coisa alguma – acrescentou Bagration, como para sossegar o príncipe André.

"Se és um desses petimetres do estado-maior para aqui destacado na esperança de uma condecoração, até à retaguarda a conseguirás, mas se quiseres acompanhar-me, anda daí... Se fores um bom oficial, poderás prestar bons serviços", dizia Bagration consigo mesmo. O príncipe André, sem nada responder, pediu licença para percorrer a posição e dar-se conta da disposição das tropas, a fim de saber, caso viesse a ter uma missão a cumprir, aonde dirigir-se. Um oficial de serviço, um belo homem, irrepreensivelmente vestido, com um anel de diamantes no dedo indicador, que falava mal francês, embora com visível prazer, ofereceu-se para acompanhar o príncipe André.

Por toda a parte havia oficiais completamente encharcados, de caras franzinas, como à procura de alguma coisa, e soldados que traziam da aldeia portas, bancos, tabiques.

– Não podemos acabar com essa gentinha, príncipe – disse o oficial apontando os soldados. – Os comandantes dispersam-nos. Olhe – acrescentou, indicando a barraca de um cantineiro –, é ali que essa gente se reúne e passa os seus dias. Ainda esta manhã tive de correr com eles, e, como vê, a barraca está outra vez cheia. Venha cá, príncipe, vamos pregar-lhes um susto. É um momento.

– Pois, sim, vamos, e já agora aproveito para comer um bocado de pão com queijo – disse o príncipe André, que ainda não tivera tempo de comer nada.

– Por que é que não me disse, príncipe? Ter-lhe-ia oferecido alguma coisa.

Desmontaram e dirigiram-se para a barraca do cantineiro. Sentados às mesas havia alguns oficiais, muito corados e de aspecto cansado, que comiam e bebiam.

– Mas que quer dizer isto, meus senhores? – exclamou o oficial do estado-maior num tom repreensivo, de quem já devia ter repetido várias vezes a mesma coisa. – Não podem se ausentar assim. O príncipe deu ordens para ninguém ficar aqui. Vamos, capitão, realmente – disse ele a um insignificante oficial de artilharia, magro e sujo, sem botas (tinha-as dado ao cantineiro, para que este as pusesse para secar, e estava em palmilhas), que se levantara, ao ver entrar os dois oficiais superiores, e sorria com certo embaraço.

– Não tem vergonha, capitão Tuchine? – prosseguiu o oficial. – O senhor, como artilheiro, devia dar o exemplo, e está aí descalço. Seria bonito se agora tocassem a reunir, com o senhor aí de palmilhas. – O oficial deu um sorriso. – Queiram recolher às suas unidades, meus senhores, todos, todos – acrescentou, em voz de comando.

O príncipe André não pôde deixar de sorrir ao ver o capitão Tuchine, que, saltando num pé só, ia interrogando com seus olhos, bons e inteligentes, ora o príncipe ora o oficial do estado-maior.

– Os soldados costumam dizer que correm melhor descalços – disse Tuchine, embaraçado, na esperança de disfarçar aquela penosa situação com um dito engraçado.

Percebendo, porém, que o seu tom brincalhão não agradava, ainda se sentiu mais embaraçado.

– Volte para a sua unidade – disse o oficial do estado-maior procurando manter um ar sério.

André olhou ainda uma vez para a figura do artilheiro. Havia nela qualquer coisa de especial, um aspecto nada militar, cômico até, mas que não deixava de ser simpático.

O oficial e o príncipe André montaram de novo a cavalo e prosseguiram o seu caminho.

À saída da povoação, sempre no meio de soldados e oficiais de vários corpos, que se iam dispersando, viram, à esquerda, em construção, entrincheiramentos de terra avermelhada, ainda fresca. Alguns batalhões de soldados, em mangas de camisa, apesar do vento frio, agitavam-se lá dentro como se fossem formigas brancas. Do fundo do fosso aberto braços invisíveis iam atirando continuamente pazadas de terra vermelha. Ambos se aproximaram das obras, examinaram-nas e seguiram um pouco mais adiante. Na retaguarda do entrincheiramento depararam-se-lhes algumas dezenas de soldados que iam e vinham a caminho das trincheiras. Tiveram de tapar o nariz e esporear os cavalos para evitar aquela atmosfera pestilencial.

– Ora aqui tem o prazer do campo, príncipe – articulou o oficial do estado-maior.

Chegavam à eminência que se erguia do outro lado. Dali já se podiam descobrir os franceses. O príncipe André parou e pôs-se a observar.

– Aqui estão instaladas as nossas baterias – explicou o oficial do estado-maior, apontando para o cabeço –, é àquela que pertence o nosso pândego sem botas. Dali pode-se ver tudo. Venha cá, príncipe.

– Muito obrigado, mas agora vou muito bem sozinho – disse o príncipe André, que desejava ver-se livre do companheiro –, não se preocupe, por favor.

O oficial afastou-se, e o príncipe André seguiu o seu caminho.

Quanto mais avançava, quanto mais se aproximava do inimigo, mais o aspecto das tropas lhe parecia em ordem, e mais alegres se encontravam os homens. No comboio das bagagens, em Znaim, que o príncipe visitara nesta manhã, a dez verstas dos franceses, é que a desordem era grande e a disposição menos alegre. Em Grunt também se sentia uma certa flutuação e um vago medo. Mas quanto mais o príncipe André se aproximava das linhas francesas, mais as forças russas lhe davam a impressão de confiança. Os soldados, formados em fileiras, envergavam capotes, sargentos e capitães procediam à contagem dos seus homens, pousando o dedo no peito dos que rompiam o alinhamento no momento em que levantavam a mão. Alguns, espalhados nas imediações, arrastavam pedaços de madeira ou ramos de árvores e construíam abrigos, rindo e conversando alegremente. Em volta das fogueiras, despidos uns, vestidos outros, procuravam secar as camisas e as ceroulas, limpavam as botas ou os capotes, agrupados em torno das marmitas e dos caldeirões de *kacha*. Numa das companhias, a refeição estava pronta e os soldados fitavam, gulosos, as marmitas a fumegar, aguardando o momento em que o sargento daria a sopa a provar, numa tigela de madeira, ao oficial, sentado numa viga diante da sua barraca.

Noutra companhia – com melhor aspecto, pois nem todas tinham vodca – os soldados haviam se reunido em volta de um sargento de cara bexigosa e grandes ombros, que ia tombando uma vasilha e enchendo as marmitas que lhe apresentavam em volta. Os soldados, com um ar reverente, levavam-nas à boca, despejavam-nas na goela, limpavam os beiços nas mangas do capote e afastavam-se, de cara satisfeita. Todos se mostravam tranquilos, como se realmente não estivessem em frente do inimigo, na véspera de uma batalha em que pelo menos metade do destacamento ficaria no campo, mas, pelo contrário, na sua pátria, descansando num pacífico acampamento. Depois de ter atravessado pelo meio de um regimento de caçadores e de passar pelas fileiras dos granadeiros de Kiev, soldados de aspecto marcial, todos entretidos, igualmente, em pacíficas tarefas, o príncipe André, não longe de uma alta barraca, diferente das outras, pois era a do comandante do regimento, cruzou um pelotão de granadeiros onde havia um homem estendido despojado de toda a sua roupa. Seguravam-no duas praças, e duas outras, brandindo varas flexíveis, batiam a compasso nos ombros nus do soldado. A vítima soltava gritos que nada tinham de humano. Um corpulento major andava de um lado para outro, diante das tropas, e continuamente, sem prestar a menor atenção aos gritos do supliciado, ia dizendo:

– É uma vergonha para um soldado roubar; um soldado deve ser humilde, nobre e valente, e, quando rouba os seus camaradas, deixa de ser digno, é um miserável. Mais, mais!

E lá continuavam as vergastadas e os gritos desesperados, em que não havia nada de fingido.

– Mais, mais! – repetia o major.

Um moço oficial, com um ar embaraçado e lastimoso, afastou-se do soldado supliciado e interrogou com os olhos o ajudante de campo, que ia passando.

O príncipe André, ao atingir as posições avançadas, seguiu ao longo das fileiras. A linha russa e a do inimigo, tanto no flanco esquerdo como no direito, afastavam-se muito uma da outra, mas no centro, no ponto em que os parlamentários tinham passado nesta mesma manhã, as linhas estavam tão próximas que os soldados se viam cara a cara e podiam, até, conversar. Além dos soldados que constituíam as linhas, nesse ponto, de um lado e outro, viam-se curiosos, que, rindo, miravam esses inimigos estrangeiros que nunca tinham visto.

Desde a madrugada, apesar da proibição de se aproximarem das linhas, que os comandantes procuravam debalde afastar os curiosos. Os soldados das linhas, dando-se ares de exibidores de curiosidades de feira, já nem sequer olhavam para os franceses, e trocavam entre si ditos sobre os basbaques, aguardando impacientes a hora de render. O príncipe parou para ver os franceses.

– Olha, olha – dizia um soldado para o camarada, mostrando-lhe um mosqueteiro russo que, na companhia de um oficial, se aproximava das linhas e contava alguma coisa, com volubilidade e calor, a um granadeiro francês. – Olha, olha para ele, olha para a língua dele! Nem os franceses são capazes de apanhá-lo. Que dizes tu a isto, Siderov?

– Cala-te, escuta. Nada mau! – replicou Siderov, que tinha fama de falar francês na ponta da língua.

O soldado que os franceses apontavam rindo era Dolokov. O príncipe André reconheceu-o e prestou atenção à conversa. Dolokov, com o seu capitão, vinha do flanco esquerdo, onde estava o seu regimento.

– Vamos, continue, continue – dizia o capitão, que se debruçava, procurando não perder uma única palavra da conversa, aliás incompreensível para ele. – Vamos, continue, faça o favor. Que diz ele?

Dolokov não parecia preocupado em responder ao capitão. Estava numa calorosa discussão com o granadeiro francês. Falavam, claro está, da campanha. O francês queria provar, misturando austríacos e russos, que estes tinham se rendido e haviam fugido de Ulm; Dolokov, pelo contrário, afirmava que os russos não tinham se rendido e haviam derrotado os franceses.

– Recebemos ordens para correr com vocês, e havemos de corrê-los – protestava Dolokov.

– É melhor que vocês não se deixem apanhar todos, cossacos e tudo – replicava o granadeiro.

Os que assistiam de um lado e do outro puseram-se a rir.

– São vocês que hão de dançar na corda bamba, como já dançaram com Suvorov! – exclamava Dolokov.

– O que ele está dizendo? – perguntou um francês.

– História antiga – comentou outro, que calculava que eles estivessem a falar das guerras passadas. – O imperador dará o arroz ao seu Souvara, como deu aos outros.

– Bonaparte... – principiou Dolokov, mas o francês interrompeu-o.

– Não é Bonaparte. É o imperador! *Sacré nom...* – gritou, colérico.

– Diabos levem o teu imperador!

E Dolokov pôs-se a proferir, em russo, grosseiras injúrias, e, pondo a espingarda às costas, afastou-se.

– Vamos embora, Ivan Lukitch – disse para o capitão.

– Isto é que é falar francês – diziam os soldados. – Vamos, agora tu, Siderov!

Siderov piscou o olho e, dirigindo-se aos franceses, pôs-se a sibilar muito depressa palavras incompreensíveis:

– *Kari-ma-la-ta-sa-fi-mu-ter-kess-ka* – algaraviava ele, fingindo, pelo seu tom de voz, estar dizendo coisas sensatas.

– Ah! Ah! Ah! Hi! Hi! Hi! – Os soldados romperam a rir, num riso tão franco e tão contagioso que até os franceses, do outro lado das linhas, riam também. Parecia que depois disto nada mais havia a fazer que descarregar as espingardas, fazer saltar as munições e cada um voltar o mais depressa possível para casa.

Mas a verdade é que as espingardas continuaram carregadas, as seteiras das casas e os entrincheiramentos conservaram o seu aspecto ameaçador, e as peças de artilharia, desatreladas das carretas, continuaram apontadas umas contra as outras.

CAPÍTULO XVI

Depois de ter percorrido as linhas do flanco direito até o flanco esquerdo, o príncipe André subiu até a bateria, de onde, no dizer do oficial, se abrangia toda a área do campo. Uma vez ali, desmontou e parou ao pé da última das quatro peças desengatadas da sua carreta. No primeiro plano, um artilheiro fazia sentinela. Apresentou armas ao oficial e, em seguida, a um aceno deste, continuou a sua ronda monótona e fastidiosa. Atrás dos canhões estavam as carretas das peças e ainda por detrás os muares e o bivaque dos artilheiros. À esquerda, não muito longe da peça que ficava na extremidade, via-se uma barraca recentemente levantada, onde se ouvia uma animada conversa de oficiais.

Realmente, da bateria descobriam-se quase todas as posições russas e uma grande parte das do inimigo. Diretamente do outro lado na linha do horizonte de um cabeço, via-se a povoação de Schoengraben; à esquerda e à direita podiam distinguir-se, em três sítios distintos, por entre a fumaça dos acampamentos, a massa das tropas francesas, cuja maior parte, evidentemente, ocupava a própria povoação e o declive por trás do cabeço. À esquerda da povoação, no meio da fumarada, divisava-se alguma coisa que parecia uma bateria, sem que a olho nu se pudesse ter certeza disso. O flanco direito russo estava disposto sobre uma colina assaz escarpada, que dominava a posição francesa. Era aí que se instalava a infantaria moscovita. Na extremidade dessa mesma colina ficavam os dragões. No centro, onde se encontrava, também, a bateria de Tuchine, o ponto de onde o príncipe André examinava as posições, um declive suave e em linha reta conduzia à torrente que separava as tropas de Schoengraben. À esquerda, as tropas russas apoiavam-se numa floresta onde se via, subindo no ar, a fumaça das fogueiras da infantaria, que cortava lenha. A linha francesa era mais extensa do que a russa e era evidente que os franceses podiam com toda a facilidade cercar o exército pelos dois lados. Por detrás da posição russa existia um barranco abrupto e profundo, por onde seria difícil retirar a artilharia e a cavalaria. O príncipe André, o cotovelo apoiado a uma das peças e o livro de apontamentos na mão, esboçou, para seu governo, o plano da disposição das tropas. Em dois pontos tomou algumas notas a lápis, na intenção de comunicá-las a Bagration. Propunha, em primeiro lugar, concentrar no centro toda a artilharia e depois retirar a cavalaria para a retaguarda, para o outro lado do barranco.

O príncipe, sempre ao pé do general em chefe, acompanhando os movimentos de tropas e a execução das disposições gerais, e interessado pelos pormenores do desenvolvimento das batalhas no ponto de vista histórico, via já, no caso que tinha diante, a marcha futura das operações, pelo menos em seus traços gerais, e encarava já, de certo modo, importantes hipóteses neste gênero: "Se o inimigo atacar pelo flanco direito, os granadeiros de Kiev e os caçadores de Podolski devem manter-se até que cheguem os reforços do centro. Neste caso, os dragões poderão atacá-los de flanco e destroçá-los. Na hipótese de o inimigo atacar pelo centro, nós colocaremos neste cabeço a bateria central e a coberto dela retiramos o flanco esquerdo, recuando, por degraus, até o barranco".

Durante todo o tempo em que se conservara na bateria, junto à peça, não deixara de ouvir o tagarelar dos oficiais na barraca, mas, como tantas vezes acontece, não tinha compreendido uma só palavra de tudo quanto eles diziam. De repente, ouviu uma voz cuja tonalidade era tão sincera que se pôs involuntariamente a escutar:

– Não, meu rapaz – dizia essa voz agradável, que o príncipe André parecia conhecer –, garanto-lhe que se fosse possível uma pessoa saber o que acontece depois da morte, ninguém teria medo de morrer. É o que lhe digo, meu amigo.

Outra voz, mais jovem, interrompeu a primeira:

– Com medo ou sem medo, ninguém escapa à morte.

– Isso não impede que se tenha medo! Eh! Vocês aí, os sabichões – interrompeu uma terceira voz, mais varonil. – Sim, vocês, os artilheiros, são uns sabichões a apropriarem-se de tudo que podem: comidas e bebidas.

E o detentor desta voz grossa, evidentemente oficial de infantaria, soltou uma gargalhada.

– Isso não impede que se tenha medo – prosseguiu a primeira voz.

– Temos medo do desconhecido, eis o que é. Por mais que a gente diga que a alma vai para o céu... a verdade é que todos nós sabemos que céu é coisa que não existe; só existe a atmosfera.

A voz máscula voltou a interromper o artilheiro.

– Venha de lá um bocadinho da vossa aguardente, Tuchine.

"Ah! É o capitão que estava em palmilhas na barraca do cantineiro", disse o príncipe André para si mesmo, ao reconhecer, satisfeito, a simpática voz do artilheiro filósofo.

— Aguardente, se quiserem — disse Tuchine —, mas isso de conceber a vida futura...

Não concluiu a sua frase. Nesse momento um assobio rasgou o ar, mais próximo, cada vez mais próximo, sempre mais próximo, mais rápido, cada vez mais rápido e mais nítido, e um projétil, num gemido prolongado e como que de súbito interrompido, veio enterrar-se no chão, com uma força colossal, fazendo saltar estilhaços em toda a roda, a pequena distância da barraca dos oficiais. Parecia que a terra soltara um gemido ao receber aquela pancada colossal.

Nesse instante saltou da barraca, com todos os outros oficiais, o insignificante Tuchine, que vinha de cachimbo na boca: seu rosto, bom e inteligente, parecia um pouco pálido. Atrás dele vinha o homem da voz grossa, um vigoroso oficial de infantaria, que se pôs a correr, em direção à sua companhia, enquanto abotoava o capote.

CAPÍTULO XVII

O príncipe André, que tinha voltado a montar, deteve-se na bateria para observar, pela fumaça da peça, de onde vinha o projétil. Percorreu com os olhos um largo espaço. Apenas lhe foi dado perceber que as massas francesas, até então imóveis, principiavam a mover-se, e que à esquerda, realmente, havia uma bateria. Uma nuvenzinha de fumaça pairava ainda nesse sítio. Dois franceses a cavalo, provavelmente dois ajudantes de campo, galopavam pela encosta. No sopé da colina, naturalmente para reforçar as linhas, avançava uma pequena coluna inimiga, que se distinguia nitidamente. A fumaça da primeira detonação ainda não se havia dissipado, já um novo traço de fumo aparecia seguido de uma segunda. Era a batalha que principiava. O príncipe André sacudiu as rédeas do seu cavalo e voltou a galope para Grunt, para juntar-se a Bagration. Atrás dele o tiroteio ia redobrando de violência. Era evidente que as forças russas principiavam a responder. Lá embaixo, no local onde os parlamentários se tinham encontrado, via-se perfeitamente a fuzilaria.

Lamarrois, portador da terrível carta de Bonaparte, acabava de se aproximar de Murat. Este, vexado, desejoso de dissipar o seu erro, dera ordens para que as suas tropas atacassem imediatamente ao centro, na intenção de cercar os dois flancos e de esmagar o destacamento insignificante, diante dele, antes da chegada do imperador.

"Começou! Aí está!", dizia consigo o príncipe André, sentindo o sangue afluir-lhe ao coração, "mas onde desencantarei o meu Toulon?".

Ao passar diante dessas mesmas companhias que um quarto de hora antes comiam a sua *kacha* e bebiam a sua vodca, por toda a parte se lhe depararam soldados que, à pressa, formavam em linha de batalha e verificavam as espingardas, e em todos os rostos havia aquela mesma excitação que ele próprio sentia dentro de si mesmo. "Começou! Aí está! É terrível e é divertido!", lia-se em todas as fisionomias, quer de soldados quer de oficiais.

Antes de chegar às trincheiras que andavam a abrir, viu, à frouxa luz de uma sombria tarde de outono, um grupo de cavaleiros que cavalgava ao seu encontro. O que vinha à frente envergava um *burka* e um barrete guarnecido de astracã e montava um cavalo branco. Era o príncipe Bagration. André estacou, à espera. Bagration refreou o cavalo e, reconhecendo-o, fez-lhe um aceno de cabeça. Enquanto o príncipe André lhe relatava o que tinha visto, Bagration continuava a olhar em frente.

A expressão: "Começou. Aí está!" também se via estampada no duro rosto trigueiro de Bagration, de olhos baços, semicerrados, como que maldespertos. O príncipe André contemplava, com uma curiosidade inquieta, aquele semblante imóvel, e teria gostado de saber se ele pensava e sentia e em que pensava e sentia aquele homem naquele instante. "E haverá mesmo alguma coisa aí, por detrás desse semblante imóvel?", perguntava a si mesmo enquanto o fitava. O príncipe Bagration aquiescia, meneando afirmativamente a cabeça, às palavras de Bolkonski e dizia: "Está bem", com um ar que significava ter previsto tudo o que estava acontecendo e tudo o que lhe comunicavam. O príncipe André, sufocado pelo rápido galope que fizera, falava com precipitação. Bagration, com o seu sotaque oriental, particularmente lento, parecia querer sugerir que não havia necessidade de pressa. No entanto, meteu a trote na direção da bateria de Tuchine. O príncipe André formou junto dos oficiais da escolta, que era constituída por um oficial às ordens, ajudante de campo pessoal de Bagration, Jerkov, oficial do estado-maior destacado ao seu serviço, que montava um belo cavalo inglês, e um funcionário civil, o auditor, que tinha pedido para acompanhar a batalha de perto, por simples curiosidade. O auditor, um homem gordo, de cara cheia, olhava em torno de si com um ingênuo sorriso de alegria, estremecendo em cima da sela, e o seu aspecto era estranho, debaixo do capote de camelo, em cima do selim de soldado raso, no meio de todos aqueles hussardos, daqueles cossacos e daqueles ajudantes de campo.

– Este cavalheiro queria ver uma batalha – disse Jerkov para Bolkonski, apontando-lhe o auditor – e já está cheio de dores de barriga.

– Vamos, então, basta! – exclamou o auditor, com um sorriso aberto, ao mesmo tempo ingênuo e malicioso, como se estivesse muito lisonjeado com os gracejos de Jerkov e propositadamente fingisse parecer ainda mais estúpido do que era na realidade.

– Muito engraçado, meu senhor príncipe – dizia o oficial do estado-maior às ordens, que se lembrava perfeitamente que em francês o título de *prince* tem uma determinada colocação, embora nunca fosse capaz de empregá-lo no seu lugar próprio.

Entretanto tinham chegado à bateria de Tuchine e diante deles acabava de cair um projétil.

– Que foi aquilo que caiu? – perguntou o auditor, sorrindo ingenuamente.

– Um pastel francês – tornou-lhe Jerkov.

– Ah! É com isso então que eles matam as pessoas? – retorquiu o auditor. – Que coisa horrível!

E dizendo o quê, parecia rir de satisfação. Mal ele tinha acabado, ouviu-se de novo um medonho assobio, de súbito interrompido por uma queda em cima de algo fofo. E, de repente, um cossaco que seguia um pouco à direita e na retaguarda do auditor caía por terra com o seu cavalo. Jerkov e o oficial do estado-maior debruçaram-se das suas selas e afastaram os cavalos. O auditor parou diante do cossaco e pôs-se a observá-lo com grande curiosidade. O cossaco estava morto e o cavalo ainda estrebuchava.

Bagration voltou a cabeça, piscando os olhos, e, ao ver a causa da confusão que se tinha estabelecido, retomou o seu ar indiferente, como se dissesse: "Valerá a pena a gente preocupar-se com semelhantes frioleiras?". Puxou as rédeas do cavalo e com a ligeireza de um bom cavaleiro, inclinou-se um pouco e libertou a espada, presa na *burka*. Era uma espada antiga, diferente das que então se usavam. O príncipe André lembrou-se de uma anedota em que se contava que Suvorov, na Itália, dera de presente a Bagration a sua própria espada, e essa lembrança naquele momento foi-lhe de bom augúrio. Aproximavam-se, precisamente, da bateria em que Bolkonski estivera quando observara o campo de batalha.

– Que companhia é esta? – perguntou Bagration ao servente de bateria de sentinela às caixas de munições.

Perguntava: "Que companhia é esta?", quando, na realidade, o que ele dizia era: "Há medo por aqui?". E o servente de bateria entendeu.

– Do capitão Tuchine, Excelência – disse, numa voz forte e alegre, pondo-se em sentido, o servente de bateria, um ruivo de cara cheia de sardas.

– Bom, bom – murmurou Bagration, num tom de quem reflete, e passou diante das carretas, aproximando-se da peça do extremo.

No momento preciso em que se aproximava desta ouviu-se uma detonação, que o ensurdeceu, a ele e aos da sua escolta, e no meio da fumarada que de repente envolveu a peça viram-se artilheiros que, com grande esforço, se davam pressa de voltar a colocá-la no seu lugar. O soldado nº 1, um rapagão de largos ombros, que empunhava o taco, deu um salto para o lado da roda. O nº 2, de mão trêmula, carregou a peça. Um homenzinho atarracado, o oficial Tuchine, tropeçando em direção à carreta, seguiu para diante, sem reparar no general, e pôs-se a olhar, protegendo a vista com a mão.

– Dois pontos ainda mais alto e damos no vinte! – gritou, na sua voz aflautada, a que procurava imprimir um acento grave, que não condizia com a sua pessoa. – A segunda – guinchou ele. – Fogo, Medviedev!

Bagration chamou o oficial, e Tuchine, num movimento tímido e desajeitado, não como é costume perfilar-se um oficial para uma continência militar, mas antes como um sacerdote que lança a sua bênção, levou dois dedos à pala da barretina e aproximou-se do general. Embora as peças de Tuchine tivessem por missão varrer o desfiladeiro, este estava a bombardear a aldeia de Schoengraben, que se via do outro lado, e onde se agitavam grandes massas de tropas francesas.

Ninguém tinha dito a Tuchine contra que objetivo é que devia dirigir o tiro das suas peças, mas, depois de ter consultado o seu sargento Zakartchenko, a quem muito considerava, resolvera que seria acertado incendiar a povoação.

– Muito bem! – exclamou Bagration, ao ouvir o relato do oficial, e pôs-se a examinar o campo de batalha que se apresentava à sua vista, como se estivesse a combinar um plano qualquer. Era pela direita que os franceses se aproximavam. Ao fundo da elevação onde estava o regimento de Kiev, nos alcantis sobranceiros ao rio, ouvia-se um tiroteio ininterrupto, que confrangia o coração, e, muito mais para a direita, para além do regimento de dragões, o oficial às ordens mostrava ao príncipe uma coluna francesa que envolvia o flanco russo. À esquerda limitava o horizonte a floresta próxima. O príncipe Bagration deu ordens para que dois batalhões do centro fossem reforçar a ala direita. O oficial às ordens permitiu-se observar-lhe que, em virtude da desolação desses dois batalhões, as peças ficavam sem cobertura. Bagration voltou-se para o oficial e fitou-o com os seus olhos nublados, sem dizer palavra. Ao príncipe André afigurou-se-lhe que a observação era justa e que efetivamente nada havia a responder. Mas no mesmo instante surgiu a galope um ajudante de campo do comandante do regimento que se encontrava no declive do ribeiro com a informação de que massas imensas de franceses se lançavam sobre ele, que o regimento estava disperso e que recuava para se juntar aos granadeiros de Kiev. Bagration acenou com a cabeça, a dar o seu consentimento e a sua aprovação. A passo, dirigiu-se para a direita e enviou o ajudante de campo com ordem de ataque ao regimento de dragões. O ajudante de campo destacado voltou, daí a meia hora, para anunciar que o comandante de dragões já tinha recuado para o outro lado da escarpa, pois fora recebido por um tiroteio violento e estava perdendo homens inutilmente, de modo que assim concentrara os seus soldados na floresta, de onde eles faziam fogo.

– Bom! – exclamou Bagration.

No momento em que se afastava da bateria, ouviu-se igualmente à esquerda fuzilaria na floresta. Como o flanco esquerdo ficava bastante longe para que ele pudesse deslocar-se até lá a tempo, mandou Jerkov dizer ao general que o comandava, aquele mesmo que tinha apresentado o regimento a Kutuzov em Braunau, que recuasse o mais depressa possível para a retaguarda da escarpa, visto o flanco direito não poder conter por muito tempo o inimigo. E quanto ao batalhão que cobria a bateria de Tuchine, esse foi esquecido. O príncipe André prestou uma grande atenção às conversas de Bagration com os oficiais comandantes e às ordens que ele dava, e com grande espanto seu verificou que ele não dava ordem alguma: tudo quanto fazia era apenas dar a entender que o que se passava por força das circunstâncias, em consequência do acaso ou mercê da intervenção dos diferentes comandantes, acontecia, se não graças às ordens que ele dava, pelo menos de acordo com os seus planos. Mercê do tato de que Bagration dava provas, André notava que não obstante os acontecimentos estarem confiados ao acaso e de qualquer maneira não dependerem da vontade dos chefes, bastava a presença deste para o resultado ser extraordinário. Os comandantes que dele se aproximavam com uma expressão transtornada afastavam-se confiantes; soldados e oficiais saudavam-no alegremente, readquiriam na sua presença um aspecto animado, e diante dele era visível que se sentiam orgulhosos do seu heroísmo.

CAPÍTULO XVIII

O príncipe Bagration, depois de atingir a extremidade norte do flanco russo, principiou a descer naquele ponto onde rompera um fogo rolante e onde nada se via no meio da fumarada. Quanto mais ele e a sua escolta avançavam pela escarpa abaixo, menos podiam ver; entretanto, mais vivamente sentiam aproximarem-se do verdadeiro campo de batalha. Encontraram os primeiros feridos. Um deles, a cabeça ensanguentada e sem barretina, era levado por dois homens que o amparavam por debaixo dos braços. Golfava sangue e sentia-se-lhe o estertor. A bala, evidentemente, havia-lhe atingido a boca ou a garganta. Outro que encontraram caminhava galhardamente sozinho, sem espingarda, ululando, com toda a força dos pulmões, fustigado pela dor que lhe causava uma ferida recente; e agitava um braço de onde manava um veio de sangue, como se fosse um frasco a escorrer, que se lhe ia espalhando pelo capote. No seu rosto havia mais espanto que sofrimento. Acabara naquele instante de ser ferido. Depois de atravessarem a estrada, desceram uma ladeira abrupta e viram alguns homens prostrados no caminho. Cruzou-se com eles um bando de soldados, entre os quais alguns sem estarem feridos. Outros subiam a ladeira e, não obstante a presença do general, falavam em alta voz, com grandes gestos. Lá adiante, no meio da fumaça, já via-se a custo fileiras de capotes cinzentos, e um oficial, ao ver Bagration, correu, interpelando a turba dos soldados que debandava para obrigá-los a voltar atrás. Bagration seguiu em frente, na direção das fileiras de onde, aqui e ali, partiam descargas que abafavam as conversas e os gritos dos comandantes. Toda a atmosfera era enfumaçada. As caras dos soldados estavam excitadas e negras de pólvora. Alguns deles carregavam as espingardas com as respectivas varetas, outros deitavam pólvora nas caçoletas, sacavam os cartuchos, outros, ainda, disparavam. Mas sobre quem é que disparavam? Eis o que se não podia ver por causa da fumaça que o vento não dissipava. Muito frequentemente ouvia-se como que um zumbido de abelhas, uma espécie de assobio agradável. "Que vem a ser isto?", perguntava o príncipe André aos seus botões, à medida que se aproximava. "Não é um ataque, visto que eles continuam imóveis; também não pode ser uma formação em quadrado; não é esta a atitude."

Um velhinho magro, de aspecto doentio, o comandante do regimento, com um sorriso amável e semicerrando as pálpebras enrugadas, o que lhe dava um ar afável, aproximou-se de Bagration e recebeu-o como quem recebe um hóspede de cerimônia. Participou-lhe que o seu regimento fora atacado pela cavalaria francesa e que, embora esta tivesse sido repelida, o regimento perdera mais de metade dos seus efetivos. Dizia que o ataque fora repelido, imaginando ser esse o termo militar para o que tinha acontecido com o seu regimento. Mas a verdade é que nem ele próprio sabia o que é que naquela meia hora tinham feito as tropas que lhe haviam sido confiadas e não podia dizer com precisão se o ataque fora repelido ou se o seu regimento fora aniquilado pelo ataque. No princípio da ação sabia apenas que as balas e os obuses tinham chovido sobre o seu regimento, matando homens, e que depois alguém havia gritado: "A cavalaria!" e que os seus tinham principiado a fazer fogo. E agora já não disparavam sobre a cavalaria, que se afastara, mas sobre a infantaria francesa, que aparecia na escarpa fazendo fogo contra os russos. O príncipe Bagration acenou com a cabeça, como que a dizer que tudo se passava exatamente como ele desejava e como havia previsto. Voltando-se para o seu ajudante de campo, deu-lhe ordens para que mandasse descer ao vale dois batalhões do caçadores 6, diante do qual acabavam de passar. O príncipe André reparou com surpresa, nesse instante, na mudança de expressão que se onerara no rosto de Bagration. Havia nele a decisão concentrada e jovial de um homem que, num dia quente de verão, se dispõe a atirar-se à água e prepara o mergulho. Já não se lhe viam os olhos embaciados, sonolentos, nem aquele seu falso ar de pensador profundo; os seus olhos redondos e duros de gavião olhavam em frente com solenidade e um ligeiro desdém, não se detendo, aparentemente, em coisa alguma, embora os seus movimentos conservassem a mesma lentidão e a mesma firmeza.

O comandante do regimento pedia-lhe que se afastasse, pois o local era muito perigoso. – Peço-lhe, excelência, por amor de Deus! – dizia-lhe ele, implorando com o olhar a aprovação do oficial às ordens, que se afastara. – Olhe! – Fazia-lhe notar as balas que continuamente zumbiam, cantavam e assobiavam em torno deles. Na sua voz havia aquele tom de imploração e de censura cortês que costuma ter um carpinteiro para falar ao patrão a quem ocorre a veleidade de manejar o machado: "Nós estamos acostumados, mas o patrão, o patrão vai fazer calos nas palmas das mãos!". Falava como se aquelas balas não pudessem matar a ele, e os olhos semicerrados davam-lhe às palavras um acento ainda mais persuasivo. O oficial do estado-maior associou-se às diligências do comandante do regimento, mas Bagration não lhes respondeu, contentando-se em dar ordem de cessar fogo e de tomarem disposições para receber os dois batalhões que se aproximavam. Enquanto ele falava, como que corrida por mão invisível, a cortina de fumaça que escondia a escarpa levantou-se da direita para a esquerda, impelida pelo vento que se pôs a soprar, e diante dos olhos surgiu-lhe a serra fronteira, coberta de franceses em marcha. Todos os olhos se dirigiram involuntariamente para a coluna francesa que avançava para eles, acompanhando os altos e baixos do terreno. Já se viam as barretinas de pele dos soldados; já se podiam distinguir os oficiais dos simples soldados de linha. Via-se já palpitar a bandeira.

– Que bem que marcham – disse alguém da comitiva de Bagration.

A testa da coluna já mergulhava na planície. O combate ia dar-se do lado de cá da ladeira...

Os restos do regimento russo empenhado na luta, que se reagruparam à pressa, retiraram-se pela direita; na sua retaguarda, dispersando os retardatários, avançavam, alinhados, os dois batalhões dos caçadores 6. Ainda não tinham chegado ao nível de Bagration e já se ouvia o passo arrastado, pesado, cadenciado de toda essa massa. No flanco esquerdo marchava, mais perto de Bagration que qualquer outro, um comandante de companhia, um homem de rosto redondo, bem-constituído, com um ar de parva satisfação, aquele mesmo que saíra a correr da barraca. Evidentemente que naquele momento só pensava em desfilar com marcialidade diante do seu general, nisso e em mais nada.

Com o ar favorecido de todo o soldado que marcha em forma, agitava airosamente as pernas musculosas, como se estivesse nadando, estendendo-as sem o menor esforço e distinguindo-se por essa ligeireza do andar pesado dos soldados, que marchavam acertando o passo pelo dele. No flanco trazia uma espada desembainhada, fina e estreita, uma pequenina espada recurva, que não parecia uma arma, e voltando os olhos ora para o comandante ora para trás, sem desacertar o passo, ia balançando o corpo flexível e vigoroso. Parecia que todas as forças da sua alma se empenhavam no mesmo objetivo: desfilar o melhor possível perante os seus superiores. E, sentindo que cumpria perfeitamente o seu papel, era feliz. "Esquerdo... esquerdo... esquerdo...", parecia repetir consigo, marcando o passo; e naquela cadência, aquela muralha de soldados, de traços tão diferentes, mas todos sérios, pesados sob o fardo das mochilas e das espingardas, movia-se como se todos aqueles centos de homens fossem dizendo igualmente para si mesmos: "Esquerdo... esquerdo... esquerdo". Um gordo major, ofegante, e com o passo trocado, teve de contornar um silvado que se lhe deparou no caminho; um soldado retardatário, a deitar os bofes pela boca afora, atarantado por ter ficado para trás, veio apanhar a companhia em passo ginástico. Rasgando o espaço, uma bala de artilharia passou por cima da cabeça de Bagration e do seu séquito e veio cair sobre a coluna sem romper a cadência da marcha: "Esquerdo... esquerdo!!!". – "Cerrar, fileiras!", gritou, distintamente, a voz de um oficial da companhia. Os soldados fletiram em arco no lugar onde havia caído o projétil. Um velho sargento, condecorado, que se retardara ao pé dos mortos, retomou o seu lugar, trocando o passo, e retomou a cadência rolando os olhos, furioso. "Esquerdo... esquerdo... esquerdo...", parecia ouvir ainda no silêncio ameaçador e no meio do ruído dos passos que pisavam o terreno ao mesmo tempo.

– Bravos, rapazes! – exclamou o príncipe Bagration.

– É a nossa obrigação. Ex... celên, celên, celência! – ouviu-se nas fileiras.

Um soldado de cara franzida, que marchava à direita, gritando, dirigiu um olhar ao general em que parecia dizer: "Nós bem sabemos!". Outro, sem se voltar e como se receasse distrair-se, abriu muito a boca para gritar e passou.

Gritaram ordens de: "Alto" e "Arrear mochilas".

Bagration passou revista às fileiras que tinham desfilado diante dele e desmontou. Entregou as rédeas a um cossaco, tirou a *burka* e deu-a, estirou as pernas e compôs a barretina. A testa da coluna francesa, com os oficiais à frente, surgia no sopé da encosta.

– Que Deus nos ajude! – exclamou Bagration numa voz firme e inteligível. Voltou-se alguns momentos para a primeira linha das tropas e, com um gesto rápido, num andar desajeitado de cavaleiro com certa dificuldade, ao que parecia, avançou pelo terreno acidentado. O príncipe André sentiu como que uma força irresistível que o impelia para a frente e uma sensação de felicidade se apoderou dele[26].

Os franceses já estavam muito perto: o príncipe André, que caminhava ao lado de Bagration, já distinguia nitidamente o correame, as charlateiras vermelhas e até as caras. Reparou mesmo, com toda a precisão, num velho oficial francês que subia a encosta, com dificuldade, embaraçado nas polainas muito largas. Bagration, sem dar qualquer outra ordem, continuava, calado, a percorrer as fileiras. De súbito, do lado dos franceses ouviu-se um tiro, depois outro, e outro ainda... e ao longo de todas as fileiras dispersas levantou-se uma fumaça e crepitou a fuzilaria. Alguns dos russos caíram, e entre eles o oficial de rosto cheio que marchava com tanta alegria e animação. Mas no mesmo instante em que troava a primeira salva, Bagration, olhando em volta, gritou – Hurra!

– Hurra! – O grito ressoou ao longo de toda a linha, e, ultrapassando o general, adiantando-se, mesmo, uns aos outros, os russos, em formações pouco ordenadas, mas cheias de jovial ardor, precipitaram-se para o fundo da colina na perseguição dos franceses em debandada.

CAPÍTULO XIX

O ataque do caçadores 6 garantia a retirada do flanco direito. No centro, a intervenção da bateria de Tuchine, que conseguira incendiar Schoengraben, retivera o movimento dos franceses. As

---

[26]. Este foi o ataque a respeito do qual Thiers escreveu: "Os russos portaram-se valentemente, e, coisa que raramente acontece na guerra, viram-se formações de infantaria inteiras marchar resolutamente umas contra as outras, sem que nenhuma cedesse antes do corpo a corpo". E Napoleão, em Santa Helena: "Alguns batalhões russos mostraram-se intrépidos". (N. A.)

tropas de Napoleão tinham se visto obrigadas a apagar o incêndio que o vento propagara, permitindo, assim, a retirada dos russos. A retirada no centro, através do barranco, fizera-se apressada e ruidosamente. No entanto, as tropas, ao se retirarem, não tinham alterado a boa ordem das suas fileiras. Mas o flanco esquerdo, que fora atacado e cercado ao mesmo tempo pelas excelentes tropas francesas de Lannes, e era constituído pelos regimentos de infantaria de Azovski e Podolovski e pelos hussardos de Pavlogrado, esse estava desconjuntado. Bagration mandou Jerkov ao general do flanco esquerdo com ordens para recuar imediatamente.

Jerkov, galhardamente e sempre com a mão em continência, esporeou o cavalo e partiu a trote. Mas assim que desapareceu da vista de Bagration, a coragem faltou-lhe. Sentiu que um terror invencível se apoderava dele e não teve ânimo de seguir para a zona de perigo. Ao aproximar-se das tropas do flanco esquerdo, não se encaminhou para o local da fuzilaria, mas pôs-se à procura do general e dos comandantes onde eles não podiam estar, e foi assim que não transmitiu a ordem que recebera.

O comando do flanco esquerdo pertencia, por antiguidade, ao general daquele mesmo regimento que fora apresentado a Kutuzov em Braunau e onde Dolokov servia como soldado raso. Quanto ao comando do extremo flanco esquerdo, esse fora entregue ao coronel do regimento de Pavlogrado, onde Rostov servia, o que veio a provocar um mal-entendido. Os dois comandantes não se podiam ver um ao outro, e enquanto no flanco direito a ação já tinha principiado há muito e os franceses já esboçavam um movimento de retirada, ambos continuavam a discutir, irritando-se mutuamente. Os regimentos – tanto o de cavalaria como o de infantaria – não estavam de maneira alguma preparados para um combate iminente. Os homens, desde o soldado ao general, não contavam com a batalha e entretinham-se tranquilamente em pacíficas ocupações, como a de dar de comer aos cavalos, na cavalaria, ou apanhar lenha, na infantaria.

– Visto que ele, em todo o caso, é mais antigo do que eu no seu posto – dizia o coronel alemão dos hussardos, muito corado, dirigindo-se a um ajudante de campo que se aproximava –, que faça o que entender. Cá por mim, não estou disposto a sacrificar os meus hussardos. Clarins! Toquem a retirar!

Mas a situação pedia urgência, a maior urgência. O canhoneio e a fuzilaria confundiam-se, as balas rebentavam à direita e à esquerda, e os capotes dos atiradores de Lannes ultrapassavam já a linha do moinho e alinhavam do lado de cá quase à distância de um tiro de espingarda. O general de infantaria, no seu andar claudicante, dirigiu-se para o seu cavalo, montou e, bem direito e hirto na sela, aproximou-se do comandante do regimento de Pavlogrado. Os dois comandantes, antes de dirigirem a palavra um ao outro, fizeram uma continência cortês, mas com uma secreta irritação.

– Mais uma vez lhe afirmo, coronel – disse o general –, seja como for, eu não posso deixar aqui, nesta floresta, metade dos meus homens. Peço-lhe, volto a pedir-lhe pela segunda vez, que ocupe a posição e que se prepare para o ataque.

– Pois eu peço-lhe que não se meta em assuntos que não lhe dizem respeito – replicou o coronel, exaltando-se. – Se fosse da cavalaria...

– Não sou da cavalaria, coronel, mas sou um general russo, e se não sabe...

– Sei muitíssimo bem. Excelência! – exclamou, subitamente, o coronel, que se adiantou a cavalo e se fez muito encarnado. – Faça o favor de ir à primeira linha e verá que esta posição não se pode defender. Não estou disposto a deixar exterminar o meu regimento para lhe dar prazer.

– Esquece-se de quem é, coronel. Não está em causa o que me dá satisfação e não consinto que me fale nesse tom.

Aceitando o convite do coronel para um torneio de bravura e arqueando o peito e franzindo as sobrancelhas, o general dirigiu-se com ele para a frente do combate, como se o debate que entre eles se travava houvesse de resolver-se precisamente ali, nas primeiras linhas, sob a metralha. Ao chegarem aí, algumas balas lhes passaram por cima da cabeça e ambos pararam calados. Nada podia distinguir-se ali, no lugar em que eles estavam, uma vez que até mesmo do ponto onde se encontravam anteriormente era evidente que a cavalaria nada tinha a fazer naquelas bouças e naqueles barrancos, e que os franceses cercavam a ala esquerda. O general e o coronel olharam um para o outro com uma expressão severa e significativa, como dois galos que se preparam para a luta, esperando, debalde, de um lado ou de outro, qualquer indício de covardia. Ambos mantiveram o desafio. Como nada havia que dizer e nenhum queria dar motivo ao companheiro para pensar que fora ele o primeiro a retirar-se da linha de fogo, ali teriam ficado por muito tempo, a demonstrar a sua mútua valentia, se no mesmo instante, na floresta, quase por detrás deles, não se tivesse ouvido um retinir de armas e gritos surdos e prolongados. Eram os franceses que caíam sobre os soldados que procuravam lenha. Os hussardos já não podiam se retirar com a infantaria. Tinham a retirada cortada à esquerda pela frente francesa. Agora, apesar das dificuldades do terreno, era mister atacar para abrir caminho.

O esquadrão a que pertencia Rostov mal tinha montado a cavalo logo se vira cara a cara com o inimigo. Como já acontecera na ponte de Enns, entre o esquadrão e o inimigo nada havia, nada, a não ser, a separá-los, essa terrível linha do desconhecido e do terror como a que separa os vivos dos mortos. Todos os soldados tinham consciência dessa linha e se interrogavam a si mesmos angustiosamente: transporiam a linha ou não, e como é que a transporiam?

O coronel aproximou-se das suas tropas, respondeu, colérico, aos oficiais que o interrogavam, e deu as suas ordens como um homem disposto a cumprir desesperadamente aquilo que se propõe. Não deu nenhuma voz de comando precisa, mas pelo esquadrão correu o boato de que iam atacar. Ouviu-se a voz:
– Sentido! – e logo um retinir de sabres que eram arrancados das bainhas. Mas ninguém se movia. As tropas do flanco esquerdo, infantaria e hussardos, tinham a impressão de que o próprio comandante não sabia o que devia fazer, e a indecisão dos superiores comunicava-se aos soldados.

"Depressa, se ao menos eles decidissem depressa!", dizia Rostov para si mesmo, ao ver chegar, finalmente, com alegria o momento do ataque em que tantas vezes lhe tinham falado os hussardos, seus camaradas.

– Com a ajuda de Deus, rapazes – gritou Denissov –, a trote! Marcha!

As garupas dos cavalos da primeira fila principiaram a ondular. Gratchik sacudiu as rédeas e por si mesmo começou a trotar.

À direita, Rostov via as primeiras fileiras dos seus hussardos e mais para diante, na sua frente, entrevia uma linha escura, que não podia distinguir bem, e que supunha ser o inimigo. Ouviam-se tiros, mas na distância.

– Trote acelerado! – gritou uma voz de comando, e Rostov sentiu que o seu Gratchik levantava as traseiras e metia a galope.

Sentia a vertigem do movimento apossar-se dele e cada vez o tomava uma euforia maior. Notou uma árvore isolada diante de si. Essa árvore ocupava primeiro o centro daquela linha que lhe parecera tão terrível. E eis que ela lhe ficava já para trás, que a tinha transposto, a essa linha, e que ela não só já nada possuía de terrível para ele, mas cada vez se sentia mais alegre e animado. "Ah, como eu vou golpeá-los com a espada!", murmurava, apertando o punho da espada.

– Hur... r... a... a! – gritaram vozes.

"Ai daquele que me cair nas mãos, seja ele quem for!", murmurou Rostov, esporeando o seu Gratchik, e, adiantando-se a todos os seus camaradas, lançou-se a todo o galope. Diante dele estava o inimigo. De súbito, foi como se uma imensa chibata tivesse atingido todo o esquadrão. Rostov brandiu a espada pronta a ferir, mas no mesmo momento o soldado Nikitenko, que galopava na sua dianteira, afastou-se dele, e Rostov sentiu, como num sonho, que continuava a ser levado para diante com uma rapidez incrível e ao mesmo tempo que continuava parado no mesmo lugar. Na sua retaguarda o hussardo Bondartchuk, seu conhecido, saltou por cima dele, lançando-lhe um olhar de cólera. O cavalo de Bondartchuk empinou-se e passou.

"Que vem a ser isto? Não me mexo?... Caí, estou morto?", perguntou Rostov, num repente, a si próprio e no mesmo repente a si próprio respondeu. Estava completamente só no campo. Em vez dos cavalos a galope e das costas dos hussardos, em torno de si via apenas a terra imóvel e as barracas. Sentia-se banhado por um sangue quente. "Não, estou ferido, e o meu cavalo está morto." Gratchik procurou erguer-se nas patas dianteiras, mas voltou a cair, prendendo a perna do cavaleiro. O sangue corria-lhe da cabeça. Debateu-se, mas não foi capaz de se levantar. Rostov quis também erguer-se, mas voltou também a cair: tinha a patrona engatada na sela. Onde estavam os russos? Onde estavam os franceses? Não sabia. Não havia ninguém nas proximidades.

Depois de conseguir desembaraçar a perna, endireitou-se. "Onde estava, de que lado ficava agora a linha que dividia tão nitidamente os dois exércitos?" Era isto que ele perguntava a si próprio, sem conseguir qualquer resposta. "Que é que teria me acontecido de desastroso? Isto acontece, mas o que se deve fazer nestes casos?", perguntava-se a si mesmo enquanto se erguia; e ao mesmo tempo reparava que alguma coisa de supérfluo lhe pendia do braço esquerdo, paralisado. Parecia que o punho não lhe pertencia. Examinou o braço procurando, atentamente, sinais de sangue. "Ah! Já vejo gente", disse para si mesmo, satisfeito, ao ver certo número de pessoas que se dirigia para ele... "Vêm-me socorrer!" À frente vinha um homem com uma estranha barretina na cabeça e capote azul. Era escuro, de pele tisnada, e tinha o nariz recurvo. Mais dois, e ainda mais dois o seguiam. Um deles falou numa língua estranha, que não era a russa. No meio de uns homens semelhantes, com as mesmas barretinas na cabeça, mais atrás, havia um hussardo russo. Amparavam-no por um braço e atrás vinha o cavalo puxado pela arreata.

"Deve ser um dos nossos, prisioneiro... Sim. Naturalmente vão aprisionar a mim também! Que gente é esta?", continuou Rostov no seu solilóquio, não podendo crer no que via. "Serão franceses?" Via os desconhecidos aproximarem-se, e embora, momento antes, tivesse lançado o seu cavalo a galope para cair sobre eles e espadeirá-los, vê-los agora causava-lhe tal pânico que não podia acreditar nos seus olhos. "Quem são? Por que correm? Correm para mim? E por quê? Para me matar? Para matar a mim, de quem todos gostam?" E então, recordando-se do amor que lhe tinham a mãe, a família e os amigos, pareceu-lhe impossível que os inimigos o quisessem matar. "Ah! Será possível? Para me matar?" Assim ficou, mais de um minuto, sem se mexer e sem se dar conta da situação. O francês que vinha à frente, o do nariz recurvo, já estava tão perto que se distinguiam perfeitamente os seus traços. E a fisionomia exasperada e estranha daquele homem que, de baioneta calada, os dentes cerrados, se precipitava sobre ele, aterrorizava Rostov. Pegou na pistola e, em vez de disparar, atirou com ela aos franceses, deitando a fugir para as bouças. Já não sentia o mesmo que na ponte de Enns, esses sentimentos de incerteza sobre o futuro e esse desejo de luta que então o animavam, fugia como uma lebre perseguida por uma matilha. Era unicamente o terror de perder a vida jovem e feliz que o dominava por completo. Saltando agilmente por cima dos fossos, lá ia levado na sua carreira através dos campos, voltando para trás, de quando em quando, o rosto jovem e belo, muito pálido, ao mesmo tempo que o percorria um calafrio de medo. "Ah! Mais vale não ver", pensava. Assim que chegou, porém, às moitas, mais uma vez olhou para trás. Os franceses tinham ficado longe, muito longe e, precisamente no momento em que se voltou, viu o que vinha à frente retardar o passo, em vez de o acelerar, e interpelar em alta voz o camarada que o seguia. Rostov parou. "Não é isso", dizia ele para consigo, "não é possível que eles me queiram matar." No entanto, a mão esquerda pesava-lhe, como se dela pendesse um peso de muitas arrobas. Não pôde ir mais além. Os franceses também tinham parado e alvejavam-no. Rostov fechou os olhos e abaixou-se. Uma ou duas balas lhe passaram, silvando, por cima da cabeça. Fez um esforço derradeiro, pegou na mão esquerda com a mão direita e de novo correu, agora em direção às moitas. Ali encontrou atiradores russos.

CAPÍTULO XX

Os regimentos de infantaria atacados de improviso na floresta punham-se em fuga, e as companhias, misturadas, já não eram mais que tropas desordenadas. Um soldado, enlouquecido, pronunciou esta palavra, terrível na guerra, embora sem significação: – Estamos cortados! – e a frase, cheia de terror, propagou-se por toda a massa dos soldados.

– Cercados! Cortados! Perdidos! – gritavam os fugitivos.

Quando o general, ao ouvir a fuzilaria e os gritos na retaguarda, compreendeu que alguma coisa de grave estava acontecendo no seu regimento, e lhe passou pela cabeça que ele, um oficial exemplar, com uma longa folha de serviços, que nunca cometera qualquer falta, podia vir a ser acusado, perante os seus superiores, de negligência ou de incúria, de tal modo se sentiu transtornado que no mesmo momento, sem pensar mais na indisciplina do coronel de cavalaria, e esquecendo-se do seu próprio papel de general, e, principalmente, com um desprezo completo do perigo e do instinto de conservação, agarrou-se ao arção da sela e, esporeando o cavalo, largou a galope em direção ao seu regimento, sob uma saraivada de balas que, felizmente, não o atingiram. Só uma coisa o preocupava: saber o que tinha se passado, remediar a situação, reparar, tanto quanto possível, a falta cometida, caso houvesse erro da sua parte, e ficar isento de toda a censura, ele, que tinha vinte e dois anos de serviço, ele, um oficial exemplar e a quem nunca fora feita a menor observação.

Depois de ter atravessado incólume as linhas francesas, atingiu o campo de batalha por detrás da floresta que os russos atravessavam, precipitando-se pelo desfiladeiro, sem ouvirem ordens de ninguém. Estava-se, então, naquele grave minuto em que a sorte de uma batalha pode depender de uma hesitação moral: ouvirão as tropas em debandada a voz do seu superior, ou, limitando-se a olhar para ele, prosseguirão na fuga? Apesar dos loucos berros de uma voz até aí temida dos soldados, apesar da presença daquela cara rubra, descomposta pela ira e já sem configuração humana, apesar da espada que brandia, as tropas continuavam a fugir, a interpelar-se, a disparar para o ar, sem obedecerem. A hesitação moral que decide a sorte das batalhas pendia visivelmente para o lado do pânico.

O general sufocava, a gritar, no meio da fumaça, parando desesperado. Tudo parecia perdido. Mas, nesse momento, os franceses que iam no encalce dos russos fizeram, subitamente, meia-volta, sem razão aparente, desaparecendo na orla da floresta, e foi então que na própria floresta apareceram atiradores russos. Era a companhia de Timokine, a única que mantivera até ali intactas as suas fileiras e que, entrincheirada num fosso, atacara os franceses de surpresa. Timokine lançara-se sobre eles soltando gritos tão terríveis, caíra sobre o inimigo com uma tão desvairada audácia, apenas com a sua pequena espada em punho, que os franceses, desorientados, lançaram fora as armas e despediram em debandada. Dolokov, ao lado de Timokine, matou um francês, à queima-roupa e foi o primeiro a pegar pela gola num oficial que se rendia. Os fugitivos russos voltaram para trás, os batalhões reagruparam-se, e o inimigo, prestes a cortar em dois o flanco esquerdo, foi momentaneamente repelido. As reservas puderam reunir-se, e os fugitivos detiveram-se. O general estava na ponte com o major Ekonomov, vendo desfilar diante de si os batalhões em retirada, quando se aproximou dele um soldado, que lhe pegou nos estribos e se virou para ele. Esse soldado vestia um capote azul, regulamentar, não trazia nem mochila nem barretina: tinha a cabeça amarrada e aos ombros uma cartucheira francesa. Empunhava uma espada de oficial. Estava pálido, e os seus olhos azuis fixavam-se descaradamente no superior. Sorria. Posto o general estivesse ocupado a transmitir ordens ao major Ekonomov, não pôde deixar de lhe prestar atenção.

– Excelência! Aqui tem dois troféus – disse Dolokov, mostrando a espada e a cartucheira... – Fiz prisioneiro um oficial... Está no batalhão. – Dolokov arquejava, as suas palavras eram entrecortadas. – O batalhão inteiro é testemunha. Peço-lhe que não se esqueça, Excelência!

– Está bem, está bem – volveu o general, que continuava a sua conversa com Ekonomov.

Mas Dolokov não o largou. Desatou as ligaduras, puxou pela manga do general e mostrou-lhe o sangue coagulado nos cabelos.

– Uma ferida de baioneta, não abandonei as fileiras. Não se esqueça, Excelência.

Tinham-se esquecido da bateria de Tuchine, e foi só no fim do combate, ao continuar a ouvir o canhoneio do centro, que o príncipe Bagration enviou o oficial do estado-maior às ordens, e depois o príncipe André, com instruções para que a bateria retirasse o mais depressa possível. A linha de proteção que se encontrava nas imediações da bateria de Tuchine desaparecera, em virtude de uma ordem dada no meio da batalha; mas a bateria continuava a disparar e não fora tomada até então unicamente porque os franceses nunca poderiam imaginar que quatro peças sem qualquer cobertura tivessem a audácia de continuar a fazer fogo. Pelo contrário, pensavam, em virtude da enérgica ação desta bateria, que ali, no centro, se encontravam concentradas as principais forças dos russos; por duas vezes tinham tentado atacar a posição e de ambas as vezes haviam sido repelidos pela metralha das quatro peças colocadas naquela elevação.

Pouco depois da partida de Bagration, Tuchine conseguira incendiar Schoengraben.

– Que rebuliço aquilo lá! Como aquilo arde! Hein, que fumaça! Rica pontaria! Que fumaça! Que fumaça! – gritavam os artilheiros excitadíssimos.

Todas as peças, sem instruções, disparavam na direção do incêndio. E os soldados, como se estivessem assistindo a um concurso, exclamavam a cada tiro: – Bem apontado! É isso mesmo, é isso mesmo! Eh! Olhem para aquilo! De primeira ordem! – O fogo, que o vento ativava, propagava-se rapidamente. As colunas francesas instaladas na povoação recuaram, mas, para se vingar desse revés, o inimigo instalou à direita da aldeia dez peças de artilharia que faziam fogo sobre Tuchine.

No meio da alegria infantil que lhes despertava o incêndio, e entusiasmados com o êxito dos seus tiros contra os franceses, os artilheiros de Tuchine não deram por esta bateria senão quando dois projéteis, e logo em seguida mais quatro, caíram no meio das suas peças. Um deles derrubou dois cavalos e outro arrancou uma perna de um condutor de munições. O ardor que se apoderara de cada um deles não se desvaneceu com isso e apenas mudou de objetivo. Os cavalos foram substituídos pelos da carreta de reserva, os feridos, levados e as quatro peças voltaram o seu tiro contra as dez do inimigo. Um oficial camarada de Tuchine foi morto no princípio da ação, e no espaço de uma hora, dos quarenta artilheiros, dezessete tinham sido postos fora de combate. Mas nem por isso o outro pessoal da bateria parecia menos alegre e cheio de entusiasmo. Por duas vezes viram surgir lá embaixo, a pequena distância, soldados franceses, e por duas vezes os metralharam.

O homenzinho dos gestos indecisos e sem jeito só dizia para o seu impedido: – Mais uma cachimbada em cima deles. – E corria à primeira linha, atiçando o fogo, e olhava para os franceses com a mão em pala sobre os olhos.

– Fogo em cima deles, rapazes! – gritava, e ele próprio pegava nas rodas das peças, para fazê-las girar, e fazia manobrar as alavancas.

No meio da fumaça, ensurdecido pelas detonações ininterruptas, que o faziam estremecer a cada tiro, Tuchine, sem nunca abandonar o seu cachimbo, corria de uma peça a outra, ora fazendo pontaria, ora cortando os projéteis, ora ocupado em mandar desatrelar os cavalos mortos ou feridos, e sempre dando ordens com a sua vozinha fraca, suave e indecisa. Cada vez tinha uma expressão mais excitada. Só quando alguns dos seus homens eram mortos ou feridos franzia as sobrancelhas e, afastando-se dos que morriam, censurava os outros que, como sempre, não se apressavam a amparar os feridos ou a levar os cadáveres. Os soldados, na sua maior parte belos rapagões, como é costume na artilharia, duas cabeças mais altos que o seu oficial e duas vezes mais largos de ombros, interrogavam com os olhos o seu superior, como se fossem crianças atrapalhadas com o que tinham de fazer, e copiavam, invariavelmente, a expressão que liam no seu rosto.

Nesse terrível fragor, no meio daquele inferno e da necessidade de fazer frente a tudo, Tuchine não sentia a mais ligeira impressão de medo e não lhe passava pela cabeça a ideia de que poderia ser morto ou ficar gravemente ferido. Pelo contrário, cada vez era maior a sua alegria. Parecia-lhe que já fora há muito, que datava do dia anterior, pelo menos, o momento em que vira o inimigo pela primeira vez e que sobre ele havia disparado o primeiro tiro, e parecia-lhe que a pequena área de terreno em que se encontrava era um local de há muito conhecido e familiar até. Embora se lembrasse de tudo, pensasse em tudo, fizesse tudo que poderia fazer o melhor oficial na sua situação, parecia estar como que em delírio de febre ou completamente embriagado.

O barulho ensurdecedor das peças que disparavam por todos os lados, o silvar e rebentar dos projéteis inimigos, a presença dos artilheiros todos suados e vermelhíssimos, numa azáfama em volta das peças, o sangue que corria dos homens e dos animais, aquela fumaça que se erguia no céu do lado do inimigo, sempre acompanhada de um projétil, que vinha cair ora em terra, ora em cima de um homem, ora sobre uma peça ou um cavalo, a vista de todas essas cenas não o impedia de encher a cabeça de todo um mundo fantástico. Os canhões inimigos, na sua imaginação, não eram canhões, mas cachimbos, de onde partiam as raras fumaças de invisíveis fumadores.

"Lá está outro a fumar", murmurava Tuchine enquanto um penacho de fumaça trepava pela montanha acima e era levado pelo vento para a esquerda... "Esperemos pela bala para tornarmos a mandá-la."

– Que havemos de lhes mandar, Excelência? – perguntava o artilheiro que estava mais perto dele e que o tinha ouvido resmungar.

– Nada, um obus... – respondia ele. – Vamos a isso, Matvievna.

Matvievna era o nome que ele dava à grande peça do extremo, de fundição antiga. Os franceses em torno dos canhões pareciam-lhe formigas. O rapagão bêbado, o nº 1 da segunda peça, para ele era o "tio". Gostava mais de olhar para ele do que para os outros, e qualquer movimento seu o encantava. O ruído da fuzilaria junto à montanha, ora esmorecendo, ora reanimando-se, assemelhava-se a respiração de um ser vivo. Prestava atenção às variações de intensidade desses ruídos.

"Eh! Lá toma ela ar outra vez", pensava.

E ele próprio se imaginava um poderoso gigante, de imensa estatura, atirando as suas balas nos franceses com ambas as mãos.

– Anda, Matvievna, minha velha, não me atraiçoeis! – dizia, recuando alguns passos, quando ouviu por cima da cabeça uma voz estranha e desconhecida.

– Capitão Tuchine! Capitão!

Tuchine voltou a cabeça, surpreendido. Era aquele mesmo oficial do estado-maior que o tinha expulsado, no acampamento de Grount. Gritava-lhe, numa voz sufocada.

– Que faz aqui? Está doido? Já lhe deram, por duas vezes, ordem de recuar, e o senhor...

"Que eles querem de mim ainda?", disse Tuchine para si mesmo, fitando, mal-humorado, o superior.

– Eu... nada... – balbuciou, levando dois dedos à pala da barretina. – Eu...

O coronel não pôde chegar a cumprir a sua missão. Um projétil que naquele momento se aproximava obrigou-o a mergulhar sobre a cabeça do cavalo. Calou-se, e preparava-se para dizer mais alguma coisa, quando um novo projétil lhe cortou a palavra. Fez meia-volta e despediu a galope.

– Retirar! Todos! – gritou de longe.

Os soldados puseram-se a rir. Um minuto depois chegou um ajudante de campo com a mesma ordem.

Era o príncipe André. O que este viu antes de mais nada, ao penetrar no terreno ocupado pelas peças de Tuchine, foi um cavalo desatrelado, com uma perna partida, que escoiceava no meio dos varais. O sangue corria-lhe da perna como a bica de uma fonte. Entre os trens de artilharia jaziam alguns mortos. Os projéteis, uns atrás dos outros, voavam-lhe por cima da cabeça enquanto se aproximava, e sentiu como que um estremecimento nervoso percorrer-lhe o corpo. Mas a própria ideia de que tinha medo lhe dava coragem. "Eu não posso ter medo", dizia consigo mesmo, e, sem pressa, saltou do cavalo no meio da bateria. Transmitiu as ordens sem se afastar. Decidiu mandar atrelar as peças da posição na sua presença e mandá-las levar dali. Ao lado de Tuchine, pisando cadáveres, e sob o violento fogo dos franceses, ocupou-se da mudança dos canhões.

– O oficial que veio há pouco tratou logo de se pôr a andar – disse o artilheiro ao príncipe André. – Não era como Vossa Mercê.

O príncipe André não trocou uma só palavra com Tuchine. Estavam ambos tão atarefados que se diria nem sequer se verem um ao outro. Quando, mais tarde, desciam a colina, depois de terem engatado às carretas as duas peças ainda intactas – tiveram de abandonar uma peça desmantelada e um unicórnio – o príncipe André aproximou-se de Tuchine.

– Bom, até à vista – disse-lhe, estendendo-lhe a mão.

– Até à vista, meu caro – respondeu Tuchine –, meu bom amigo! Adeus, meu caro – acrescentou, sentindo, sem que soubesse por quê, que as lágrimas lhe subiam aos olhos.

CAPÍTULO XXI

O vento deixara de soprar; nuvens negras passavam, baixas, sobre o campo de batalha, confundindo-se, no horizonte, com a fumaça da pólvora. Principiou a escurecer, e os clarões do incêndio, em dois sítios, viam-se agora melhor. O tiroteio começava a enfraquecer, mas na retaguarda e à direita a fuzilaria tornava-se cada vez mais frequente e mais próxima. Assim que Tuchine, com as suas peças, abrindo caminho através dos feridos, saiu da zona de fogo e desceu para o barranco, encontrou a oficialidade e os ajudantes de campo, entre os quais o oficial do estado-major Jerkov que duas vezes lhe fora expedido e que nem uma só chegara à bateria. Todos, interrompendo-se uns aos outros, discutiam as ordens sobre a direção a tomar. Dirigiram-lhe censuras e observações. Tuchine não tomara qualquer disposição, e em silêncio, receoso de falar, pois à menor palavra romperia em soluços, sem que ele próprio soubesse por quê, ia atrás, montado no seu rocim de artilheiro. Posto houvesse ordem de abandonar os feridos, muitos deles tinham se arrastado atrás das tropas, pedindo assento em cima das peças. Aquele galhardo oficial de infantaria que antes do combate saíra da barraca de Tuchine lá ia deitado, com uma bala no ventre, em cima da carreta da Matvievna. No sopé da colina, um *junker* de hussardos, muito pálido, amparando uma das suas mãos com a outra, aproximou-se de Tuchine e pediu-lhe um lugar.

– Capitão, faça o favor, estou com este braço contundido – disse, timidamente. – Por amor de Deus, não posso andar!

Via-se que aquele jovem oficial já pedira mais do que uma vez que o recolhessem e todos lhe recusaram auxílio. Tinha uma voz hesitante e lamentosa.

– Deixe-me sentar, por amor de Deus.

– Arranjem-lhe lugar, arranjem-lhe lugar! – exclamou Tuchine. – Eh! tio, estende-lhe um capote – acrescentou, dirigindo-se ao seu artilheiro favorito. – Mas onde é que está o oficial ferido?

– Levaram-no, estava morto – respondeu alguém.

– Arranjem-lhe lugar. Sente-se, meu caro, sente-se. Estende o capote, Antonov.

O *junker* era Rostov. Amparava o braço ferido, estava pálido e o queixo tremia-lhe de febre. Instalaram-no em cima da Matvievna, sobre aquela mesma peça de onde acabavam de tirar o oficial morto. No capote estendido havia sangue, que manchou as calças e as mãos de Rostov.

– Que, está ferido, meu caro? – perguntou Tuchine, aproximando-se da peça onde estava instalado Rostov.

– Não, apenas contundido.

– E que sangue é esse que está em cima da carreta? – perguntou Tuchine.

– Foi o oficial, Vossa Mercê, que deixou sangue aí – replicou o artilheiro, limpando o sangue com a manga do capote, como que a desculpar-se da falta de asseio.

Dificilmente, com o auxílio da infantaria, levaram as peças para a montanha, e, ao atingirem a aldeia de Gunthersdorf, fizeram alto. Estava tão escuro que a dez passos não podia distinguir-se o uniforme dos soldados, e a fuzilaria acabara. Subitamente, a pouca distância, à direita, ressoaram novamente gritos e salvas. A obscuridade foi iluminada pelos tiros. Era um último ataque dos franceses, a que respondiam os soldados entrincheirados nas casas. Todos abandonaram de novo a povoação, mas as peças de Tuchine, essas não podiam mover-se dali, e os artilheiros, Tuchine e o *junker* trocavam olhares entre si, sem dizerem nada, confiando-se à sorte. A fuzilaria serenou, e, por uma estrada lateral, veio até eles uma conversa de soldados muito animada.

– Tu não estás ferido, Petrov? – perguntava um deles.

– Chegamos bem, irmão. Não se metem noutra – respondeu outro soldado.

– Não se vê ninguém. E que coça eles pregaram na sua gente! Não é verdade? Não se vê ninguém, meninos. Não poderíamos beber alguma coisa?

Os franceses tinham sido definitivamente repelidos. E foi então que pela noite de breu as peças de Tuchine, enquadradas por um enxame ruidoso de soldados de infantaria, voltaram a pôr-se em andamento.

Nas trevas, era como um rio escuro e invisível que corria na mesma direção, entre o murmúrio das vozes, das conversas, do tropear dos cavalos e do ruído das rodas. No meio de todos esses rumores, os mais diferentes, ouviam-se mais distintamente os gemidos e os gritos dos feridos que subiam na noite. Esses gemidos só por si pareciam encher as trevas em que todos mergulhavam. Gemidos e trevas confundiam-se. Daí a algum tempo, um remoinho se produziu no meio dessa multidão em movimento. Alguém montava um cavalo branco, acompanhado de um séquito, e ao passar pronunciavam-se algumas palavras. "Que é que ele disse? Aonde é que nós vamos agora? Devemos ficar no mesmo lugar? Concedeu recompensas?" De todos os lados se entrecruzavam estas ávidas interrogações e a massa em movimento começava a cerrar-se, pois, evidentemente, os que iam na frente tinham parado e corria o boato de que fora dada ordem para fazer alto. Todos, efetivamente, pararam no lugar onde estavam, no meio da estrada lamacenta.

Brilharam luzes e puderam distinguir-se vozes. O capitão Tuchine, depois de ter tomado as suas disposições nas companhias, mandou um soldado em busca da ambulância ou de um médico para o *junker*. Rostov arrastou-se também para perto das chamas. O tremor febril que o seu estado lhe causava, o frio e a umidade prostravam-no por completo. Sentia uma vontade irresistível de dormir, mas não podia, por virtude da dor terrível no braço, para o qual não encontrava posição. Ora fechava os olhos, ora fitava a fogueira, que tinha cintilações escarlates, ora erguia os olhos para a mísera silhueta corcovada de Tuchine, escarranchado no chão ao seu lado. Os papudos olhos do capitão, bons e inteligentes, fixavam-no com simpatia e compaixão. Rostov sentia que Tuchine gostaria de poder ajudá-lo, de todo o seu coração, mas que nada podia fazer.

Por todos os lados se ouviam passos e vozes de gente que desfilava, a pé e a cavalo, e de soldados de infantaria que se instalavam nas imediações. As vozes, o ruído dos passos, das ferraduras dos cavalos patinhando na lama, o crepitar próximo e distante das fogueiras, tudo isto formava como que uma vaga estrondeante.

Já não era, como até ali, um rio invisível correndo nas trevas, mas um oceano negro que se aquieta e palpita depois da tempestade. Rostov olhava e ouvia, sem pensar, tudo que se passava diante dele e à sua volta. Um soldado de infantaria avançou para a fogueira, pôs-se de cócoras, estendendo as mãos para as chamas e desviando a cara.

– Dá licença, Sua Mercê? – disse ele, dirigindo-se a Tuchine. – É que eu me perdi da minha companhia, Sua Mercê. Não consigo saber onde ela está. Que desgraça!

Ao mesmo tempo que o soldado, aproximou-se também um oficial de infantaria, com o rosto amarrado, o qual, dirigindo-se a Tuchine, pediu que fizesse avançar um pouco as peças para deixar passar as bagagens. Atrás desse comandante de companhia precipitaram-se dois soldados. Renhiam violentamente, puxando cada um para o seu lado uma bota.

— Não tenhas medo! Foste tu que a apanhaste! Tens a mão leve! — gritava um deles, numa voz rouca.

Chegou depois um soldado pálido e magro, o pescoço envolto numa ligadura ensanguentada, que, raivoso, pediu água aos artilheiros.

— O quê? Temos de morrer como cães? — dizia ele.

Tuchine mandou que lhe dessem água. Em seguida apareceu um soldado, um jogral, que pediu lume para os soldados de infantaria.

— Fogo, bem aceso, para os da infantaria. Encantado com a companhia! Obrigado pelo fogo. Havemos de pagar a vocês com juros — disse ele, levando consigo, para o meio das trevas, um tição aceso.

Depois, quatro soldados que traziam num capote um objeto pesado passaram junto do acampamento. Um deles tropeçou.

— Diabos os levem mais a fogueira no meio do caminho — resmungou.

— Ele está morto, para que havemos de levá-lo? — observou outro.

— Eh, rapazes!

E desapareceram com o fardo na escuridão.

— Então? Dói-lhe muito? — perguntou Tuchine em voz baixa.

— Dói.

— Sua Excelência o general chama-o. Está ali, naquela isbá — disse um artilheiro aproximando-se de Tuchine.

— Vou já, meu amigo.

Tuchine ergueu-se e, abotoando o capote e ajeitando-o, afastou-se da fogueira.

Não muito longe do acampamento dos artilheiros, numa isbá preparada para ele, o príncipe Bagration estava sentado diante de uma mesa, conversando com alguns comandantes de destacamento, reunidos em volta dele. Lá estava o velhinho de olhos semicerrados, o general com vinte e dois anos de serviço impecável, muito vermelho, por causa da vodca que bebera e do jantar que ingerira, o oficial do estado-maior, com o seu anel, Jerkov, que olhava com inquietação para todos, e por fim o príncipe André, muito pálido, os lábios cerrados e os olhos a brilharem, febris.

A um canto estava uma bandeira tomada dos franceses, e o auditor, com o seu ar ingênuo, palpava-lhe o tecido e abanava a cabeça, talvez porque a bandeira o preocupava, ou então por ser penoso, a ele, com fome, assistir a uma refeição em que não tomava parte. No quarto ao lado estava o coronel francês feito prisioneiro pelos dragões. Os oficiais russos juntavam-se em volta dele para o verem. O príncipe Bagration agradecia aos comandantes de seção e pedia pormenores sobre a batalha e as perdas. O comandante do regimento que lhe fora apresentado em Braunau contava que desde o começo da ação tinha evacuado a floresta, reunira os seus homens, que procuravam lenha, e, lançando na refrega os seus dois batalhões, atacara à baioneta e repelira os franceses.

– Quando me dei conta, Excelência, de que o meu batalhão estava disperso, parei no meio da estrada e disse com os meus botões: "Deixemo-los passar, e depois abramos fogo sobre eles". E foi isso que fiz.

Este coronel tinha desejado tanto agir desse modo, e lamentava tão profundamente não ter conseguido, que acabara por imaginar sinceramente que tudo quanto dizia era exato. E no fim das contas talvez as coisas se tivessem passado assim. Seria possível, no meio de toda aquela confusão, reconhecer o que tinha ou não tinha se passado?

– Além disso, devo observar-lhe, Excelência – prosseguiu ele, lembrando-se da conversa de Dolokov com Kutuzov e do seu último encontro com o degradado –, que Dolokov, soldado raso, fez prisioneiro, à minha vista, um oficial francês, e se distinguiu entre todos.

– Eu vi, Excelência, o ataque dos soldados de Pavlogrado – interveio Jerkov, sempre com o seu ar inquieto. Não tinha visto nesse dia os hussardos, e apenas ouvira um oficial falar no caso de infantaria... – Romperam dois quadrados, Excelência.

Ao ouvirem essas palavras de Jerkov, alguns dos presentes sorriram, como sempre à espera de algum gracejo, mas, ao verificarem que o que ele estava dizendo apenas tinha em vista a glória das tropas e daquela jornada, assumiram uma expressão sisuda, embora a maior parte deles soubesse perfeitamente que tudo aquilo não passava de palavras atiradas ao ar. O príncipe Bagration dirigiu-se ao velho militar.

– Agradeço a todos, meus senhores: todos os corpos se comportaram com heroísmo: infantaria, cavalaria e artilharia. Como é que se compreende que tenham abandonado no centro duas peças? – perguntou, procurando alguém com o olhar. Bagration não inquiria sobre o destino das peças do flanco esquerdo; ele sabia que ali, desde o princípio da batalha, todos os canhões tinham sido abandonados. – Parece-me que já lhe perguntei isso – disse ao oficial de estado-maior em serviço.

– Uma estava desmantelada – replicou este. – Quanto à outra, não sei o que aconteceu; estive presente durante toda a operação e tomei as medidas necessárias. Mal tinha saído dali... Fazia um calor, realmente – acrescentou com modéstia.

Alguém disse que o capitão Tuchine estava ali, nas imediações, e que tinham mandado chamá-lo.

– Mas o senhor, o senhor esteve lá – disse Bagration ao príncipe André.

– Precisamente, partimos quase ao mesmo tempo – atalhou o oficial de estado-maior, dirigindo-se a Bolkonski, com um sorriso amável.

– Não tive o prazer de vê-lo – replicou o príncipe André, com frieza, e martelando as palavras.

Todos se calaram. Tuchine aparecera no limiar da porta, deslizando timidamente por detrás das costas dos generais. Ao passar perto de todas estas personalidades, na acanhada isbá, como sempre muito conturbado com a presença dos superiores, não reparou na haste da bandeira e tropeçou.

Alguns dos presentes puseram-se a rir.

– Como é que se compreende que tenham abandonado uma peça? – perguntou Bagration, franzindo a testa, não tanto dirigindo-se ao capitão como aos que se riam, entre os quais Jerkov se distinguia muito particularmente.

Somente agora, diante do severo comandante, Tuchine media, em toda a sua monstruosidade, o crime e a infelicidade de ainda estar vivo depois de ter perdido dois canhões. Passara por tantas emoções que até ali ainda não tivera tempo de pensar no caso. O riso dos oficiais ainda o tornava mais desgraçado. Ali ficou, diante de Bagration, a tremer, a tremer, e apenas conseguiu articular:

– Não sei, Excelência... Excelência... Não tinha mais homens, Excelência.

– Podia tê-los ido buscar no batalhão que o cobria!

Cobertura era coisa que a sua bateria não tinha, eis o que Tuchine ignorava, embora, de fato, fosse essa a verdade. Receoso de comprometer com isso outro comandante, sem dizer palavra, olhou para Bagration, de olhos fitos, como um colegial que, não sabendo o que há de responder, fica a olhar para o examinador.

O silêncio prolongou-se por bastante tempo. Bagration, que, evidentemente, não queria mostrar-se severo, não achava o que dizer; os demais não ousavam intervir. O príncipe André olhava disfarçadamente para Tuchine, e as suas mãos tinham estremecimentos nervosos.

– Excelência – disse ele, rompendo o silêncio com a sua voz cortante –, dignastes-vos enviar-me à bateria do capitão Tuchine. Estive lá e fui encontrar dois terços dos homens e dos cavalos mortos, duas peças desmanteladas e, quanto à cobertura, nada.

Bagration e Tuchine fitavam agora Bolkonski, que revelava uma emoção refreada.

– E se consente que eu exprima a minha opinião, Excelência – prosseguiu ele –, devo dizer-lhe que devemos em grande parte o êxito desta jornada à intervenção desta bateria e à firmeza estoica do capitão Tuchine e da sua companhia. – E sem aguardar qualquer resposta, levantou-se e abandonou a mesa.

O príncipe Bagration olhou para Tuchine e, como não queria dar a impressão de que não acreditava no juízo peremptório de Bolkonski nem, ao mesmo tempo, de que estava disposto a acreditar plenamente nele, fez um aceno com a cabeça e disse a Tuchine que podia retirar-se.

O príncipe André saiu atrás dele.

– Obrigado, o senhor salvou-me, meu caro – disse-lhe Tuchine.

André envolveu-o num olhar e afastou-se sem dizer nada. Sentia a alma triste e pesada. Tudo aquilo era tão anormal, tão diferente do que ele tinha esperado.

"Que gente é esta? Que faz aqui? Que quer? Quando é que tudo isto acabará?", pensava Rostov, vendo desfilar todas aquelas sombras diante de si. Cada vez lhe era mais penosa a dor que sentia no braço. Apoderava-se dele um sono invencível, círculos vermelhos dançavam-lhe diante dos olhos, e a recordação de todas estas vozes, destas caras, a consciência do isolamento em que estava misturavam-se à dor que sentia. Eram eles, aqueles soldados, feridos ou não feridos, eram eles que o esmagavam, que pesavam em cima de si, torciam-lhe os tendões, assavam-lhe as carnes do braço e do ombro partidos. Para se libertar da sua presença, fechou os olhos.

Adormeceu alguns momentos e durante esse breve intervalo de inconsciência viu desfilar diante de si toda uma fantasmagoria. Eram a mãe e as suas grandes mãos brancas, os ombros delgados de Sônia, os olhos risonhos de Natacha, e Denissov, com a sua grossa voz e os seus bigodes, e Telianine, e toda a sua aventura com este e com Bogdanitch. E essas cenas identificavam-se com a figura desse soldado de voz rude que ele tinha ouvido, e as duas imagens confundidas agarravam-lhe o braço brutalmente e sem piedade e sacudiam-lho constantemente no mesmo sentido. Fazia esforços para se libertar desses fantasmas, mas eles não lhe abandonavam o ombro por um segundo que fosse. E o ombro não lhe teria doído mais, ter-se-ia curado, se eles deixassem de puxá-lo. Era-lhe impossível, porém, ver-se livre deles.

Abriu os olhos e olhou para o ar. A cortina negra da noite estendia-se a poucos centímetros por cima da claridade das fogueiras. Via-se flutuar nessa claridade uma ligeira neve pulverizada. Tuchine não voltava, o médico não aparecia. Estava só; agora havia ali apenas um soldadinho, com o tronco nu, do outro lado da fogueira, que aquecia o corpo amarelento e descarnado.

"Ninguém se importa comigo", pensava Rostov... "ninguém para me socorrer, ninguém para me lamentar. E lembrar que eu outrora, lá em casa, todo eu era força, e era alegre, e querido." Soltou um suspiro, e esse suspiro, sem que desse por isso, terminou num gemido.

– Sente-se mal, hein? – perguntou o soldado, que sacudia a camisa por cima das chamas, e sem esperar resposta, acrescentou, numa voz rouca: – Ah, a gente que hoje ficou por aí em pedaços! Foi terrível!

Rostov não ouvia as palavras do soldado. Olhava para os pequeninos flocos de neve que rodopiavam por cima da fogueira e lembrava-se do inverno russo, da casa quente e clara, da peliça suave, dos trenós rápidos; via-se cheio de saúde, rodeado da ternura e dos cuidados da família, "Ah! para que eu vim para cá?", dizia consigo mesmo.

No dia seguinte, os franceses não renovaram o ataque, e os restos do destacamento de Bagration puderam juntar-se ao exército de Kutuzov.

TERCEIRA PARTE

CAPÍTULO PRIMEIRO

O príncipe Vassili não preparava de antemão os seus planos. E muito menos pensava em fazer mal às pessoas para daí extrair proveito. Era apenas um homem de sociedade bem-sucedido e que se habituara a ter êxitos. Consoante as circunstâncias, de acordo com as suas relações, diversos planos e combinações se arquitetavam constantemente na sua cabeça, sem que ele próprio se desse perfeita conta disso, e eis em que consistia, para ele, o interesse da sua existência. Não eram uma nem duas as combinações que ele constantemente tinha em mente, mas dúzias: umas apenas em esboço, outras realizadas, e havia ainda as que caíam por terra. É claro que ele não costumava dizer consigo mesmo, por exemplo: "Este indivíduo é atualmente uma pessoa poderosa, há toda a vantagem em que eu conquiste a sua confiança e a sua amizade, para poder vir a tirar daí algum proveito". Também não costumava dizer para si: "Ora, aqui temos rico o Pedro; é preciso que eu o faça casar com minha filha, para lhe pedir emprestados os quarenta mil rublos de que tenho necessidade". O indivíduo importante se apresentava: instantaneamente o seu instinto lhe segredava que esse homem podia ser-lhe útil, e ei-lo que se relacionava com ele e na primeira ocasião, sem que se tivesse preparado para isso, instintivamente por assim dizer, lisonjeava-o, tornava-se familiar, insinuava-lhe algumas palavras sobre as suas necessidades.

Pedro estava ao seu alcance em Moscou; fez com que ele fosse nomeado camarista da corte, o que então correspondia ao cargo de conselheiro de Estado, e insistiu para que o rapaz o acompanhasse a Petersburgo e se hospedasse em sua casa. Desprendidamente, na aparência, e ao mesmo tempo com a perfeita convicção de que assim devia agir, o príncipe Vassili fazia tudo quanto era preciso para que Pedro desposasse sua filha. Se tivesse arquitetado previamente os seus planos não lhe teria sido possível imprimir às suas maneiras um ar tão natural, nem dispor de tanta simplicidade e familiaridade nas suas relações com as pessoas de uma situação mais importante do que a sua ou com os seus inferiores. Era constantemente atraído para as pessoas mais poderosas e mais ricas do que ele, e possuía a arte pouco vulgar de aproveitar o momento favorável para delas extrair o que lhe era vantajoso.

Pedro, que, de um momento para o outro e sem contar, se tornara tão rico e conde Bezukov, depois daqueles seus últimos tempos de isolamento e despreocupação, de tal modo se sentia perseguido pelas pessoas e enfronhado em ocupações, que só na cama lhe era dado encontrar-se consigo mesmo. Tinha-se visto obrigado a assinar papéis, a entrar em comunicação com repartições cuja importância não conseguia perceber muito bem, a interrogar sobre este ou aquele assunto o seu principal intendente, a visitar os seus domínios perto de Moscou e a receber uma infinidade de pessoas que nunca tinham querido saber sequer da sua existência e que se teriam mostrado agora muito pesarosas e ofendidas caso ele, porventura, não as quisesse ver. Todas estas variadas personalidades: homens de negócios, parentes, conhecidos, todas se mostravam, unanimemente, de uma grande amabilidade para com o moço herdeiro, todas estavam incontestável e evidentemente convencidas das suas altas qualidades. A cada passo ouvia estas palavras: "com a sua extraordinária bondade", ou então: "uma pessoa de coração tão excelente", ou: "o senhor, que tem uma tão bela alma, conde..." e outras coisas do mesmo gênero. E de tal maneira que, no fim das contas, principiou a acreditar sinceramente na sua extraordinária bondade, na sua extraordinária inteligência, tanto mais que no fundo do seu coração sempre se julgara muito bom e muito inteligente. Até mesmo as pessoas que anteriormente se tinham mostrado para com ele malévolas ou hostis agora eram todas ternura e amabilidade. A mais velha das princesas, aquela de alta estatura e cabelos lisos como os de uma boneca, que sempre se mostrara tão colérica, veio procurar Pedro depois dos funerais. De olhos baixos e muito corada, declarou-lhe que lastimava muito o que se tinha passado entre os dois e que não se sentia agora no direito de lhe pedir nada mais além da autorização, depois da desgraça que a atingira, de ficar ainda algumas semanas numa casa que tanto estimava e por que tanto se tinha sacrificado. Ao dizer estas palavras, não pôde conter-se e rompeu a soluçar. Muito comovido perante semelhante mudança numa pessoa habitualmente tão impassível como uma estátua, Pedro apertou-lhe a mão e pediu-lhe perdão, sem que ele próprio soubesse de quê. A partir desse dia, a princesa passou a tricotar-lhe um cachecol de riscas e tornou-se outra para ele.

– Faça isso por ela, *mon cher*; o certo é que padeceu muito por causa do defunto – dissera-lhe o príncipe Vassili, apresentando-lhe um papel a assinar para a princesa.

Vassili decidira lançar aquele osso à pobre princesa para ela roer, um título de crédito de trinta mil rublos. Era a maneira de evitar que lhe passasse pela cabeça dizer qualquer coisa a respeito da participação dele, príncipe Vassili, no negócio da pasta. Pedro endossou o título de crédito, e desde esse momento a princesa redobrou de atenções para com ele. As irmãs mais novas da princesa foram igualmente muito amáveis para com Pedro, especialmente a mais jovem e mais bonita, a que tinha um sinalzinho no rosto, e Pedro sentia-se muitas vezes perturbado com os sorrisos dela e a emoção que manifestava na sua presença.

A Pedro parecia tão natural que todos gostassem dele, teria parecido tão contrário à natureza que alguém não o estimasse, que não podia deixar de acreditar na sinceridade das pessoas que o cercavam. Mas, não tinha tempo de se interrogar a respeito da sua muita ou pouca sinceridade. Não tinha tempo para nada, sentia-se constantemente num estado de suave e alegre embriaguez. Percebia que era o centro de uma importante agitação de toda aquela gente; sentia que esperavam dele a todo o momento o que quer que fosse e que se ele não fizesse isto ou aquilo causaria com isso a aflição de muitos, privando-os do que eles esperavam, e que, se fizesse isto ou aquilo, tudo seria perfeito. Por isso fazia sempre o que esperavam dele, mas os bons resultados aguardados deixavam sempre a desejar.

Nos primeiros momentos, foi o príncipe Vassili, mais do que ninguém, quem monopolizou os interesses de Pedro e a sua própria pessoa. A partir da morte do conde Bezukov, não o abandonou mais. Deu-se ares de alguém que está esmagado de trabalho, atarefado até mais não poder, mas que, por compaixão, não pode entregar aos caprichos da sorte, abandonar aos ladrões um adolescente indefeso, o filho do seu amigo afinal de contas, sobretudo com uma fortuna tão imensa. Durante os dias que passou em Moscou depois do falecimento do conde, convocou Pedro ou apresentou-se na casa dele para lhe prescrever o que devia fazer, tomando para isso um tom ao mesmo tempo de lassidão e de confiança, que parecia dizer: "Bem sabe que estou cheio de trabalho e que é por mera caridade que me preocupo com você, e além disso sabe bem que aquilo que eu lhe proponho é a única coisa viável".

– Bom, meu amigo, enfim, nós partimos amanhã – disse-lhe um dia, com os olhos semicerrados, dando-lhe pancadinhas amistosas no braço, no tom de quem dava a entender que o assunto de há muito fora decidido entre os dois e que não valia a pena falarem mais no caso. – Nós partimos amanhã, reservo-te um lugar no meu carro. Estou muito contente. Aqui todos os assuntos importantes estão arrumados. Por mim, há muito já que devia ter partido. Ah! recebi resposta do chanceler. Tinha-a pedido para ti: foste nomeado para o corpo diplomático e és camarista da corte. Tens aberta a carreira diplomática.

Apesar do poder que sobre ele exercia, o tom de lassidão e de confiança que acompanhava estas palavras, Pedro, que tanto pensava na sua carreira, teria querido fazer objeções. Mas o príncipe Vassili cortou-lhe o discurso naquele tom gorjeado de baixo que parecia excluir toda a possibilidade de o interromperem e que não costumava empregar senão nos casos em que era preciso dominar uma convicção.

– Mas, meu caro, eu tomei esta iniciativa por mim mesmo, para descanso da minha consciência, e não tens nada que me agradecer. Nunca ninguém se queixou de ser querido demais; e, depois, és livre, podes renunciar um dia a tudo isto. Tu verás, quando estiveres em Petersburgo. E já é tempo de te afastares destas horríveis recordações. – Vassili deu um suspiro. – Mas tudo está acertado, meu filho. Deixa o meu criado ir no teu carro. Ah! já me esquecia – acrescentou ainda –, não sei se sabes, meu caro, que eu tinha umas contas em aberto com teu pai, por isso recebi umas pequenas rendas do domínio de Riazan e fiquei com elas: não precisas, não é verdade? Depois faremos as contas.

Aquilo a que Vassili chamava umas "pequenas rendas do domínio de Riazan" eram, nada mais nada menos, que alguns milhares de rublos de rendas de servos, que metera na sua algibeira.

Em Petersburgo Pedro viu-se cercado pela mesma atmosfera de amabilidades e gentilezas que conhecera em Moscou. Não pôde recusar o lugar, ou antes, o título, que lhe ofereciam, visto não o obrigarem a desempenhar qualquer função, e tantos foram os convites, as pessoas conhecidas, as obrigações mundanas a enfrentar, que, ainda mais do que em Moscou, teve a impressão de estar mergulhado num nevoeiro, num turbilhão, sem que a ambicionada felicidade, que parecia aproximar-se a todo o momento, chegasse a tornar-se realidade. Dentre os seus conhecidos celibatários muitos não se encontravam em Petersburgo. A Guarda estava em campanha, Dolokov tinha sido degradado, Anatole encontrava-se no exército, na província, o príncipe André, esse, fora para o estrangeiro. Eis por que Pedro não pôde passar as suas noites como antigamente gostava, nem lhe era possível aliviar, de tempos a tempos, o seu coração nas longas conversas com esse seu amigo mais velho, a quem tanto venerava. Passava todo o seu tempo em jantares, em bailes, principalmente na casa do príncipe Vassili, na companhia da gorda princesa, sua mulher, e da bela Helena.

Ana Pavlovna Scherer compartilhou, como todos os outros, da mudança de opinião da sociedade relativamente ao novo conde.

Até aí, Pedro, na sua presença, tinha sempre a impressão de que o que dizia não era conveniente, carecia de tato, não era o que se devia dizer, e os seus discursos, que a ele pareciam sensatos quando os formulava para si próprio, tornavam-se estúpidos assim que os pronunciava em voz alta, enquanto, pelo contrário, as mais absurdas observações de Hipólito pareciam espirituosas e encantadoras. Agora, o que quer que ele dissesse imediatamente era considerado encantador. Se Ana Pavlovna não lhe dizia, Pedro via ser isso mesmo que ela queria lhe dizer e que apenas se coibia de falar para não lhe ferir a modéstia.

No princípio do inverno de 1805-1806, Pedro recebeu de Ana Pavlovna o habitual bilhete de convite cor-de-rosa, com o *post-scriptum*: Encontrará em minha casa a bela Helena, que nunca nos cansamos de olhar.

Ao ler esta frase, Pedro, pela primeira vez, sentiu que entre ele e Helena se formava uma espécie de união reconhecida por todos, e esta ideia, ao mesmo tempo que o apavorava, como se lhe impusesse obrigações que ele não podia cumprir, também lhe dava um certo prazer, como que uma lisonjeira eventualidade.

O serão de Ana Pavlovna foi tal qual o primeiro, exceto na novidade com que ela brindou os seus convidados, e que já não era Mortemart, mas um diplomata que chegara havia pouco de Berlim e trouxera as notícias mais frescas sobre a chegada do imperador Alexandre a Potsdam e sobre a energia com que os dois augustos amigos haviam jurado um ao outro estabelecer uma aliança indissolúvel para defender o direito contra o inimigo do gênero humano. Pedro foi acolhido por Ana Pavlovna com um matiz de tristeza, evidentemente alusão à perda recente que atingira o jovem, o falecimento do conde Bezukov – o certo é que todos os presentes julgavam dever seu mostrar a Pedro quanto sentiam a morte de um pai que ele quase não chegara a conhecer – uma tristeza profunda que se parecia muito com a que a sua expressão traduzia quando falava de sua augusta Ama, a Imperatriz Maria Fiodorovna. Pedro sentiu-se extraordinariamente lisonjeado. Ana Pavlovna organizou, com a sua arte habitual, os grupos no salão. O principal, onde pontificava o príncipe Vassili e os generais, usufruía da presença do diplomata. Outro grupo se formou em volta de uma mesa de chá. Pedro teria gostado de reunir-se ao primeiro, mas Ana Pavlovna, que experimentava a excitação de um grande general no campo de batalha quando lhe vem ao espírito uma infinidade de inspirações brilhantíssimas que não tem tempo de pôr em prática, tocou-lhe na manga assim que o viu aparecer.

– Ouça, tenho uma coisa para você esta noite. – Lançou um olhar a Helena, sorrindo-lhe: – Minha boa Helena, precisa ser caridosa para a minha tia, que a adora. Vá fazer-lhe dez minutos de companhia. E para que não se aborreça muito, aqui tem o querido conde, que não vai recusar, certamente, acompanhá-la.

A bela Helena foi ao encontro da tia, mas Ana Pavlovna conservou ainda Pedro junto a si, fingindo ter de lhe fazer umas últimas recomendações.

– Não é realmente encantadora? – disse ela para Pedro, mostrando-lhe aquela beleza de majestoso porte. – E que aprumo! Moça tão nova e com tamanho tato, com uma tal perfeição de maneiras! Vem-lhe tudo do coração! Feliz do homem que a merecer! Com ela, o menos mundano dos maridos virá a ocupar, sem querer, a mais brilhante posição na sociedade! Não é verdade? Muito gostaria que me dissesse a sua opinião... – E Ana Pavlovna pôs Pedro à vontade.

Pedro era inteiramente sincero ao concordar com Ana Pavlovna sobre a perfeição de maneiras de Helena. Se porventura lhe acontecia pensar nela, era para apreciar a sua beleza e o seu extraordinário talento de conservar em sociedade uma atitude calma, silenciosa e digna.

A tia, no seu canto, acolheu os dois jovens, mas via-se bem que queria esconder a adoração que tinha por Helena e mostrar sobretudo o medo que lhe inspirava Ana Pavlovna. Interrogou a sobrinha com o olhar, como a perguntar-lhe qual a atitude que devia assumir. Ao deixá-los, Ana Pavlovna tocou de novo, ligeiramente, na manga de Pedro, dizendo-lhe:

– Espero que não volte a dizer que as pessoas se aborrecem em minha casa. – Ao mesmo tempo olhava para Helena.

Esta deu um sorriso que queria dizer não consentir, a quem quer que a visse, não ficar deslumbrado. A tia tossicou, engoliu a saliva e disse em francês que estava encantada de ver Helena, depois dirigiu a Pedro o mesmo cumprimento, tomando a mesma expressão. No decurso desta conversa, bem pouco interessante e com longas interrupções, Helena encarou Pedro, dedicando-lhe aquele lindo sorriso sereno que tinha para todas as pessoas. Pedro estava-lhe tão habituado, esse sorriso tinha para ele tão pouco significado, que não lhe prestou a mínima atenção. A tia falou então da coleção de caixas de rapé do falecido pai de Pedro, o conde Bezukov, e mostrou a sua própria caixa, com o retrato do marido na tampa. Helena pediu-lhe que a deixasse ver o retrato.

– Deve ser obra de Vinesse – disse Pedro, citando o nome de um miniaturista célebre; debruçou-se sobre a mesa para pegar na caixa de rapé, sempre com o ouvido atento para o que se dizia na mesa vizinha.

Levantou-se para dar a volta à mesa, mas a tia passou-lhe diretamente a caixa de rapé por detrás das costas de Helena. Esta inclinou-se para diante a fim de facilitar o movimento e voltou a cabeça, sorrindo. Vestia, como sempre que vinha a festas à noite, um vestido muito decotado, como se usava então, tanto à frente como atrás. O seu busto, cuja brancura lembrava a Pedro a alvura do mármore, estava tão perto dele que, apesar da sua má vista, podia observar-lhe perfeitamente a beleza dos ombros e do colo, e tão perto dos seus lábios que bastava inclinar-se um pouco para os aflorar. Sentia-lhe a tepidez do corpo, respirava-lhe os perfumes, ouvia-lhe o leve estalar do espartilho. E o que o atraía não era aquela beleza marmórea, que formava um todo com o vestido, mas o encanto desse corpo jovem que adivinhava por debaixo da *toilette*. E desde que fizera esta descoberta, já lhe não era possível ver mais nada, pela mesma razão que já não somos capazes de aceitar um erro uma vez que o conheçamos.

"Quer dizer que até agora ainda não tinhas reparado quanto eu era bonita?", parecia dizer-lhe Helena... "Ainda não tinhas visto que eu era uma mulher? É verdade, sou uma mulher, uma mulher que pode pertencer a qualquer um, e a ti principalmente." Era assim que o olhar dela lhe falava. E naquele momento Pedro sentiu não só que ela podia, mas que devia vir a ser sua mulher, e que não podia ser de outra maneira.

Estava tão persuadido disso como se naquele momento já se encontrassem os dois sob a coroa[27]. Como e quando é que isso iria acontecer? Não sabia. Não podia dizer também se seria uma felicidade para ele: pressentia mesmo vagamente que podia vir a ser uma desgraça, mas sabia que tinha de ser assim.

Pedro baixou os olhos, depois voltou a erguê-los, e teria querido tornar a vê-la como uma beleza longínqua e estranha aos seus olhos, como a via todos os dias até então: mas já não lhe era possível. Não lhe era possível, como aquele que, tendo entrevisto, no meio do nevoeiro, uma erva seca das estepes, que tomou por uma árvore, depois disso não mais, quando voltar a vê-la, a tomará pelo que ela não é. Sentia-a terrivelmente próxima de si. Já tinha poder sobre ele. Entre os dois já não havia mais obstáculos além dos que aí introduzia a sua própria vontade, dele.

– Bem, deixo-o no seu cantinho. Bem vejo que se sente muito bem aí – disse Ana Pavlovna.

E Pedro, perguntando-se, de súbito, se não teria feito alguma coisa de repreensível, olhou em volta de si, corando. Parecia-lhe que todos sabiam, tão bem como ele, o que nele estava a se passar. Alguns momentos depois, ao aproximar-se do grupo principal, Ana Pavlovna disse-lhe: – Ouvi dizer que está embelezando a sua casa de Petersburgo.

Era verdade, com efeito. O arquiteto dissera-lhe ser isso necessário, e Pedro, sem mesmo saber por quê, tinha mandado arrumar a sua imensa casa de Petersburgo.

– Pois bem, mas não sai da casa do príncipe Basílio. É bom ter um amigo como o príncipe – disse ela com um sorriso para o príncipe Vassili... – Sei alguma coisa a seu respeito. Não é verdade? E ainda é tão novo. Ainda precisa de conselhos. Não me leve a mal por eu usar dos meus direitos de velha.

Calou-se, como fazem sempre as mulheres quando aludem à sua própria idade, aguardando um cumprimento. "Mas, se se casar, então é diferente." E abrangeu-os aos dois num mesmo

---

27. Expressão corrente na Rússia, alusiva ao cerimonial do casamento, em que se coloca uma coroa por cima da cabeça dos noivos. (N.E.)

olhar. Pedro não olhava para Helena. Mas esta continuava tremendamente próxima dele. Balbuciou qualquer coisa, corando.

De regresso a casa, Pedro levou tempo para adormecer, pensando no que lhe tinha acontecido. Que lhe tinha acontecido? Nada. Apenas percebia que aquela mulher que conhecera criança, de quem dizia, negligentemente: "Sim, é bonita" quando lhe falavam da sua beleza, que aquela mulher podia pertencer-lhe.

"Mas ela é estúpida, eu próprio já disse que ela é estúpida", dizia consigo mesmo. "Portanto há qualquer coisa de baixo no sentimento que ela me inspira, qualquer coisa de proibido. Contaram-me que Anatole, o irmão, e ela, estavam enamorados um do outro, que a este respeito havia uma grande história, e era por isso mesmo que tinham afastado Anatole. Seu outro irmão era Hipólito, e o pai, o príncipe Vassili... Não, isto não está certo", concluía Pedro, e ao mesmo tempo que assim pensava, sem ir, de resto, até o fundo do seu pensamento, surpreendia-se a sorrir e confessava a si próprio que uma outra série de raciocínios sobrenadava os primeiros, que ao mesmo tempo que cismava na nulidade de Helena pensava que ela podia vir a ser sua mulher, que podia amá-la, que ela era, talvez, muito diferente, e que tudo o que ele pensava dela, tudo que se dizia dela, era mentira. E então entrevia, de novo, não uma filha qualquer do príncipe Vassili, mas a mulher senhora daquele corpo e daquele vestido. "E, então, como é que se explica que tais ideias não me tenham vindo ao espírito?" E de novo voltava a dizer para si mesmo que isso seria impossível; havia qualquer coisa de sujo, de antinatural, parecia-lhe, qualquer coisa de desonesto naquele casamento. Recordava-se das frases que Helena pronunciava, dos seus olhares e das suas maneiras, e dos olhares daqueles que os viam juntos. Lembrava-se das palavras e dos olhares de Ana Pavlovna quando lhe falava da casa de Petersburgo, de mil outras alusões tanto do príncipe Vassili como de muitos outros, e sentiu-se aterrorizado ao pensar que de qualquer maneira já se havia comprometido a cumprir um ato que evidentemente não estava certo e não devia fazer. Mas no mesmo momento em que a si próprio impunha esta resolução, noutro recanto do seu coração representava-se-lhe a imagem de Helena em toda a sua esplendente beleza de mulher.

CAPÍTULO II

Em novembro de 1805, o príncipe Vassili teve um serviço de inspeção a quatro províncias. Assim arranjara as coisas para poder visitar os seus domínios, então no maior abandono. De caminho tencionava passar pela cidade da guarnição de seu filho Anatole para levá-lo consigo à casa do príncipe Nicolau Andreitch Bolkonski, na esperança de conseguir casá-lo com a filha desse riquíssimo proprietário. Mas antes de partir e de pôr em prática esta sua nova intriga, desejava arrumar o caso de Pedro, que, em verdade, nesses últimos tempos passava os dias junto dele, vivendo, até, sob o mesmo teto, ridículo, comovido e estúpido, coisa corrente entre os namorados, na presença de Helena, sem que por isso se decidisse pela esperada declaração.

– Tudo isto está muito bem, mas é preciso que acabe! – murmurava o príncipe, uma bela manhã, soltando um fundo suspiro. Tinha de reconhecer que Pedro, que tantas obrigações lhe devia – Deus o abençoasse! –, não estava a proceder bem naquele caso. "Sim, a mocidade, a frivolidade... Bom, que Deus o abençoe!", pensava, verificando com satisfação quão grande era a sua indulgência. "Mas é preciso que isto acabe. Depois de amanhã é o aniversário da Helena. Vou convidar algumas pessoas, e se ele não perceber que deve tomar uma atitude então eu me encarregarei disso. Sim, sou eu quem deve agir. O pai dele sou eu!"

Pedro, mês e meio após a recepção na casa de Ana Pavlovna, e depois da noite desassossegada e de insônia que se seguira, durante a qual concluíra que aquele casamento seria uma infelicidade e que o que tinha a fazer era retirar-se, continuara na casa do príncipe Vassili, embora compreendesse, aflito, que de dia para dia, aos olhos do mundo, mais ligado parecia a Helena, que não podia voltar a sentir por ela o que sentia antes, que já não queria separar-se dela, que seria horrível, mas que teria de ligar ao dela o seu destino. Talvez ainda fosse tempo de se retirar, mas não se passava um dia sem que o príncipe Vassili, que habitualmente não costumava receber, desse uma festa a que Pedro se sentia na obrigação de assistir, incapaz de fazer o papel de desmancha-prazeres, desiludindo a expectativa geral. O príncipe, nos raros momentos em que estava em casa, ao passar junto de Pedro apertava-lhe a mão, dava-lhe a beijar distraidamente a face enrugada, recém-escanhoada, dizendo-lhe: "Até amanhã", ou então: "Vem jantar, que é a única maneira de eu poder te ver", ou ainda: "Fico em casa exclusivamente por tua causa", e outras coisas no mesmo gênero. Mas embora o príncipe, que ficara em casa exclusivamente por causa de Pedro, como dava a entender, não trocasse duas palavras com ele, este não se sentia com coragem de o desapontar. Todos os dias repetia para si mesmo as mesmas palavras: "O que é preciso, no fim das contas, é que eu a compreenda, e tome consciência do que ela é. Mas quando eu estava enganado: antes ou agora? Não. Ela não é estúpida; é uma jovem encantadora!", dizia, para consigo, às vezes... "Erros grosseiros não os pratica, não diz nada estúpido. Fala pouco, mas o que diz é digno, simples e decente. Sim, não se pode dizer que seja estúpida. Nunca teve complicações, nunca as terá. Por consequência, não é o que se chama uma mulher má!" Por vezes, acontecia-lhe formular um raciocínio diante dela, pensar em voz alta; sempre ela lhe respondia com uma observação breve, mas a propósito, que significava que isso não lhe interessava, ou com um sorriso silencioso, um piscar de olhos, atos em que mostrava, sutilmente, a sua superioridade sobre ele. Não lhe faltavam motivos para considerar pueris todos os raciocínios do mundo quando comparados ao seu próprio sorriso.

Dirigia-se a ele sempre com um sorriso divertido, confiante, especial, em que havia alguma coisa mais do que no sorriso que andava sempre nos lábios para uso dos demais. Pedro sabia que todos aguardavam que ele dissesse enfim alguma coisa, que transpusesse determinado limite, estava certo de que, mais tarde ou mais cedo, o transporia, mas sempre que pensava nesse terrível passo apoderava-se dele um terror incompreensível. Centenas de vezes no decurso desse mês e meio, durante o qual, de dia para dia, ia se vendo mais arrastado para esse abismo pavoroso, Pedro dissera consigo mesmo: "Que significa isto? Decidir! Quando eu terei de decidir?".

Queria decidir-se, mas sentia, com espanto, que no caso presente lhe faltava aquela resolução que ele não ignorava ter em si e que realmente possuía. Pedro era uma dessas criaturas fortes somente quando sentem a consciência completamente pura. E a verdade é que desde que se sentira possuído pelo desejo, desde aquele momento em que olhara para a caixa de rapé, na casa de Ana Pavlovna, a malícia inconfessada dos seus sentimentos paralisava-lhe os esforços da decisão.

No dia do aniversário de Helena, o príncipe Vassili convidara para cear apenas um pequeno número de íntimos, como dizia a princesa, isto é, parentes e amigos. Fora dado a entender a esses parentes e amigos que naquela noite devia-se decidir o destino da festejada. Os convidados sentaram-se à mesa para a ceia. A princesa Kuraguine, mulher maciça, que fora bela e era muito representativa, ocupava o lugar da dona da casa. À sua direita e à sua esquerda distribuíam-se os convidados de maior respeitabilidade, um velho general, a mulher e Ana Pavlovna Scherer; na extremidade da mesa sentavam-se as pessoas menos idosas e menos importantes, além da gente da casa. Pedro e Helena estavam juntos. O príncipe Vassili não participava da refeição. Ia e vinha em volta da mesa, muito bem-disposto, sentando-se agora ao pé deste, logo ao pé daquele. A todos dizia, negligentemente, alguma palavra amável, exceto a Pedro e a Helena, cuja presença, parecia, lhe passava despercebida. Animava a todos. As velas davam uma luz alegre; as pratas e os cristais esplendiam, bem como os vestidos das senhoras e o ouro e a prata das dragonas; em volta da mesa giravam os criados, de cafetã vermelho; o tinir das facas, dos copos, dos pratos misturava-se ao ruído das conversas cheias de animação. Ouvia-se, a uma das cabeceiras da mesa, um idoso camarista garantir a uma velha baronesa que sentia por ela um apaixonado amor, e ela ria; na outra cabeceira contavam-se anedotas sobre os dissabores de uma tal Maria Victorovna. Ao centro, um grupo de auditores rodeava o príncipe Vassili. Contava ele às senhoras, num tom divertido, a última sessão, a de quarta-feira, do Conselho do Império, consagrada à recepção e à leitura, por Sérgio Kuzmitch Viazmitinov, o novo general governador militar de Petersburgo, do rescrito famoso do imperador Alexandre Pavlovitch, remetido da frente de batalha, em que o soberano, dirigindo-se a essa personalidade, dizia receber de toda a parte testemunhos da devoção do povo, e que o de Petersburgo, esse lhe era particularmente agradável, e que se sentia orgulhoso de se encontrar à frente dos destinos de uma tal nação, fazendo por ser digno dessa honra. O rescrito abria com estas palavras: "Sérgio Kuzmitch! Vindos de todos os lados, chegam até mim os ecos etc".

– Quer dizer que não pôde ir além de "Sérgio Kuzmitch"? – inquiriu uma senhora.

– É verdade, é verdade, nem mais uma sílaba – respondeu o príncipe, rindo. – "Sérgio Kuzmitch... Vindos de todos os lados... De todos os lados, Sérgio Kuzmitch..." O pobre Viazmitinov, decididamente, não pôde dizer mais nada. Várias vezes tentou recomeçar a leitura, mas assim que dizia: "Sérgio", logo rompia em soluços... Kuz.... mitch... e mais lágrimas... Em "vindos de todos os lados" sufoca e não pode continuar. E puxa do lenço e volta a ler: "Sérgio Kuzmitch, vindos de todos os lados ..." e lá surgiam de novo as lágrimas... De tal modo que teve de pedir a outro que tomasse o seu lugar.

– Kuzmitch... vindos de todos os lados... e mais lágrimas... – repetiu um dos convivas, rindo também.

– Não seja mau – murmurou Ana Pavlovna, ameaçando-o com o dedo, lá da outra cabeceira da mesa. – É tão bom homem o nosso bom Viazmitinov...

Todos riam muito. Ao fundo da mesa todos os convivas pareciam muito animados, pelos mais diversos motivos. Só Pedro e Helena continuavam calados, lado a lado, nos seus lugares. Ambos tinham um sorriso radioso, em nada relacionado com Sérgio Kuzmitch, um sorriso em que se denunciavam os seus íntimos sentimentos. Conversava-se, ria-se, gracejava-se, comia-se com apetite, saboreava-se o vinho do Reno, o *sauté*, os sorvetes, e todos evitavam olhar para aquele par, afetando indiferença, não lhe prestando atenção. Ressaltava, porém, dos olhares que de vez em quando lhe lançavam que a anedota relativa a Sérgio Kuzmitch, os risos, a refeição, tudo era fingimento, e que a atenção de todos apenas estava concentrada num ponto, no par Pedro e Helena. O príncipe Vassili, enquanto ia macaqueando as choraminguices de Sérgio Kuzmitch, envolvia a filha num olhar e, ao engasgar-se, no seu rosto lia-se claramente: "Sim, sim, tudo vai bem: hoje vai decidir-se tudo".

Ana Pavlovna ameaçava-o amistosamente por causa do nosso bom Viazmitinov, e nos seus olhos, que dardejavam sobre Pedro furtivos olhares, Vassili lia votos de felicidade para o futuro genro e a filha. A velha princesa, enquanto oferecia vinho à vizinha, suspirava, olhando a filha com irritação, e os seus suspiros queriam dizer: "Sim, sim, minha querida, a nós nada mais nos resta que beber vinho doce; agora é a vez de a mocidade se mostrar feliz". "Oh, que coisas estúpidas eu estou dizendo! Como se isto pudesse me interessar", pensava um diplomata ao olhar para a radiosa face dos namorados. "Aquilo, sim, é a verdadeira felicidade!"

No meio da vulgaridade de todas aquelas preocupações mesquinhas e artificiais vinham subitamente à luz os sentimentos elementares de dois jovens belos e saudáveis, atraídos um para o outro. Esses sentimentos puramente humanos abafavam todos os demais, pairando acima de toda aquela tagarelice convencional. Os gracejos perdiam o sal, as novidades, o interesse, toda a animação parecia fictícia. Não só os convidados, mas até os próprios lacaios que serviam à mesa pareciam sob a mesma influência, esquecendo os preceitos da etiqueta, a olhar para a bela Helena e o seu rosto resplandecente e para a grossa e corada fisionomia de Pedro, onde ao mesmo tempo havia inquietação e alegria. Outrossim, parecia que a luz das velas estava ali para iluminar apenas aquelas duas venturosas criaturas.

Pedro percebia ser o ponto de mira de todos os presentes e isso dava-lhe ao mesmo tempo satisfação e embaraço. Estava com o ar de um homem concentrado para fazer alguma coisa. Nada via com nitidez, não compreendia nem ouvia ninguém. Apenas, por momentos, de improviso, pedaços de impressões ou de pensamentos vindos do real lhe atravessavam o espírito.

"Ora aí está o que eu esperava!", dizia ele consigo mesmo. "E como é que isto aconteceu? E tão depressa? Vejo agora que não é só por ela, mas por todos eles, que tudo isto, inevitavelmente, tem de se dar. Todos tão claramente esperam isto, estão todos tão convencidos de que isto tem de acontecer, que eu não posso, que eu realmente não os posso desiludir. Como é que irão se passar as coisas? Não sei. Mas a verdade é que isto vai se dar, isto vai se dar com certeza!" E estas reflexões perpassavam pelo espírito de Pedro enquanto fitava os belos ombros resplandecentes ali tão perto de si.

De súbito sentia-se tomado de uma espécie de vergonha. Incomodava-o a ideia de monopolizar a atenção dos presentes, de aos olhos dos outros se apresentar como um rapaz feliz, de, com a sua fraca figura, ser uma espécie de Páris conquistador da bela Helena. "Mas é provável que seja sempre assim e que assim tenha de ser", consolava-se a si próprio... "De resto, que fiz eu para que assim seja? Quando é que isto principiou? Vim de Moscou com o príncipe Vassili. Então ainda nada havia. E, depois, teria eu qualquer motivo para não me hospedar na casa dele? Em seguida joguei as cartas com ela, apanhei-lhe o saquinho, passeamos os dois de carruagem. Quando principiou isto então? Quando é que isto aconteceu?" E ei-lo agora sentado ao lado dela como noivo; escuta-a, vê-a, sente-lhe a presença, respira-lhe o hálito, espia-lhe os movimentos, admira-lhe a beleza. De súbito parece-lhe que não é ela, mas ele, que quem é de uma beleza extraordinária é ele, é essa a razão por que estão a olhá-lo; feliz com aquela geral admiração, arqueia o peito, ergue a cabeça, todo ele respira a alegria de tamanha felicidade. Uma voz, a voz de alguém que ele conhece, ressoa e repete-lhe a mesma coisa muitas vezes, mas tão absorto está que não compreende o que lhe dizem.

– Estou perguntando se recebeste uma carta de Bolkonski – repetiu pela terceira vez o príncipe Vassili. – Que distraído estás, meu rapaz!

O príncipe sorri, e Pedro vê que todos os demais lhe sorriem, a ele e a Helena. "Afinal, visto que vocês estão todos ao corrente", dizia Pedro para si próprio. "Que importa, se é a verdade?" E ele próprio sorri, com o seu suave sorriso infantil, e Helena sorri também.

– Não recebeste uma carta? De Olmütz? – voltou mais uma vez o príncipe, que parecia necessitar dessa informação para resolver um problema.

"Como é que há alguém capaz de falar e de se preocupar com semelhantes tolices?", disse Pedro consigo mesmo.

– Sim, de Olmütz – replicou num suspiro.

Depois da ceia, Pedro, na esteira dos demais, conduziu o seu par ao salão. Os convidados principiaram a dispersar-se, e alguns deles partiram sem dizer adeus a Helena. Como se não quisessem distraí-la das suas graves ocupações, alguns aproximaram-se dela um momento e despediram-se proibindo-a de os acompanhar. O diplomata, ao sair do salão, ia calado e aflito. Representava-se-lhe toda a futilidade da sua carreira ao pé da ventura de Pedro. O velho general rouquejou algumas palavras coléricas para a mulher, que lhe perguntava como se sentia ele da perna. "Eh, velha tonta!", pensava, "olha para a Helena Vassilievna! Aquela, aos cinquenta anos, ainda há de ser uma beleza de mulher!"

– Creio que posso tomar a liberdade de felicitá-los – murmurou Ana Pavlovna, dirigindo-se à princesa mãe, e abraçando-a efusivamente. – Se não fosse a minha enxaqueca, ficava mais um bocadinho.

A princesa não respondeu; estava a invejar a felicidade da filha.

Pedro, enquanto reconduziam os convidados, ficou por muito tempo só com Helena no salão pequeno. Naquele último mês várias vezes ficara sozinho com ela, mas nunca lhe falara de amor. Agora sentia isso indispensável, e não era capaz de se decidir a dar esse último passo. Tinha vergonha; parecia-lhe ocupar, junto de Helena, um lugar que pertencia a outro. "Esta felicidade não é para ti", dizia-lhe uma voz íntima. "É uma felicidade para quem não tem o que tu tens em ti."

Mas era preciso dizer alguma coisa, e Pedro falou. Perguntou-lhe se ela tinha gostado da noite. Como sempre, Helena respondeu-lhe, com a sua habitual candura, que o dia do seu aniversário era sempre, para ela, o mais agradável do ano.

Ficaram ainda alguns parentes chegados. Estavam no grande salão. O príncipe Vassili aproximou-se de Pedro, no seu passo indolente. Pedro levantou-se e disse que era tarde. O príncipe lançou-lhe um olhar interrogativo, severo, como se o que ele acabava de dizer fosse tão estranho que seria melhor não ter ouvido. Mas imediatamente esse ar severo se dissipou e o príncipe apertou-lhe a mão, obrigou-o a sentar-se, sorriu-lhe amavelmente.

– Então, Helena? – disse ele para a filha, o tom habitual de agradável ternura que os pais costumam adotar para com os filhos mimados desde crianças e que o príncipe Vassili só imitando os outros pais conseguira reproduzir.

E voltou-se de novo para Pedro.

– "Sérgio Kuzmitch, vindos de todos os lados" – recitou, desabotoando a parte alta do colete.

Pedro sorriu, mas o seu sorriso dizia claramente que compreendia não ser a anedota de Sérgio Kuzmitch que naquele momento interessava o príncipe, e o próprio príncipe compreendeu que Pedro não se enganava. De súbito, rosnou qualquer coisa e saiu. Pedro percebeu que o príncipe estava comovido. A emoção desse homem mundano perturbou-o; fitou Helena, que também parecia emocionada, e lhe disse com o olhar: "Então, a culpa é sua!".

"É preciso, é indispensável que eu dê este passo, mas não posso, não posso", pensava Pedro, e de novo se pôs a falar de coisas sem importância, de Sérgio Kuzmitch, perguntando em que é que consistia, afinal, a anedota que ele não tinha entendido. Helena respondeu-lhe sorrindo que ela também não sabia lhe explicar.

Quando o príncipe Vassili penetrou no grande salão, a princesa falava de Pedro com uma senhora de idade.

– Evidentemente, é um belo partido, mas a felicidade, minha querida...

– Os casamentos se fazem no céu... – replicava a senhora de idade.

O príncipe, como se não tivesse ouvido a conversa, encaminhou-se para o recanto mais afastado e sentou-se num divã. Fechou os olhos, parecia dormitar. A cabeça principiou a pender-lhe para diante, mas subitamente despertou.

– Aline – disse para a mulher –, vá ver o que eles estão fazendo.

A princesa encaminhou-se para a porta, estendeu a cabeça com o ar mais indiferente deste mundo e espreitou para dentro do pequeno salão. Pedro e Helena ainda estavam lá e conversavam.

– A mesma coisa – disse ela para o marido.

O príncipe Vassili franziu as sobrancelhas, fez um ricto com a boca, pelas faces perpassou-lhe um movimento nervoso, enquanto assumia um ar contrariado e duro, muito seu; sacudiu-se, levantou-se, atirou a cabeça para trás e, num passo decidido, passando diante das senhoras, penetrou no pequeno salão. Dirigiu-se a Pedro, num passo rápido, afivelando uma máscara prazenteira. No seu rosto havia uma expressão tão particularmente solene que Pedro se ergueu, assustado, assim que o viu.

– Louvado seja Deus! – exclamou o príncipe. – Minha mulher contou-me tudo! – e com um dos braços enlaçou Pedro e com o outro a filha. – Helena, minha querida filha! Sinto-me muito, muito feliz. – A voz tremia-lhe de emoção. – Fui muito amigo de teu pai... e ela será para ti uma excelente esposa... Que Deus vos abençoe!...

Estreitou a filha nos braços, e depois Pedro, a quem abraçou exalando um mau hálito. De fato, tinha o rosto cheio de lágrimas.

– Princesa, venha cá! – gritou.

A princesa assomou à porta, toda lavada em lágrimas também. A senhora idosa também enxugava os olhos com o lencinho. Ambas abraçaram Pedro, e ele, pelo seu lado, e por várias vezes, beijou a mão da bela Helena. Pouco depois, voltaram a deixá-los sós de novo.

"Tudo isto tinha de ser assim mesmo, e não podia ser de outra maneira", dizia Pedro consigo; "não vale a pena, por isso mesmo, que uma pessoa se pergunte se está bem ou mal. Está bem, visto ser um caso arrumado e terem deixado de persistir as dúvidas angustiosas que existiam." Segurava na sua, sem dizer nada, a mão da noiva e tinha os olhos fitos no seu belo colo, que arfava, lentamente.

– Helena – disse de chofre, e calou-se.

"É costume dizer uma coisa especial num caso destes", pensou, mas não foi capaz de se lembrar com precisão o que se costumava dizer em tais circunstâncias. Olhou-a bem de frente. Helena aproximou-se dele. Corou.

– Ah, tire, tire... sim, isso... – disse ela, apontando-lhe para o pincenê.

Pedro tirou o pincenê, e nos seus olhos, além do olhar estranho que têm as pupilas das pessoas habituadas a lentes, houve uma expressão assustada e interrogativa. Quis inclinar-se para lhe beijar a mão, mas ela, graças a um movimento rápido e quase brutal, fez com que os lábios de Pedro, de passagem, encontrassem os dela. E a sua fisionomia completamente transformada, quase cínica, impressionou Pedro desagradavelmente.

"Agora é tarde, tudo acabou, e, de resto, eu gosto dela", disse ele consigo mesmo.

– *Je vous aime*! – murmurou, lembrando-se do que era conveniente dizer-se em casos tais, mas as suas palavras ressoaram tão infelizes que ele se sentiu envergonhado.

Seis semanas depois estava casado, e era o feliz possuidor de uma bela mulher e de muitos milhões, como se costuma dizer, e foi instalar-se no grande e belo palácio, todo arranjado de novo, dos condes Bezukov em Petersburgo.

CAPÍTULO III

O velho príncipe Nicolau Andreitch Bolkonski recebeu em novembro de 1805 uma carta do príncipe Vassili em que lhe anunciava a sua visita na companhia do filho. "Estou encarregado de uma inspeção, e está claro que cem verstas nada são para mim, desde que as faço para ir visitá-lo, meu mui venerado benfeitor", escrevia-lhe ele. "E o meu Anatole vai comigo: parte para a guerra e espero que lhe permita exprimir de viva voz o profundo respeito que lhe consagra, a exemplo do pai."

– Bom, já não é preciso levar daqui a Maria. Aí estão os pretendentes que vêm nos procurar em nossa própria casa – disse, estouvadamente, a princesinha, ao saber da notícia.

O príncipe Nicolau Andreitch franziu as sobrancelhas, sem responder.

Quinze dias depois da recepção da carta, uma tarde, chegaram os criados do príncipe Vassili, antecipando-se aos amos, que apareceram no dia seguinte.

O velho Bolkonski nunca tivera em grande apreço o caráter do príncipe Vassili, e nos últimos tempos, sobretudo, tal opinião fora reforçada ao ver que ele obtivera tão altos cargos e dignidades nos reinados de Paulo e Alexandre. Daí ter compreendido muito bem, graças às alusões da carta e às insinuações da princesinha, o que ele pretendia, e a opinião ruim que já formava do príncipe tornou-se em hostilidade desdenhosa. Sempre que falava dele era resmungando. No dia em que o príncipe Vassili chegou, esteve especialmente maldisposto e quizilento. Ou porque estivesse maldisposto porque o príncipe chegava, ou descontente com a sua vinda por estar maldisposto, o certo é que estava de muito mau humor e desde a manhã que Tikon desaconselhara o arquiteto de apresentar o seu relatório ao príncipe.

– Ouça-o caminhar – dizia Tikon ao arquiteto, ouvindo os passos do seu amo. – Lá está ele a bater com os calcanhares no chão, e nós sabemos que...

No entanto, como de costume, às nove horas, o príncipe saiu para dar o seu passeio, com a sua peliça de veludo de gola de zibelina e barrete igual. Na véspera tinha nevado. A avenida que o príncipe Nicolau Andreitch costumava tomar para ir ao laranjal fora varrida e ainda se viam os vestígios da vassoura na neve. Uma pá estava enterrada no talude esborroado que corria dos dois lados do caminho. O príncipe percorreu o laranjal, as instalações dos criados e as dependências surumbático e silencioso.

– Pode-se andar de trenó? – perguntou o príncipe ao intendente, que o acompanhava até em casa, personagem respeitável, cuja fisionomia e maneiras lembravam o patrão.

– A neve está espessa, Excelência. Já mandei varrê-la na avenida.

O príncipe fez um aceno de aprovação e aproximou-se da escadaria de entrada. "Louvado seja Deus", disse consigo mesmo o intendente, "a tempestade passou!"

– Teria sido difícil de passar, Excelência – acrescentou o intendente. – Segundo dizem, é um ministro que aí vem visitar Vossa Excelência.

O príncipe voltou-se bruscamente e fixou-o, franzindo as sobrancelhas.

– Quê? Um ministro? Que ministro? Quem é que te deu ordens? – disse, na sua voz penetrante e rude. – Para minha filha, a princesa, ninguém desimpediu o caminho, e fizeram-no para um ministro. Aqui não há ministros!

– Excelência, eu julguei....

– Tu julgaste – gritou, em palavras ofegantes e entrecortadas. – Tu julgaste... Ladrões! Verdugos! Vou ensinar-te a julgares! – E, erguendo a bengala, brandiu-a sobre a cabeça de Alpatitch[28] e ter-lhe-ia batido se o intendente não tivesse fugido involuntariamente ao golpe.

– Julgou... Verdugos! – gritou ele de novo.

Embora Alpatitch, assustado com a ideia de ter tido a ousadia de evitar a bengalada, se tivesse aproximado do amo, vergando diante dele a cabeça calva, ou, então, precisamente por isso mesmo, o príncipe continuou a gritar: – Verdugos!... Quero outra vez a neve no caminho!... – mas não voltou a levantar a bengala e apressou-se em penetrar em casa.

Antes do jantar, a princesa e Mademoiselle Bourienne, sabendo que o príncipe estava de mau humor, aguardaram-no de pé: a preceptora, com o seu ar radioso que parecia dizer: "Não quero saber de nada, eu sou como sou", e a princesa Maria, muito pálida, aterrada, de olhos baixos. O mais grave é que Maria sabia muitíssimo bem que naquelas circunstâncias era necessária a atitude de Mademoiselle Bourienne, mas imitá-la era-lhe impossível. Para si mesma dizia: "Se eu fingir que não dou pela sua má disposição, o pai vai pensar que não tenho estima por ele; e se eu proceder como se estivesse aborrecida e maldisposta, dirá o que já tantas vezes tem dito, que estou emburrada..."

O príncipe olhou para a cara aterrada da filha e soltou um grunhido.

– Asneira... ou talvez estupidez – resmungou.

"E a outra não está aqui! Já devem ter lhe contado histórias", disse ele com os seus botões, pensando na princesinha, ausente.

– A princesa? – perguntou. – Está escondida?

– Não se sente muito bem – disse Mademoiselle Bourienne, sorrindo. – Não vem à mesa. Compreende-se, no seu estado.

– Hum! Hum! – resmungou o príncipe, sentando-se.

---

28. Nome de antigo servo. (N.E.)

Um dos pratos não lhe pareceu limpo; viu nele uma mancha de gordura e recusou-o. Tikon pegou o prato e deu-o ao criado. A princesinha não estava doente, mas tanto medo o príncipe lhe inspirava que, ao sabê-lo maldisposto, decidira não vir à mesa.

– Tenho medo por causa do meu filho – dissera ela a Mademoiselle Bourienne. – Só Deus sabe o que pode acontecer por causa de um susto.

Aliás, a princesinha em Lissia Gori vivia constantemente com medo do velho príncipe, que só antipatia lhe inspirava, coisa de que, aliás, ela não se apercebia, pois nela o medo sufocava qualquer outra impressão. No sentimento do príncipe por ela havia mais desdém que propriamente antipatia. A princesa, obrigada a viver naquela casa, afeiçoara-se particularmente a Mademoiselle Bourienne; com ela passava os seus dias, pedia-lhe que passasse as noites junto dela e muitas vezes lhe falava do sogro, criticando-o.

– Chegarão visitas, meu príncipe – disse Mademoiselle Bourienne, desdobrando o seu guardanapo branco com a ponta dos dedos rosados. – Sua Excelência, príncipe Kuraguine e seu filho, segundo me contou? – inquiriu ela.

– Hum!... É um garoto essa Excelência... Fui eu quem lhe arranjou um lugar no colégio[29] – disse o príncipe, desdenhoso. – E o que o filho vem fazer aqui? Não entendo. É possível que a princesa Elizabeth Karlovna e a princesa Maria o saibam, talvez; quanto a mim, ignoro por que é que ele nos traz o filho. Eu, por mim, dispenso-o.

Lançou um olhar à filha, que corara.

– Tu também estás doente? Será com receio do ministro, como disse esse imbecil do Alpatitch?

– Não, *mon père*.

Embora Mademoiselle Bourienne não tivesse sido muito feliz na escolha que fizera do assunto da conversa, não se deu por vencida e pôs-se a falar do laranjal, da beleza de uma flor que acabava de abrir, e tão bem que o príncipe, depois da sopa, amaciou.

Assim que o jantar acabou, dirigiu-se aos aposentos da nora. A princesinha estava diante de uma pequena mesa, tagarelando com Macha, sua criada de quarto. Ao ver o sogro empalideceu.

---

29. Nome dos ministérios na Rússia, antes da reforma de Alexandre. (N.E.)

A princesinha tinha mudado muito. Estava mais feia do que bonita naquele momento. Emagrecera de rosto, seu lábio mal se levantava, tinha os olhos com olheiras.

– Sim, que pesada estou – respondeu ela ao príncipe, que lhe perguntou como se sentia.

– Não precisa de nada?

– Não, *merci, mon père*.

– Bom, está bem, está bem.

Saiu e entrou na antecâmara. Alpatitch lá estava, de cabeça baixa.

– Voltaram a colocar a neve no caminho?

– Voltaram, Excelência: queira perdoar-me, por amor de Deus... foi uma estupidez.

O príncipe interrompeu-o e pôs-se a rir com o seu riso forçado.

– Bom, bom, está bem.

Estendeu a mão, que Alpatitch beijou, e encaminhou-se para o gabinete.

Nessa tarde, chegou o príncipe Vassili. Cocheiras e lacaios foram esperá-lo à *prechpekt* e conduziram-lhe as bagagens e o trenó, entre grandes gritos, para o pavilhão da casa, no caminho propositadamente juncado de neve outra vez.

Haviam preparado aposentos separados para o príncipe e Anatole.

Anatole, depois de despir o dólmã, sentara-se com os cotovelos em cima da mesa e os grandes e bonitos olhos distraidamente fitos no tampo. Toda a sua vida se lhe representava como uma série ininterrupta de divertimentos que, parecia, alguém se encarregava de lhe proporcionar. Nessa mesma ordem de ideias ele estava considerando a sua atual viagem à casa daquele velho extravagante e daquela rica e feia herdeira. E tudo isso, assim o imaginava, devia ser bastante alegre e bastante divertido. "E por que não hei de casar com ela, se é tão rica? O dinheiro faz esquecer tudo", pensava.

Barbeou-se, perfumou-se, com os cuidados e os requintes a que estava habituado e com a sua característica expressão de rapaz a quem ninguém resiste, e, a bela cabeça erguida, entrou nos aposentos do pai.

Dois criados apressavam-se em vestir o príncipe Vassili. Ele próprio parecia muito animado, e ao ver o filho fez-lhe um alegre aceno de cabeça, que parecia querer dizer-lhe: "Ótimo, é assim mesmo que eu gosto de te ver".

– A sério, a sério, meu pai, ela é realmente assim tão feia? Diga – perguntou ele, como se prosseguisse uma conversa muitas vezes abordada durante a viagem.

– Cala-te! Que tolices! O principal é que saibas ser respeitoso e sensato diante do velho príncipe.

– Se ele se puser a ralhar, vou-me embora – disse Anatole. – Não estou disposto a aturar velhos.

– Lembra-te de que o teu futuro depende disso.

Entretanto, no quarto das criadas, não só correra a notícia da chegada do ministro e do seu filho, como já se sabiam todos os pormenores do trajar dos dois. A princesa Maria, sozinha no seu aposento, só a muito custo conseguia dominar a sua agitação.

"Por que é que eles escreveram uma coisa daquelas, por que é que Lisa me falou nisso? Isso não pode ser!", dizia consigo mesmo, mirando-se ao espelho. "E tenho de aparecer no salão! Ainda mesmo que ele me agradasse, não me seria possível neste momento mostrar-me diante dele tal como sou." Bastava lembrar-se do olhar que o pai lhe lançaria para sentir-se gelada de medo.

Tanto a princesinha como Mademoiselle Bourienne já haviam recebido todas as informações necessárias pela criada de quarto, Macha: o filho do ministro era um lindo rapaz, de faces coradas e sobrancelhas negras; ao pai custara-lhe a subir a escada; mas ele tinha-o seguido galgando três degraus de cada vez, leve como uma águia nova. E uma e outra, senhoras de todos esses pormenores, prosseguindo, corredor além, esta animada discussão, penetraram no quarto da princesa Maria.

– Já chegaram, Maria, já sabe?! – exclamou a princesinha, que a gravidez tornava pesada, deixando-se cair numa poltrona.

Já não usava a blusa que vestia pela manhã, mas uma das suas mais lindas *toilettes*; o penteado era impecável, mas, embora se estampasse em seu rosto uma grande animação, via-se perfeitamente que tinha os traços fatigados e pisados. A *toilette*, a mesma que ela costumava levar às festas de sociedade em Petersburgo, ainda fazia ressaltar mais o quanto estava disforme. Mademoiselle Bourienne introduzira também na *toilette* algumas discretas alterações, graças às quais o seu rosto fresco e bonito ainda parecia mais sedutor.

– E fica assim, exatamente na mesma, querida princesa – disse ela. – Acabam de anunciar que aqueles senhores se encontram no salão; será preciso descer, e não arranjou ainda a sua *toilette*!

A princesinha levantou-se da poltrona, tocou para chamar a criada de quarto e, diligente e animada, pôs-se a passar revista ao guarda-roupa da princesa Maria, a fim de lhe arranjar qualquer coisa que vestir. Maria, no seu amor-próprio, humilhava-se por sentir uma certa emoção com a chegada do noivo anunciado e ainda mais por ver que as duas amigas não pareciam estranhar essa emoção. Confessar que se sentia um pouco embaraçada por si e pelos outros seria precisamente trair os sentimentos que a tomavam; recusar, por outro lado, arranjar-se como elas lhe sugeriam era favorecer ainda mais os gracejos e as instâncias.

Corou muito, os seus lindos olhos perderam o brilho, seu rosto encheu-se de manchas vermelhas e, assumindo esse ar de vítima resignada, nela frequente, confiou-se à iniciativa de Mademoiselle Bourienne e de Lisa. As duas mulheres deram-se sinceramente ao trabalho de a embelezar. Tão pouco bonita era que nenhuma delas se lembraria de a considerar como rival; e foi francamente por isso, com essa convicção sólida e ingênua das mulheres no poder que tem a *toilette* para as fazer belas, que se puseram a vesti-la.

– Não, realmente, *ma bonne amie*, este vestido não lhe fica bem – dizia Lisa, olhando a princesa de perfil, a uma certa distância. – Pede que te tragam o outro, o berinjela. É que realmente tens de te lembrar de que é talvez o teu destino que vai se decidir. Este é muito claro, não te fica bem, não, não te fica bem.

O que não lhe ficava bem não era o vestido, mas, antes, a figura e o conjunto da sua própria pessoa; contudo nem Mademoiselle Bourienne nem a princesinha davam por isso. Afigurava-se-lhes que uma fita azul nos andaimes do cabelo, o tirar a echarpe azul do vestido castanho etc., seria o bastante para embelezá-la. Esqueciam-se de que era impossível modificar uma cara espantada ou um corpo deselegante. Daí, por mais que modificassem a moldura e a ornamentação, aquela cara continuava a ser a mesma, triste e feia. Depois de lhe terem feito experimentar duas ou três *toilettes*, ao que a princesa submissamente se sujeitou, depois de lhe terem feito um penteado alto, o que lhe mudava por completo a expressão e lhe enfeava ainda mais o rosto, assim que pôs a echarpe azul e o lindo vestido berinjela, a princesinha veio passar duas ou três vezes em volta dela, com a sua mãozinha ajeitou-lhe uma prega, puxou aqui e ali uma echarpe azul e pôs-se a contemplá-la, primeiro de um lado, depois do outro, abanando a cabeça.

– Decididamente, não, não é possível! – exclamou com desespero. – Não, Maria, realmente isto não lhe fica bem. Gosto mais de vê-la com o seu vestidinho cinzento de todos os dias. Não, por favor, faça isso por mim. Katia – disse para a criada de quarto –, traga o vestido cinzento para a princesa. Vai ver, Mademoiselle Bourienne, como eu vou arranjar bem tudo isto. – Sorria antecipadamente da alegria artística que ia experimentar.

Quando Katia voltou com o vestido, Maria continuava sentada, imóvel, diante do toucador, e no espelho viu que seus olhos se enchiam de lágrimas e que os lábios, com a aproximação dos soluços, começavam a se revolver, nervosos.

– Então, querida princesa – disse Mademoiselle Bourienne – mais um esforçozinho.

A princesinha, tomando o vestido das mãos da criada de quarto, aproximou-se de Maria.

– Bem, agora vamos experimentar uma coisa muito simples, muito galante – disse ela.

A sua voz, a de Mademoiselle Bourienne e a de Katia, que ria sem saber por que, misturadas, pareciam um chilrear de pássaros.

– Não. Deixe-me – disse a princesa.

Havia na sua voz um acento tão grave e tão doloroso que o chilrear cessou imediatamente. Todas três compreenderam, pela expressão dos seus olhos grandes e belos, cheios de lágrimas e de gravidade, olhando-as, suplicantes, ser inútil e até cruel insistirem,

– Pelo menos mude de penteado – intercedeu a princesinha. – Eu dizia-lhe – acrescentou ela, dirigindo-se a Mademoiselle Bourienne –, a Maria tem uma figura em que não fica bem esse gênero de penteado. Nada, nada bem. Mude, por favor.

– Deixe-me, deixe-me, para mim dá no mesmo – replicou ela com a voz afogada em soluços.

Mademoiselle e a princesinha foram obrigadas a reconhecer que Maria, naquele traje, ficava muito feia, mais feia do que nunca; mas era tarde. E ela olhava-as com aquele ar que elas muito bem conheciam, o seu ar triste e cismático. Não que aquela expressão lhes metesse medo. Medo, eis o que Maria nunca lhes poderia inspirar. Mas elas sabiam perfeitamente que quando ela ficava com aquele ar se fechava, calada e imutável nas suas resoluções.

– Vai mudar, não vai? – disse-lhe a princesinha. Não obtendo, porém, qualquer resposta, saiu do quarto.

Maria ficou só. Não atendeu o conselho e não só não mudou de penteado como nem sequer se dignou olhar para o espelho. Ali ficou calada e sem forças, os olhos baixos e as mãos inertes. E pôs-se a sonhar. Via diante de si o marido, esse ser poderoso, dominador, dotado de uma incompreensível sedução, que a levava consigo, subitamente, para outro mundo, um mundo de venturas muito diferente daquele em que ela vivia. E via um filho, colado ao bico do seio, como aquela criança que entrevira ainda na véspera na casa da filha da que fora sua ama. O marido, junto dela, olhava-os com ternura, a ela e ao filho. "Não, não, não é possível. Sou muito feia!", exclamava para si mesma.

– O chá está na mesa. O príncipe vem aí – disse atrás da porta a criada de quarto.

Estremeceu, apavorada com o sonho que tivera. Antes de descer, dirigiu-se ao oratório e, pousando os olhos no negro perfil da imagem do Salvador, que a lamparina iluminava, assim ficou algum tempo, de mãos postas. Na sua alma tremendas dúvidas se levantavam. Estaria ela, realmente, fadada para as alegrias do amor, do amor terreno, do amor de um homem? Em seus sonhos matrimoniais entrevia a felicidade do lar, dos filhos, mas o seu sonho mais secreto e poderoso era o próprio amor. E esse sentimento era nela tanto mais forte quanto era certo escondê-lo quer aos olhos dos outros quer aos seus próprios. "Deus meu", dizia ela, "como poderei eu sufocar no meu coração estes pensamentos diabólicos? Que hei de fazer para renunciar definitivamente a estes maus pensamentos e cumprir em paz a Tua vontade?" E, mal balbuciara a sua súplica, já Deus lhe respondia no fundo do seu coração: "Não desejes nada para ti própria, não procures nada, não te perturbes, não invejes ninguém. Tanto o futuro como o teu destino devem conservar-se ocultos a ti; mas comporta-te de maneira a estares preparada para tudo. Se aprouver a Deus fazer-te passar pelas obrigações do matrimônio, bom será estares pronta para cumprir a Sua vontade". Tranquilizada por estes pensamentos, sem perder a esperança de ver realizado o seu sonho de amor, terreno, benzeu-se suspirando e preparou-se para descer ao salão, sem pensar mais na *toilette*, nem no penteado, nem na maneira como ia apresentar-se, nem no que iria dizer.

Que importância poderiam ter todas essas misérias ao lado dos desígnios de Deus, d'Aquele sem a vontade do qual nem um só cabelo pode cair da cabeça do homem?

CAPÍTULO IV

Quando a princesa Maria chegou, já o príncipe Vassili e o filho se encontravam no salão, conversando com a princesinha e Mademoiselle Bourienne. Entrou com o seu passo pesado, batendo os tacões. Os senhores e Mademoiselle Bourienne levantaram-se enquanto a princesinha, apontando para ela, exclamava: "*Voilà, Marie*!". Maria percorreu-os com um olhar e nenhum pormenor lhe escapou. Viu o príncipe Vassili, que tomara, por momentos, um ar grave ao vê-la e se pusera em seguida a sorrir, e viu a princesinha, que procurava ler nos olhos dos visitantes a impressão que ela, Maria, lhes causava. Viu Mademoiselle Bourienne, com a sua fita no cabelo e a sua tez colorida, o olhar mais animado do que nunca, fixado nele; mas ele, ele não foi possível a ela vê-lo: entreviu vagamente uma criatura alta, de pele clara, bonito rapaz, que avançava ao seu encontro. O príncipe Vassili foi o primeiro a beijar-lhe a mão; Maria pousou os lábios sobre a testa calva inclinada para ela e em resposta aos cumprimentos do príncipe disse conservar dele uma excelente recordação. Anatole aproximou-se em seguida. Maria continuava sem o ver. Sentiu apenas uma mão suave e forte que tomava a dela, e com os lábios aflorou uma testa branca sobre a qual belos cabelos castanhos cheiravam a cosmético. Quando, por fim, olhou para ele, a beleza de Anatole impressionou-a. O filho do príncipe Vassili, o dedo polegar da mão direita enfiado na lapela do uniforme, o peito arqueado, o busto bem direito, balançando a perna livre e a cabeça ligeiramente inclinada, fitava a princesa com olhos joviais, sem dizer palavra, pensando, evidentemente, noutra coisa. Anatole nem era inventivo nem de compreensão rápida, nem sequer eloquente a conversar, mas tinha, no entanto, uma qualidade preciosa em sociedade: serenidade e segurança, uma segurança que nada seria capaz de abalar. Quando um homem pouco seguro de si se cala a primeira vez que vê alguém, com plena consciência do que há de indecoroso no seu silêncio e dando tratos à imaginação para encontrar um tema de conversa, o efeito não é bom; Anatole, porém, ali estava, sem dizer nada, balançando a perna e observando, jovial, o penteado da princesa.

Era evidente ser-lhe fácil conservar-se assim calado por muito tempo. "Se o meu silêncio os incomoda, por que não falam? Cá por mim, não me interessa", parecia querer dizer. Além disso, no seu trato com mulheres, Anatole procedia sempre de maneira que começava por despertar nelas curiosidade, depois perturbação e por fim amor: afirmava, desdenhoso, a sua superioridade. Parecia proclamar: "Ah, sim, eu conheço-vos muitíssimo bem, muitíssimo bem, mas para que hei de me incomodar com isso? Grande prazer lhes dava, está claro!". É muito possível que não pensasse nada disto quando ao pé das mulheres, e é mesmo muitíssimo provável que nada pensasse de todo, visto a reflexão não ser o seu forte. Todavia era isso mesmo que o seu aspecto e as suas maneiras diziam. Tudo isso a princesa adivinhou e, desejosa de lhe demonstrar quão longe dela estava o pretender ocupar-lhe os ócios, voltou-se para o velho príncipe. Estabeleceu-se uma conversa animada e geral, graças, principalmente, à tagarelice da princesinha e à ação do seu labiozinho de buço ligeiro, que lhe descobria os dentes brancos. Trocava então com o príncipe Vassili essa espécie de gracejos, moeda corrente entre pessoas loquazes, que consistiam em ditos de espírito desde muito admitidos entre os dois interlocutores, em graciosas e divertidas reminiscências pressupostas do conhecimento de ambos somente, embora não houvesse, nem nunca tivesse havido, entre a princesinha e Vassili, recordações de tal gênero. Vassili prestava-se de bom grado a esse jogo; a princesinha apresentava como reminiscências casos engraçados, que nunca haviam acontecido, em que aparecia o nome de Anatole, que ela, por assim dizer, não conhecia. Mademoiselle Bourienne tomava parte na conversa geral e até a princesa Maria se sentia prazenteiramente arrastada naquela incontinência de alegres historietas.

– Aqui, pelo menos, o temos todo para nós, meu caro príncipe – dizia a princesinha, claro está que em francês. – Não é como nos saraus na casa de Annette; aí consegue sempre nos escapar. Lembra-se da querida Annette?

– Ah! Mas não diga que vai falar de política, como Annette!

– E a nossa mesinha de chá?

– Ah, sim!

– Por que é que nunca ninguém o via na casa dela? – perguntou a princesinha a Anatole. – Ah! já sei, já sei – prosseguiu, piscando o olho. – O seu irmão Hipólito contou-me as suas aventuras. Oh! – Ameaçou-o com o dedo. – E em Paris, também. Sei de todas as suas rapaziadas.

– E Hipólito não te contou... – interrompeu o príncipe Vassili, dirigindo-se ao filho e detendo a princesinha por um braço, como se ela quisesse fugir e ele a retivesse a tempo. – Não te contou que andava louquinho por uma encantadora princesa e que ela correu com ele?

– Oh! É a pérola das mulheres, princesa! – acrescentou, dirigindo-se à princesa Maria.

Pelo seu lado, Mademoiselle Bourienne, ao ouvir falar de Paris, não perdeu a oportunidade para aludir às suas recordações, misturando-se na conversa geral.

Permitiu-se perguntar se havia muito já que Anatole estivera em Paris, e o que pensava dessa estada. Anatole respondeu-lhe com muita satisfação, e fitando-a, a sorrir, pôs-se a falar-lhe da pátria.

A presença da bonita Bourienne levava-o a pensar que, decididamente, até mesmo ali, em Lissia Gori, não se aborreceria. "Não é nada mal!", dizia para consigo, mirando-a, "não é nada mal esta dama de companhia. É de crer que há de conservá-la quando estivermos casados. A pequena é formosa".

O velho príncipe, no seu gabinete, não se dava pressa em vestir-se; franzia as sobrancelhas, pensando no que ia fazer. A chegada dos hóspedes irritara-o. "Quero lá saber do príncipe Vassili e do filho! Vassili é um fanfarrão, um vazio, e o filho, deixa estar, há de ser a mesma coisa!", resmungava para consigo. O que sobretudo o irritava era que aquela visita vinha levantar um problema, ainda não resolvido e a todo o momento adiado, um problema em relação ao qual ele ia se iludindo a toda a hora: o problema de saber se alguma vez se decidiria a separar-se de Maria e a arranjar-lhe marido. Nunca se resolvia a enfrentá-lo a sério, sabendo de antemão não lhe dar uma solução que não fosse equitativa, e que essa equidade ainda lhe contrariava mais os hábitos de vida que os sentimentos íntimos. Não lhe era possível conceber a existência sem a filha, embora aparentemente não a estimasse muito. "E então por que casá-la?", pensava, "para ser infeliz, naturalmente. Aí está Lisa, que casou com André, e onde encontrar hoje em dia um melhor marido? Pois bem, quem pode dizer que ela está contente com a sorte? E quem é que vai casar com Maria por amor? É feia, é desajeitada. Com ela só casa quem lhe agrade a sua posição, o seu dinheiro. Pois não há solteironas que se arranjam? Mais feliz seria realmente!" Eis o que ia ruminando, entre dentes, enquanto se vestia, o príncipe Nicolau Andreitch, ao mesmo tempo que o problema sempre adiado pedia uma solução imediata. Evidentemente que o príncipe Vassili trouxera o filho consigo na intenção de apresentar um pedido, e, na melhor das hipóteses, hoje ou amanhã, exigiria dele uma resposta clara. Claro, tanto o nome como a situação, tudo estava certo. "Sim, não me oponho", dizia consigo mesmo, "mas será ele digno dela? Enfim, é o que vamos ver".

– Sim, é o que vamos ver! –, concluiu em voz alta – é o que vamos ver.

E no seu passo, decidido como sempre, penetrou no salão, lançou rapidamente um olhar em roda, notando a mudança de *toilette* da princesinha, as fitas de Mademoiselle Bourienne, o medonho penteado da princesa Maria, os sorrisos da francesa e de Anatole e o isolamento da filha no meio da conversa geral. "Arranjou-se como uma parva!", pensou olhando iracundo para Maria. "E não tem vergonha; e ele, que nem sequer se preocupa com ela." Encaminhou-se para o príncipe Vassili.

– Como está? Como está? Muito prazer em vê-lo.

– Para ver um amigo, sete verstas não se pode dizer que seja muito – disse o príncipe Vassili, falando rápido, como sempre, com segurança e num tom familiar. – Aqui tem o meu benjamim, deixe que eu lhe apresente.

O príncipe Nicolau Andreitch mirou Anatole dos pés à cabeça.

– Um rapagão! Um rapagão! – exclamou. – Dá cá um beijo. – E apresentou-lhe o rosto.

Anatole beijou o velho, observando-o curioso e com perfeita serenidade, sempre à espera de uma dessas suas excentricidades de que o pai tanto lhe falara.

O príncipe Nicolau Andreitch sentou-se no seu lugar habitual, num dos cantos do divã, puxou uma poltrona para que o príncipe Vassili viesse sentar-se junto dele, apontou-a, e pôs-se a interrogá-lo sobre a política e as últimas novidades. Parecia escutar com atenção as palavras de Vassili; a cada passo, porém, olhava para a princesa Maria.

– Isto é, já estão escrevendo de Postdam? – inquiriu, repetindo o que acabava de dizer Vassili, mas de súbito levantou-se e aproximou-se da filha.

– E foi por causa das visitas que te vestiste desta maneira? – disse-lhe. – Realmente estás linda, muito linda. Arranjaste um novo penteado para os nossos hóspedes e eu tomo a liberdade de te dizer na presença deles que será bom que de futuro não te tornes a lembrar de te mascarares sem o meu consentimento.

– Fui eu, *mon père*, quem teve a culpa – interveio a princesinha corando.

– O seu caso é outro, pode fazer o que quiser – disse Nicolau Andreitch, com uma reverência. – A Maria não precisa de se fazer feia; feia ela já é.

E retomou o seu lugar, sem se preocupar com as lágrimas que saltavam dos olhos da filha.

– Não, não, acho que este penteado fica muito bem à princesa – interveio o príncipe Vassili.

– Bom, meu jovem príncipe, como é que te chamas? – disse Nicolau Andreitch, dirigindo-se a Anatole. – Vem cá, vamos conversar um pouco, travar relações.

"Lá vai principiar a farsa", murmurou Anatole entre dentes, e foi sentar-se, sorrindo, ao pé do velho príncipe.

– Então, segundo ouvi dizer, foi educado no estrangeiro. Não foi como nós, teu pai e eu, que aprendemos as primeiras letras com um diácono. Dize-me, então estás atualmente na Guarda montada? – inquiriu o velho, fitando Anatole de perto e fixamente.

– Não. Passei para o exército ativo – replicou Anatole, perdido de riso.

– Ah! muito bem! Quer dizer que estás disposto a servir o tsar e a pátria. Estamos em guerra. Um rapagão como tu deve alistar-se no exército. E estás na frente?

– Não, príncipe, o meu regimento é que já foi. Mas eu faço parte... De que é que eu faço parte, pai? – perguntou, rindo, ao pai.

– Bom soldado, bom soldado, não há dúvida, mas um soldado que pergunta: "De que é que eu faço parte?". Ah! Ah! Ah! – e Nicolau Andreitch pôs-se a rir.

Anatole ainda riu com mais vontade. De súbito, o príncipe Nicolau Andreitch franziu as sobrancelhas.

– Bom, podes ir, agora podes ir – disse ele.

Anatole, sorrindo, voltou para junto das senhoras.

– Quer dizer que o mandaste educar no estrangeiro, príncipe Vassili, não é verdade? – perguntou o velho príncipe.

– Fiz o que pude; de resto, sempre lhe direi que a educação lá fora é muito preferível à nossa.

– Sim, hoje tudo é diferente, tudo é à moda nova. É um belo rapaz! Um rapagão! Agora vamos para o meu gabinete.

Tomou o príncipe Vassili por um braço e levou-o consigo para dentro.

Mal se viu a sós com o velho príncipe, Vassili pôs-se logo a falar-lhe do seu desejo e das suas intenções.

– Que é que tu supões? – disse o velho príncipe furioso. – Que eu a prendo, que não posso me separar dela? Que ideia! – protestou, zangado. – Amanhã, se quiseres, posso dar-te uma resposta. Mas, deixa-me dizer-te que quero examinar melhor o meu genro. Conheces os meus princípios: tudo às claras. Amanhã a interrogarei na tua presença. Se ela estiver de acordo, então ele que fique aí. Que fique aí, quero examiná-lo... – Resfolegou, como era seu hábito. – Pois que case com ele, para mim tanto faz! – gritou, com aquela voz retumbante com que dissera adeus ao filho.

– Devo falar-lhe francamente – disse o príncipe Vassili, no tom de um homem hábil, mas convencido da inutilidade de qualquer manha perante um interlocutor perspicaz. – Vejo que sabe conhecer as pessoas. O Anatole não é um gênio, mas é honesto e bom rapaz, excelente filho e parente.

– Bem, bem, depois veremos.

Como costuma acontecer com as mulheres que vivem muito tempo isoladas, longe do convívio dos homens, as três senhoras da casa do príncipe Nicolau, diante de Anatole, sentiram que a vida que até ali tinham levado não era vida. Foi como se repentinamente se lhes multiplicasse a faculdade de pensar, de sentir, de observar. Parecia que a existência lhes havia decorrido até então no meio das trevas e que de um momento para o outro uma nova e poderosa luz a iluminara.

A princesa Maria deixara de pensar na sua feia figura e no seu penteado. A bela e aberta expressão daquele homem, talvez um dia seu marido, absorveu-lhe por completo os sentidos. Parecia-lhe bom, grave, decidido, corajoso e magnânimo: e sobre isso não havia dúvidas. Milhares de sonhos de futuro a cada momento lhe enchiam a imaginação. Repelia-os e esforçava-se por dissimulá-los.

"Mas não estarei sendo muito fria para com ele?", dizia consigo mesma. "Faço o que posso por me conter, porque no fundo do meu coração já me sinto muito perto dele. Mas, claro está, ele ignora tudo o que eu penso dele e pode supor que não me agrada." E Maria fazia o possível, sem o conseguir, por se mostrar amável com o recém-chegado. "Que horrivelmente feia é esta pobre moça!", dizia Anatole consigo mesmo, pensando em Maria.

Mademoiselle Bourienne, muito excitada também com a chegada de Anatole, fervilhava de pensamentos, mas de outra natureza. Claro está que essa linda jovem sem situação bem definida na sociedade, sem pais, sem amigos, até mesmo sem pátria, não estava disposta a acabar os seus dias ao serviço de Nicolau Andreitch, lendo-lhe livros e fazendo companhia à princesa Maria. Desde há muito que Mademoiselle Bourienne esperava a chegada de um príncipe russo capaz de perceber repentinamente a sua superioridade sobre as princesas da sua pátria, feias, malvestidas, acanhadas, e que dela se enamoraria e a raptaria, e eis que, finalmente, o príncipe russo ali estava em carne e osso. Mademoiselle Bourienne tinha à sua disposição todo um romance que ouvira contar uma tia e a que ela própria se encarregava de dar um desfecho; tinha-o ali pronto na imaginação. Esse romance era a história de uma jovem seduzida perante quem aparece a pobre mãe, que a censura por ter se dado a um homem fora do casamento. Mademoiselle Bourienne comovia-se por vezes até às lágrimas quando, em imaginação, contava essa história a ele, ao sedutor. E eis que, finalmente, ali estava o sedutor, o esperado príncipe russo. Ia raptá-la, depois aparecia a minha pobre mãe, e acabava por casar com ela. Era assim que todo o seu futuro romance se arquitetava na sua cabeça enquanto falava de Paris com Anatole. Não era o interesse que guiava Mademoiselle Bourienne; nem um só momento tinha pensado no que faria, mas estava tudo já tão bem preparado em seu cérebro que a história inteira não tinha mais que agrupar-se em torno da personagem que subitamente aparecera e a quem ela de todo o coração procurava agradar o máximo possível.

A princesinha, como um velho cavalo de batalha ao ouvir o clarim, preparava-se, inconscientemente e sem pensar na sua posição, para tomar o galope ordinário da galanteria, sem qualquer pensamento reservado, sem esforço, mas com uma ingênua e jovial frivolidade.

Embora Anatole no meio das mulheres assumisse habitualmente a atitude de um homem farto da sua corte, o certo é que sentia uma certa vaidade em ver o efeito que causava naquelas três. Além disso, não tardou a sentir pela bonita e provocante Bourienne um movimento de paixão bestial, que nele se desenvolveu com uma rapidez extraordinária, e capaz de o arrastar aos atos mais brutais e audaciosos.

Depois do chá passaram à sala do divã. A princesa foi instada para que tocasse. Anatole, diante dela, apoiado nas mãos e os cotovelos em cima do cravo, ao lado de Mademoiselle Bourienne, fixava em Maria os olhos risonhos e alegres. Esta sentia-lhe os olhos pousados nela com uma alegria em que se misturava certa angústia. A sua sonata favorita transportava-a a um mundo pleno de poesia íntima, e o olhar pousado nela ainda a tornava mais poética. De fato, esse olhar procurava-a, mas na realidade não fixava a ela, fixava Mademoiselle Bourienne, a quem Anatole, debaixo do piano, pisava o pequenino pé nervoso. Mademoiselle Bourienne olhava também a princesa. Nos seus lindos olhos havia como que um alegre receio e uma espécie de expectativa, coisas que a princesa nunca tinha visto antes.

"Como ela gosta de mim!", ia dizendo Maria para si mesma. "Que feliz que eu sou neste momento e quão mais feliz hei de vir a ser com uma tal companheira e um tal marido! Virá ele a ser meu marido?", repetia consigo mesma, sem ousar olhá-lo de frente, persuadida de que ele continuava a fitá-la.

À noite, quando, depois da ceia, tiveram de se separar, Anatole beijou a mão da princesa. Sem saber de onde lhe viera a audácia, Maria ergueu a vista para o formoso rosto que se aproximava de seus olhos míopes. Depois de ter beijado a mão de Maria, Anatole beijou igualmente a de Mademoiselle Bourienne; não era muito correto, mas tudo quanto ele fazia era tão desprendido e tão simples! Mademoiselle Bourienne corou muito, fitando, receosa, a princesa. "Que delicadeza!", pensou Maria. "Passará pela cabeça da Amélie (assim se chamava Mademoiselle Bourienne) que eu possa ter ciúmes dela e não lhe aprecie a ternura e a dedicação?" E, aproximando-se, beijou-a afetuosamente. Anatole acercou-se em seguida da princesinha, para lhe beijar a mão.

– Não, não, não! Quando seu pai me escrever, dizendo que o seu comportamento melhorou, então lhe darei a mão a beijar. Antes disso, não. – E saiu, sorrindo, enquanto o ameaçava com o dedo.

CAPÍTULO V

Cada qual foi para o seu quarto, e a não ser Anatole, que logo adormeceu, ninguém pôde dormir bem naquela noite. "Virá ele a ser meu marido, este homem, que não é nada para mim neste momento, mas é tão belo e tão bom, sim, sobretudo tão bom?", perguntava Maria a si mesma, sentindo que um grande terror, um terror desconhecido, se apossava dela. Não tinha coragem de voltar a cabeça. Parecia-lhe que alguém estava ali atrás do biombo, no canto escuro. E esse alguém devia ser o demônio, esse homem de testa branca, sobrancelhas pretas e boca rosada.

Tocou para a criada e pediu-lhe que ficasse ali, no seu quarto.

Mademoiselle Bourienne, nessa noite, passeou longamente no jardim de inverno, esperando debalde alguém, e ora sorria, ora seus olhos se enchiam de lágrimas, pensando na pobre mãe imaginária a dirigir-lhe amargas censuras.

A princesinha ralhou com a criada de quarto porque a cama estava malfeita. Não podia deitar-se nem de lado nem de qualquer outra maneira. Sentia-se mal e incomodada em todas as posições. Pesava-lhe o fardo que trazia consigo. E pesava-lhe tanto mais naquele dia quanto era certo Anatole lembrar-lhe uma época da sua vida em que ela não estava assim e em que para ela tudo era divertimento e alegria. Sentara-se numa poltrona de roupão e touca de dormir. Katia, cheia de sono, a trança caída, batia e revolvia pela terceira vez o grosso colchão de penas, resmungando qualquer coisa.

– Estou farta de te dizer que está cheio de inchaços – protestava –, tomara eu poder dormir, não é minha culpa... – E a sua voz tremia, como a de uma criança prestes a chorar.

Também o velho príncipe não podia sossegar. Tikon, mesmo a dormir, ouvia-o de um lado para o outro, furioso, resfolegando pelo nariz.

Afigurava-se ofendido na pessoa da filha. E essa era a maior das ofensas, porque visava não a ele, mas a outrem, a essa filha a quem ele queria mais do que a si próprio. De si para consigo ia dizendo que iria pensar em tudo aquilo e que acabaria por encontrar o que seria justo e necessário dizer, mas não conseguia senão enervar-se mais ainda. "Basta aparecer o primeiro e esquece-se de tudo, até do seu pai, e trata de se meter no quarto, de arranjar o penteado, de ficar toda desassossegada e de não parecer sequer um ser humano! Ah! que contente em deixar o pai! E sabia perfeitamente que eu logo daria por isso. – Resfolegou várias vezes pelo nariz. – Como se eu não visse que aquele imbecil só tem olhos para a Bourienne. Temos de pô-la na rua! Como é que uma pessoa pode ter tão pouco pudor que não dá por isso? Já que não o tem por ela, ao menos que o tivesse por mim. É preciso fazer-lhe ver que aquele idiota não lhe dá importância alguma, que só pensa na Bourienne. Se não tem pudor, eu me encarrego de lhe abrir os olhos..."

Dizer à filha que estava enganada, que Anatole não queria senão arrastar a asa para a Bourienne, eis o que seria espicaçar o amor-próprio de Maria, e o velho príncipe sabia, e sabia que assim a causa estava ganha, isto é, que assim o seu desejo de não se separar da filha acabaria por triunfar. E acabou por se sentir tranquilo. Chamou Tikon e principiou a despir-se. "Foi o diabo que os trouxe aqui!", dizia para consigo, enquanto Tikon lhe enfiava a camisa de dormir no corpo descarnado, por cima do peito coberto de cabelos brancos. "Não fui eu quem os mandou vir. Vieram para me perturbar a vida, a mim, que já pouca tenho para viver."

– Diabos os levem! – vociferou, enquanto enfiava a camisa.

Tikon estava habituado a ouvir o amo falar sozinho, por isso acolheu, sereno, o olhar interrogador e furioso que emergia da camisa.

– Foram se deitar? – perguntou o príncipe.

Tikon, como todo o bom criado, conhecia a léguas a direção dos pensamentos do amo. Compreendeu que se referia ao príncipe Vassili e ao filho.

– Sim, Excelência, dignaram-se deitar e apagar a luz.

– Que tenho eu com isso, que tenho eu com isso?! – exclamou o velho, e enfiando as pantufas e envergando o roupão estendeu-se em cima do divã onde costumava dormir.

Embora não tivesse sido trocada uma palavra entre Anatole e Mademoiselle Bourienne, ambos tinham se compreendido perfeitamente, pelo menos no que toca à primeira parte do *romance*, antes da intervenção da *minha pobre mãe*. Os dois haviam compreendido que muita coisa gostariam de dizer em segredo um ao outro. Eis por que, no dia seguinte logo pela manhã, procuraram uma oportunidade de se verem a sós. À hora em que a princesa costumava visitar o pai em seus aposentos, encontrava-se Mademoiselle Bourienne com Anatole no jardim de inverno.

Nesse dia Maria toda era tremuras ao aproximar-se do gabinete do pai. Parecia-lhe não só que todos sabiam que ia decidir-se o seu destino, mas ser igualmente sabido que não pensava ela noutra coisa. Eis o que ela leu na fisionomia de Tikon, que ia com água, e com quem cruzou no corredor, e a cumprimentou cheio de humildade.

Nessa manhã o príncipe foi muito amável e atencioso para com a filha. A princesa conhecia muitíssimo bem os modos amenos do pai. Costumava mostrar-se assim quando cerrava os punhos, colérico por ela não compreender algum problema de aritmética, levantando-se, dando alguns passos e vindo depois repetir-lhe as explicações numa voz aparentemente calma.

Entrou logo no assunto e principiou a conversa tratando-a por "senhora".

– Fizeram-me uma proposta a teu respeito – disse ele, sorrindo contrafeito. – Já deves ter adivinhado que não é pelos meus bonitos olhos que o príncipe Vassili veio me visitar e trouxe consigo o pupilo. – Não se sabe bem por que é que Nicolau Andreitch se obstinava em chamar a Anatole "pupilo". – Ontem fizeram-me uma proposta a teu respeito. E como conheces os meus princípios, julguei-me no dever de te falar.

– Como é que eu hei de compreendê-lo, *mon père*? – disse a princesa, corando e empalidecendo ao mesmo tempo.

– Como é que vais me compreender?! – exclamou o pai, colérico. – O príncipe Vassili acha-te boa para nora e faz-te uma proposta para o pupilo. É isto que vais compreender. Como é que vais me compreender?... Mas é a ti que eu estou a interrogar.

– Não sei como o senhor, meu pai... – murmurou a princesa.

– Eu? Eu? Mas trata-se de mim? Não te incomodes comigo. Não sou eu quem se casa. Que é que pensas? É isto que eu gostaria de saber.

A princesa viu perfeitamente que o pai não encarava o caso de maneira favorável, mas naquele momento percebeu que o destino de toda a sua vida tinha de se decidir então ou nunca mais. Baixou os olhos, para evitar o olhar que a privava de todo da faculdade de pensar, não lhe deixando mais que a da sujeição, e disse:

– Não pretendo senão uma coisa: cumprir a sua vontade, meu pai, mas se fosse necessário exprimir o meu desejo...

Não teve tempo de acabar. O príncipe interrompeu-a.

– Muito bem! – gritou. – Ele levar-te-á com o teu dote ao mesmo tempo que irá beliscando Mademoiselle Bourienne. Ela é que será a mulher; quanto a ti...

O príncipe calou-se. Viu o efeito que as suas palavras produziam na filha. Esta baixou a cabeça, estava quase a chorar.

– Bem, bem, estou brincando, estou brincando – articulou ele. – Lembra-te bem disto, princesa: o meu princípio é que a filha tem pleno direito de escolher. E dou-te inteira liberdade. Lembra-te apenas que da tua decisão dependerá a felicidade de toda a tua vida. Não tens de te preocupar comigo.

– Mas eu não sei.... *mon père*.

– Não, não tens nada que te preocupar. Ele casará com quem lhe disserem que há de casar; se não fores tu, será qualquer uma que apareça; mas tu, tu tens a liberdade de escolher... Vai para o teu quarto, pensa, pensa bem, e volta dentro de uma hora, para dizeres diante dele sim ou não. Bem sei que vais orar a Deus. Reza, se é essa a tua vontade, mas farias melhor se pensasses. Bom, vai... Sim ou não, sim ou não, sim ou não! – gritou-lhe, enquanto ela, cambaleando, como no meio de um nevoeiro, saía do gabinete.

O destino estava decidido, e decidido favoravelmente. A alusão que o pai fizera a Mademoiselle Bourienne era terrível. Era falsa, com certeza, mas ainda assim medonha, e o certo é que ela não podia deixar de pensar nisso. Seguia, avançando reto pelo jardim de inverno, quando o sussurrar de uma voz muito sua conhecida – a de Mademoiselle Bourienne – lhe chamou a atenção. Ergueu os olhos e a dois passos viu Anatole com a francesa enlaçada, murmurando-lhe alguma coisa de terno ao ouvido. Anatole encarou Maria. Uma expressão de furor se pintou no formoso rosto, e no primeiro momento não soltou sequer a cintura de Mademoiselle Bourienne, que não tinha visto a princesa.

"Quem está aí? Que querem? Esperem um pouco!", era o que se lia no seu rosto. A princesa olhou para os dois sem dizer palavra. Não conseguia compreender o que estava se passando. Por fim, Mademoiselle Bourienne soltou um grito e fugiu. Anatole, muito sorridente, fez uma reverência a Maria, como se a estivesse convidando a rir com ele daquele acontecimento estranho, e, encolhendo os ombros, dirigiu-se para a porta que conduzia aos seus aposentos.

Uma hora depois Tikon veio chamar a princesa Maria. Pedia-lhe que se apresentasse ao príncipe, acrescentando estar presente também o príncipe Vassili. No momento em que Tikon chegou, a princesa Maria estava sentada no divã, com Mademoiselle Bourienne nos braços, que soluçava. Passava-lhe carinhosamente a mão pelos cabelos. Os seus lindos olhos, tão serenos e luminosos como antes, pousavam-se com uma enternecida compaixão na linda carinha de Mademoiselle Bourienne.

– Não princesa, perdi para sempre a estima do teu coração – dizia esta.

– Por quê? Gosto mais de ti do que nunca – replicava Maria – e farei tudo que estiver na minha mão pela tua felicidade.

– Mas despreza-me, a princesa, tão pura; não poderia jamais compreender esta louca paixão. Ah, se a minha pobre mãe...

– Eu compreendo tudo – respondeu a princesa sorrindo tristemente. – Sossegue, minha amiga. Tenho de ir ter com meu pai – disse ela, erguendo-se.

O príncipe Vassili, sentado, de pernas cruzadas, a caixa de rapé na mão, fingia-se extraordinariamente comovido, mas, rindo intimamente da sua extrema sensibilidade, deu um sorriso enternecido ao ver Maria entrar. Apressou-se em tomar a sua pitada de rapé.

– Ah! minha querida! – exclamou, levantando-se e tomando-lhe as duas mãos. Depois de soltar um suspiro, continuou: – O destino de meu filho está nas suas mãos. Decida, minha querida, minha doce Maria, a quem sempre estimei como a uma filha.

Afastou-se dela. Aos olhos afloravam-lhe verdadeiras lágrimas.

O príncipe Nicolau Andreitch pôs-se a resfolegar pelas narinas.

– O príncipe, em nome do seu pupilo, não, do seu filho, acaba de me pedir a tua mão – pronunciou ele, numa voz forte. – Queres, sim ou não, ser a mulher do príncipe Anatole Kuraguine? Responde por um sim ou por um não, que depois eu me reservo o direito, pela minha vez, de exprimir a minha opinião. Sim, a minha opinião, e apenas a minha opinião – acrescentou para o príncipe Vassili, que assumira uma expressão de súplica. – Diz sim ou não!

– O meu desejo, *mon père*, é não o deixar nunca, e de nunca separar a minha vida da sua. Não quero me casar – disse com decisão, fitando com os seus belos olhos o pai e o príncipe Vassili.

– Tolices! Loucuras! Tolices, tolices! – exclamou o pai, franzindo as sobrancelhas. Pegou na mão da filha, puxou-a para si e, sem a beijar, aproximou da sua a face dela, aflorou-a e apertou-lhe a mão, e com tanta força que ela não pôde deixar de soltar um grito de dor.

O príncipe Vassili levantou-se.

– Minha querida, dir-lhe-ei que é um momento que nunca mais esquecerei; mas, minha querida, então nem uma pontinha de esperança que esse coração tão bom, tão generoso, venha a comover-se? Diga que talvez... o futuro é vasto. Diga: talvez.

– Príncipe, o que acabo de dizer é aquilo que sinto no meu coração. Agradeço-lhe a honra que me dá, mas nunca serei a mulher de seu filho.

– Bom, está tudo acabado, meu caro. Muito prazer em ver-te. Bom, vai-te embora, princesa. É verdade, gostei muito, muito, de te ver – repetia o velho príncipe, abraçando o príncipe Vassili.

"A minha vocação não é esta", pensava a princesa Maria, "a minha vocação está em sentir outra felicidade, a felicidade que dá o amor e o sacrifício. E, custe o que custar, hei de fazer a felicidade da pobre Amélia. Como ela gosta dele! Está tão arrependida! Hei de fazer tudo para casá-los. Se ele não é rico, eu me encarregarei de arranjar recursos a ela. Hei de pedir a meu pai! Hei de pedir a André! Sentir-me-ei tão feliz quando eles casarem! Que infeliz ela é, estrangeira, isolada, sem o auxílio de ninguém! Ah! meu Deus! É preciso que ela goste muito dele para ter perdido a cabeça a este ponto. E quem sabe se eu, no seu lugar, não faria a mesma coisa!..."

CAPÍTULO VI

Há muito tempo já que os Rostov estavam sem notícias de Nicolau. Só em meados do inverno entregaram ao conde uma carta em cujo endereço ele reconheceu a caligrafia do filho. Ao receber esta carta, o conde, muito comovido, mas fazendo o possível para que ninguém o visse, correu, em bicos de pés, para o seu gabinete e aí se fechou a lê-la.

Ana Mikailovna, ao saber do sucedido, pois dava por tudo o que acontecia em casa, penetrou no gabinete, em passos furtivos, e foi surpreendê-lo com a carta na mão, chorando e rindo ao mesmo tempo.

Ana Mikailovna, conquanto tivesse melhorado de situação econômica, continuava a viver na casa dos Rostov.

– *Mon bom ami*?! – exclamou ela, num tom interrogativo e que traduzia uma simpatia a toda a prova.

O conde soluçou mais fortemente que nunca.

– É do Nikoluchka... Uma carta... Está ferido... Sim, *ma chère*, ferido. A condessinha... Foi promovido a oficial... Louvado seja Deus!... Como é que havemos de dizer isto à condessinha?...

Ana Mikailovna sentou-se ao lado do conde, enxugou-lhe as lágrimas com o lenço, as lágrimas que escorriam pelo papel, e depois as suas próprias. Leu a carta, consolou o conde e decidiu que ela própria prepararia a condessa antes do jantar e antes do chá, mas que depois lhe diria tudo se Deus a ajudasse.

Durante toda a refeição Ana Mikailovna falou dos acontecimentos da guerra e de Nikoluchka. Por duas ou três vezes inquiriu quando haviam recebido a sua última carta, embora o soubesse muitíssimo bem, e deu a entender que talvez naquele mesmo dia viessem a receber nova carta. Todas as vezes que, ao ouvir estas alusões, a condessa manifestava inquietação e se punha a olhar, com olhos alarmados, quer para o conde, quer para Ana Mikailovna, esta, sem dar a impressão de intervir, procurava orientar a conversa para assuntos insignificantes. Natacha, a qual, como nenhum outro membro da família, apreendia os mais pequenos matizes da voz, do olhar e da expressão das pessoas, apurara o ouvido desde o princípio do jantar e via perfeitamente existir um segredo qualquer entre o pai e Ana Mikailovna, que esse segredo dizia respeito ao irmão e que Ana Mikailovna preparava o terreno. Apesar de toda a sua ousadia, sabendo o quanto a mãe era sensível a tudo o que dizia respeito a Nikoluchka, não se decidiu, durante a refeição, a formular qualquer pergunta, e tão impaciente estava que não comeu e passou o tempo a voltar-se na cadeira, sem querer saber das observações da preceptora. Porém, assim que a refeição terminou, disparou como uma perdida atrás de Ana Mikailovna, e, sempre a correr, ao chegar à sala do divã, atirou-se ao seu pescoço.

– Tia, minha querida tia, diga lá o que aconteceu.

– Nada, minha filha.

– Ah! tiazinha, minha pomba, minha querida, meu amorzinho, não a largo, eu sei perfeitamente que sabe alguma coisa.

Ana Mikailovna abanou a cabeça.

– És uma espertalhona, minha filha – disse ela.

– É uma carta do Nikoluchka – não é verdade? – interrogou Natacha, lendo a confirmação no rosto da tia.

– Mas, por amor de Deus, sê prudente! Tu bem sabes o que isso pode representar para a tua mãe!

– Bem sei, bem sei, mas diga. Se não me diz tudo já, vou daqui direitinha...

Ana Mikailovna, em poucas palavras, resumiu-lhe o conteúdo da carta, com a condição de ela não contar a ninguém.

– Palavra de honra! – exclamou Natacha, benzendo-se. – Nada direi a ninguém.

E foi logo dali ter com Sônia.

– Nikolenka... está ferido... escreveu... – anunciou muito contente e orgulhosa.

– Nicolau! – exclamou Sônia, empalidecendo.

Natacha, ao ver o efeito que a notícia do ferimento do irmão causava em Sônia, principiou a compreender o que havia de triste no que anunciava.

Lançou-se ao pescoço de Sônia, desfeita em lágrimas.

– Está um bocadinho ferido, mas foi promovido a oficial; já está bem, é ele próprio quem escreve – dizia ela, entre soluços.

– Bem se vê que vocês, mulheres, são todas umas choramingas – interveio Pétia, que andava de um lado para o outro no quarto. – Por mim, estou contentíssimo, muito contente que o meu irmão tenha se distinguido assim. Vocês são todas umas choramingas! Não entendem nada.

Natacha, continuando a chorar, sorriu.

– Não leste a carta? – perguntou Sônia.

– Não, mas a tia disse-me que já tinha passado tudo e que ele agora era oficial.

– Louvado seja Deus! – exclamou Sônia, benzendo-se. – Mas talvez ela tenha estado a fazer pouco de ti. Vamos ter com a mãe.

Pétia continuava a caminhar de um lado para o outro do quarto.

– Se eu estivesse no lugar do Nikoluchka, ainda havia de matar mais desses franceses – disse ele –, desses canalhas! Tantos havia de matar que faria um grande monte!

– Cala-te, Pétia! Não seja tolo!

– Eu não sou tolo, tolas são vocês, que choram por ninharias.

— Lembras-te dele? – perguntou, de súbito, Natacha, depois de um momento de silêncio.

Sônia sorriu:

— Se eu me lembro do Nicolau?

— Não, não é isso que eu quero dizer. Lembras-te de maneira a lembrares-te bem, a lembrares-te de tudo? – voltou Natacha, procurando fazer-se compreender bem, mesmo por gestos e com um ar muito sério. – Eu lembro-me muito bem do Nikolenka, lembro-me muito bem. Já do Bóris não me lembro tão bem como isso. Não me lembro nada, mesmo...

— Quê? Não te lembras do Bóris? – perguntou Sônia, com espanto.

— Não é que eu me não lembre; sei muito bem como ele é, mas não me lembro dele como do Nikolenka. Quando fecho os olhos vejo-o, mas ao Bóris não sou capaz. – E ao mesmo tempo ia fechando os olhos – Não, não sou capaz.

— Ah! Natacha! – exclamou Sônia, fitando a amiga com um ar solene e sério. Parecia considerá-la indigna de ouvir o que ela queria dizer e dirigir-se a qualquer outra pessoa com quem não se brinca. – Gosto do teu irmão, e aconteça o que acontecer nunca deixarei de gostar enquanto for viva.

Natacha, sem dizer palavra, fixou Sônia com um olhar curioso e surpreendido. Duvidava de que fosse verdade o que Sônia acabava de dizer, de que houvesse um amor como aquele de que ela falava. Mas por si não acreditava poder sentir nada parecido. Admitia que aquilo fosse possível, mas não o compreendia.

— Vais escrever-lhe? – perguntou.

Sônia pôs-se a pensar. Como havia ela de escrever ao Nicolau? Deveria fazê-lo? E que havia de lhe escrever? Eis as perguntas que a atormentavam. Agora que ele era oficial, um herói, e estava ferido, ficava-lhe bem, da sua parte, fazer-se lembrada e de qualquer maneira recordar-lhe o compromisso que ele tinha tomado para com ela?

— Não sei. Mas penso que desde que ele escreva, eu também posso lhe responder – retorquiu, corando.

— E não terás acanhamento de o fazer?

Sônia sorriu.

— Não.

— Eu teria vergonha de escrever a Bóris, não o faria.

— E por que hás de ter vergonha?

— Não sei. É assim. Custaria-me, teria vergonha.

– Bom! Eu sei por que é que ela teria vergonha – interveio Pétia, ferido pelo que Natacha acabava de dizer –, é porque esteve embeiçada pelo gordo do pincenê. – Era assim que Pétia se referia ao seu homônimo, o novo conde Bezukov. – E agora está apaixonada por esse cantor. – Queria referir-se a um italiano, um professor de Natacha. – É por isso que ela tem vergonha.

– Pétia, tu és tolo! – disse ela.

– Tanto como tu, minha menina – tornou o garoto de nove anos que era Pétia, nem mais nem menos como um velho brigadeiro.

A condessa estava preparada pelas alusões de Ana Mikailovna durante o jantar. Recolhida ao seu quarto, não tirava os olhos da miniatura do filho na tampa da caixa de rapé, e suas pupilas enchiam-se de lágrimas. Ana Mikailovna, já com a carta na mão, aproximou-se em bicos de pés do quarto da condessa e deteve-se.

– Não entre – disse ela ao velho conde, que a seguia de perto. E fechou a porta.

O conde aproximou o ouvido da fechadura, para escutar. Primeiro apenas ouviu o ruído de uma conversa indiferente, em seguida a voz de Ana Mikailovna, que pregava um longo sermão, depois um grito, a que se seguiu um prolongado silêncio, finalmente duas vozes, cheias de joviais entoações, à mistura com um passarinhar. Daí a pouco, Ana Mikailovna veio abrir. Na sua face transparecia o orgulho de um cirurgião que acaba de concluir uma amputação difícil e acolhe o público para que ele aprecie a sua destreza.

– *C'est fait* – disse ela para o conde, apontando, com um gesto vitorioso, a condessa, que numa mão tinha a caixa de rapé com a miniatura e na outra a carta, e que ia beijando ora uma ora outra coisa. Ao ver o conde, estendeu para ele as suas duas mãos, envolveu nos seus braços a sua cabeça calva, sem deixar de contemplar a carta e o retrato e, para mais à vontade poder beijá-los, teve de afastar um pouco a cabeça do marido. Vera, Natacha, Sônia e Pétia entraram então no quarto, e a leitura principiou. A carta descrevia em poucas palavras a campanha e as duas batalhas em que Nikoluchka tomara parte; dizia que fora promovido a oficial e que beijava as mãos do pai e da mãe, pedindo-lhes a sua bênção, e que enviava beijos para Vera, Natacha e Pétia. Além disso, mandava cumprimentos ao sr. Scheling, a madame Schoss e à ama, e pedia que abraçassem por ele a sua querida Sônia, de quem muito gostava e de quem sempre se lembrava. Nesta altura Sônia corou tanto que as lágrimas lhe vieram aos olhos, e, incapaz de sustentar os olhares que nela se fixavam, refugiou-se no salão, a que deu a volta a correr. Depois fez uma pirueta e, alargando a saia, acabou por se sentar no chão, muito corada, comovidíssima e sorrindo muito. A condessa chorava.

– Por que está chorando, mãe? – perguntou Vera. – Tudo que ele diz deve nos alegrar e não entristecer.

Nada mais exato, mas o conde, a condessa e Natacha olharam para ela com um ar de desaprovação. "Com quem é que ela se parece?", disse consigo a condessa.

A carta de Nikoluchka foi lida uma centena de vezes, e todos que eram considerados dignos de a ouvir foram convocados perante a condessa, que a tinha sempre consigo. Quando vieram os preceptores, a ama, Mitenka e muitas outras pessoas conhecidas, a condessa leu-lhes a carta sempre com renovada satisfação, e de cada vez descobria novas qualidades no seu Nikoluchka. Era para ela qualquer coisa de estranho e de extraordinário e ao mesmo tempo um motivo de alegria que aquele filho, que ela sentira remexer nas suas entranhas vinte anos antes, aquele filho, motivo de não poucas discussões com o conde, que o estragava com mimos, aquele filho a quem ela ensinara a dizer *grucha* e *baba*, aquele filho estivesse agora lá longe, num país estrangeiro, no meio de estranhos, e que só, sem ninguém que o ajudasse ou guiasse, se comportasse como um guerreiro corajoso e aí desenvolvesse uma atividade de soldado destemido. Para ela a experiência dos séculos, que nos ensina que as crianças se fazem homens por um insensível pendor, era coisa que não existia. A transformação operada no filho se afigurava tão extraordinária para ela que era como se milhões e milhões de homens não houvessem obedecido ao mesmo destino. Tal qual como vinte anos antes, quando aquele pequeno ser andava dentro dela, e ela pensava que nunca ele se lhe dependuraria do seio ou que nunca seria capaz de vir a falar, também agora lhe parecia impossível que esse mesmo pequenino ser fosse um homem vigoroso e valente, modelo de filhos, soldado exemplar como se depreendia das palavras da sua carta.

– Que estilo! Que bem que ele escreve! – exclamava ela, ao reler os passos descritivos da carta. – E que grande coração! E a seu próprio respeito nada, nada diz... Só fala de um tal Denissov, e o certo é que naturalmente é ele o mais valente de todos. Não diz nada sobre o que terá sofrido. E que coração! Está aqui todo! E recorda-se de cada pessoa. Não se esqueceu de ninguém! Eu sempre disse que seria assim, disse-o sempre, mesmo quando ele era pequenino, sim, disse-o sempre...

Durante mais de uma semana foi uma azáfama na casa a preparar cartas para o Nikoluchka: fizeram-se rascunhos, passaram-se a limpo. À vista da condessa e por diligência do conde preparou-se uma encomenda com as coisas mais necessárias e arranjou-se uma determinada importância para o equipamento e a nova instalação do oficial. Ana Mikailovna, mulher prática que era, conseguira arranjar para ela e para o filho uma boa proteção no exército, até para efeitos de correspondência. Era-lhe permitido enviar as suas cartas ao grão-duque Constantino Pavlovitch, comandante da Guarda. Pelo seu lado, os Rostov pensavam que o endereço: "Guarda russa no estrangeiro" era mais do que suficiente e que desde que a carta fosse às mãos do grão-duque comandante da Guarda não havia razões para não chegar ao regimento de Pavlogrado, que devia ficar por ali nas vizinhanças. E assim foi resolvido mandar as cartas e o dinheiro, pelo correio do grão-duque, a Bóris, que se encarregaria de fazer chegar tudo às mãos de Nikoluchka. Houve cartas do velho conde, da condessa, de Pétia, de Vera, de Natacha, de Sônia, e às cartas juntaram a importância de seis mil rublos para o equipamento e muitas outras coisas que o conde enviou ao filho.

CAPÍTULO VII

No dia 12 de novembro, o exército de Kutuzov, acampado em Olmütz, preparava-se para a revista que no dia seguinte lhe passariam os dois imperadores, o da Rússia e o da Áustria. A Guarda, recentemente chegada da Rússia, acampava a quinze verstas de Olmütz, e no dia seguinte, exatamente para a revista, às dez horas da manhã, encontrava-se no campo de manobras da cidade.

Nicolau Rostov nesse dia tinha recebido um recado de Bóris informando-o de que o regimento de Ismail acampava a quinze verstas, sem se deslocar até Olmütz, e que o aguardava ali para lhe entregar as cartas e o dinheiro. Rostov estava então muito necessitado de fundos, pois as tropas, no regresso da campanha, acampavam nos arredores do Olmütz, onde os cantineiros e os judeus austríacos, bem abastecidos, invadiam o acampamento, oferecendo toda a espécie de bugigangas. Entre os oficiais do regimento de Pavlogrado os festins sucediam-se aos festins e havia comezainas para celebrar as recompensas obtidas durante a campanha e frequentes visitas a Olmütz à casa de certa Carolina, uma húngara chegada havia pouco que tinha aberto uma estalagem servida por mulheres. Rostov, que havia celebrado dias antes a sua promoção a alferes, comprara de Denissov um cavalo, o Beduíno, e estava devendo dinheiro a todos os seus camaradas e aos cantineiros. Assim que recebeu o bilhete de Bóris, dirigiu-se a Olmütz com um dos seus camaradas, comeu, bebeu uma garrafa de vinho e apresentou-se só no acampamento da Guarda à procura do seu amigo de infância. Ainda não tivera tempo de se equipar. Vestia um dólmã puído de *junker* com a cruz de soldado, umas calças de montar, com fundilhos de couro, muito usadas, e um sabre de oficial com cordões. O animal que ele montava era um cavalo Don comprado de um cossaco durante a campanha. Tombada para uma das orelhas e atirada para trás galhardamente, trazia uma barretina de hussardo. Quando chegou ao bivaque do regimento de Ismail ia pensando no espanto de Bóris e dos seus camaradas ao deparar-se com o seu ar sabido e marcial de hussardo.

A Guarda fizera toda a campanha como se não houvesse saído da parada, muito orgulhosa dos seus brilhantes uniformes e da sua ordem impecável. As etapas tinham sido curtas, com as mochilas em cima das viaturas, e as autoridades austríacas haviam preparado excelentes refeições para os oficiais em cada uma das etapas. Os regimentos entravam nas povoações de banda à frente; durante as tiradas, conforme a ordem do grão-duque, os soldados deviam marchar formados, o que os tornava ainda mais orgulhosos, e os oficiais no seu lugar nas fileiras. Bóris, durante todo o trajeto, estivera sempre ao lado de Berg, já comandante de companhia. Tendo obtido, no decurso da campanha, esse comando, soubera merecer a confiança dos seus superiores e obter vantagens materiais muito apreciáveis, graças à sua pontualidade e à sua exatidão. Quanto a Bóris, esse, durante o mesmo período, travara muitas relações suscetíveis de lhe virem a ser úteis, e, graças à carta de recomendação que Pedro lhe enviara, relacionara-se com André Bolkonski, por cujo intermédio esperava conseguir ser adstrito ao estado-maior do generalíssimo. Berg e Bóris, com os seus uniformes muito cuidados e limpos, descansavam da última etapa na habitação assaz confortável que lhes tinha sido atribuída, sentados em volta de uma mesa redonda, jogando xadrez. Berg tinha o cachimbo entre os joelhos, e com os cuidados que o distinguiam ia empilhando as pedras do jogo com as suas mãos brancas, aguardando que Bóris jogasse, e observava o parceiro, o qual era evidente só pensar de momento no xadrez, consoante o seu costume de não se preocupar senão com o que estava fazendo.

– Quero ver como é que vai se sair desta! – exclamou ele.

– Faremos o que pudermos – replicou Berg, tocando num peão, para logo o abandonar.

Entretanto a porta abriu-se.

– Ora aí está ele finalmente! – exclamou Rostov. – E Berg também! Eh! Então, pestinhas, andem dormir! – acrescentou, repetindo as palavras que a ama costumava dizer, e que outrora tanto os fazia rir, a Bóris e a ele, Rostov.

– Santos Padres! Como estás mudado!

Bóris levantou-se para receber Rostov, sem se esquecer de conservar no seu lugar os peões que estavam caindo. Quis beijar o amigo, mas Nicolau evitou-o. Por uma tendência característica da juventude, que detesta os caminhos trilhados, não quer imitar o que está feito, antes, pelo contrário, gosta de exprimir os seus sentimentos de maneira nova, a seu modo, desde que, pelo menos, não seja como costumam fazer as pessoas de idade, muitas vezes, aliás, pouco sinceramente, Nicolau queria traduzir num ato especial a sua alegria de tornar a ver o amigo, quanto mais não fosse beliscando-o ou empurrando-o, mas nunca beijando-o, como toda a gente. Bóris, pelo contrário, muito tranquila e afetuosamente, beijou-o e abraçou-o duas ou três vezes seguidas.

Havia quase seis meses que não se viam. Naquela idade, em que se dão os primeiros passos na vida, verificavam um no outro mudanças consideráveis, uma interpretação completamente nova do meio em que ambos haviam sido educados. Tinham ambos mudado muito do seu último encontro para cá e ambos tinham pressa de mostrar um ao outro a que ponto já não eram as mesmas pessoas.

– Ah, seus polidores de calçadas! Vocês estão aí limpinhos e asseados que é uma beleza, como se tivessem voltado agora de um passeio pela cidade. Não são como nós, pobres-diabos do exército ativo – dizia Rostov, na sua voz de barítono, ainda desconhecida de Bóris, com uma verdadeira desenvoltura militar e exibindo os calções todos sujos de lama.

A hospedeira, uma alemã, ao ouvir a voz retumbante de Rostov, veio espreitar à porta.

— Rica mulher, hein! — exclamou ele, piscando um olho.

— Por que é que gritas tanto? Até lhe metes medo — observou Bóris. — Não te esperava hoje. Só ontem mandei te entregar o meu bilhete por um ajudante de campo de Kutuzov, que eu conheço, Bolkonski. Não sabia que ele o faria chegar às tuas mãos tão depressa... Então! Que fazes tu? Como vais? Já estiveste na linha de fogo? — perguntou.

Rostov, sem responder, pôs-se a brincar com a cruz de São Jorge, de soldado, que lhe pendia dos alamares do uniforme, e, mostrando o braço entrapado, fitou Berg, sorridente.

— É como vês! — sublinhou.

— Sim, sim, ótimo! — exclamou Bóris. — Também nós, nós também fizemos uma bela campanha. Sabes? Sua Alteza acompanhou sempre o nosso regimento; por isso tivemos todas as facilidades e gozamos de todas as regalias. Na Polônia houve recepções, jantares, bailes! Não se pode descrever! E o Tsarevitch foi ótimo para todos os oficiais.

E ambos se puseram a contar histórias, narrando um as suas partidas de hussardo e a sua vida de campanha, outro a sua existência cheia de distrações e de bem-estar, sob as ordens de personagens altamente cotadas.

— Oh! a Guarda! — exclamou Rostov. — Mas ouve lá, e se tu mandasses vir uma garrafa?

Bóris franziu as sobrancelhas.

— Se fazes questão disso... — retorquiu.

Encaminhou-se para a cama onde dormia, tirou de baixo dos travesseiros muito limpos a bolsa do dinheiro e mandou que fossem comprar vinho.

— A propósito, vou dar-te as cartas e o dinheiro — acrescentou ele.

Rostov pegou as cartas e, pousando o dinheiro em cima do divã, encostou-se à mesa e pôs-se a ler. Passou a vista por algumas linhas, depois olhou para Berg com irritação. Sentindo-lhe os olhos fitos nele, escondeu o rosto com a folha de papel.

— Assim mesmo mandaram-lhe uma boa porção — disse Berg, observando o volumoso saco enterrado no divã. — Ah! a nós não pesa muito a diária. Por mim, posso dizer-lhe...

— Escute aqui, meu caro Berg — disse Rostov —, se eu o visse receber uma carta da família ou encontrar um amigo a quem quisesse perguntar qualquer coisa, trataria logo de ir embora para não o incomodar. Pois então, vá-se embora, peço-lhe, vá para qualquer parte, para qualquer parte... para o diabo!...

Tinha engrossado a voz; e pegando-lhe por debaixo do braço, com um olhar amável, para suavizar a dureza das palavras, acrescentou:

– Sabe? Não se zangue, meu caro, meu bom amigo, é francamente que lhe falo, como a um velho camarada.

– Quê? Claro, compreendo muito bem, conde – balbuciou Berg, na sua voz de ventríloquo, erguendo-se.

– Vá até junto dos donos da casa, eles convidaram-no – acrescentou Rostov.

Berg enfiou a sua redingote muito asseada, sem a mais pequena nódoa nem qualquer grão de poeira, repuxou, diante do espelho, o cabelo na testa, à maneira de Alexandre Pavlovitch[30], e persuadido, graças ao olhar que Rostov lhe lançava, de que a sua redingote lhe ficava bem, saiu, esboçando um amável sorriso.

– Ah! Que animal que eu sou! – exclamou Rostov, lendo a carta.

– Por quê?

– Ah! Que animal que eu fui em não lhes ter escrito uma vez que fosse antes de lhes ter pregado este susto! Ah! Que animal! – repetiu corando muito. – Então, mandaste o Gavrilo buscar uma garrafa? Mandaste? Tanto melhor!

Dentro da carta dos pais vinha outra, uma carta de recomendação para o príncipe Bagration, carta que a velha condessa, a conselho de Ana Mikailovna, conseguira, através de pessoas conhecidas, e que enviava ao filho para que ele a entregasse ao destinatário e tirasse dela o melhor partido.

– Que tolice! Como se eu precisasse disto! – murmurou Rostov, atirando a carta para cima da mesa.

– Por que é que a atiras fora? – inquiriu Bóris.

– É uma espécie de carta de recomendação. Diabos me levem se eu tenho necessidade disso!

– Quê! Não tens precisão disso? – interrompeu Bóris, apanhando a carta e lendo o sobrescrito. – Esta carta pode ser-te muito útil.

– A mim? De modo nenhum! Não sou eu quem irá procurar seja quem for na esperança de ser ajudante de campo.

---

30. Os oficiais russos imitavam o penteado do imperador, que usava o cabelo repuxado sobre as têmporas. (N.E.)

– Por que não? – perguntou Bóris.

– São funções de lacaio.

– Continuas a ser o mesmo idealista, pelo que vejo – observou o amigo, abanando a cabeça.

– E tu sempre o mesmo diplomata. Mas não é disso que se trata... E tu, que fazes? – perguntou Rostov.

– O que vês. Até agora tudo tem corrido bem, mas tenho de confessar-te que não desejava outra coisa senão ser ajudante de campo; preferia isso a ficar nas fileiras.

– Por quê?

– Porque, desde o momento em que uma pessoa escolhe a carreira militar, deve esforçar-se por torná-la o mais brilhante possível.

– Ah! realmente! – exclamou Rostov, pensando claramente noutra coisa.

Olhava o amigo fixamente, e bem nos olhos, como se estivesse a lhe pedir debalde a solução de um problema.

O velho Gavrilo apareceu com o vinho.

– E se nós mandássemos vir o Afonso Karlitch? – interveio Bóris. – Fazia-te companhia para beber; eu, por mim, não posso.

– Isso mesmo, isso mesmo! Mas quem diabo é esse alemão? – perguntou Rostov, sorrindo desdenhosamente.

– É um rico tipo, bom e honesto!

Rostov fitou mais uma vez Bóris nos olhos e suspirou. Berg voltou a aparecer, e em volta da garrafa tornou-se mais afetuosa a conversa dos três amigos. Os oficiais da Guarda contavam a Rostov as campanhas que tinham feito, as recepções que lhes tinham oferecido na Rússia, na Polônia e no estrangeiro, o que tinha dito e feito o seu grande chefe, o grão-duque, e repetiam anedotas reveladoras da sua bondade e do seu entusiasmo. Berg, como de costume, calava-se quando não se tratava pessoalmente do seu caso, mas, a propósito do que se dizia dos acessos de cólera do grão-duque, contou, com visível prazer, ter-lhe acontecido encontrar-se ele na Galícia no momento em que o grão-duque passava revista aos regimentos e se zangara por causa da irregularidade dos movimentos de tropas. E referia, sorrindo amavelmente, como o grão-duque, muito zangado, se aproximara dele gritando: *Arnaútas*! – a expressão favorita do Tsarevitch quando estava furioso –, e mandara chamar o comandante da companhia.

– Acredite, conde, não tive medo algum, sabia perfeitamente que tinha razão. Sabe, conde, eu, sem me vangloriar, sei de cor as ordens do dia do regimento e conheço os regulamentos tão bem como o Padre-Nosso. E era por isso, conde, que não havia qualquer irregularidade na minha companhia. Tinha a consciência tranquila. Apresentei-me. – Nesta altura Berg levantou-se e fez uma saudação militar para mostrar como procedera. De fato, não era fácil exibir uma atitude mais respeitosa e mais satisfeita. – E põe-se ele então a insultar-me, a dizer-me as últimas. Foi um nunca acabar de injúrias e de "diabos" e de "para a Sibéria!". – Nesta altura deu um fino sorriso. – Eu sabia perfeitamente que tinha razão, por isso me calava. Compreende, não é verdade, conde? No dia seguinte, não havia nada na ordem do dia, é a isto que se chama não perder a cabeça. Não é verdade, conde? – concluiu, soltando baforadas no cachimbo.

– Sim, não há dúvida – observou Rostov, sorrindo.

Mas Bóris, percebendo que Rostov se preparava para zombar de Berg, desviou habilmente a conversa. Perguntou a Rostov onde e quando fora ferido. Eis o que não lhe desagradou, e principiou a sua história, entusiasmando-se a pouco e pouco. Contou a aventura de Schoengraben, tal qual como costumam fazer os comparsas de uma batalha, isto é, da maneira que mais lhes agradaria que se tivessem passado as coisas, consoante as ouviram contar por outros, numa palavra, fazendo um relato muito bem-composto, mas de maneira alguma de acordo com a realidade. Rostov era um rapaz muito franco, e por nada desta vida seria capaz de desnaturar conscientemente a verdade. Principiou com a intenção de contar tudo tal qual se tinha passado, mas, sem dar por isso, involuntária e fatalmente, alterou a verdade em seu proveito. Se ele se tivesse limitado a referir simplesmente a verdade aos seus ouvintes, os quais, mais do que uma vez – e esse era o seu caso – tinham ouvido contar as peripécias de um ataque, e disso tinham uma ideia muito nítida, e esperavam, precisamente, da parte dele uma história à imagem e semelhança do que eles próprios pensavam, ninguém o teria acreditado, ou então, o que seria mais grave, teriam pensado ser culpa dele as coisas consigo não se terem passado como geralmente acontecia nos ataques de cavalaria. Era-lhe impossível dizer, simplesmente, terem-se posto a galopar, que caíra do cavalo, que recompusera o braço e que se pusera a correr para a floresta, a fim de escapar dos franceses. Além disso, para contar as coisas tal qual, seria necessário um grande esforço sobre si próprio para não acrescentar nada. É muito difícil narrar uma história verídica, e os rapazes raramente o conseguem. Esperavam ouvi-lo contar que, ardente de entusiasmo, sem saber o que fazia, se precipitara como um tufão sobre o quadrado, que o perfurara, espadeirada para a direita e para a esquerda, que a espada arrancava carne aos pedaços e que, por fim, acabara por cair esgotado e ainda muitas outras coisas do mesmo quilate. E, com efeito, foi uma descrição nesse gênero que ele lhes fez.

Em plena história, quando dizia: "Não podes calcular o furor estranho que se apossa de nós durante o ataque", entrou na sala o príncipe André Bolkonski, que Bóris aguardava. O príncipe André, protetor do jovem, sentia-se lisonjeado quando lhe procuravam o apoio e, simpatizando com Bóris, que soubera agradar-lhe na véspera, estava desejoso de lhe ser prestável. Encarregado por Kutuzov de levar uns documentos ao Tsarevitch, passara pela casa de Bóris na esperança de encontrá-lo só. Ao ver, à entrada na sala, um hussardo do exército contando aventuras de guerra – aí estava um gênero de pessoas que ele detestava –, dirigiu um amável sorriso a Bóris, franziu as sobrancelhas, piscando o olho na intenção de Rostov, e, com um ligeiro cumprimento, sentou-se no divã, indolente e fatigado. Nada lhe era tão desagradável como cair no meio de uma sociedade que detestava. Rostov, adivinhando-lhe os pensamentos, corou, mas a verdade é que, no fim de contas, pouco se lhe dava: aquele homem nada tinha de comum com ele. Entretanto, tendo reparado em Bóris, leu-lhe no rosto que também parecia envergonhado da presença daquele hussardo. Conquanto o príncipe André lhe tivesse mostrado uma atitude desagradável e irônica, e apesar do profundo desdém que lhe inspiravam todos os ajudantes de campo do estado-maior, a cuja categoria, naturalmente, o recém-chegado devia pertencer, Rostov, no fundo, sentiu-se confuso, não pôde deixar de corar e acabou por se calar. Bóris perguntou se havia notícias do estado-maior e se, sem indiscrição, se falava de disposições futuras.

– Naturalmente continuarão a avançar – replicou Bolkonski, que parecia sem grande vontade de falar diante de desconhecidos.

Bóris aproveitou a oportunidade para perguntar, com a sua habitual polidez, se a ração de forragem dos comandantes de companhia não seria duplicada, como consta. O príncipe André respondeu, sorrindo, não estar nas suas mãos resolver problemas administrativos de tal magnitude, e Berg pôs-se a rir.

– Falaremos depois do seu problema – disse André a Bóris, lançando um olhar para o lado de Rostov. – Venha visitar-me depois da revista, faremos o que for possível.

Deixou errar a vista pela sala em que se encontrava e, sem parecer notar o ar de confusão pueril em que caíra Rostov, o qual, pouco a pouco, ia se transformando em verdadeira cólera, disse-lhes:

– Creio que estava falando do combate de Schoengraben? Esteve lá?

– Estive – respondeu Rostov, com uma certa exasperação, num tom que procurava ferir o ajudante de campo.

Bolkonski percebeu o estado de espírito em que o hussardo se encontrava e isso divertiu-o muito. Sorriu com um ar ligeiramente desdenhoso.

– Sim, são muitas as histórias que se contam agora desse combate!

– É verdade – volveu Rostov, numa voz forte, lançando a Bóris e Bolkonski olhares subitamente furiosos. – É verdade, contam-se histórias de toda a espécie, mas as que nós contamos, nós, são histórias de quem esteve sob o fogo do inimigo; as nossas histórias têm sumo, não as desses meninos do estado-maior, condecorados sem nada terem feito.

– E a cujo número supõe que eu pertenço – retrucou o príncipe André, o mais tranquilamente deste mundo, e com um sorriso amável.

Rostov experimentou um curioso misto de mau humor e consideração perante a serenidade daquele homem.

– Não me refiro ao senhor – respondeu ele. – Não o conheço e confesso-lhe que não o quero conhecer. Falo de maneira geral dos oficiais do estado-maior.

– Pois eu, aqui tem o que me permito dizer-lhe – interrompeu André, num tom de tranquila autoridade. – Vejo que tem a intenção de me ofender, e não me custa dizer-lhe que é tudo quanto há de mais fácil desde que não tem respeito por si próprio, mas espero que reconheça que escolhe mal a ocasião e o lugar para semelhantes insinuações. Não tarda que todos nós estejamos envolvidos num duelo muito mais importante e muito mais sério, e além disso Drubetskoi, que diz ser seu velho amigo, não é culpado de a minha cara ter a pouca sorte de lhe ser desagradável. Aliás – acrescentou, levantando-se –, o senhor não desconhece o meu nome e onde pode me encontrar, mas não se esqueça de que eu não me considero de modo algum ofendido, estou tão pouco ofendido como o senhor. O meu conselho de pessoa mais velha é que o melhor é não pensar mais nisto. Portanto, sexta-feira, depois da parada, espero por você, Drubetskoi. Até à vista! – rematou em alta voz, e saudando-os a ambos saiu.

Rostov não se lembrou de retorquir senão quando ele já tinha desaparecido e tanto mais furioso se sentiu quanto era certo não ter respondido. Ordenou logo que lhe trouxessem o cavalo, e, depois de ter se despedido secamente de Bóris, voltou para casa. Que fazer? Ir no dia seguinte ao guartel-general desafiar para um duelo o petulante ajudante de campo ou não pensar mais no caso? Eis o problema que o atormentou durante todo o percurso. Ora se dizia a si próprio, iracundo, que seria grande o prazer que teria em ver a cara assustada desse homenzinho débil e vaidoso diante da sua pistola carregada, ora tinha a surpresa de verificar que entre todos os seus conhecidos a nenhum desejaria tanto tornar a ver como àquele ajudantezinho de campo a quem tão profundamente ficara a odiar.

CAPÍTULO VIII

No dia seguinte ao da entrevista de Bóris e de Rostov, foi a revista das tropas austríacas e russas, tanto das forças frescas acabadas de chegar da Rússia como das que vinham do campo de batalha com Kutuzov. Os dois imperadores, o da Rússia, com o príncipe herdeiro, e o da Áustria, com o arquiduque, passavam revista a um exército aliado de oitenta mil homens.

Desde a aurora que as tropas, de grande uniforme e escrupulosamente engraxadas, se haviam posto em marcha para formar na esplanada diante da fortaleza. Primeiro viram se mover milhares de pés e de baionetas, bandeiras desfraldadas, que, à voz dos oficiais, faziam alto, se moviam e formavam com intervalos regulares, ultrapassando outras massas de soldados de infantaria com uniformes diferentes. Em seguida, ao passo cadenciado dos cavalos e ao retinir dos sabres, apareceu a cavalaria em traje de parada, com uniformes bordados, azuis, vermelhos e verdes, a banda militar à frente, montada em murzelos, alazões e cinzentos. Entre a infantaria e a cavalaria vinha a artilharia, com longas colunas de canhões bem polidos e reluzentes, que estremeciam sobre as rodas, num trepidar metálico, de mechas acesas, dirigindo-se para os locais designados. Os generais, de grande uniforme, corpulentos e muito cingidos, para darem a impressão de mais magros, a nuca apertada nas golas, com as bandas e todas as condecorações; os oficiais, rebrilhantes e janotas; os soldados, de cara barbeada e lavada, com o seu correame a brilhar; os cavalos, bem arreados e nédios, brilhavam como cetim, as crinas alisadas pelo a pelo, tudo, numa palavra, dizia que iria se passar um acontecimento importante e solene, que nada tinha de brincadeira. Generais e soldados sentiam não serem nada, não passarem de grãos de areia de um oceano humano, bem conscientes da sua força enquanto elementos daquele todo imenso.

Desde que luzira o dia que a azáfama principiara, e às dez horas tudo estava a postos. Sobre a enorme esplanada formavam as colunas. Todo o exército formava três corpos. À frente, a cavalaria; depois, a artilharia e por último, a infantaria.

Entre cada coluna de tropas abria-se uma clareira. Os três corpos do exército estavam nitidamente separados; primeiro, as tropas de campanha de Kutuzov, entre as quais, no flanco direito e no primeiro plano, o regimento de Pavlogrado; depois, os regimentos das tropas de linha e a Guarda que chegara da Rússia; por fim, o exército austríaco. Mas todos estavam sob o mesmo comando e sob uma única disciplina.

Como vento na folhagem perpassou um murmúrio. "Lá vêm eles! Lá vêm eles!", disseram vozes ansiosas, e, como uma vaga, um fervilhar de preparativos supremos percorreu as tropas.

Vindo dos lados de Olmütz surgiu um grupo em movimento. No mesmo instante, conquanto não houvesse vento, um sopro ligeiro percorreu o exército, as flâmulas das lanças ondularam e os estandartes estremeceram nas hastes. Parecia o exército inteiro a dar a entender nesse frêmito a alegria que sentia com a chegada dos imperadores. Uma voz ressoou: "Sentido!". Em seguida, como os galos ao nascer do sol, vozes diversas, aqui e ali, foram repetindo a mesma voz. E tudo voltou a serenar.

Naquele silêncio de morte só se ouviam as patas dos cavalos. Era a comitiva dos imperadores que se aproximava das tropas. Os clarins do primeiro regimento de cavalaria entoaram uma marcha. Parecia não serem os clarins que tocavam, mas o próprio exército, para festejar a aproximação dos soberanos, que soltava espontaneamente a sua voz. E em seguida, distintamente, ouviu-se a voz jovem e simpática do imperador Alexandre, que gritava a sua saudação às tropas. E o primeiro regimento soltou um "hurra!", um "hurra" tão ensurdecedor, tão alegre e prolongado que os próprios homens pareceram assustados com o número e o poder que representavam.

Rostov estava na primeira linha do corpo de exército de Kutuzov, para onde se dirigia o imperador. Também ele sentia o que todos os demais soldados sentiam: olvido de si próprio, orgulho de um tal poder, entusiasmo apaixonado por aquele que era o objeto de tamanho triunfo:

"Uma só palavra daquele homem", pensava, "e aquela massa inteira, de que ele não era mais que uma ínfima partícula, lançar-se-ia ao fogo ou à água, precipitar-se-ia no crime ou na morte, praticaria os mais heroicos atos." E por isso não podia dominar um estremecimento íntimo, um quase desfalecimento, à aproximação daquela voz potente.

"Hurra! Hurra! Hurra!", rebentava de todos os lados; e os regimentos, uns após outros, recebiam o imperador, ao som da marcha militar, e depois vinham os "hurras!", e em seguida outra vez a marcha, e ainda de novo os "hurras!", alternadamente, de tal modo que o todo, constantemente ampliado, se fundia num trovão ensurdecedor.

Antes da aproximação do imperador, cada regimento, silencioso e imóvel, parecia um corpo sem vida; mas assim que ele se aproximava, o regimento animava-se, de súbito, e juntava os seus gritos aos das fileiras que o soberano acabava de percorrer. No meio deste clamor tremendo e ensurdecedor, desta massa de soldados imóveis, como que petrificados nas suas formações, iam evolucionando as centenas de cavaleiros da comitiva, negligentemente, simetricamente, em perfeito à vontade; na vanguarda, a cavalo, os dois imperadores. E era neles que se concentrava a atenção apaixonada e retensa de todo aquele exército.

O jovem e belo imperador Alexandre, no seu uniforme da Guarda montada, o tricórnio ligeiramente pendido sobre a orelha, atraía todos os olhares, graças ao seu ar amável e à sua voz sonora, mas não muito forte.

Rostov, na vizinhança dos clarins, de longe, com os seus penetrantes olhos, reconhecera logo o imperador, que seguia em todos os seus movimentos. Quando o soberano estava a uns vinte passos e Nicolau pôde ver distintamente, nos seus mais ínfimos pormenores, esse rosto belo, jovial e jovem, apossou-se dele um enternecimento e um entusiasmo como nunca sentira em toda a sua vida. Os traços, os gestos, toda a pessoa do imperador se afiguraram maravilhosos. Parando diante do regimento de Pavlogrado, Alexandre disse algumas palavras em francês ao imperador da Áustria, e esboçou um sorriso. Ao ver isso, Rostov sorriu também, sem perceber que sorria, e o entusiasmo que já sentia pelo imperador foi maior ainda. Teria querido testemunhar-lhe de qualquer maneira o amor que ele lhe inspirava. E reconhecendo que isso era impossível, teve vontade de chorar. O imperador, chamando o comandante do regimento, disse-lhe algumas palavras.

"Meu Deus, e se ele se dirigisse a mim!", murmurou. "Morreria de felicidade!"

O imperador falou também aos oficiais:

– A todos, meus senhores – cada uma das suas palavras era como que uma voz descendo do céu –, a todos agradeço do coração.

Que feliz Rostov se sentiria naquele momento se pudesse morrer pelo seu soberano...

– Mereceram as insígnias de São Jorge, e serão dignos delas.

"Pudesse eu morrer, morrer por ele", pensava Rostov.

O imperador disse ainda alguma coisa que ele não entendeu e os soldados, a plenos pulmões, berraram: "Hurra!".

Rostov, inclinado sobre a sela, gritava também a plenos pulmões. Teria desejado ferir-se a si próprio gritando, desde que pudesse exprimir completamente o seu entusiasmo.

O imperador deteve-se alguns instantes diante dos hussardos, como que indeciso.

"Como é que o imperador pode hesitar?", disse Rostov consigo mesmo, mas no mesmo instante pareceu-lhe sublime e cheia de encanto aquela hesitação, como tudo que do imperador emanasse.

Mas a hesitação pouco durou. O pé do imperador, com a sua bota estreita e pontiaguda, à moda da época, aflorou o flanco da égua baia inglesa, a mão enluvada de branco apanhou as rédeas, e o soberano seguiu adiante, acompanhado de uma esteira de ajudantes de campo disseminados atrás dele. Foi andando, para de novo se deter junto dos outros regimentos, e Rostov, por fim, só lhe via a pluma branca que emergia do meio da comitiva dos dois soberanos.

Entre as personagens que seguiam os imperadores, Rostov fixou Bolkonski, montado com elegância e negligência. Lembrou-se da disputa da véspera e perguntou-se a si mesmo se valeria ou não a pena provocá-lo. "Claro que não", concluiu. "Vale a pena pensar numa coisa dessas, vale lá a pena falar nisso numa hora como esta? Num tal momento de amor, de entusiasmo e de sacrifício, que importam as nossas discussões e as ofensas que recebemos? Amo todos os homens, perdoo a todos neste momento."

Assim que o imperador acabou de passar revista a todos os regimentos, puseram-se as tropas a desfilar em passo de parada, e Rostov, montado no seu Beduíno, havia pouco comprado de Denissov, desfilou também, no coice do esquadrão, isto é, sozinho e bem à vista do imperador.

Antes de passar em frente do tsar, Rostov, excelente cavaleiro que era, por duas ou três vezes esporeou o seu cavalo, conseguindo pô-lo a galope, esse belo galope quando excitado. Arqueando sobre os peitorais a cabeça coberta de espuma, a cauda eriçada, como suspenso, sem tocar no terreno, atirando alternadamente com as patas, Beduíno, que parecia também sentir o olhar do imperador, desfilou, soberbo, diante do monarca.

Rostov, as pernas repuxadas para trás e o ventre atirado para a frente, uma só peça ele e o cavalo, o rosto crispado, mas feliz, passou diante do tsar como um verdadeiro demônio, no dizer de Denissov.

– Bravo, hussardos de Pavlogrado! – exclamou o imperador.

"Meu Deus! Que feliz eu me sentiria se ele neste momento me mandasse atirar a uma fogueira", pensou Rostov.

Quando a revista findou, os oficiais que tinham acabado de chegar juntamente com os de Kutuzov reuniram-se em grupos e houve animadas conversas por causa das condecorações, dos austríacos mobilizados e dos seus uniformes, de Bonaparte e da sua situação crítica quando chegasse o corpo de Essen e a Prússia se aliasse à Rússia.

Mas de quem se falava principalmente por toda a parte era do imperador Alexandre; repetiam-se as suas mais insignificantes palavras e todos se sentiam fascinados por ele.

O desejo de todos era só um: lançarem-se, sob o seu comando, contra o inimigo. "Às ordens do imperador seria impossível que não vencessem a quem quer que fosse", eis o que pensavam, depois da parada, tanto Rostov como a maior parte dos oficiais.

Agora todos se sentiam mais certos da vitória do que se tivessem ganho duas batalhas.

CAPÍTULO IX

No dia seguinte, Bóris, depois de envergar o seu belo uniforme e de ter recebido os mais efusivos votos de boa sorte da parte do seu camarada Berg, dirigiu-se a Olmütz para se apresentar a Bolkonski, visto a boa disposição em que este se mostrava para com ele, na esperança de melhorar de situação e, na melhor das hipóteses, conseguir o lugar de ajudante de campo de qualquer importante personagem, cargo que muito especialmente o atraía. "É bom para Rostov, a quem o pai manda seis mil rublos de uma assentada, isso de não querer se vergar diante de quem quer que seja, de não querer ser criado de ninguém. Mas eu, que só comigo posso contar, tenho de tratar da vida e de não perder as boas oportunidades."

Nesse dia não encontrou o príncipe André em Olmütz. Mas o aspecto da cidade, onde se estabelecera o quartel-general, onde estava instalado o corpo diplomático e onde habitavam os dois imperadores, com as suas comitivas de cortesãos e familiares, ainda mais radicou nele o desejo de fazer parte daquele mundo superior.

Não conhecia ninguém ali, e o certo é que, apesar do seu elegante uniforme de Guarda, todas aquelas altas personalidades que iam e vinham pelas ruas, em magníficas carruagens, com os seus penachos, os seus grandes cordões e as suas medalhas, quer cortesãos quer militares, se lhe afiguravam tanto acima dele, insignificante oficial da Guarda, que ele e a sua existência não podiam deixar de lhes passar despercebidos.

Na sede do quartel-general de Kutuzov, onde foi procurar Bolkonski, todos os ajudantes de campo e até mesmo os subalternos pareciam dar-lhe a entender, pela forma como o olhavam, que oficiais como ele era coisa que não faltava por ali e que principiavam a estar fartos disso. Apesar de tudo, ou talvez até precisamente por essa razão, logo no dia seguinte, dia 15, voltou a Olmütz depois de jantar e, dirigindo-se às dependências ocupadas por Kutuzov, perguntou por Bolkonski. O príncipe André estava e Bóris foi conduzido a um salão espaçoso onde naturalmente outrora se dançava e em que se viam agora cinco camas e vários móveis desirmanados: mesas, cadeiras e um cravo. Ao pé da porta um ajudante de campo, com o seu roupão oriental, escrevia sentado diante de uma mesa. Outro, o corpulento e vermelhusco Nesvitski, deitado numa das camas, os braços debaixo da cabeça a fazerem de travesseiro, ria com o oficial sentado ali perto. Um terceiro, sentado ao cravo, tocava uma valsa vienense; um quarto, meio estendido sobre o mesmo cravo, acompanhava-o cantando. Não viu Bolkonski. Nenhum dos oficiais, ao ver Bóris, mudou de atitude. O que escrevia, e a quem Bóris interpelara, voltou-se pouco satisfeito e disse-lhe que Bolkonski estava de serviço; por isso, se lhe queria falar, não precisava mais do que se dirigir à porta da esquerda, na sala de visitas. Bóris agradeceu e voltou as costas. Na sala de visitas foi encontrar uma dezena de oficiais e generais.

Quando Bóris entrou, o príncipe André, com esse ar especial de polida lassidão, em que se lia que, se o dever a isso não o obrigasse, aquela conversa não teria durado mais que um minuto, ouvia, piscando os olhos, algo desdenhoso, um velho general russo condecorado que, quase em bicos de pés, rigidamente ereto, lhe fazia um relatório, com uma obsequiosa expressão marcial no rosto vermelho.

– Muito bem, queira ter a bondade de esperar um momento – dizia Bolkonski ao general com o sotaque francês que costumava pôr nas suas palavras russas quando queria falar desdenhosamente, e, ao ver Bóris, não prestou mais atenção ao militar, que lhe foi no encalço, pedindo-lhe que o escutasse ainda, e dirigiu-se para o jovem com um sorriso jovial e um amistoso aceno de cabeça.

Bóris compreendeu naquele momento o que, de resto, já presumia: que no exército, acima da disciplina e da subordinação inscritas nos códigos e ensinadas nos regimentos, coisa que ele tão bem conhecia, havia uma outra hierarquia mais sutil que obrigava aquele general de face corada a aguardar respeitosamente e numa atitude militar que se dignassem ouvi-lo, desde que um príncipe André, simples capitão, a seu bel-prazer resolvesse conversar com o alferes Drubetskoi. E Bóris, mais do que nunca, a si próprio prometeu, de futuro, obedecer não aos regulamentos, mas às leis desta hierarquia não prevista. Dava-se conta naquele momento de que o mero fato de ter sido recomendado ao príncipe André o punha imediatamente mais alto do que um general, que noutras circunstâncias, nas fileiras, estaria em condições de esmagá-lo, mero alferes da Guarda. O príncipe André aproximou-se e deu-lhe o braço.

– Lamento que não tenha me encontrado ontem. Passei o dia inteiro com os alemães. Fomos com Weirother verificar as disposições tomadas. Quando esses alemães resolvem ser minuciosos, nunca mais acabam!

Bóris sorriu, como se fosse coisa que qualquer um soubesse, isso a que o príncipe André estava se referindo. No entanto era a primeira vez que ouvia pronunciar quer o nome de Weirother quer a palavra "disposições".

– Quer dizer que o meu amigo continua a querer ser ajudante de campo! Tenho pensado muito no senhor desde que o vi a última vez.

– Quero; até pensei em dirigir uma petição ao general em chefe – respondeu Bóris, corando sem saber por quê. – Tenho uma carta do príncipe Kuraguine. Quero fazer este pedido – acrescentou, à guisa de desculpa –, porque receio muito que a Guarda não venha a bater-se.

– Bem! Muito bem! Voltaremos a falar nisso – disse o príncipe André. – Deixe-me só resolver o caso deste senhor e estou inteiramente às suas ordens.

Enquanto o príncipe ia comunicar ao comandante em chefe o assunto do general corado, este que, está claro, não compartilhava das ideias de Bóris acerca da hierarquia não prevista pelos regulamentos, fitava com tanta insistência o insolente alferes que não o deixara concluir a sua conversa com o ajudante de campo, que o visitante se sentiu incomodado. Voltando o rosto, esperou, impaciente, o regresso do príncipe André.

– Bom, meu caro, foi isto o que eu pensei a seu respeito – disse o príncipe quando entraram no salão do cravo. – Não ganha nada em procurar o general em chefe. Ele vai lhe dizer uma série de amabilidades, convidá-lo para jantar ("o que", pensou Bóris, "lá não seria mau no ponto de vista da tal hierarquia"), mas pouco mais adiantará. Não tarda que nós, ajudantes de campo e oficiais às ordens, formemos um verdadeiro batalhão. Por isso, aqui tem o que em minha opinião devemos fazer. Tenho um bom amigo, um general do estado-maior, aliás um homem encantador, o príncipe Dolgorukov; e embora você não saiba, com certeza, o certo é que nós, os do estado-maior, não temos influência alguma: agora está tudo concentrado nas mãos do imperador. Por isso o melhor é irmos procurar Dolgorukov. Tenho precisamente necessidade de me encontrar com ele. Já lhe falei de você. Vamos ver se ele arranja uma maneira de instalá-lo a seu lado ou em qualquer outro lugar mais perto do "Sol".

O príncipe André, sempre que tinha de guiar um moço e ajudá-lo a abrir carreira, mostrava-se muito animado. Sob o pretexto de ajudar a outrem, auxílio que ele, por orgulho, não pedia para si próprio, alegrava-o aproximar-se do meio que garantiria o êxito. Chamou a si a causa de Bóris e com a melhor boa vontade acompanhou-o junto do príncipe Dolgorukov.

Já a tarde ia adiantada quando deram entrada no palácio de Olmütz ocupado pelos imperadores e os seus familiares.

Nesse mesmo dia, houvera um conselho em que tinham tomado parte os membros do Conselho Superior de Guerra e os dois imperadores. Decidira-se, contra o parecer dos velhos generais Kutuzov e príncipe Schwartzenberg, tomar imediatamente a ofensiva e travar uma batalha geral com Bonaparte. Acabava a sessão do Conselho de Guerra quando André, acompanhado de Bóris, entrava no palácio para falar ao príncipe Dolgorukov.

Todas as personalidades do quartel-general rejubilavam com a decisão tomada, a qual era a garantia da vitória do partido dos novos. A voz dos contemporizadores, que aconselhavam esperar-se para se tomar a ofensiva, fora abafada tão unanimemente, as objeções que levantavam haviam sido repelidas com provas tão incontestáveis das vantagens da ofensiva que a batalha futura de que se falara no Conselho, e que sem dúvida alguma terminaria por uma vitória, já não parecia pertencer ao futuro, mas sim ao passado. Havia todas as vantagens: as enormes forças aliadas, incontestavelmente muito superiores às de Napoleão, estavam todas concentradas num mesmo ponto; as tropas estavam entusiasmadas com a presença dos imperadores e não queriam senão bater-se; a posição estratégica sobre a qual convinha atuar conhecia-a, nos seus mínimos pormenores, o general austríaco Weirother, que comandava os exércitos. Um feliz acaso permitira que no ano anterior as manobras do exército austríaco se tivessem desenrolado precisamente no terreno onde agora este tinha de se medir com os franceses. Havia cartas da região, a qual era conhecida em todos os detalhes, e Bonaparte, evidentemente enfraquecido, não tomaria qualquer iniciativa.

Dolgorukov, um dos partidários mais ardentes da ofensiva, acabava precisamente de sair do Conselho, fatigado, exausto, mas todo entusiasmado e orgulhoso com a vitória que obtivera. O príncipe André apresentou-lhe o seu protegido, mas Dolgorukov contentou-se em apertar-lhe polidamente a mão, sem nada mais dizer, e depois, não podendo calar os pensamentos que naquele momento o preocupavam, declarou em francês:

– Ah, meu caro! Que batalha acabamos de ganhar! Deus queira que a verdadeira batalha que aí vem finde tão vitoriosa. Devo reconhecer, no entanto, meu amigo – acrescentou, animado, e exprimindo-se aos sacões –, as minhas lacunas quando me comparo com os austríacos, e especialmente com Weirother. Que exatidão, que minúcia, que conhecimento do terreno, que previsão de todas as eventualidades, de todas as condições, dos mais insignificantes detalhes! Sim, meu caro, é impossível imaginar condições mais favoráveis do que aquelas em que nos encontramos. Que poderíamos nós desejar mais que a aliança da pontualidade austríaca com a bravura russa?

– Então a ofensiva está definitivamente assente? – inquiriu Bolkonski.

– E sabe, meu caro, tenho a impressão de que Bonaparte perdeu decisivamente o seu latim. Pois o tsar não recebeu hoje mesmo uma carta dele? – disse Dolgorukov, com um sorriso significativo.

– Que me diz? O que Bonaparte escreveu?

– Que havia ele de escrever? Patarati, pataratá... Tudo apenas para ganhar tempo. É o que eu lhe digo, têmo-lo nas mãos, é um fato! Mas o mais engraçado – prosseguiu, rindo com bonomia – é que ninguém sabia como escrever o endereço da resposta. Se não se pode chamá-lo cônsul, muito menos imperador. Em minha opinião, devia ter-se escrito Buonaparte.

– No entanto, entre não o reconhecer como imperador e chamá-lo general Buonaparte há a sua diferença – observou Bolkonski.

– É precisamente esse o ponto – volveu Dolgorukov rindo com volubilidade. – Conhece Bilibine? É um homem de muito espírito. Propôs que se endereçasse a carta assim: "ao usurpador e ao inimigo do gênero humano".

E Dolgorukov pôs-se a rir com vontade.

– Nada mais? – observou Bolkonski.

– Foi ainda Bilibine quem encontrou uma fórmula séria. É um homem muito fino e muito inteligente.

– E qual?

– Ao chefe do governo francês – explicou Dolgorukov, retomando o ar sisudo. – Não acha que é perfeito?

– Acho, mas não vai lhe agradar nada – disse Bolkonski.

– Pelo contrário! Meu irmão conhece-o, jantou mais de uma vez com ele, quer dizer, com o atual imperador, em Paris, e disse-me que nunca houve diplomata mais refinado e manhoso: sabe? um misto da habilidade francesa e do cabotinismo italiano. Já ouviu as anedotas a propósito de Markov? Só o conde Markov chegou para ele. Já ouviu contar a história do lenço? É maravilhosa!

E o tagarela do Dolgorukov, dirigindo-se ora a Bóris ora ao príncipe André, contou que Bonaparte, querendo testar o embaixador russo Markov, deixara cair de propósito o lenço na sua presença e ficara à espera que Markov o apanhasse. Então este deixara cair também o seu lenço ao lado do de Bonaparte e, apanhando o seu, não tocara no do imperador.

– Encantador – disse Bolkonski. – Mas escute aqui, príncipe, vim procurá-lo para lhe pedir um favor para este jovem. Sabe...

O príncipe André não teve tempo de acabar: apresentou-se um ajudante que vinha convocar Dolgorukov para se apresentar ao imperador.

– Ah, que maçada! – exclamou Dolgorukov, levantando-se precipitadamente e apertando a mão do príncipe André e a de Bóris. – Fique certo de que terei muito prazer em fazer tudo que dependa de mim tanto por você como por este rapaz encantador. – Voltou a apertar a mão de Bóris, com um ar desprendido, cheio de bonomia e de animação. – Mas, como vê... Para outra vez!

Bóris sentia-se impressionado por se encontrar naquele momento tão perto do poder supremo. Tinha a impressão de estar em contato com as alavancas que acionavam todas aquelas enormes massas, de que ele, no seu regimento, não passava de mínima partícula obediente e insignificante. Seguiram atrás do príncipe Dolgorukov para o corredor e, saindo da porta do gabinete do imperador por onde desaparecera o seu companheiro, viram um homem de pequena estatura, à paisana, de aspecto inteligente, com uma cicatriz no queixo, a qual, não o enfeando, lhe dava uma expressão de vivacidade e de astúcia. Esse homenzinho acenou familiarmente a Dolgorukov e fitou atentamente e com frieza o príncipe André, com quem cruzou no caminho, esperando certamente que aquele o cumprimentasse ou se afastasse para deixá-lo passar. O príncipe André não fez nem uma nem outra coisa; fez uma expressão contrariada, e o outro, afastando-se, tomou por um dos lados do corredor.

– Quem é? – perguntou Bóris.

– É um homem dos mais notáveis, mas também dos mais desagradáveis que conheço. É o ministro dos negócios estrangeiros, o príncipe Adão Czartoriski. São estes indivíduos – disse Bolkonski, soltando um suspiro, que lhe fora impossível reprimir, no momento em que saíam do palácio –, são estes indivíduos que decidem o destino dos povos.

No dia seguinte, as tropas puseram-se em marcha; não foi possível a Bóris, antes da batalha de Austerlitz, voltar a ver Bolkonski nem Dolgorukov, e ficou à espera no seu regimento, em Ismail.

CAPÍTULO X

Na madrugada do dia 16, o esquadrão de Denissov, em que servia Nicolau Rostov, e que fazia parte do destacamento de Bagration, deixou o seu acampamento noturno para entrar em ação, segundo se dizia. Cerca de uma versta mais adiante, na esteira das outras colunas, encontrou-se na estrada real. Rostov tinha visto desfilar os cossacos, o primeiro e o segundo esquadrões de hussardos, os batalhões de infantaria com a artilharia, depois vira passar os generais Bagration e Dolgorukov, seguidos de seus ajudantes de campo. O medo que, como da primeira vez, tinha sentido antes do combate, a luta interior com que procurava dominar esse medo, o desejo de cumprir o seu dever no meio da confusão como um verdadeiro hussardo, tudo desaparecera de repente. O seu esquadrão ficara de reserva e Rostov passara todo o santo dia triste e aborrecido. Às nove horas da manhã, ouviu na sua frente fuzilaria e gritos de "hurra!" e viu alguns poucos feridos que eram trazidos para a retaguarda, e no meio de uma centena de cossacos deparara-se-lhe finalmente um destacamento de cavalaria francesa. Os soldados e os oficiais, de regresso à retaguarda, falavam de uma brilhante vitória, da tomada de Wischau e de um esquadrão francês feito prisioneiro. O céu estava claro e soalheiro depois da geada que caíra durante a noite, e o alegre esplendor daquele dia de outono harmonizava-se com a notícia de uma vitória proclamada não só pelo relato dos que nela haviam tomado parte, mas também pela alegria que se pintava na face dos soldados, dos oficiais, dos generais, dos ajudantes de campo que passavam para cá e para lá diante de Rostov.

Nicolau parecia, contudo, tanto mais triste quanto era certo ter sentido inutilmente a angústia de quem vai para o combate, pois o dia lhe decorrera em inação.

– Anda daí, Rostov, vamos beber qualquer coisa para esqueceres a tua tristeza! – gritou-lhe Denissov, sentado no acostamento da estrada, diante de um cantil e de alguns víveres.

Em volta de Denissov havia um ajuntamento de oficiais que comiam e bebiam conversando.

– Olha, lá trazem outro! – exclamou um deles, apontando para um dragão francês prisioneiro que era conduzido, a pé, por dois cossacos. Um deles levava pelo bridão um belo e corpulento cavalo tomado do prisioneiro.

– Vende-me esse cavalo – disse Denissov para o cossaco.

– Se o fidalgo o quiser...

Os oficiais levantaram-se e vieram fazer roda em volta dos cossacos e do francês. O dragão francês era um rapazola, um alsaciano, que falava com sotaque alemão. A emoção embargava-lhe a voz, tinha as faces muito vermelhas, e, ao ouvir falar francês, pôs-se a tagarelar com os oficiais, ora com um, ora com outro. Dizia que nunca se teria deixado aprisionar, que a culpa não fora dele, mas do caporal, que o havia mandado apanhar as gualdrapas dos cavalos, embora ele o tivesse avisado de que os russos já estavam ali. E ia repetindo a cada momento: "Mas não façam mal a meu cavalinho", enquanto lhe passava a mão pelo lombo. Via-se que não compreendia lá muito bem onde se encontrava. Ora pedia desculpa de ter se deixado aprisionar, ora, julgando encontrar-se perante os superiores, se vangloriava da exatidão e da pontualidade com que cumpria os seus deveres. Com ele chegava até a retaguarda russa em toda a sua frescura a atmosfera do exército francês, então completamente estranha aos russos. Os cossacos venderam o cavalo a troco de dois ducados, e Rostov, que tinha recebido dinheiro fresco e era o mais abonado, foi quem fez a transação.

– Mas não façam mal a meu cavalinho! – repetia o alsaciano, dirigindo-se a Rostov, com um ar bonacheirão, quando lhe entregaram o cavalo.

Rostov, sorrindo, tranquilizou o dragão e deu-lhe algum dinheiro.

– É andar! É andar! – exclamou o cossaco, pegando no braço do prisioneiro para obrigá-lo a caminhar.

– O imperador! O imperador! – gritaram de repente.

Todos se puseram a correr, e Rostov, voltando-se, viu, avançando pela estrada, um grupo de cavaleiros que se aproximava, os penachos brancos ao vento. Num abrir e fechar de olhos, cada um retomara o seu lugar nas fileiras e esperava.

Rostov não compreendia como tinha podido retomar tão depressa o seu lugar e montar a cavalo. De súbito, desvanecera-se-lhe o desgosto de não ter tomado parte no combate e o mau humor de se ver no meio dos homens de todos os dias; de chofre, tudo que nele era sentimento pessoal desaparecera. Não pensava senão na alegria de ir ver de perto o imperador. Sentia que a presença dele, só por si, o compensaria bem do dia que perdera. Tomava-o uma felicidade idêntica à do apaixonado que por muito tempo esperou a mulher amada. Sem se atrever a voltar-se nas fileiras, e sem que realmente se voltasse, sentia, cheio de júbilo, a aproximação do tsar. E o certo é que não era só o tropear dos cavalos que lhe anunciava a próxima vinda do imperador, mas uma como que claridade, um ar de alegria, uma espécie de atmosfera de festa espalhada por todos os lados. À medida que o imperador se acercava era como se, a seus olhos, um sol fosse irradiando luz suave e magnífica, e eis que se sentia como que envolto nos seus raios de luz, que ouvia a sua voz, a sua voz acariciadora, calma, majestosa, e ao mesmo tempo tão simples. Como, de resto, já o esperava, fez-se um silêncio de morte, e no meio desse silêncio ouviu-se a voz do imperador.

– Os hussardos de Pavlogrado? – perguntou o tsar.

– A reserva, Sire! – respondeu uma voz, num tom tão humano quanto o tom da outra se lhe afigurara sobre-humano.

Ao chegar à altura em que se encontrava Rostov, fez alto. Os seus traços fisionômicos ainda eram mais belos que três dias antes, por ocasião da parada. Tamanhas eram a alegria e a inocente mocidade que se espelhavam no seu rosto que se diria ter a petulância de uma criança de catorze anos sem deixar de ser um soberano majestoso. Percorrendo distraidamente com a vista o esquadrão, encontrou os olhos de Rostov e deteve-se fitando-o alguns segundos. Teria surpreendido o que estava se passando na alma de Rostov? (Rostov estava persuadido de que ele compreendia tudo.) O certo é que o fitou por instantes com seus olhos azuis, de onde escorria uma luz suave e enternecida. Depois, repentinamente, soergueu as sobrancelhas, cravou bruscamente no cavalo a espora do pé esquerdo e saiu a galope.

O jovem imperador não tinha querido deixar de assistir à batalha, e, contra os conselhos dos cortesãos, ao meio-dia separara-se da terceira coluna, atrás da qual seguia, para se dirigir à primeira linha.

Ainda não chegara ao pé dos hussardos e já alguns ajudantes de campo lhe anunciavam o venturoso resultado da ação.

Esse combate, de que resultou apenas o aprisionamento de um destacamento francês, foi considerado uma grande vitória; por isso o imperador e todo o exército, sobretudo no momento em que a fumaça da batalha ainda não se dissipara, julgaram os franceses vencidos e a recuar. Alguns minutos após a passagem do imperador, a divisão do regimento de Pavlogrado recebeu ordem de avançar. Foi em Wischau, nessa pequena cidade alemã, que Rostov pôde ver ainda uma vez mais o imperador. No meio da praça da cidade, onde houvera antes fuzilaria assaz violenta, viam-se prostrados mortos e feridos que ainda não tinha havido tempo de retirar. O imperador, cercado por uma comitiva de civis e militares, montava numa égua alazã inglesa, não já a mesma do dia da parada, inclinado de lado, e empunhando, com graciosidade, o lornhão de ouro, olhava para um soldado, com a cabeça ensanguentada e sem barretina, estendido a seus pés, com o rosto contra o solo. O soldado ferido estava tão sujo, tão grosseiro, tão sebento, que Rostov se afligiu de vê-lo tão perto do imperador. Viu os ombros possantes do tsar percorridos por uma espécie de tremura febril, notou a perna esquerda esporear nervosamente a montada, e esta, bem ensinada, parecer indiferente e ficar imóvel. Um ajudante de campo desmontou, pegou no soldado pelos ombros e pôs-se a ajeitá-lo numa maca que nesse momento apareceu. O ferido soltou um gemido.

– Cuidado, cuidado, não se pode ter mais cuidado? – recomendou o imperador, que parecia sofrer ainda mais do que o soldado moribundo, e prosseguiu o seu caminho.

Rostov viu os olhos do imperador cheios de lágrimas, e ouviu-o dizer para Czartoriski, enquanto se afastava:

– Que coisa terrível é a guerra! Que coisa terrível!

As tropas da vanguarda haviam-se estabelecido adiante de Wischau, à vista da linha do inimigo, que durante todo o dia cedera terreno à mais ligeira fuzilaria. O imperador testemunhou o seu reconhecimento à vanguarda das tropas, prometeram-se recompensas, e os homens receberam dupla ração de vodca. Ainda mais alegres que na noite anterior, crepitavam as fogueiras dos acampamentos e os soldados cantavam. Denissov nessa noite festejou a sua promoção a major, e Rostov, bem bebido, propôs, no fim da refeição, uma saúde ao imperador, mas "não", insistiu ele, "não à saúde de Sua Majestade o tsar, como se diz nos banquetes oficiais, mas à saúde do imperador, que é um homem bom, encantador e grande: bebamos à sua saúde e à vitória sobre os franceses!".

– Se nós nos batemos sempre bem até aqui – disse ele – e se não deixamos passar os franceses em Schoengraben, o que não seremos capazes de fazer agora, que o temos a nos comandar? Estamos todos prontos, todos, a morrer por ele alegremente. Não é verdade, meus senhores? Talvez não esteja falando tão bem como seria necessário, pois já bebi um bocado, mas a verdade é que estes são os meus sentimentos e os vossos também. À saúde de Alexandre I! Hurra!

– Hurra! – repetiram, em eco, as vozes entusiastas dos oficiais.

E o certo é que o velho capitão Kirsten pôs no seu hurra tanto ou mais entusiasmo e não menor sinceridade que o jovem Rostov, oficial de vinte anos.

Quando os oficiais acabaram de beber e quebraram os copos, Kirsten encheu outros e, em mangas de camisa e calção de montar, avançou de copo na mão e aproximou-se do acampamento dos soldados; numa atitude majestosa e com grandes gestos deteve-se, iluminado pela fogueira, que lhe incendiava os grandes bigodes grisalhos e a brancura do peito, visível através da camisa entreaberta.

– Rapazes, à saúde do tsar, pela vitória sobre os nossos inimigos, hurra! – gritou na sua voz grave e máscula de velho hussardo.

Os hussardos formaram grupos e responderam, como uma só voz, soltando ruidosas aclamações.

Já tarde, pela noite adentro, quando, por fim, se separaram, Denissov bateu no ombro de Rostov, seu favorito, com a sua pequena mão.

– Quer dizer que na guerra, como não há ninguém para a gente gostar aqui bem de dentro, toca uma pessoa a enamorar-se do tsar – disse ele.

– Denissov, deixa de brincar com coisas sérias – gritou Rostov –, é um sentimento muito elevado, muito belo.

— Bem sei, bem sei, meu amigo; e eu compartilho dele, sou o primeiro a aprová-lo.

— Não, tu não compreendes!

E Rostov, erguendo-se, pôs-se a deambular pelo meio do acampamento e a sonhar com a felicidade que seria para ele morrer, não para salvar a própria vida, coisa em que nem sequer ousava pensar, mas simplesmente morrer diante do imperador. Realmente, era um fato: estava apaixonado pelo seu tsar e pela glória dos exércitos russos, e todo ele era esperança num triunfo próximo. E o certo é que nem só Rostov experimentava tais sentimentos nos memoráveis dias que precederam a batalha de Austerlitz: noventa mil homens estavam igualmente apaixonados, embora não no mesmo grau, pelo tsar e pela glória dos exércitos russos.

CAPÍTULO XI

No dia seguinte, o imperador dormiu em Wischau. O seu médico às ordens, Villiers, foi chamado várias vezes. No quartel-general e nos círculos afetos espalhara-se a notícia de que o soberano tivera uma indisposição. Nada comera e dormira mal de noite, segundo diziam os íntimos. A causa era a violenta impressão que lhe produzira na alma sensível a vista dos feridos e dos mortos.

No dia 17, de madrugada, um oficial francês, protegido por uma bandeira branca, foi conduzido a Wischau, às guardas avançadas, e pedira audiência ao imperador russo. Este oficial era Savary. O tsar acabava de adormecer; Savary viu-se obrigado a esperar. Ao meio-dia era recebido pelo imperador, e uma hora depois regressava às guardas avançadas francesas acompanhado pelo príncipe Dolgorukov.

O objetivo dessa missão, segundo corria, era a proposta para uma entrevista do imperador Alexandre com Napoleão. A entrevista pessoal fora recusada, com grande alegria e grande orgulho de todo o exército, e o príncipe Dolgorukov, o vencedor de Wischau, foi enviado com Savary para entrar em contato com Napoleão, na hipótese de a entrevista solicitada, contra a geral expectativa, ter, realmente, a paz por objetivo.

À noitinha estava Dolgorukov de regresso, e, tendo-se dirigido imediatamente para junto do imperador, ficou muito tempo a sós com o tsar.

Nos dias 18 e 19 de novembro, as tropas avançaram ainda duas etapas, e as guardas avançadas inimigas, depois de uma ligeira escaramuça, retiraram-se. A partir da tarde do dia 19, houve um importante movimento para cá e para lá nas altas esferas do comando, que se prolongou até a manhã do dia seguinte, 20, jornada da memorável batalha de Austerlitz.

Antes, na tarde de 19, a inusitada agitação, as conversas animadas, as deslocações, as missões dos ajudantes de campo limitaram-se apenas ao quartel-general dos imperadores; mas depois esse movimento estendeu-se igualmente ao quartel-general de Kutuzov e aos estados-maiores dos comandantes de coluna. Para a tarde, graças às ordenanças, uma verdadeira agitação percorreu todos os corpos do exército; na noite de 19 para 20, nos acampamentos ouvia-se um murmúrio de vozes, notava-se uma agitação geral, e aquela massa de oitenta mil homens pôs-se em marcha, numa enorme cortina de nove verstas.

O movimento que de manhã se concentrara no quartel-general dos imperadores e que impulsionara tudo o mais, fazia lembrar o da roda motriz de qualquer relógio monumental. Lentamente uma das rodas põe-se em movimento, depois outra, e uma terceira começa a girar, e cada vez mais depressa entram em movimento engrenagens, eixos e roldanas; retinem as campainhas, as figurinhas desfilam e os ponteiros principiam a mover-se regularmente: este o resultado final.

Tal qual o mecanismo de um relógio, a máquina militar tem de ir até o fim desde que se verifique o primeiro movimento, e também se conserva imóvel até o momento em que o impulso inicial atinge as engrenagens até aí insensíveis. As rodas rangem nos eixos, as charneiras encadeiam-se, os carretos, graças à rapidez da rotação, gemem, enquanto a roda vizinha se mostra tão tranquila, tão imóvel como se essa imobilidade fosse para durar centenas de anos. O momento chega, porém: um dente apanhou-a e, obediente ao resto, range, rodando, fundindo-se na ação geral, cujo resultado e cuja finalidade se mantêm desconhecidos para ela.

Da mesma maneira que no relógio o movimento distribuído por inúmeras e diferentes engrenagens e roldanas entra numa lenta deslocação, assim as múltiplas evoluções daqueles cento e sessenta mil russos e franceses, o amálgama de todas aquelas paixões, de todos aqueles desejos, de todos aqueles pesares, de todas aquelas humilhações, de todas aquelas dores, de todos aqueles acessos de orgulho, de medo, de entusiasmo não vieram a ter por resultado senão o desastre de Austerlitz, aquela batalha que passou à história como a dos três imperadores, quer dizer, uma deslocação insensível da agulha da história universal no quadrante da história da humanidade.

O príncipe André, nesse dia, estava de serviço, e manteve-se constantemente junto do general em chefe.

Às seis horas da tarde, chegou Kutuzov ao quartel-general dos imperadores e, depois de estar algum tempo com Alexandre, dirigiu-se para junto do grande marechal da corte, o conde Tolstói.

Bolkonski aproveitou esse momento para colher pormenores dos acontecimentos junto de Dolgorukov. Percebia Kutuzov distraído e descontente e sentia que no quartel-general também estavam descontentes com ele, que todos aí tinham tomado para com Kutuzov o tom das pessoas que sabem o que os outros ignoram. Por isso muito desejava falar com Dolgorukov.

– Oh, boa tarde, meu caro – disse-lhe Dolgorukov, que tomava chá com Bilibine. – Então a festa é para amanhã! Como vai o seu velhote? Não está lá muito bem-disposto, não é verdade?

– Não direi que não esteja bem-disposto, mas acho que gostaria que lhe prestassem atenção.

– Mas prestaram-lhe atenção no conselho de guerra e todos estão pronto a ouvi-lo quando falar com bom-senso, mas demorarmo-nos e esperar, agora que Bonaparte mais do que nunca receia uma batalha geral, não é possível.

– Falou-lhe? – inquiriu o príncipe André. – E então? Que impressão lhe causou Bonaparte?

– Falei-lhe e fiquei convencido de que não há nada que ele mais tema no mundo que uma batalha geral – repetiu Dolgorukov, frisando sobretudo esta conclusão, súmula da sua entrevista com Bonaparte. – Se ele não temesse a batalha, por que iria pedir esta entrevista, por que recorreria aos seus parlamentários e, sobretudo, por que recuaria quando o recuo é a coisa mais contrária aos seus métodos de guerra? Pode crer: ele receia uma batalha geral. Chegou a sua hora, sou eu quem diz.

– Mas conte-me, como é ele? – perguntou de novo o príncipe André.

– É um cavalheiro de casacão cinzento, que se pela por ouvir-se chamar de "Vossa Majestade", mas eu é que não lhe dei título algum, com grande desapontamento seu. Eis o homem, e é

tudo – redarguiu Dolgorukov, trocando um sorriso com Bilibine.
– Apesar do meu profundo respeito pelo velho Kutuzov – prosseguiu –, seríamos anjinhos se continuássemos à espera e lhe déssemos oportunidade de nos escapar e de nos enganar, quando é certo que neste momento está nas nossas mãos. Não, não devemos esquecer Suvorov e os seus princípios: nunca nos colocarmos na posição de atacados, mas na de atacantes. Pode crer, na guerra, a energia dos jovens é muito mais uma garantia do verdadeiro êxito do que a experiência dos velhos procrastinadores.

– Mas em que situação é que vamos atacar? Fui hoje aos postos avançados e verifiquei não ser possível saber exatamente onde estão as forças principais do inimigo – observou o príncipe André.

O seu propósito era comunicar a Dolgorukov o plano de ataque que ele próprio imaginara.

– Ah! Tudo isso não tem a menor importância – apressou-se a dizer Dolgorukov, levantando-se e abrindo um mapa em cima da mesa. – Todas as hipóteses estão previstas: se ele estiver em Brünn...

E o príncipe Dolgorukov, fluente e pouco claro, expôs o movimento de flanco previsto por Weirother.

O príncipe André levantou as suas objeções e expôs o seu plano, que podia ser tão bom como o de Weirother, mas que tinha apenas uma desvantagem: a de o outro já estar adotado. Desde o momento em que o príncipe se pusera a mostrar as vantagens do seu plano e os inconvenientes do segundo, Dolgorukov deixou de ouvi-lo e não voltou a olhar para o mapa senão distraidamente. Por fim, fitando nos olhos o interlocutor, observou:

– Bom! Há hoje conselho de guerra no quartel-general de Kutuzov. Pode expor aí o seu plano.

– E é isso mesmo que eu vou fazer – disse o príncipe André, deixando o mapa.

– Mas o que vos preocupa, meus senhores? – interveio Bilibine, que até então estivera a ouvir, em silêncio, e naquele momento se preparava para fazer um gracejo. Quer seja um desastre ou uma vitória o que amanhã nos espera, a glória dos exércitos russos está garantida. A não ser o seu Kutuzov, nem um só general é russo. Os chefes, aqui os têm: *Herr* General Wimpfen, o conde de Langeron, o príncipe de Lichtenstein, o príncipe de Hohenlohe, e por fim Trsch, Prsch... e assim por diante, como todos os nomes polacos...

– Cale-se, língua danada! – exclamou Dolgorukov. – De resto, é falso; agora, pelo menos, há dois russos: Miloradovitch e Dokturov, e ainda podíamos mencionar um terceiro, o conde Araktcheiev, se não fossem os seus fracos nervos.

– Creio que Mikail Ilarionovitch está de volta – disse o príncipe André. – Que a sorte vos seja propícia, meus senhores. – E saiu, depois de apertar a mão de Dolgorukov e a de Bilibine.

Uma vez junto de Kutuzov não resistiu a perguntar ao general, que estava sentado sem dizer palavra, qual a sua opinião sobre a batalha do dia seguinte.

Kutuzov olhou severamente o seu ajudante de campo e, após um silêncio, respondeu:

– Penso que perderemos a batalha, e foi isso que eu disse ao conde Tolstói, pedindo-lhe que transmitisse a minha opinião ao imperador. Queres saber o que ele me respondeu? "É, meu caro general, eu trato do arroz e das costeletas, o senhor entretenha-se com as coisas da guerra"... Sim... foi isto que me responderam!

CAPÍTULO XII

Às dez horas da noite, Weirother chegou com os seus planos à residência de Kutuzov, onde tinha ficado assente que se realizaria o conselho de guerra. Todos os comandantes de companhia haviam sido convocados para comparecer perante o general em chefe, e à exceção de Bagration, que se recusara a fazê-lo, todos se apresentaram à hora marcada.

Weirother, que fora o exclusivo organizador da futura batalha, na sua animação e agitação apresentava o mais completo contraste com Kutuzov, nada satisfeito e cheio de sono, pois fora forçado, contra sua vontade, a desempenhar o papel de presidente e diretor do conselho de guerra. Weirother sentia-se, evidentemente, a cabeça de um movimento que se tornava irresistível. Parecia um cavalo atrelado a uma carroça que desliza por uma ladeira abaixo. Se era quem puxava o veículo ou se o veículo o arrastava, eis o que ele ignorava, mas o certo é que lá ia em marcha acelerada, sem ter possibilidade de reparar no terreno para onde era arrastado. Nessa noite, por duas vezes, fora inspecionar a linha inimiga, e por duas vezes apresentara o seu relatório aos dois imperadores, o russo e o austríaco, e lhes dera esclarecimentos, indo igualmente ao seu gabinete para ditar o seu dispositivo em alemão. Chegava agora, extenuado, ao quartel-general de Kutuzov.

Tão preocupado estava, evidentemente, que se esquecia até de ser respeitoso para com o general em chefe: interrompia-o, falava-lhe bruscamente, com pouca clareza, sem encarar o interlocutor, sem responder às perguntas que lhe fazia: estava coberto de lama e tinha um ar lamentável, moído, hirsuto, embora, no entanto, estivesse cheio de segurança e de orgulho.

Kutuzov estava instalado num pequeno castelo dos arredores de Austerlitz. No grande salão que lhe servia de gabinete encontravam-se reunidos Kutuzov, Weirother e os membros do conselho de guerra. Tomavam chá. Aguardavam apenas a chegada de Bagration para darem começo aos trabalhos. Às oito horas, chegou um oficial de ordenanças de Bagration para anunciar que o príncipe não podia assistir ao conselho. O príncipe André é que fora encarregado dessa missão, e, aproveitando a autorização que Kutuzov antecipadamente lhe dera, ficou na sala.

– Uma vez que o príncipe Bagration não vem, podemos começar – disse Weirother, levantando-se apressadamente e aproximando-se da mesa onde estava, estendido, um imenso mapa dos arredores de Brünn.

Kutuzov, com o uniforme desabotoado, com o grosso e adiposo pescoço descoberto, sentara-se numa poltrona baixa, as duas mãos rechonchudas de velho pousadas simetricamente de cada lado: dormitava. Ao ruído da voz de Weirother entreabriu com esforço o olho que lhe restava.

– Pois sim, pois sim, façam o favor, começa a ser tarde – disse ele; meneou a cabeça, depois deixou-a descair e fechou os olhos.

Se no primeiro momento os membros do conselho puderam pensar que Kutuzov fingia dormir, não há dúvida de que o ruído ribombante que lhe prorrompia do nariz quando se procedeu à leitura imediata claramente veio demonstrar que naquele instante o preocupava qualquer coisa muito mais importante que exprimir a sua opinião favorável ou desfavorável sobre o dispositivo ou assunto semelhante, pois o certo era que se tratava, para ele, de satisfazer uma necessidade imperiosa: a do sono. Efetivamente, Kutuzov dormia. Weirother, com um movimento de impaciência de alguém demasiado ocupado para se dar ao trabalho de perder um minuto que fosse, lançou um olhar ao general em chefe e, convencido de que efetivamente ele dormia, pegou um papel e em voz alta e num tom monótono, pôs-se a ler o dispositivo da futura batalha, sem esquecer o título, que também leu:

Dispositivo para o ataque à posição inimiga na retaguarda de Kobelnitz e de Sokolnitz no dia 20 de novembro de 1805.

Esse dispositivo era assaz complicado e difícil de compreender. O original rezava assim:

Como o inimigo se apoia, na sua ala esquerda, em colinas cobertas de matagal e, na direita, se estende ao longo de Kobelnitz e de Sokolnitz por detrás dos pântanos que existem aí, e nós, pelo contrário, pela nossa ala esquerda ultrapassamos largamente a sua direita, é de toda vantagem para nós atacarmos esta ala inimiga, principalmente se ocuparmos as povoações de Sokolnitz e de Kobelnitz, o que nos dará a possibilidade de cair sobre o flanco inimigo e de o perseguir na planície entre Schlapanitz e a floresta de Tharass, evitando, ao mesmo tempo, os desfiladeiros entre Schlapanitz e Bellowitz, que protegem a frente inimiga. Para alcançar este objetivo é necessário... A primeira coluna marcha... a segunda coluna marcha... etc.

Os generais não pareciam ouvir com grande prazer esse dispositivo complicado. O general Boekshevden, um louro, grandalhão, estava de pé, de costas contra a parede, os olhos fitos nas velas acesas; não só parecia não ouvir, mas até não querer que se pudesse pensar que ouvia. Mesmo diante de Weirother, com os seus olhos brilhantes muito abertos voltados para ele, numa pose marcial, as mãos nos joelhos, com os cotovelos para fora, sentava-se Miloradovitch, rosado, de bigodes retorcidos, ombros largos. Calava-se obstinadamente, os olhos fitos em Weirother, e não baixou a vista senão quando o chefe do estado-maior austríaco acabou a leitura. Então, virou os olhos significativamente para os outros generais. Mas esse olhar significativo não deixava perceber se ele estava de acordo ou não, se aprovava ou reprovava o dispositivo. O general mais próximo de Weirother era o conde de Langeron: com o seu fino sorriso de meridional francês, presente durante toda a leitura, contemplava os seus afilados dedos, fazendo girar entre eles rapidamente uma caixa de rapé de ouro guarnecida de miniaturas. No meio de um dos períodos mais longos, suspendeu a rotação da caixa de rapé, levantou a cabeça e, com fria polidez, com a ponta dos delgados dedos procurou interromper Weirother, querendo dizer algo; mas o general austríaco, sem deixar de ler, franziu o sobrolho, colérico, e fez com o braço um gesto que queria dizer: "Depois,

depois dirá da sua justiça, mas por agora queira seguir pelo mapa e escutar". Langeron ergueu os olhos ao alto, numa expressão de espanto, lançou um olhar a Miloradovitch como que a pedir-lhe explicações e, ao deparar-se-lhe nada mais que uma expressão que nada significava, baixou os olhos com tristeza, voltando a fazer girar a caixa de rapé entre os dedos.

"Uma aula de geografia", disse ele com os seus botões, mas suficientemente alto para ser ouvido.

Przebiszewski, com respeitosa mas digna cortesia, voltou para Weirother a concha da orelha, como a dar-se ares de ser todo ouvidos. O pequeno Dokturov, sentado precisamente diante de Weirother, concentrado e modesto e de bruços sobre o mapa, estudava conscienciosamente o dispositivo e o terreno que não conhecia. Várias vezes pediu a Weirother que repetisse passos difíceis que ouvira mal e nomes difíceis de algumas povoações. Weirother aquiescia e Dokturov tomava notas.

Quando a leitura, que durou quase uma hora, chegou ao fim, Langeron, detendo o movimento da caixa de rapé, e sem olhar para Weirother nem para ninguém em particular, pôs-se a explicar quão difícil seria executar semelhante dispositivo em que a situação do inimigo se pressupunha conhecida, quando era certo que talvez não o fosse de maneira alguma, visto estar em movimento. Essas objeções, posto fundamentadas, era evidente terem por principal objetivo fazer sentir a Weirother, que lera os seus papéis com tanta segurança que se diria dirigir-se a colegiais, que não estava perante imbecis, mas pessoas que muito lhe poderiam ensinar no ponto de vista militar. Quando a voz monótona de Weirother se calou, Kutuzov abriu o olho, como um moleiro que desperta em sobressalto ao deixar de ouvir o ruído sonolento das rodas do moinho, prestou atenção às palavras de Langeron e, como quem diz: "Ah, os senhores ainda estão à volta dessas tolices!", deu-se pressa em cerrar de novo a pálpebra. A cabeça descaiu-lhe mais ainda sobre o peito.

Procurando ferir Weirother o mais vivamente possível na sua vaidade de autor, Langeron mostrava que Napoleão podia muito bem atacar em vez de ser atacado, o que tornaria o dispositivo completamente inútil. Weirother replicava a todas as críticas com um sorriso desdenhoso de plena segurança, preparado, evidentemente, de antemão para responder a tudo, a quaisquer objeções que lhe fizessem.

– Se ele pudesse nos atacar já o tinha feito – lançou ele.

– Imagina-o, talvez, impotente... – redarguiu Langeron.

– Se tiver quarenta mil homens, já é muito – replicou Weirother sorrindo, como o médico a quem uma pobre mulher recomenda uma tisana.

– Nesse caso é como se se condenasse a si próprio, se espera o nosso ataque – observou Langeron com um sutil sorriso de ironia, procurando de novo o olhar de aprovação da parte de Miloradovitch.

Mas este, claro está, de momento estava longe de se ocupar do assunto que dividia as opiniões dos generais.

– Não há dúvida – disse ele. – Amanhã tudo isso se verá no campo de batalha.

Weirother teve de novo um sorriso que queria dizer parecer-lhe ridículo e estranho encontrar objeções junto dos generais russos e dar provas de coisas de que não só ele estava absolutamente convencido, mas de que se haviam persuadido, até, os próprio imperadores.

– O inimigo apagou as fogueiras e no seu acampamento ouve-se um ruído ininterrupto – tornou ele. – Que quer dizer isto? Afastar-se-á, a única coisa que nós devemos recear, ou altera as suas posições? – Isto fê-lo sorrir. – Mas ainda mesmo que viesse a ocupar a posição de Thurass, com isso apenas nos evitava grandes maçadas, e todas as disposições tomadas, nos seus mais insignificantes pormenores, continuariam as mesmas.

– Como assim?... – perguntou o príncipe André, que há muito esperava a oportunidade de expandir as suas dúvidas.

Kutuzov despertou, tossicou e olhou os generais.

– Meus senhores, o dispositivo de amanhã, quer dizer, de hoje, visto ser quase uma hora, não se pode modificar – disse ele. – Já o ouviram ler e todos nós cumpriremos o nosso dever. E antes da batalha nada é mais importante (hesitou um momento) que dormir bem.

Fez menção de se levantar. Os generais, com uma vênia, afastaram-se. Era já bastante mais da meia-noite. O príncipe André saiu.

O conselho de guerra em que o príncipe André não pudera exprimir a sua opinião, conforme seu desejo, deixou-lhe uma impressão confusa e nublada. Quem teria razão? Dolgorukov e Weirother, ou Kutuzov, Langeron e os outros, que não aprovavam o plano de ataque? Eis o que ele ignorava. Mas teria sido, de fato, impossível a Kutuzov comunicar diretamente a sua opinião ao imperador? Não poderiam as coisas vir a ocorrer e de outra maneira? "Será legítimo, para dar satisfação às ideias particulares de simples cortesãos, arriscar a vida de dezenas de milhares de homens, e a *minha* também?", pensava consigo mesmo.

"Sim, pode muito bem acontecer que me matem amanhã", prosseguiu. E subitamente, ao pensar na morte, toda uma cadeia de reminiscências as mais longínquas, as mais íntimas, lhe invadiu a imaginação. Lembrou-se do seu último adeus ao pai e à esposa; lembrou-se dos seus primeiros tempos de namoro com Lisa, lembrou-se da gravidez da mulher e uma grande piedade por ela e por ele próprio o invadiu, e num estado de tensão nervosa e intensa emoção saiu da cabana que partilhava com Nesvitski e pôs-se a andar de um lado para o outro diante da porta.

A noite estava enevoada, e através da bruma filtrava-se, misteriosamente, um raio da lua. "Sim, amanhã, amanhã!", disse para si mesmo... "Amanhã talvez tudo tenha acabado para mim; de todas estas recordações nada restará, todas estas lembranças deixarão de ter para mim o mais ligeiro sentido. Amanhã, talvez, com certeza amanhã, é que eu prevejo que pela primeira vez me será dado, por fim, mostrar de quanto sou capaz." E diante dos seus olhos perpassava a batalha, o seu resultado desastroso, a concentração do combate num único ponto e o embaraço de todos os seus superiores. E eis que surgia o minuto que o destino lhe reservava, esse seu Toulon há tanto esperado, e que por fim se lhe propiciava. Ei-lo que diz, firme e claramente, tudo quanto pensa a Kutuzov, a Weirother e aos imperadores. A precisão dos seus planos impressiona-os a todos, mas ninguém assume a responsabilidade de os pôr em prática, e ei-lo que toma o comando de um regimento, de uma divisão, que impõe como condições ninguém intervir nas suas disposições: e leva a divisão até o ponto crítico e é ele sozinho quem consegue a vitória. "E a morte e a agonia?", diz uma outra voz. Mas nada responde a esta voz, e os seus triunfos continuam. É ele, só ele, quem estabelece o dispositivo da futura batalha. Mero oficial às ordens de Kutuzov, é ele e só ele quem tudo faz. A batalha que se segue ele a ganha. Kutuzov é transferido e ele é nomeado para o seu posto... "E depois?", segreda-lhe ainda a segunda voz, "e depois, se tu não tiveres sido antes dez vezes ferido, morto ou traído; e depois?". "E então depois?!", replica André. "Ignoro o que acontecerá depois, não quero nem posso sabê-lo; mas se é isto que eu desejo, se quero a glória, se quero ser célebre entre os homens, se quero vir a ser um ídolo, que culpa realmente tenho eu de querer que as coisas sejam assim, de não querer senão isto, de não viver senão para isto? Sim, só para isto! Nunca o direi a ninguém, mas, meu Deus, que hei de fazer se a única coisa a que realmente aspiro é a glória e a idolatria dos homens! A morte, os ferimentos, a perda da minha família, nada me mete medo. Por mais queridas que me sejam todas estas pessoas, meu pai, minha irmã, minha mulher e outros, outros mais, por mais que os estime, e ainda que isso possa parecer terrível e contra a natureza, a todos estou pronto a sacrificar por um minuto de glória, por um instante de triunfo, pelo amor que inspirarei a pessoas que não conheço e a quem nunca conhecerei, pelo amor, precisamente, dessas mesmas pessoas." E em tudo isto pensava enquanto ia ouvindo um ruído de vozes no pátio do alojamento de Kutuzov. Era a conversa dos impedidos que se deitavam. Um deles, provavelmente um cocheiro, para arreliar o velho cozinheiro de Kutuzov, que o príncipe André conhecia muito bem e se chamava Tito, dizia:

– Tito, eh, Tito?

– O que aconteceu? – inquiria o velho.

– Tito, vai malhar teu trigo[31] – dizia o gracejador.

– O diabo te leve! – gritava a outra voz, logo abafada pela risota dos alegres camaradas.

"E apesar de tudo só uma coisa me interessa, só uma coisa me absorve: o desejo de triunfar sobre todos; só me interessa esta força misteriosa, esta glória que eu sinto pairar aqui por cima de mim, no meio desta neblina!"

CAPÍTULO XIII

Rostov nessa noite encontrava-se com o seu pelotão na linha dos flanqueadores na vanguarda do destacamento de Bagration. Os hussardos estavam divididos dois a dois, formando a primeira linha; ele próprio a percorria a cavalo, procurando dominar o sono que o prostrava. Na retaguarda descobria-se uma vasta área ocupada pelos acampamentos noturnos do exército russo, visão confusa no meio do nevoeiro; na vanguarda, completa opacidade. Por mais que Rostov procurasse ver além dessa distante neblina, nada podia distinguir: ora era qualquer coisa cinzenta, ora qualquer coisa vagamente negra; por vezes parecia ver fogueiras no local onde devia encontrar-se o inimigo; outras, acreditava não

---

31. Aforismo cujo espírito está na rima. Intraduzível. Tito, nome de mujique. (N.E.)

passarem de clarões que lhe perpassavam pela vista. Fechava os olhos e a imaginação representava-lhe ora o tsar, ora Denissov, ora recordações de Moscou, e logo procurava reabri-los, para ver ali mesmo, diante de si, mesmo contra si, a cabeça e as orelhas do cavalo que montava, outras vezes negras silhuetas de hussardos quando passava a pouca distância deles, e ao longe sempre o mesmo nevoeiro opaco. "Quem sabe?", pensava. "Pode muito bem acontecer que o tsar, encontrando-me no seu caminho, venha a me dar, como a qualquer outro oficial, uma missão a cumprir e me diga: 'Vai ver o que se passa lá adiante!'. Eu já não ouvi contar que ele, por mero acaso, reconhecendo um oficial, o chamou para junto de si? E se ele me chamasse para junto dele? Oh! Como eu o protegeria, como eu lhe diria toda a verdade, como eu desmascararia os impostores!" E Rostov, para se representar a si próprio, ao vivo, a sua dedicação e o seu amor pelo tsar, via-se a contas com um inimigo ou um traidor alemão, a quem abatia, cheio de júbilo, ou a quem esbofeteava perante o seu senhor. De súbito, um grito distante fê-lo estremecer e despertar daquela abstração.

"Onde estou? Ah! Sim, na linha de fogo. O santo e a senha é: Timão, Olmütz. Que pena o nosso esquadrão estar amanhã de reserva...", disse consigo mesmo. "Vou pedir que me deixem tomar parte na batalha. É talvez a única maneira de ver o tsar. E agora devo estar quase sendo rendido. Vou dar ainda mais uma volta, e no regresso procurarei o general para lhe fazer o meu pedido." Empertigou-se na sela e esporou o cavalo disposto a inspecionar uma vez mais os seus hussardos.

A manhã lhe pareceu um pouco mais clara. À esquerda via-se uma vertente suave iluminada e em frente um cabeço negro que parecia abrupto como uma muralha. Sobre o cabeço havia uma mancha clara que Rostov não pôde definir: seria uma clareira na floresta iluminada pelo luar, ou neve perpétua, ou um grupo de casas brancas? Pareceu-lhe, mesmo, que alguma coisa se mexia. "Com certeza é neve aquela mancha. Uma mancha", parafusava ele, "mas, não, não é uma mancha...".

"É Natacha, a minha irmã, são os seus olhos negros... Natacha... Ficará ela admirada quando eu lhe disser que vi o imperador? Não há dúvida, é Natacha... aquela manchazinha..."[32] – Meta

---

32. Jogo de imaginação, graças à assonância. A palavra francesa *tacher*, que Rostov evoca, lembra-lhe o nome de Natacha. (N.E.)

à direita, Excelência, aqui há uma moita – disse de súbito a voz do hussardo diante do qual Rostov ia passando, sonolento.

Rostov ergueu a cabeça, que tinha deixado pender sobre o pescoço do cavalo, e parou ao pé do hussardo. Um sono de criança o prostrava. "Mas, então, em que é que eu estava pensando? Preciso não me esquecer. Quando falar ao imperador? Não, não se trata disso, mas é amanhã. Sim, sim! Natacha... ataque, taque... quem?[33] O hussardo. Ah! o hussardo com os bigodes, aquele da Tverskaia[34]. Lá vai andando aquele hussardo dos bigodes, sim, estou pensando nele mesmo defronte da casa Guriev... O velho Guriev... Eh! grande companheiro o Denissov! Mas tudo isto são disparates. Agora o importante é o imperador estar aqui. Quando olhou para mim, quis falar-me, mas não teve coragem... Não, fui eu, eu é que não tive coragem. Tudo isto continua a ser disparate; o principal é que eu não me esqueça de alguma coisa muito importante em que estava a pensar. Natacha, ataque... sim, sim. É isso!" E de novo voltou a cabecear sobre o pescoço do cavalo. De súbito, pareceu-lhe que disparavam contra ele. "Quê? Quê?... Acutilem-nos! O quê?", gritou, sobressaltado. No momento precisamente em que abria os olhos ouviu diante dele, do lado do inimigo, gritos prolongados de milhares de vozes. O cavalo de Rostov e o do hussardo que lhe ficava mais próximo eriçaram as orelhas. Na direção de onde provieram os gritos acendeu-se e apagou-se uma luz, depois outra, e ao longo de toda a linha francesa, no alto do cabeço, brilharam luzes e os gritos tornaram-se cada vez mais intensos. Rostov conseguia perceber que se falava francês, sem poder compreender. Falava muita gente ao mesmo tempo. Nada mais se discernia senão: aaa! rrr!

– Que vem a ser isto? Que te parece? – perguntou ao hussardo a seu lado. – É do campo do inimigo, com certeza!

O hussardo não respondeu.

– Quê, então tu não ouves? – perguntou de novo Rostov, depois de ter esperado muito tempo por uma resposta.

– Quem sabe lá, meu fidalgo? – replicou o hussardo contra a vontade.

– Pela direção que trazem deve ser o inimigo – voltou a dizer Rostov.

---

33. Palavras intraduzíveis, trazidas no mecanismo do sonho e determinadas pela rima. (N.E.)

34. Grande rua de Moscou. (N.E.)

— Se calhar, pode muito bem ser que sim – disse o hussardo. – É de noite!... Eh, tu lá, cautela! – gritou para o cavalo, que parecia inquieto.

A montada de Rostov impacientava-se também, escarvava a terra gelada, eriçava as orelhas ao ouvir barulho e olhava de soslaio para o lado das luzes. O som das vozes ia-se tornando cada vez mais intenso, fundindo-se num rumor geral, que só podia provir de uma massa de muitos milhares de homens. As luzes propagavam-se mais e mais, naturalmente seguindo a linha do campo francês. Rostov já não tinha vontade de dormir. Aqueles gritos de alegria e triunfo no exército inimigo agiam sobre ele como um revulsivo. "*Vive l'empereur, l'empereur!*", ouvia agora distintamente.

— Não é longe daqui, naturalmente é por detrás do rio – disse Rostov ao seu hussardo.

Este limitou-se a suspirar, sem nada responder, depois começou a tossir furiosamente. Ao longo da linha dos hussardos ouvia-se um trote de cavalaria, e de súbito emergiu do nevoeiro noturno, como se fosse um grande elefante, a figura de um sargento.

— Meu fidalgo, os generais! – disse ele, aproximando-se de Rostov.

Rostov, sem deixar de observar as luzes e os gritos, acompanhou o sargento ao encontro de um certo número de cavaleiros que se dirigiam para eles ao longo da linha. Um deles montava um cavalo branco. Eram Bagration e Dolgorukov, com os seus ajudantes de campo, que vinham observar aquela estranha manifestação de luzes e de clamores no exército inimigo. Rostov, aproximando-se de Bagration, fez-lhe o seu relato e reuniu-se aos ajudantes de campo, ouvindo o que diziam os generais.

— Acredite no que eu lhe digo – dizia o príncipe Dolgorukov para Bagration. – Tudo isto não passa de um ardil. Bate em retirada e deu ordens às forças da retaguarda para que acendessem fogueiras e fizessem todo esse rebuliço para nos iludir.

— Não creio – tornou Bagration. – Desde o princípio da noite que eu os vejo em cima daquele morro. Se retirassem, teriam levantado o acampamento. Senhor oficial – disse ele para Rostov –, eles ainda têm lá os flanqueadores?

— Ontem à noite tinham, mas agora não os vejo, Excelência. Se assim o ordenar, irei lá ver com os hussardos – disse Rostov.

Bagration parou e, sem responder, procurou ver através do nevoeiro a cara de Rostov.

– Bom, então vá – disse, depois de um curto silêncio.

– Às suas ordens!

Rostov esporeou o cavalo, chamou o sargento Fedtchenko e dois hussardos, ordenou-lhes que o acompanhassem e principiou a descer o cabeço, a trote, orientado pelos gritos que continuavam. Experimentava um misto de angústia e de alegria ao sentir que ia assim, apenas com três hussardos, a caminho daquelas paragens distantes, brumosas, misteriosas e perigosas onde ninguém fora antes dele. Bagration gritou-lhe do alto da colina que não passasse além do rio, mas Rostov fingiu nada ouvir, e, sem se deter, seguiu sempre em frente, enganando-se a cada momento, tomando arbustos por árvores e moitas por homens, reconhecendo daí a pouco o engano em que caíra. Depois de ter descido a trote a vertente, deixou de ver tanto as linhas russas como as luzes inimigas, mas ouvia os gritos cada vez mais fortes e mais distintos. Lá no fundo do vale encontrou-se diante de alguma coisa que lhe pareceu um rio, mas assim que se aproximou mais verificou ser a estrada real. Uma vez aí, fez estacar o cavalo, indeciso: que devia fazer? Seguir a estrada ou atravessá-la e depois marinhar pelos campos em frente, no escuro? Seguir ao longo da estrada iluminada, no meio do nevoeiro, era menos perigoso, pois mais depressa se reconheciam as pessoas. "Venham atrás de mim", disse ele; atravessou a estrada e, a galope, pôs-se a subir a colina, em direção àqueles postos onde no começo da noite havia um piquete francês.

– Meu fidalgo! Lá está um! – exclamou um dos hussardos atrás dele.

Rostov mal teve tempo de ver surgir do nevoeiro alguma coisa de negro, e logo uma chama brilhou, um tiro zuniu, uma bala passou, como um lamento, alta no meio da neblina, depois desapareceu. Um segundo tiro falhou, mas os fechos da espingarda cintilaram. Rostov fez meia-volta e retomou, a galope, o caminho que fizera. Quatro tiros explodiram ainda com pequenos intervalos e as balas assobiaram, em tons diferentes, perdendo-se algures no meio das trevas. Rostov refreou o cavalo, excitado, como ele, pelas detonações, e seguiu a passo. "Então, vamos, mais outro! Outro ainda!", dizia consigo mesmo, alegremente. Mas a fuzilaria cessou.

Ao aproximar-se de Bagration, Rostov voltou a esporear o cavalo, que partiu a galope, e foi com a mão na viseira da barretina, em continência, que o abordou.

Dolgorukov continuava a sustentar a sua ideia de que os franceses retiravam, e que só tinham acendido aquelas luzes para enganá-los.

– Que prova isso? – dizia ele quando Rostov se acercou. – Podem muito bem ter retirado, deixando um piquete.

– Evidentemente, ainda não partiram todos, príncipe – dizia Bagration. – Amanhã de manhã, amanhã de manhã, saberemos tudo.

– No alto da colina há um piquete, Excelência, no mesmo sítio de ontem à noite – disse Rostov, debruçando-se para diante, com a mão na viseira, e sem poder dominar a alegria que lhe causara a sua expedição e, sobretudo, o zumbir das balas.

– Bom, bom – disse Bagration –, os meus agradecimentos, senhor oficial.

– Excelência – atalhou Rostov. – Consinta que eu lhe faça um pedido.

– De que se trata?

– Amanhã o nosso esquadrão está de reserva; consinta que eu lhe peça que me destaque para o primeiro esquadrão.

– Como se chama?

– Conde Rostov.

– Ah! muito bem. Fique comigo como oficial de ordenança.

– O filho de Ilia Andreitch? – perguntou Dolgorukov.

Rostov não respondeu.

– Então, posso contar, Excelência...

– Eu darei as minhas ordens.

"Amanhã pode ser que me mandem levar um despacho ao imperador", pensou. "Louvado seja Deus!".

Os gritos e as luzes no exército inimigo eram por causa da leitura às tropas da ordem do dia de Napoleão, enquanto o imperador em pessoa percorria a cavalo os acampamentos. Os soldados, que o tinham descoberto, haviam acendido archotes de palha e acorriam gritando: "Viva o imperador!". A ordem do dia de Napoleão era a seguinte:

Soldados!

O exército russo está diante de vós disposto a vingar o exército austríaco de Ulm. Estais diante dos mesmos batalhões que batestes em Hallabrünn, e que depois disso tendes vindo a perseguir até hoje.

As posições que nós ocupamos são formidáveis, e quando eles marcharem para contornar a nossa direita, apresentar-me-ão o seu flanco. Soldados, eu próprio comandarei os vossos batalhões. Conservar-me-ei longe da linha de fogo se vós, com a vossa costumada bravura, levardes a desordem e a confusão às fileiras inimigas; mas se a vitória se apresentar incerta um momento que seja, vereis o vosso imperador expor-se nas primeiras linhas, pois a batalha não pode mostrar hesitações nesta jornada, em que se trata, antes de mais nada, da honra da infantaria francesa, tão importante para a honra de toda a nação.

Que as fileiras não fiquem desguarnecidas com o pretexto de recolher os feridos e que cada um se compenetre bem do pensamento de que é preciso vencer estes estipendiados da Inglaterra, que tão grande ódio sentem contra a nossa nação!

Esta vitória será o fim da campanha, e poderemos depois dela recolher aos nossos quartéis de inverno, onde virão ao nosso encontro os novos exércitos que estão a se formar na França, e então a paz que eu farei será digna do meu povo, de vós e de mim.

Napoleão

CAPÍTULO XIV

Às cinco horas da manhã ainda era completamente escuro. O centro, as reservas e o flanco direito de Bagration ainda se mantinham imóveis, mas no flanco esquerdo as colunas de infantaria, de cavalaria e de artilharia, que seriam as primeiras a assaltar a ravina para atacar o flanco direito dos franceses e repeli-los, de acordo com o dispositivo, para as montanhas da Boêmia, principiavam a agitar-se e a deslocar-se dos seus acampamentos. A fumaça das fogueiras, onde se lançava tudo que podia servir de empecilho, tornava-se sufocante. O tempo estava frio e sombrio. Os oficiais tomavam chá e comiam qualquer coisa às pressas, os soldados rilhavam os seus biscoitos, batiam com os pés no chão para aquecer e apinhavam-se diante das fogueiras, para onde atiravam os restos das tendas, cadeiras, mesas, rodas, tinas, tudo que não podiam levar. Os oficiais guias austríacos disseminavam-se por entre as tropas russas e transmitiam as ordens de partida. Assim que um oficial austríaco aparecia à porta da tenda do comandante do regimento logo este começava a preparar-se para o combate: os soldados abandonavam as fogueiras, guardavam os cachimbos no cano das botas, atiravam as mochilas para cima das carroças, desensarilhavam as espingardas e alinhavam-se na forma. Os oficiais abotoavam os seus uniformes, afivelavam os cinturões, prendiam as suas sacolas e percorriam as fileiras, gritando vozes de comando. Os comboiadores e os impedidos atrelavam, ordenavam, limpavam as carroças. Os ajudantes de campo, os comandantes de batalhão e de regimento montavam a cavalo, benziam-se, dando as últimas ordens e indicações e instruções aos comboiadores retardatários, e ouvia-se o ruído monótono de milhares de passos martelando o chão. As colunas punham-se em marcha, sem saber aonde iam e sem ver, cegas pela multidão que as envolvia, a fumaça e o nevoeiro cada vez mais espesso, o lugar de onde saíam, nem aquele aonde se dirigiam.

O soldado em marcha está enquadrado, limitado nos seus recursos, arrastado pelo seu regimento como o marujo a bordo do navio que o leva. Aonde quer que se dirija, por mais longe que vá, qualquer que seja a estranha e perigosa latitude desconhecida em que se encontre, o marujo tem sempre diante dos olhos as mesmas pontes, os mesmos mastros, os mesmos cabos; assim também o soldado tem sempre presentes os mesmos camaradas, as mesmas fileiras, o mesmo sargento Ivan Mitritch, o mesmo cão da companhia, Jutchka[35], os mesmos comandantes. É raro que ao soldado interesse saber em que latitude navega o navio a bordo do qual vai embarcado, mas no momento sente oportuno ressoar nele uma advertência severa e igual para todos, e que vem só Deus sabe de onde; é um aviso que lhe faz ressoar no íntimo a aproximação de um momento decisivo e solene, e que nele desperta uma curiosidade a que não está habituado. O soldado no dia da batalha sente-se como que transportado para fora do círculo dos pequenos interesses do seu regimento; ouve, olha, interroga avidamente, quer saber o que está passando-se em torno de si.

O nevoeiro tornara-se tão espesso que, apesar da aurora, nada se via a dez passos. Os arbustos pareciam árvores imensas; superfícies planas se diriam cortadas de ravinas e cheias de declives. Por toda a parte, tanto à direita como à esquerda, havia um inimigo invisível, a pequena distância, no qual se podia embater. Mas por muito tempo as colunas foram marchando sempre através do mesmo nevoeiro, subindo e descendo encostas, atravessando jardins e vedações, em terreno novo e desconhecido,

---

35. Nome corrente dos cães pequeninos, pretos, ordinários. (N.E.)

sem em parte alguma encontrar inimigos. Pelo contrário, tanto para frente como para trás, por todos os lados, só se viam tropas russas caminhando na mesma direção. E o soldado sentia um grande alívio ao verificar que para onde seguia, embora, de resto, ignorasse o seu destino, muitos dos seus seguiam também.

– Olha, os de Kursk também aí vão – dizia-se nas fileiras.

– Eh! rapazes, o que aí vai de gente nossa! Esta noite, quando se acenderam as fogueiras, não se via onde acabavam. Palavra, até parecia Moscou!

Embora nenhum dos comandantes de coluna se aproximasse das fileiras e falasse aos soldados (os comandantes de coluna, como se vira no conselho de guerra, não estavam lá muito bem-dispostos, desagradava-lhes a ação iniciada e limitavam-se a executar ordens, sem se preocuparem em reanimar os soldados), estes marchavam alegremente, como sempre que um soldado marcha para a linha de fogo, e sobretudo quando ataca. No entanto, depois de cerca de uma hora de marcha, no meio do nevoeiro, a maior parte dos homens teve de fazer alto, e nas fileiras sentia-se a penosa impressão da desordem e da confusão que principiavam a se alastrar. Como é que esta impressão se tinha transmitido, eis o que não era fácil de dizer, mas não havia dúvida de que se propagava com segurança, que submergia tudo, insensível e irresistivelmente, como a água que vai inundando um terreno alagadiço. Se as tropas russas estivessem sozinhas no campo de batalha, e não na companhia dos aliados, ter-se-ia passado bastante tempo antes que essa sensação de desordem viesse a transformar-se numa certeza, mas na situação presente, como podiam lançar, com um prazer não dissimulado, e absolutamente legítimo, sobre os imbecis dos alemães a causa da desordem, eis que todos estavam convencidos da existência de uma confusão assaz lamentável, devida aos devoradores de salsichas.

– Por que é que eles pararam? Está impedida a estrada? Demos com os franceses?

– Não, não se ouve nada. Se fossem eles, disparavam.

– Quê? Fizeram-nos levantar arraiais e agora deixam-nos aqui no meio do campo, sem que a gente saiba para quê? Esses malditos alemães são uns trapalhões. Que grandes imbecis!

– Cá por mim tinha-os obrigado a ir adiante. Mas é a tal coisa, estão todos lá para trás. E nós aqui sem nada na barriga há horas.

– Bom, isto não vai demorar! Dizem que a cavalaria impede o caminho – observou um oficial.

– Quê! Então esses raios destes alemães nem ao menos conhecem a terra deles? – comentou outro.

– A que divisão é que vocês pertencem? – gritou um ajudante de campo que nesse momento apareceu.

– À décima oitava.

– Então que fazem aqui? Há que tempo vocês deviam estar lá diante; agora já não conseguem chegar lá antes da noite.

– Chama-se a isto uma estupidez; nem eles próprios sabem o que estão fazendo! – exclamou o oficial, que partiu a galope.

Daí a pouco passou um general, que gritou, furioso, uma ordem numa língua que não era a russa.

– Tafalafa, o que ele está dizendo? – arremedou um soldado, imitando o general que se afastava... – Eu mandava fuzilar esses canalhas!

"A ordem era que estivéssemos na nossa posição às nove horas, e ainda nem sequer andamos metade do caminho. Bonita maneira de fazer as coisas!", ouvia-se dizer de vários lados. E a energia com que as tropas se tinham posto em marcha principiava a transformar-se em desalento e cólera contra as ordens estúpidas e contra os alemães.

A causa da desordem era que quando a cavalaria austríaca entrara em movimento no flanco esquerdo, o alto-comando entendera que o centro russo estava muito afastado do flanco direito e fora dada ordem a toda a cavalaria para que atravessasse para o lado direito. Alguns milhares de cavaleiros tinham de passar por diante da infantaria, e esta era obrigada a esperar.

Na linha da frente deu-se um conflito entre um guia de coluna austríaco e um general russo. Este gritava, pedindo que se mandasse parar a cavalaria; o austríaco alegava não ser ele o culpado, mas o alto-comando. E entretanto as colunas estacionavam, enfadavam-se, perdiam a coragem. Após uma hora de paragem, as tropas retomaram por fim a sua marcha e puseram-se a descer a encosta. O nevoeiro, que se havia dissipado nos cabeços, adensava-se, mais espesso, nos vales onde os soldados iam penetrando. Na frente ressoaram, no meio da neblina, um tiro, depois outro, primeiro irregularmente e com um certo intervalo, "tra... ta... ta", depois, mais regularmente e mais nutrido, e uma escaramuça teve lugar nas margens do Goldbach.

Como não esperavam encontrar o inimigo nas margens do rio, era um pouco ao acaso que o atacavam, no meio do nevoeiro, sem uma palavra de encorajamento dos comandantes, com o sentimento, que todos tinham, de que se perdera tempo, e sobretudo sem que se visse absolutamente nada, nem na vanguarda nem aos lados. Os russos respondiam à fuzilaria com lentidão e moleza, avançavam, depois paravam, sem receberem em devido tempo ordens dos comandantes e dos ajudantes de campo, que erravam, no meio do nevoeiro, em terreno desconhecido, à procura das suas respectivas seções.

Foi assim que se iniciou a luta na primeira, na segunda e na terceira colunas, as que haviam descido para o vale. A quarta, a de Kutuzov, ainda estava no planalto de Pratzen.

Nos pontos mais baixos, onde a ação tinha principiado, o nevoeiro continuava espesso; nas elevações estava mais claro, mas continuava a não poder se ver o que se passava um pouco adiante. Estariam todas as forças inimigas, como se supunha, a dez verstas daquele ponto, ou se encontrariam naquela linha de bruma? Eis o que ninguém soube antes das nove horas.

A essa hora o nevoeiro alongava-se, como um compacto oceano, pelos vales, mas para os lados de Schlapanitz, na elevação onde estava Napoleão, rodeado dos seus marechais, tudo era claro. O céu ali era azul e sereno e o disco imenso do sol, como uma formidável boia flutuante, vermelho-vivo, vogava à superfície daquele mar leitoso.

Todo o exército francês, e até o próprio Napoleão, com o seu estado-maior, não só não se encontravam na outra margem do rio e dos pântanos das aldeias de Sokolnitz e Schlapanitz, para lá dos quais os russos se dirigiam e onde pensavam travar batalha, mas, pelo contrário, achavam-se tão perto que a olho nu o imperador francês podia distinguir tanto a cavalaria como a infantaria russas. Ele ali estava um pouco mais à frente dos seus marechais, montado num pequeno cavalo árabe cinzento, com o seu capote azul, o mesmo com que fizera a campanha da Itália. Contemplava, silencioso, as colinas que pareciam emergir do oceano de neblina e sobre as quais, ao longe, se viam as tropas russas em marcha, e escutava o tiroteio na ravina. Naquele momento nem um só músculo da sua face estremecia; tinha os olhos brilhantes fixos, imóveis, num único ponto. O que previra resultava certo. Os russos, por um lado, já desciam para as regiões alagadiças dos pântanos e dos lagos, pelo outro, evacuavam as cumeadas de Pratzen, que era sua intenção atacarem, e que consideravam a chave da posição. E eis que ele via, através da neblina, no pano de fundo formado pelas duas elevações vizinhas da aldeia de Pratzen, as colunas russas em marcha, todas em direção aos pântanos, de baionetas caladas, desaparecendo, sucessivamente, no mar de brumas. Segundo as informações recebidas ao fim da tarde, a avaliar pelo ruído dos passos e o fragor das viaturas que se ouviam nos postos avançados durante a noite, pela confusão dos movimentos das colunas russas, seguindo todas as previsões, via claramente que os aliados estavam convencidos de que ele, Napoleão, se encontrava muito longe, na sua vanguarda, e que as colunas em marcha perto de Pratzen formavam naturalmente o centro do exército russo e que esse centro era já fraco demais para atacar com êxito. Mas, apesar disso, não se decidia ainda pelo ataque. Aquele dia era para ele uma data solene, o do aniversário da sua coroação. Pela manhã dormira algumas horas, e bem-disposto, alegre, repousado, naquela disposição de espírito em que tudo parece possível e em que tudo resulta bem, montou a cavalo e dirigiu-se para o campo. E lá estava, imóvel, os olhos fixos nas cumeadas que se descortinavam através do nevoeiro, e no seu rosto frio refletia-se essa felicidade cheia de confiança, tão própria dos que são novos e felizes no amor. Os marechais conservavam-se na sua retaguarda, sem ousarem distrair-lhe a atenção. Napoleão ora olhava para o planalto de Pratzen ora para o sol que emergia da bruma.

Quando o sol surgiu inteiro das nuvens e inundou a campina com a sua estonteante claridade, como se fosse aquele o momento que Napoleão aguardava para dar ordens de ataque, descalçou a luva da sua bela mão branca, fez um aceno aos marechais e deu ordem de principiar. Os marechais, acompanhados pelos seus ajudantes de campo, largaram a galope em direções diferentes e dentro de breves minutos as forças principais do exército francês estavam avançando rapidamente em direção às elevações de Pratzen, as quais as tropas russas, que à esquerda desciam para os vales, iam deixando completamente abandonadas.

CAPÍTULO XV

Às oito horas, Kutuzov chegou a cavalo a Pratzen, à frente da quarta coluna de Miloravitch, que devia tomar o lugar das colunas de Przebiszewski e de Langeron, que já tinham descido. Depois da continência aos soldados do regimento da vanguarda, deu ordem de marcha, querendo significar com isso ser sua intenção comandar essas tropas. Assim que chegou à aldeia de Pratzen fez alto. O príncipe André, na companhia de grande número de personalidades da comitiva do general em chefe, conservava-se na retaguarda. Sentia-se emocionado, irritado e, ao mesmo tempo, cheio de serenidade, como um homem que vê chegar o momento há muito esperado. Estava firmemente convencido de que chegara o seu Toulon ou a sua Ponte d'Arcole. Como as coisas iam se passar não sabia, mas com firmeza acreditava que assim tinha de ser. O terreno e a situação das tropas russas conhecia-os ele tão bem ou melhor que qualquer outro oficial. O seu plano estratégico particular, que evidentemente não seria de aplicar naquele momento, fora posto de lado, e atualmente, adotando o plano de Weirother, considerava os imprevistos que porventura poderiam surgir e formava novas combinações que punham à prova a rapidez do seu golpe de vista e da sua decisão.

À esquerda, lá embaixo, no meio do nevoeiro, ouvia-se o tiroteio entre tropas invisíveis. Ali, parecia ao príncipe André, estava concentrada a batalha, havia ali um obstáculo, e "se me mandassem lá", dizia para si mesmo, "com uma brigada ou uma divisão, eu avançaria à frente, de bandeira em punho, e tudo derrubaria à minha passagem".

A vista dos estandartes dos batalhões que desfilavam não lhe podia ser indiferente. Dizia consigo mesmo a todo o momento: "Sim, talvez seja com aquela mesma bandeira que me há de vir a ser dado marchar diante das tropas".

O nevoeiro noturno nas cumeadas deixara apenas pela manhã uma camada de geada, que ia se transformando em orvalho, mas nos vales continuava a alongar-se como um mar de leite. Nada se via na planura à esquerda onde as tropas russas se batiam e de onde vinha o eco da fuzilaria. Nas alturas o céu estava claro, mas de um azul carregado, e à direita lá estava o enorme disco do sol. Em frente, na distância, na margem oposta do mar de brumas, colinas cobertas de matas limitavam o horizonte: ali estavam, sem dúvida, os exércitos inimigos, pois alguma coisa lá se distinguia. À direita, a Guarda penetrava na zona de nevoeiro com um fragor de rodas, um tropear de cavalos, e as baionetas a cintilar furtivamente. À esquerda, por detrás da aldeia, massas de cavalaria aproximavam-se, fundindo-se no nevoeiro. À cabeça e no coice marchava a infantaria. O general em chefe, postado à saída da povoação, via as tropas desfilarem diante dele. Naquela manhã Kutuzov parecia irritado e exausto. A infantaria, que desfilava, fez alto sem que ninguém o ordenasse, evidentemente porque na sua dianteira surgira algum obstáculo.

– Diga aos homens, enfim, que formem em colunas de batalhão e que contornem a aldeia – gritou Kutuzov, colérico, a um general que apareceu. – Como é que, meu caro senhor, não compreende que não convém formar em fileiras nas ruas de uma aldeia em marcha contra o inimigo?

– Pensava formar através da povoação, Alta Excelência – respondeu o general.

Kutuzov pôs-se a rir com azedume.

– Devia ser bonito o senhor a estender a sua frente à vista do inimigo, sim, devia ser bonito!

– O inimigo ainda está longe, Alta Excelência. Segundo o dispositivo...

– O dispositivo! – gritou Kutuzov de cara feia. – E quem é que lhe disse?... Trate de fazer o que lhe mandam.

– Às suas ordens.

– Meu caro – disse, em voz baixa, Nesvitski ao príncipe André –, o velho está muito maldisposto.

Um oficial austríaco, de uniforme branco, com uma pluma verde na barretina, avançou para Kutuzov e perguntou-lhe, da parte do imperador, se a quarta coluna entrara em ação.

Kutuzov, sem responder, voltou a cabeça e por acaso fixou o seu olhar no príncipe André, que estava a seu lado. Ao ver Bolkonski, moderou-se e no seu rosto amenizou-se a expressão, deixando perceber com isso que o seu ajudante de campo não era culpado do que estava acontecendo. Sem se dirigir ao oficial austríaco, disse a Bolkonski:

– Vá ver, meu caro, se a terceira divisão ultrapassa a aldeia. Diga-lhe que faça alto e que aguarde as minhas ordens.

O príncipe André ia partir, quando ele o deteve.

– E pergunte-lhe se os atiradores estão nos seus postos – acrescentou. – O que fazem eles, o que fazem! – exclamou em aparte, continuando a não responder ao austríaco.

O príncipe André despediu-se para cumprir a missão de que fora incumbido. Depois de ter ultrapassado os batalhões que prosseguiam na sua marcha, fez estacar a terceira divisão e verificou que, com efeito, na vanguarda das colunas russas não havia linha de atiradores. O comandante do regimento da vanguarda mostrou-se surpreso com a ordem do general-em-chefe que o mandava dispor em linha os atiradores. Continuava absolutamente convencido de que havia outras tropas diante dele e de que o inimigo não devia estar a menos de dez verstas. Efetivamente, diante dele havia apenas um terreno deserto que ia descendo, pouco a pouco, e mergulhava no nevoeiro espesso. Depois de lhe ter comunicado, da parte do general-em-chefe, que era preciso reparar a negligência cometida, o príncipe André fez meia-volta. Kutuzov continuava no mesmo lugar e não fazia outra coisa senão bocejar, fechando o único olho, deixando pender o pesado corpo sobre a sela. As tropas tinham suspendido a marcha e mantinham-se de arma em descanso.

– Bom, bom! – exclamou para o príncipe André, e voltou-se para o lado do general, que, de relógio em punho, dizia ser tempo de avançar, pois todas as colunas do flanco esquerdo já tinham operado a mesma manobra.

– Temos tempo, Excelência – observou Kutuzov, entre dois bocejos. – Temos tempo!

Neste momento, por detrás de Kutuzov, estrondearam, ao longe, aclamações das tropas e as vozes aproximaram-se, rápidas, ao longo das colunas russas em marcha. Era evidente que a personagem a quem os soldados aclamavam ia passando célere. Quando os soldados do regimento à frente do qual estava Kutuzov principiaram a gritar, este afastou-se um pouco de lado e voltou-se olhando. Pela estrada de Pratzen galopava uma espécie de esquadrão de cavalaria variegadamente condecorado. Dois dos cavaleiros avançavam, a todo o galope, à frente. Um deles, de uniforme preto, com um alto penacho branco, cavalgava um alazão inglês, o outro, de branco, montava um cavalo murzelo. Eram os dois imperadores e as respectivas comitivas. Kutuzov, afetando ser bom subordinado, comandou: "Sentido!" às tropas em descanso, e fazendo a continência aproximou-se do imperador. A sua atitude e as suas maneiras tinham mudado por completo. Parecia um inferior que obedece sem raciocinar. Foi numa afetação de respeito, que, evidentemente, não agradou ao imperador que se aproximou fazendo a continência.

Aquela impressão desagradável, fiapos de bruma num céu sereno, perpassou pelo rosto do jovem e feliz imperador, para logo desaparecer. Nesse dia, depois da indisposição que tivera, parecia um pouco mais magro que na parada de Olmütz, em que Bolkonski o vira pela primeira vez depois do seu regresso do estrangeiro; mas nos seus olhos cinzentos havia o mesmo misto arrebatador de majestade e de doçura, e nos seus lábios finos a mesma mobilidade de expressão, dominada, no entanto, por um sentimento de mocidade e de inocência.

Na parada de Olmütz parecia mais majestoso, agora mais alegre e mais enérgico. Depois daquelas três verstas de galope rasgado tinha cor nas faces, e ao fazer estacar o cavalo respirou, num suspiro de alívio, olhando em torno de si para as caras dos oficiais da comitiva, jovens e animadas como a sua. Czartoriski e Novosiltsov, o príncipe Bolkonski, Stroganov e outros ainda, todos esses moços ricamente fardados e joviais, montados em belos cavalos folgados, muito bem ajaezados, ligeiramente suados, conversando entre si e sorrindo, tinham-se apinhado atrás do imperador. O imperador Francisco, jovem, de pele rosada e alta figura, estava firme na sela de um belo garanhão murzelo e lançava olhares ansiosos e taciturnos em torno de si. Chamou um dos seus ajudantes de campo, de uniforme branco, e disse-lhe alguma coisa. "Naturalmente está a perguntar-lhe a que horas partiram", observou consigo mesmo o príncipe André fitando o seu velho conhecido com um sorriso que mal pôde esconder ao lembrar a audiência que o imperador lhe concedera. As comitivas eram formadas por oficiais de ordenança, cavaleiros de escol, russos e austríacos, pertencentes aos regimentos da Guarda e do exército. Escudeiros conduziam pela arreata magníficos cavalos de reserva provenientes das cavalariças imperiais, cobertos com gualdrapas bordadas. Assim como através de uma janela aberta subitamente entra um sopro de ar fresco campesino num quarto onde se sufoca, também uma rajada de mocidade, de energia, de confiança no exército emanando daquela brilhante cavalgada perpassou pelo bem pouco alegre estado-maior de Kutuzov.

– Então? Quando é que principia, Mikail Larionovitch? – apressou-se a dizer o imperador Alexandre a Kutuzov, ao mesmo tempo que lançava um olhar de deferência ao imperador Francisco.

– Estava à sua espera, Majestade – replicou Kutuzov, numa reverência respeitosa.

O imperador apurou o ouvido, franzindo ligeiramente as sobrancelhas e fazendo menção de não ter ouvido bem.

– Estava à sua espera, Majestade – repetiu o general em chefe.

O príncipe André notou em Kutuzov um estremecimento anormal do lábio inferior enquanto pronunciava estas palavras.

– Ainda não estão reunidas todas as colunas, saiba Vossa Majestade.

O imperador compreendeu, mas era evidente não ser a resposta muito do seu agrado; encolheu os ombros quadrados e lançou um olhar a Novosiltsov, que estava a seu lado, como a queixar-se de Kutuzov.

– Mas nós não estamos em Czaritsine, Mikail Larionovitch, onde as paradas só principiam depois de formados todos os regimentos... – E o tsar trocou de novo um olhar com o imperador Francisco, senão a convidá-lo a tomar parte na discussão, pelo menos a escutá-la. Mas Francisco continuava de olhar errante, sem ouvir coisa alguma.

– É precisamente por isso, *Sire* – disse Kutuzov, numa voz forte, para bem se fazer ouvir, enquanto de novo lhe perpassava pelo rosto um movimento nervoso. – É por isso que eu não começo, *Sire*. Precisamente por não estarmos na parada e na de Czaritsine. – Falava de maneira clara e desenvolta.

Os oficiais da comitiva entreolhavam-se, exprimindo no seu olhar censura e descontentamento. "Só por ser velho não tinha o direito, não, não tinha o direito de falar assim", lia-se na expressão deles.

O imperador olhou, fixa e atentamente, Kutuzov, esperando que ele acrescentasse mais alguma coisa. Mas se diria que este esperava também algo, respeitosamente curvado. O silêncio prolongou-se por cerca de um minuto.

– Aliás, se Vossa Majestade o ordena... – acrescentou Kutuzov, reerguendo a cabeça e retomando o tom de um general de espírito tacanho, que não discute, mas obedece.

Deu de esporas ao cavalo e, chamando o comandante de coluna, Miloradovitch, transmitiu-lhe as ordens de ataque.

As tropas começaram de novo a desfilar, e dois batalhões do regimento de Novgorod, seguidos do batalhão de Apcheron, marcharam passando diante do imperador.

Quando chegou a vez do batalhão de Apcheron, Miloradovitch, o rosto rosado, sem capote, de grande uniforme, condecorações e barrete empenachado caído para a orelha, desfilou a todo o galope e, saudando arrogantemente, fez estacar o cavalo diante do imperador.

– Deus seja convosco, general! – exclamou este.

– Dou-lhe a minha palavra de que faremos o que pudermos, Sire – replicou, com galhardia, sem que tivesse deixado de despertar um sorriso de mofa entre as personagens da comitiva, graças ao seu mau francês.

Miloradovitch, fazendo meia-volta, bruscamente veio postar-se um pouco na retaguarda do imperador. Os soldados de Apcheron, arrebatados pela presença do imperador, desfilaram perante este em marcha marcial e arrogante, num ritmo cadenciado.

– Rapazes! – gritou Miloradovitch, numa voz forte, confiante e alegre, visivelmente excitado pelo fragor da fuzilaria, pela proximidade da batalha e pela vista dos bravos de Apcheron, seus antigos camaradas do tempo de Suvorov, que desfilavam com a maior galhardia, a tal ponto que esqueceu a presença do imperador. – Rapazes! Não é a primeira povoação que vocês vão tomar!

– Faremos o melhor que pudermos! – respondiam os soldados.

Ao ouvir aquele vozear inesperado, a montada do imperador empinou-se. Este cavalo, que o imperador já montava nas suas revistas, na Rússia, ali, no campo de batalha de Austerlitz, continuava a servir o dono e a sentir os golpes discretos da sua espora esquerda, mas eriçava as orelhas ao ruído da fuzilaria, exatamente como costumava fazer na parada de Czaritsine, sem dar conta dos tiros que ouvia, do que significava a vizinhança do garanhão murzelo do imperador Francisco e sempre sem suspeitar o que dizia, pensava e sentia nessa hora o cavaleiro que o montava.

O imperador, sorridente, voltou-se para um dos seus íntimos apontando os bravos de Apcheron e disse-lhe qualquer coisa.

CAPÍTULO XVI

Kutuzov, acompanhado pelos seus ajudantes de campo, seguia a passo os carabineiros.

Depois de ter andado cerca de meia versta no coice da coluna, fez alto ao pé de uma casa solitária e abandonada, um albergue, com certeza, na encruzilhada de dois caminhos. Os dois caminhos desciam a encosta e as tropas seguiam por ambos ao mesmo tempo.

O nevoeiro principiava a dissipar-se e a umas duas verstas de distância, vagamente, viam-se já as tropas inimigas nos cabeços fronteiros. À esquerda, no vale, a fuzilaria tornava-se mais distinta. Kutuzov parou, trocando algumas palavras com um general austríaco. O príncipe André, um pouco à retaguarda, observava-os, e, dirigindo-se a um ajudante de campo, pediu-lhe o óculo.

– Olhe, olhe – disse-lhe este, indicando-lhe, não um ponto afastado, mas o sopé da colina em frente. – São os franceses!

Os dois generais e os ajudantes de campo pegaram no óculo, passando-o de mão em mão. Subitamente todos mudaram de expressão e o terror veio estampar-se-lhes na face. Julgavam os franceses ainda a umas duas verstas, e inopinadamente ali estavam diante deles.

– É o inimigo?... Não pode ser!... Mas, olhe, olhe... é, com certeza... Que quer dizer isso? – diziam algumas vozes.

O príncipe André, a olho nu, distinguia, em baixo, à direita, uma poderosa coluna francesa que avançava ao encontro dos soldados de Apcheron, a menos de quinhentos passos do local onde estava Kutuzov.

"Eis finalmente o minuto decisivo! Eis o combate que vem ao meu encontro!", murmurou o príncipe André, e, esporeando o cavalo, aproximou-se de Kutuzov.

– É preciso mandar parar os regimentos de Apcheron, Excelência! – gritou.

Mas nesse mesmo instante tudo se cobriu de fumaça; muito próximo, rebentou uma salva e uma voz, uma voz de ingênuo terror, a dois passos dali, gritou: "Rapazes, estamos perdidos!". Esta voz teve o efeito de uma ordem. Ao ouvi-la, todos fugiram.

Uma multidão caótica, que crescia de momento a momento, refluía, correndo, para o local onde cinco minutos antes os soldados haviam desfilado perante os imperadores. Era não só muito difícil deter aquela multidão, mas impossível mesmo não ser arrastado no seu movimento de debandada. Bolkonski fazia por não ceder à torrente e parecia estupefato, sem poder compreender o que se passava. Nesvitski, com ar furioso, muito vermelho, e já sem figura humana, gritava a Kutuzov que se não se afastasse rápido acabaria certamente prisioneiro. Kutuzov, sempre no mesmo lugar, sem responder, sacou de um lenço. Corria-lhe sangue pela face abaixo. O príncipe André conseguiu abrir caminho até junto dele.

– Está ferido? – perguntou, com um estremecimento nervoso no maxilar.

– A ferida não está aqui, mas ali! – replicou Kutuzov, enxugando o rosto, ao mesmo tempo que apontava para os fugitivos. – Façam-nos parar! – gritou ele, e, no mesmo instante, sem dúvida persuadido da impossibilidade de uma tal tentativa, esporeou o cavalo e partiu pela direita.

A turba dos fugitivos, como uma vaga, envolveu-o e atirou-o para trás.

Tão compacta era a massa dos que fugiam que quem fosse apanhado por ela muito dificilmente conseguiria libertar-se. Uns gritavam: "Toca a andar! Paraste por quê?"; outros, voltando-se, disparavam para o ar; um deles fustigou o cavalo de Kutuzov. Depois de ter se arrancado penosamente pela esquerda a esta torrente desencadeada, Kutuzov e a sua comitiva, então já reduzida a menos de metade, seguiram na direção dos tiros de peça ali próximos. André, que escapara da vaga dos fugitivos, procurando não se distanciar de Kutuzov, viu, ao longo da encosta, no meio da fumaça, uma bateria russa que disparava ainda e os franceses que corriam sobre ela. Mais acima a infantaria russa não arredava pé, sem avançar em socorro da bateria e sem recuar com o fugitivos. Um general montado destacou-se do regimento e aproximou-se de Kutuzov. A comitiva deste já estava reduzida apenas a quatro pessoas. Todos haviam empalidecido e entreolhavam-se, calados.

– Faça parar esses miseráveis! – gritou Kutuzov, sufocado pela cólera, ao comandante do regimento, apontando para os fugitivos. Mas, nesse momento, parecia que em resposta a esta ordem, um enxame de balas veio cair, assobiando, sobre o regimento e a comitiva de Kutuzov.

Os franceses atacavam a bateria e, ao verem Kutuzov, disparavam sobre ele. Ao ouvir a descarga, o comandante do regimento levou a mão à perna. Alguns soldados caíram e o porta-bandeira que empunhava o estandarte largou-o das mãos; a bandeira vacilou um momento e veio cair sobre as espingardas dos soldados vizinhos. A infantaria, sem comando, disparou uma salva.

– Oh! – gemeu Kutuzov, em voz desesperada, e olhou em torno de si. – Bolkonski – murmurou numa voz trêmula, consciente da sua impotência senil –, Bolkonski, que vem a ser isto? – disse, mostrando o batalhão disperso e o inimigo.

Antes de ter tempo de acabar, o príncipe André, sentindo lágrimas de vergonha e de cólera, saltava do cavalo e corria para a bandeira.

– Rapazes! Para a frente! – gritou com a sua voz penetrante, onde havia alguma coisa de infantil.

"Chegou o momento!", pensou, lançando mão da haste da bandeira e ouvindo, numa espécie de alegria, soprar as balas evidentemente dirigidas contra si. Alguns soldados caíram ainda.

– Hurra! – gritou, e segurando com dificuldade o pesado estandarte, lançou-se para a frente, firmemente convencido de que todo o batalhão o seguiria.

E, efetivamente, só deu alguns passos sozinho. Primeiro seguiu-o um soldado, depois outro, e logo todo o batalhão, gritando "hurra!", se precipitou, ultrapassando-o daí a pouco. Um sargento pegou na bandeira, pesadíssima, que vacilava nas mãos do príncipe, mas logo caiu varado. O príncipe André voltou a pegar no estandarte e, enrolando o pano em volta da haste, seguiu em frente com o batalhão. Diante dele via os artilheiros, uns batendo-se ainda, outros abandonando as peças para se precipitarem para ele; via também soldados de infantaria francesa que se apoderavam dos cavalos da artilharia e voltavam as peças contra os russos. Juntamente com o batalhão, já não o separavam da bateria mais que vinte passos. Em torno dele ouvia o assobiar ininterrupto das balas e constantemente, à direita e à esquerda, gemidos, e via soldados que caíam varados. Mas não prestava atenção a coisa alguma: só o preocupava o que estava se passando em frente, na bateria. Via já nitidamente a silhueta de um artilheiro ruivo, a barretina à banda, que puxava para si o taco da peça enquanto um soldado francês a disputava do outro lado. André distinguia com toda a nitidez o ar alucinado e furioso daqueles dois homens que, evidentemente, não sabiam sequer o que estavam fazendo.

"Que eles estão fazendo?", pensava o príncipe André. "Por que é que o artilheiro ruivo não foge, visto já não ter armas consigo? Por que é que o francês não o mata? Se este se lembra da espingarda e o abate já não terá tempo de fugir!"

De fato, viu outro francês, de arma aperrada, correr para os dois adversários, e o destino do artilheiro, que não dava pelo que o aguardava, e que brandia, triunfal, o taco da peça, ia decidir-se. Porém o príncipe André não viu como o pleito acabou. Pareceu-lhe que recebia na cabeça uma cacetada vibrada com toda a força por um dos soldados que o cercavam. A pancada não lhe produziu dor muito violenta, mas fê-lo desviar a atenção e impediu-o de ver o fim da cena que o interessava.

"Que é isto? Vou cair? As minhas pernas tremem?", disse consigo mesmo, e caiu de costas. Reabriu os olhos na esperança de ver o resultado da luta dos franceses com o artilheiro e de saber se sim ou não este fora morto e se as peças tinham sido tomadas ou salvas. Mas nada mais viu. Por cima da sua cabeça nada mais havia além do céu, um céu muito alto, não claro, mas imensamente alto, onde erravam tranquilamente pequeninas nuvens cinzentas. "Que calma, que paz, que majestade!", pensava. "Não era assim quando da nossa louca corrida, no meio dos gritos e da batalha; não era assim quando, o furor e o medo pintados no rosto, o francês e o nosso artilheiro disputavam entre si o taco da peça: então não havia, como agora, nuvens errantes neste céu profundo e infinito. Como é que eu nunca tinha visto isto, este céu sem limites? E que feliz me sinto de vê-lo finalmente. Sim, tudo é vaidade, tudo é mentira, à exceção deste céu sem-fim. Não há nada, absolutamente nada além dele. E até mesmo isto não existe, nada existe senão a calma e o repouso. E Deus louvado seja por isso mesmo..."

CAPÍTULO XVII

No flanco direito do exército de Bagration às nove horas ainda a batalha não tinha principiado. Não querendo aceitar o parecer de Dolgorukov, de opinião de que se devia desencadear o ataque, e para se livrar de responsabilidades, o príncipe Bagration propôs-lhe consultarem o general em chefe. O príncipe sabia que em virtude das dez verstas que separavam os dois flancos, e no caso de o emissário não vir a ser morto, coisa mais do que verossímil, conseguindo chegar até junto do general em chefe, o que era muito difícil, nunca poderia estar de regresso antes da noite.

Bagration, olhando um por um os oficiais da sua comitiva com os seus grandes olhos sem expressão e meio adormecidos, acabou por se fixar no rosto infantil de Rostov, quase desfalecido de emoção e de esperança. Foi ele o escolhido.

– E se eu encontrar Sua Majestade antes do general em chefe, Excelência? – interrogou Rostov com a mão em continência.

– Pode entregar a mensagem a Sua Majestade – apressou-se a intervir Dolgorukov.

Tendo sido transferido do seu serviço na frente, Rostov pudera dormir algumas horas pela manhã e sentia-se jovial, decidido, resoluto, numa disposição de espírito em que tudo lhe parecia fácil e possível.

Todos os seus desejos estavam para se realizar naquela manhã. Travava-se uma batalha geral, e ele tomava parte nessa batalha; mais ainda: era oficial de ordenança do mais bravo dos generais; e ainda mais; via-se encarregado de uma missão junto de Kutuzov, e talvez mesmo junto do próprio imperador. A manhã estava serena, Rostov montava um bom cavalo. Na sua alma tudo era alegria e felicidade. Assim que recebeu ordens, esporeou o cavalo e lançou-se a galope ao longo da linha de batalha. Principiou por percorrer a frente do exército de Bagration, que permanecia imóvel, depois penetrou no terreno ocupado pela cavalaria de Uvarov, e aí pôde notar um certo movimento e sinais de preparativos de combate. Tendo ultrapassado a cavalaria, ouviu distintamente o ruído das descargas de artilharia e de mosquetaria que continuamente aumentava de intensidade.

O ruído no ar fresco da manhã não era agora, como antes, formado por dois ou três tiros de espingarda ou uma ou duas detonações de artilharia. Lá para o fundo das encostas, antes de se chegar a Pratzen, pôde ouvir o fragor da fuzilaria interceptado por tiros de peça tão frequentes que por vezes um estampido não se podia distinguir do outro, fundindo-se numa espécie de contínuo trovejar.

Rostov pôde ver, pelas vertentes, os rolos de fumaça dos mosquetes que pareciam correr uns atrás dos outros, enquanto a fumaça das peças flutuava e acabava por misturar-se no ar em grandes nuvens. Viu, pelo cintilar das baionetas, no meio da fumaça, as massas da infantaria em movimento e estreitas filas de artilharia com as suas carretas verdes.

Rostov deteve por um momento o seu cavalo no alto de um montículo, para observar o que se passava; mas por mais que observasse, nada podia compreender do que via. Havia gente que se deslocava no meio da fumaça, linhas de tropas moviam-se para trás e para diante. Mas para quê? Aonde iam aqueles soldados? Era impossível compreender. Este espetáculo, porém, em lugar de o desanimar ou deprimir, redobrava-lhe a energia e a decisão.

"Pois, fogo, fogo sobre eles!", dizia para consigo, e de novo se pôs a galopar ao longo das linhas, penetrando cada vez mais na zona das tropas que entravam em combate. "O que se passa lá adiante não sei, mas tudo deve estar certo!", pensava.

Depois de ter ultrapassado algumas tropas austríacas, Rostov pôde ver que as tropas restantes – a Guarda – já haviam entrado em ação.

"Tanto melhor! Mais de perto verei a batalha!"

Quase que seguia ao longo da primeira linha. Um corpo de cavaleiros cavalgava na sua direção. Eram soldados ulanos da Guarda, que regressavam, em desordem, do combate. Ao passar junto deles não pôde deixar de ver que um dos homens estava coberto de sangue, mas continuou a galopar.

"Isto nada tem a ver comigo!"

Ainda não dera cem passos quando, à esquerda, cortando-lhe o caminho, surgiu, em toda a extensão do campo livre, uma imensa tropa de cavaleiros, de brilhantes uniformes brancos, montando cavalos murzelos, que avançava a trote para ele. Rostov esporeou o seu cavalo, que largou num galope doido, para lhes dar passagem, e tê-lo-ia conseguido se os cavaleiros viessem no mesmo andamento, mas eles apressaram a marcha, e alguns até se puseram a galope. Rostov cada vez distinguia melhor o tropear dos animais e o tinir das armas e notava com nitidez crescente os cavalos, o rosto dos cavaleiros e até os seus traços fisionômicos. Eram os cavaleiros da Guarda russa que corriam a atacar a cavalaria francesa marchando ao seu encontro.

Todos galopavam mantendo ainda as suas montadas em boa forma. Rostov via-lhes agora as caras e ouvia a voz de comando – "À carga!" – de um oficial que esporeava o seu cavalo num galope desenfreado. Rostov, temendo ser esmagado ou arrastado, pôs-se a galopar ao longo da sua frente a todo o fôlego do seu cavalo, mas, no entanto, sem poder evitar uma colisão.

O cavaleiro da extremidade, um soldado bexigoso, de grande estatura, franziu as sobrancelhas, colérico, ao ver que era inevitável o choque com Rostov. E tê-lo-ia naturalmente deitado por terra, tanto a ele como ao seu Beduíno (Rostov sentiu-se minúsculo ao lado daqueles dois gigantes: soldado e cavalo), se Rostov não tivera a presença de espírito de fustigar a cabeça da montada do cavaleiro da Guarda com o seu chicote. Este cavalo, um pesado murzelo, empinou-se, as orelhas eriçadas, mas o cavaleiro, com um golpe das grandes esporas, lançou-o numa carreira doida, cauda ao vento e pescoço estendido. Mal os cavaleiros ultrapassaram Rostov, logo este ouviu gritos de "hurra!" e, voltando-se, viu que as fileiras da vanguarda eram invadidas por cavaleiros estrangeiros, franceses, sem dúvida, de charlateiras vermelhas. E mais não pôde ver, pois logo em seguida uma peça fez fogo e tudo ficou submerso em fumaça.

Naquele momento em que os guardas montados desapareciam no meio da fumaça, Rostov teve uma hesitação: não sabia se devia galopar atrás deles ou prosseguir no seu caminho, dirigindo-se aonde era mister. Foi essa brilhante carga de cavalaria que provocou a admiração dos próprios franceses. Mais tarde Rostov sentiu-se aterrado quando soube que de toda aquela massa de rapazes soberbos, de jovens ricos e brilhantes, montados em cavalos de milhares de rublos, que de todos aqueles oficiais e de todos aqueles *junkers* que haviam passado a galope diante dele, após o ataque não restavam mais de dezoito homens.

"Para que invejá-los? A minha vez há de chegar, e talvez de um momento para o outro eu venha a ter a felicidade de ver o imperador", disse Rostov consigo mesmo, retomando o caminho.

Ao chegar por alturas da infantaria da Guarda, verificou que estava a ser o ponto de mira das balas inimigas, não só por ouvi-las assobiar aos ouvidos, mas também ao ver o rosto inquieto dos soldados e a expressão entre grave e marcial dos oficiais.

Quando passou junto de uma coluna ouviu uma voz pronunciar-lhe o nome:

– Rostov!

– Que é? – respondeu, sem reconhecer Bóris.

– Hein? Estivemos na primeira linha. O nosso regimento aguentou a pé firme um duro ataque! – disse Bóris com um desses sorrisos de felicidade tão próprios dos jovens no seu batismo de fogo.

Rostov deteve-se.

– Estiveram?! – exclamou. – E então?

– Foram repelidos! – replicou Bóris, com animação, e mostrando-se falador. – Imagina tu...

Pôs-se a contar como a Guarda, ao chegar à linha de fogo, ao ver tropas na sua frente, julgou tratar-se dos austríacos, e de repente percebeu, graças às balas disparadas contra ela, que se encontrava na primeira linha e que entrava na luta de improviso. Rostov nada mais quis ouvir e de novo deu de esporas ao cavalo.

– Aonde vais? – perguntou Bóris.

– Vou numa missão junto de Sua Majestade.

– Olha, ali o tens – disse Bóris, que julgara que o amigo ia em missão junto de Sua Alteza o Grão-Duque, e não de Sua Majestade o Tsar. E apontou-lhe o primeiro, que, a uns cem passos, com o capacete e a farda de cavaleiro da Guarda, os ombros quadrados e as sobrancelhas franzidas, gritava uma ordem a um oficial austríaco, muito pálido na sua farda branca.

– Quê? Aquele é o grão-duque. Quem eu procuro é o general em chefe ou o imperador – replicou Rostov, sem se deter.

– Conde, conde – gritou Berg, surgindo de outro lado, e tão excitado como Bóris. – Conde, fui ferido na mão direita. – E mostrava o antebraço ensanguentado, envolto no lenço de assoar. – E apesar disso cá estou no meu posto. Conde, agarrei a espada com a mão esquerda. Na nossa família os Von Berg são todos heróis!

Berg disse o que quer que fosse, mas Rostov nada mais ouviu e continuou.

Depois de ultrapassar a Guarda e de atravessar um espaço vazio, para não vir a encontrar-se na primeira linha, como lhe acontecera quando da carga dos guardas montados, seguiu ao longo da vanguarda das reservas, afastando-se do local em que a fuzilaria e o canhoneio eram mais intensos. De súbito, na sua frente e na retaguarda das tropas russas, num ponto onde lhe era impossível supor que o inimigo se encontrasse, ouviu fuzilaria muito próxima.

"Que será isso?", pensou com os seus botões. "Estará o inimigo na retaguarda das nossas tropas? Não pode ser." E um terror louco se apoderou dele, ao mesmo tempo por si e ao lembrar-se do que poderia ser o resultado da batalha. "Aconteça o que acontecer, o certo é que agora não há maneira de escapar. É preciso que eu descubra o general em chefe, e, se tudo estiver perdido, o meu dever é morrer como todos os outros."

Os negros pressentimentos que assaltavam Rostov iam se confirmando à medida que penetrava na zona ocupada pela massa de tropas de toda a procedência que se estendia por detrás de Pratzen.

– Que se passa? Que se passa? Contra quem é que se faz fogo? Quem faz fogo? – perguntava ele, sempre em marcha, aos soldados russos e austríacos, que, em grande confusão, lhe vedavam o caminho.

– Só o demo é que sabe! Estamos fritos! Está tudo perdido! – responderam-lhe em russo, em alemão, em tcheco todos aqueles fugitivos, que, tal como ele, também não compreendiam o que estava se passando.

– Morram os alemães! – gritou um deles.

– Raios os partam, traidores!

– *Zum Henker diese Russen*!...[36] – rouquejou um alemão.

Feridos arrastavam-se ao longo do caminho. As injúrias, os gritos, os gemidos fundiam-se na vozearia geral. A fuzilaria havia serenado, e, assim Rostov depois veio a saber, soldados russos e austríacos faziam fogo uns contra os outros.

"Meu Deus! Que é isto?", dizia Rostov consigo mesmo. "E aqui, onde o imperador os pode ver de um momento para o outro... Mas não... São por certo apenas alguns poltrões. É coisa passageira. Não pode ser! Não pode ser! Ah! Melhor deixá-los para lá, depressa!"

A ideia de um desastre ou de uma derrota não podia entrar-lhe na cabeça. Embora estivesse vendo as baterias e as tropas francesas instaladas no planalto de Pratzen, onde devia procurar o general em chefe, não podia e não queria render-se à evidência.

CAPÍTULO XVIII

Rostov tinha recebido ordem para descobrir Kutuzov ou o imperador nos arredores de Pratzen. Mas aí não estavam; aí nem sequer havia um comandante, só se via uma turba de tropas desorganizadas. Esporeou o cavalo, já estafado, na intenção de ultrapassar o mais depressa possível aqueles bandos, mas quanto mais avançava mais a debandada se acentuava. Na estrada real, onde chegou por fim, amontoavam-se caleches, equipagens de toda a espécie, soldados russos e austríacos de todas as armas, feridos e não feridos. Toda essa multidão confundida estrondeava e formigava, ao mesmo tempo que o troar sinistro das balas das baterias francesas instaladas nas alturas de Pratzen.

– Onde está o imperador? Onde está Kutuzov? – perguntava a todos quantos lograva deter, e ninguém lhe respondia.

Por fim agarrou um soldado pela gola e obrigou-o a falar.

– Ai, irmão! Há muito tempo que lá estão para diante. Fugiram! – replicou o soldado, rindo, enquanto tentava esgueirar-se.

---

36. Que os leve o diabo a esses russos! Em alemão, no original. (N.E.)

Rostov largou o soldado, bêbado evidentemente, depois obrigou a parar o cavalo de um impedido ou de um estribeiro de alguma personagem graúda e interrogou-o. O impedido explicou-lhe que cerca de uma hora antes tinham levado o imperador de carruagem, a todo o galope, por aquela mesma estrada, e que Sua Majestade estava gravemente ferido.

– Isso não pode ser – disse Rostov. – Foi certamente outra pessoa.

– Eu o vi com estes olhos que a terra há de comer – garantiu-lhe o homem, com um sorriso afoito. – Como se eu não conhecesse o imperador! Estou farto de vê-lo em Petersburgo! Lá ia, pálido, muito pálido, puxado pelos seus quatro cavalos pretos. Quantas vezes, Pai do Céu, eu os tenho visto passar! Não conheço eu agora os cavalos do tsar e Ilia Ivanitch. Parece-me que nunca ninguém se lembrou de dizer que o cocheiro do tsar não é Ilia Ivanitch!

Rostov soltou o bridão do cavalo e quis prosseguir o seu caminho. Um oficial ferido que passava se dirigiu a ele.

– Quem procura? O general em chefe? Foi morto por uma bala de artilharia, em pleno peito, em frente do nosso regimento.

– Não foi morto, foi ferido – retificou outro oficial.

– Mas quem? Kutuzov? – perguntou Rostov.

– Kutuzov não! Como diabo é que ele se chama? E, depois, tanto faz. Não há por aí muitos com vida. Vá lá diante, àquele povoado, lá estão reunidos todos os comandantes – disse o oficial, apontando para a aldeia de Gostieradek, e afastou-se.

Rostov continuou a passo, sem saber o que faria e a quem iria agora procurar. O imperador estava ferido, a batalha, perdida. Não era possível acreditar em semelhante coisa. Dirigiu-se para o local que lhe indicavam, onde, na distância, avultava o campanário de uma igreja... Para que ter pressa agora? Que tinha ele agora a dizer ao imperador ou a Kutuzov, no caso de eles realmente estarem sãos e salvos e não feridos?

– É por aqui, meu fidalgo; se vai por aí, lá adiante matam-no – gritou-lhe um soldado. – Matam-no.

– Que estás dizendo? – disse outro soldado. – Que caminho tu estás lhe apontando? Por ali é mais perto.

Rostov refletiu e foi precisamente pelo caminho onde lhe diziam que seria morto.

"Agora tanto faz. Se o imperador está ferido, para que hei de poupar-me?", disse consigo mesmo. Penetrou na zona onde houvera uma grande chacina de fugitivos de Pratzen. Os franceses ainda não ocupavam esta povoação, e os russos, pelo menos os sãos e salvos ou feridos, há muito a tinham evacuado. No solo, como feixes num campo fértil, por cada desiatine[37], entre mortos ou feridos, jaziam dez a quinze homens. Os feridos arrastavam-se, em grupos de dois ou três, e ouviam-se os seus gritos e os seus gemidos, dolorosos e por vezes fingidos, assim, pelo menos, parecia a Rostov. Para não ver todos esses sofrimentos, deu de esporas ao cavalo e trotou. O horror apossava-se dele. Não receava pela vida, mas temia perder a coragem, a coragem de que tanto precisava, e que, sabia, acabaria por amolecer diante de tantas desgraças.

Os franceses, que haviam deixado de varrer com os seus projéteis o campo semeado de mortos e feridos desde que lá não viam ninguém de pé, ao descobrirem o ajudante de campo abrindo caminho pelo meio dele, apontaram-lhe uma das peças e dispararam algumas balas. Esses silvos espantosos e a vista dos cadáveres que o cercavam encheram-no de horror e de piedade por si próprio. Lembrou-se da última carta da mãe: "Que diria a mãe", pensou Rostov, "se me visse agora no meio deste campo de batalha, ponto de mira destes canhões?".

Na povoação de Gostieradek havia tropas russas fugitivas do campo de batalha em melhor ordem que as demais, ainda que em grande confusão. As balas francesas não chegavam até ali, e o ruído da fuzilaria ouvia-se ao longe. Aí já todos tinham uma visão nítida dos acontecimentos e eram de opinião de que a batalha estava perdida.

A Rostov, por mais que ele interrogasse, ninguém sabia dizer onde o imperador se encontrava ou onde estava Kutuzov. Uns eram de parecer ser verídico o ferimento do tsar, outros desmentiam e explicavam o falso boato com o fato de ser verdade terem visto passar na grande carruagem do imperador, fugindo do campo de batalha, o marechal da corte, conde de Tolstói, que acompanhava o tsar com outras personalidades da comitiva. Um oficial disse a Rostov que por detrás da aldeia, à esquerda, vira alguém que seria do alto comando: Rostov para lá se encaminhou, ninguém esperando encontrar já, mas apenas por descargo de consciência. Depois de ter andado três verstas e de ter ultrapassado os últimos soldados russos, viu dois cavaleiros junto de uma

---

37. Medida russa de área equivalente a dois acres. (N.E.)

horta ladeada por um fosso. Um deles tinha um penacho branco na barretina e não lhe era desconhecido; o outro, que ele nunca vira, montava um belo cavalo alazão, que Rostov se recordava de ter visto algures. Esse se aproximou do fosso, esporeou o cavalo, e, soltando as rédeas, fê-lo transpor a horta. As patas traseiras ergueram pedaços de terra. Numa brusca meia-volta o cavaleiro de novo saltou o fosso e dirigiu-se respeitosamente ao seu camarada do penacho branco, convidando-o, evidentemente, a fazer o mesmo. O cavaleiro que Rostov parecia reconhecer e que principiava a absorver-lhe a atenção fez um aceno negativo. Esse gesto levou-o a reconhecer imediatamente o seu imperador adorado, cuja desdita tanto deplorava.

"Mas não pode ser ele", disse consigo mesmo, "sozinho neste campo deserto." Nesse momento, Alexandre voltou o rosto e o oficial viu esses tão queridos traços profundamente gravados na sua memória. O imperador estava pálido, tinha as faces sulcadas, os olhos cavados, e assim ainda era maior o seu encanto e a sua doçura. Rostov sentia-se feliz por lhe ser dado verificar serem inexatos os boatos postos a correr sobre o ferimento do tsar. Grande felicidade era tê-lo visto. Sabia que podia, e que devia até, dirigir-se a ele diretamente e transmitir-lhe a mensagem de Dolgorukov.

Mas assim como um jovem enamorado, trêmulo e comovido, não ousa exprimir os sentimentos que lhe povoaram as noites, e lança em volta de si olhares assustados, como que à procura de auxílio ou da maneira de adiar ou de fugir quando chega o almejado instante em que finalmente se encontra a sós com ela, assim Rostov, agora que era chegado o momento tão ardentemente desejado, não sabia se devia abordar o imperador e passavam-lhe pela cabeça mil ideias sobre a maior ou menor conveniência do seu ato.

"Quê? É como se eu aproveitasse a ocasião em que está só e triste. Talvez lhe seja penoso e desagradável ter de enfrentar neste momento uma cara desconhecida. E depois, que poderia eu lhe dizer, quando um dos seus olhares é quanto basta para me fazer desmaiar e perder a voz?" Nem uma só das numerosas frases que mentalmente havia preparado para lhe dirigir lhe vinha aos lábios. De resto, pela sua maior parte, ele as tinha composto em vista de circunstâncias muito diferentes, ou para a hipótese de uma vitória ou de um triunfo, ou então para o caso em que ele próprio no seu leito de agonia, mortalmente ferido, lhe dissesse todo o seu amor, que a própria morte confirmava, enquanto o soberano lhe agradeceria os seus feitos heroicos.

"E, além disso, que vou eu lhe perguntar a respeito do flanco direito, agora que são quatro horas da tarde e a batalha está perdida? Não, decididamente não devo falar-lhe. Não devo perturbá-lo nas suas meditações. Antes mil vezes a morte que receber dele um mau olhar, que lhe inspirar qualquer má opinião." Rostov tomara uma decisão, e com tristeza e desespero na alma afastou-se, voltando-se para trás a todo o momento, para o seu imperador, que lá continuava imóvel e irresoluto.

No mesmo instante em que Rostov se dava a todas estas reflexões e tristemente prosseguia o seu caminho, chegava o capitão Von Toll, inopinadamente, e, ao ver o imperador, aproximou-se dele e ofereceu-se para ajudá-lo a transpor o fosso. O imperador, que muito precisava de descanso, sentindo-se indisposto, sentou-se debaixo de uma macieira; Von Toll ficou a seu lado. Rostov, de longe, num misto de inveja e tristeza, viu Von Toll falar longa e calorosamente, e o imperador, com os olhos cheios de lágrimas, cobrir o rosto e apertar-lhe a mão.

"E lembrar-me que podia estar no lugar dele!", pensou e, quase sem poder reter as lágrimas condoídas pelo destino do imperador, prosseguiu o seu caminho em completo desespero, sem saber o que fazer ou aonde se dirigir.

E tanto maior era o desespero de Rostov quanto era certo dar-se conta de que a sua própria fraqueza era a causa da sua dor.

Ele teria podido... não só teria podido, mas deveria ter-se aproximado. Eis uma ocasião única para lhe testemunhar a sua devoção. E não o tinha feito... "Que fiz eu?", interrogou-se a si próprio. Apanhou o bridão e voltou ao local onde vira o imperador, mas já não havia ninguém junto do fosso. Ali já não havia senão carroças e equipagens. Por um soldado do trem soube que o estado-maior de Kutuzov se encontrava na vizinhança, na povoação para onde se dirigiam os comboios. Rostov seguiu-os.

À frente marchava o picador de Kutuzov, que conduzia uns cavalos cobertos com mantas. Atrás dele vinha uma carroça e depois um velho criado servo, de barrete redondo, meia peliça e pernas tortas.

– Tito! eh, Tito! – gritou o picador.

– Que é? – respondeu o velho sem pensar em coisa alguma.

– Tito, vai malhar teu trigo.[38]

---

38. Ver nota 31. (N.E.)

– Eh, imbecil! Diabos te levem! – replicou o velho, escarrando, colérico.

Durante algum tempo seguiram em silêncio, depois de novo recomeçaram com a mesma brincadeira.

Às cinco horas da tarde a batalha estava perdida em toda a frente. Mais de cem peças de artilharia já tinham caído nas mãos dos franceses.

Przebyszewky e o seu corpo de exército haviam deposto as armas. As outras colunas, depois de terem perdido quase metade dos seus efetivos, retiravam em bandos desordenados e confusos.

Os destroços dos corpos de Langeron e de Dokturov, em massas caóticas, comprimiam-se contra os diques e nas margens das albufeiras, nas cercanias da povoação de Augezd.

Às seis horas, só no dique de Augezd prosseguia o canhoneio dos franceses, que tinham instalado numerosas baterias nas vertentes do planalto de Pratzen e faziam fogo sobre as tropas russas em retirada.

À retaguarda, Dokturov e outros, depois de conseguirem reorganizar alguns batalhões, defendiam-se contra a cavalaria francesa, que perseguia os russos. Já era escuro. Neste estreito dique de Augezd, onde, durante tantos anos, o velho moleiro de barrete de algodão tranquilamente pescara à linha, enquanto o neto, de mangas arregaçadas, remexia num regador buliçosos peixes de prata; neste dique, onde, durante tantos anos, tinham rodado pacíficas carroças carregadas de trigo, guiadas por bons morávios de barrete de pele e vestes azuis, para depois voltarem a passar, brancos de farinha, com os seus alvos carregamentos, neste mesmo dique homens comprimiam-se, no meio das carroças e dos canhões, por entre rodas e cavalos, e de faces desfiguradas pelo terror, pisavam-se entre si, caminhavam por cima de cadáveres e de moribundos, matavam e passavam, para acabarem, mortos também, alguns passos mais adiante.

De dez em dez segundos, rasgando os ares, caía uma bala ou explodia um obus no meio daquela multidão compacta, matando e salpicando de sangue quem estava nas imediações. Dolokov, ferido numa mão, a pé, com uma dúzia de soldados da sua companhia – já ganhara de novo os galões de oficial –, e o coronel, a cavalo, eram os únicos sobreviventes do regimento. Arrastados pela multidão, comprimiam-se à entrada do dique, e, cercados por todos os lados, tinham feito alto porque diante deles um cavalo caíra debaixo de um canhão e tiravam-no de lá. Uma bala matou um homem atrás deles, outra veio rebentar na sua frente, cobrindo de sangue Dolokov. A massa dos soldados precipitou-se desesperadamente, avançou alguns passos e de novo se deteve.

"Se ainda pudermos andar uns cem passos estaremos salvos com certeza; se estacionamos aqui mais dois minutos estamos perdidos pela certa", era o pensamento de todos.

Dolokov, bloqueado, esgueirou-se pela extremidade do dique, derrubou dois soldados e fugiu por cima do gelo escorregadio que cobria a albufeira.

– Vira a peça! – gritou, ao saltar para cima da neve, que estalava. – Volta-a.

Era evidente que o gelo, que ia abrir-se sob o seu peso, com muito mais razão se quebraria sob o peso da peça e da multidão. Os homens olhavam para ele e comprimiam-se contra a margem, sem ousarem saltar para o gelo. O coronel, a cavalo, ali ao lado ergueu a mão e abriu a boca para lhe dizer algo. Subitamente uma bala passou tão rente que todos baixaram a cabeça. Ouviu-se um estalido em cima de qualquer coisa mole e o coronel caiu juntamente com o cavalo no meio de um charco de sangue. Ninguém olhou para ele e ninguém se lembrou de ajudá-lo a levantar.

– Salvemo-nos por cima do gelo! Salvemo-nos por cima do gelo! Vamos a isto! Volta! Não ouves! Para a frente! – gritaram milhares de vozes, assim que o coronel caiu varado, sem que ninguém soubesse ao certo o que estava dizendo.

Uma das peças da retaguarda que avançara para o dique obliquou em direção ao gelo. Soldados em massa lançaram-se nesse momento sobre a laguna. O gelo estalou sob os pés de um dos fugitivos, e uma das suas pernas enterrou-se nele; quis levantar-se, mas não tardou a afundar-se até à cintura. Os soldados que estavam mais perto dele ficaram imóveis, o condutor da peça refreou o cavalo, mas lá para trás continuavam a ressoar os gritos: "Salvemo-nos por cima do gelo! Por que é que aquele parou? Para a frente! Para a frente!". Gritos de terror se ouviram. Os soldados vizinhos da peça chicoteavam os cavalos para obrigá-los a voltar e avançar. Estes afastaram-se da margem. O gelo que sustinha os peões quebrou-se num largo espaço e os quarenta homens que sobre ele se encontravam viram-se precipitados para todos os lados, afogando-se, agarrados uns aos outros.

As balas regularmente continuaram a assobiar e a cair sobre o gelo, na água, e sobretudo no meio da massa humana que enchia o dique, a albufeira e as margens.

CAPÍTULO XIX

No planalto de Pratzen, exatamente no mesmo lugar onde tinha caído com a bandeira na mão, estava estendido o príncipe André Bolkonski, perdendo sangue e soltando inconscientemente fracos e queixosos gemidos como os de uma criança.

No fim da tarde deixou de se queixar e calou-se por completo. Não soube quanto tempo esteve sem sentidos. De súbito reanimou-se, sentindo uma dor pungente e lancinante na cabeça.

"Onde está aquele céu sem fundo que eu nunca tinha visto e que vi hoje pela primeira vez?", tal foi o seu primeiro pensamento. "E estas dores, também as não conhecia. Sim, até hoje ignorava tudo. Mas onde estou?"

Apurou o ouvido e percebeu um ruído de cavalos que se aproximavam e de vozes que falavam francês. Abriu os olhos. Por cima da sua cabeça lá estava ainda o mesmo céu profundo, com as suas nuvens flutuantes, cada vez mais altas e que deixavam ver o infinito azulíneo. Não voltou a cabeça e não viu aqueles que, a avaliar pelos ruídos que percebia, se aproximavam e paravam.

Esses cavaleiros eram Napoleão, acompanhado de dois ajudantes de campo. Bonaparte havia percorrido o campo de batalha e dera ordens para reforçarem as baterias que faziam fogo sobre o dique de Augezd. Agora examinava os mortos e os feridos que jaziam no campo.

– Belos homens! – dizia ele, diante do cadáver de um granadeiro russo estendido de barriga para baixo, o rosto contra o solo, a nuca negra, os braços estendidos a todo o comprimento e já rígido.

– As munições das peças da posição esgotaram-se – disse nesse momento um ajudante de campo que chegava vindo das baterias que bombardeavam Augezd.

– Mande avançar as reservas – replicou Napoleão. Depois de ter dado alguns passos deteve-se junto do príncipe André, estendido de costas, ao lado da haste da bandeira que tinha sido tomada como troféu pelos franceses.

– Chama-se isto morrer bem – disse, ao vê-lo.

André compreendeu que era dele que estavam falando e que era Napoleão quem falava. Tinha ouvido chamar *sire* à personagem de quem se tratava. Mas as palavras afloravam-lhe os ouvidos como se fossem zumbidos de moscas. Não só não lhe interessavam como não lhes prestava a mínima atenção, e breve lhe abandonaram o espírito. A testa escaldava-lhe, sentia que o sangue ia se esvaziando das veias, e continuava sempre a ver o céu longínquo, profundo e eterno. Sabia Napoleão ali, Napoleão, o seu herói, e naquele instante Napoleão, em comparação com o drama que se desenrolava entre a sua alma e aquele céu profundo, sem limites, em comparação com aquelas nuvens que fugiam, parecia-lhe totalmente insignificante. Naquele instante era absolutamente indiferente àquele que se debruçava sobre ele, àquele que falava dele, mas estava contente com o fato de aqueles homens se haverem detido, e apenas desejaria que eles o socorressem e o fizessem regressar àquela vida que tão bela lhe parecia desde que a compreendia de outra maneira. Chamou a si todas as suas forças para conseguir fazer um movimento e articular alguns sons. Agitou debilmente a perna e despediu uma queixa fraca e dolorosa, que acordou em si próprio um sentimento de piedade.

– Ah! Vive! – disse Napoleão. – Levantem este rapaz e levem-no à ambulância!

Depois de ter dito estas palavras, Napoleão afastou-se e foi ao encontro do marechal Lannes, que, sorrindo, se descobriu e se aproximou para o felicitar.

André não pôde reter mais nada. A dor tremenda que lhe causaram o transporte na maca, os choques e as sondagens da sua ferida na ambulância fizeram-no perder de novo os sentidos. Só voltou a si no fim do dia quando o transportaram para o hospital com vários outros oficiais russos feridos e prisioneiros. Durante o trajeto sentiu-se um pouco reconfortado e pôde dar fé do que se passava em torno dele e até mesmo falar.

As primeiras palavras que ouviu ao voltar a si foram as do oficial francês que os conduzia:

– É preciso fazer alto aqui. Vai passar o imperador. Convém dar-lhe o prazer de ver estes senhores prisioneiros.

– Hoje são tantos os cativos, quase todo o exército russo, que ele já deve estar farto – disse outro.

– Sim, mas, no entanto, este, segundo dizem, é o comandante da guarda pessoal do imperador Alexandre – voltou o primeiro, apontando para um oficial ferido, de uniforme branco da Guarda montada.

Bolkonski reconheceu o príncipe Riepnine, que conhecia dos salões de Petersburgo. Ao lado via-se um jovem de uns dezenove anos, igualmente ferido e também fardado de cavaleiro da Guarda.

Bonaparte, aproximando-se a galope, deteve o seu cavalo junto deles.

– Qual é o de posto mais elevado? – perguntou, ao ver os prisioneiros.

Indicaram-lhe o coronel príncipe Riepnine.

– É o comandante do regimento de cavalaria da Guarda do imperador Alexandre? – interrogou Napoleão.

– Eu comandava um esquadrão – replicou Riepnine.

– O seu regimento cumpriu nobremente o seu dever.

– O elogio de um grande capitão é a melhor recompensa de um soldado.

– É com prazer que a concedo – voltou Napoleão. – Quem é esse jovem que está a seu lado?

O príncipe Riepnine disse o nome do tenente Suktelen.

Napoleão olhou-o, a sorrir:

– Bem novo veio bater-se conosco.

– A juventude não impede um homem de ser bravo – disse Suktelen, numa voz trêmula de emoção.

– Bela resposta, jovem – disse Napoleão. – Irá longe!

Para completar o troféu dos prisioneiros, o príncipe André, colocado também na primeira fila, diante do imperador, não podia deixar de lhe atrair a atenção. Napoleão recordou-se de tê-lo visto no campo de batalha, e dirigindo-se a ele tratou-o por "jovem", o aspecto sob o qual ele havia se gravado na sua memória.

– E você, meu jovem ? – disse-lhe. – Como é que se sente, meu caro?

Ainda que cinco minutos antes André tivesse podido dizer algumas palavras aos soldados que o transportavam, agora calava-se, os olhos fixos em Napoleão. Pareciam-lhe tão medíocres naquele momento os interesses que preocupavam o imperador, o próprio herói lhe parecia tão insignificante, com a sua vaidade mesquinha e a alegria da vitória, quando comparava tudo isso ao espetáculo daquele céu imenso, pleno de justiça e de bondade, cuja grandeza compreendera, que lhe era impossível responder.

E, com efeito, tudo lhe parecia inútil, miserável, ao pé dos pensamentos severos e sublimes que o esgotamento das forças lhe provocara após a efusão de sangue, as dores e a expectativa de uma morte próxima. Ao mergulhar o seu olhar no de Napoleão pensava na vaidade da grandeza, na insignificância da vida, cujo sentido ninguém podia compreender, e ainda mais na da morte, cujo significado se conservava ininteligível e impenetrável a todos os vivos.

O imperador deu meia-volta sem esperar resposta e, ao retirar-se, dirigiu-se a um comandante:

– Tomem conta destes senhores e transportem-nos ao meu acampamento, para que o meu médico, Larrey, examine-lhes os ferimentos. – E, esporeando o cavalo, a galope prosseguiu no seu caminho.

No rosto de Napoleão lia-se íntimo contentamento e verdadeira felicidade. Os soldados que tinham transportado o príncipe André e lhe haviam furtado a imagenzinha de ouro que Maria, sua irmã, lhe colocara ao pescoço, ao verem a benevolência do imperador para com os prisioneiros, apressaram-se em restituí-la. Como, André não soube, mas de repente a medalhinha apareceu-lhe suspensa do uniforme pela sua corrente de ouro.

"Que felicidade", dizia ele consigo mesmo, fitando a imagem que a irmã lhe confiara com tanta emoção e piedade, "que felicidade, se tudo fosse tão claro e simples como Maria imagina! Que felizes seríamos sabendo a quem pedir auxílio nesta vida e o que nos espera depois, para além do túmulo! Como eu seria feliz e que tranquilo me sentiria se neste momento pudesse dizer: 'Senhor, tende piedade de mim!...'. Mas a quem hei de dirigir esta oração? Será esta força indefinível, incompreensível, a que não só não posso me dirigir, mas que nem mesmo posso exprimir por palavras, o grande todo ou o nada, ou então esse Deus representado nesta medalha que me deu Maria? Não há nada, nada certo, além do pouco valor de tudo quanto eu posso compreender e da sublimidade desse incompreensível que ultrapassa toda a grandeza!"

Pegaram a maca. Cada vez que a sacudiam, o príncipe André sentia uma dor insuportável; o seu estado febril agravou-se. Delirou. A lembrança de seu pai, de sua mulher, de sua irmã, do filho que ia nascer, a recordação do enternecimento que sentira na véspera da batalha, a figura desse pequeno Napoleão que tão insignificante lhe parecera e ainda por cima a obsessão daquele céu profundo, tudo lhe povoava os sonhos de imagens de fogo. Uma vida serena e de tranquila felicidade conjugal em Lissia Gori perpassava-lhe pela imaginação. Mas, mal sentia a alegria dessa felicidade, repentinamente lhe aparecia o pequeno Napoleão de olhar frio, limitado, contente com a infelicidade alheia, e de novo recomeçavam os horrores da dúvida e da dor. Só a imagem do céu lhe trazia um certo apaziguamento. Lá para a madrugada todos esses sonhos se misturaram, numa espécie de caos, e ele precipitou-se nessas trevas da inconsciência e do olvido que na opinião do próprio Larrey deveriam terminar muito mais provavelmente com a morte que com a vida.

– É uma pessoa nervosa e biliosa – disse ele. – Não escapará.

O príncipe André, bem como outros feridos com poucas esperanças de cura, foram confiados aos cuidados dos habitantes da região.

CONTINUA NO VOLUME 2

Coleção L&PM POCKET (Lançamentos mais recentes)

1057. Pré-história – Chris Gosden
1058. Pintou sujeira! – Mauricio de Sousa
1059. Contos de Mamãe Gansa – Charles Perrault
1060. A interpretação dos sonhos: vol. 1 – Freud
1061. A interpretação dos sonhos: vol. 2 – Freud
1062. Frufru Rataplã Dolores – Dalton Trevisan
1063. As melhores histórias da mitologia egípcia – Carmem Seganfredo e A.S. Franchini
1064. Infância. Adolescência. Juventude – Tolstói
1065. As consolações da filosofia – Alain de Botton
1066. Diários de Jack Kerouac – 1947-1954
1067. Revolução Francesa – vol. 1 – Max Gallo
1068. Revolução Francesa – vol. 2 – Max Gallo
1069. O detetive Parker Pyne – Agatha Christie
1070. Memórias do esquecimento – Flávio Tavares
1071. Drogas – Leslie Iversen
1072. Manual de ecologia (vol.2) – J. Lutzenberger
1073. Como andar no labirinto – Affonso Romano de Sant'Anna
1074. A orquídea e o serial killer – Juremir Machado da Silva
1075. Amor nos tempos de fúria – Lawrence Ferlinghetti
1076. A aventura do pudim de Natal – Agatha Christie
1078. Amores que matam – Patricia Faur
1079. Histórias de pescador – Mauricio de Sousa
1080. Pedaços de um caderno manchado de vinho – Bukowski
1081. A ferro e fogo: tempo de solidão (vol.1) – Josué Guimarães
1082. A ferro e fogo: tempo de guerra (vol.2) – Josué Guimarães
1084. (17). Desembarcando o Alzheimer – Dr. Fernando Lucchese e Dra. Ana Hartmann
1085. A maldição do espelho – Agatha Christie
1086. Uma breve história da filosofia – Nigel Warburton
1088. Heróis da História – Will Durant
1089. Concerto campestre – L. A. de Assis Brasil
1090. Morte nas nuvens – Agatha Christie
1092. Aventura em Bagdá – Agatha Christie
1093. O cavalo amarelo – Agatha Christie
1094. O método de interpretação dos sonhos – Freud
1095. Sonetos de amor e desamor – Vários
1096. 120 tirinhas do Dilbert – Scott Adams
1097. 200 fábulas de Esopo
1098. O curioso caso de Benjamin Button – F. Scott Fitzgerald
1099. Piadas para sempre: uma antologia para morrer de rir – Visconde da Casa Verde
1100. Hamlet (Mangá) – Shakespeare
1101. A arte da guerra (Mangá) – Sun Tzu
1104. As melhores histórias da Bíblia (vol.1) – A. S. Franchini e Carmen Seganfredo
1105. As melhores histórias da Bíblia (vol.2) – A. S. Franchini e Carmen Seganfredo
1106. Psicologia das massas e análise do eu – Freud
1107. Guerra Civil Espanhola – Helen Graham
1108. A autoestrada do sul e outras histórias – Julio Cortázar
1109. O mistério dos sete relógios – Agatha Christie
1110. Peanuts: Ninguém gosta de mim... (amor) – Charles Schulz
1111. Cadê o bolo? – Mauricio de Sousa
1112. O filósofo ignorante – Voltaire
1113. Totem e tabu – Freud
1114. Filosofia pré-socrática – Catherine Osborne
1115. Desejo de status – Alain de Botton
1118. Passageiro para Frankfurt – Agatha Christie
1120. Kill All Enemies – Melvin Burgess
1121. A morte da sra. McGinty – Agatha Christie
1122. Revolução Russa – S. A. Smith
1123. Até você, Capitu? – Dalton Trevisan
1124. O grande Gatsby (Mangá) – F. S. Fitzgerald
1125. Assim falou Zaratustra (Mangá) – Nietzsche
1126. Peanuts: É para isso que servem os amigos (amizade) – Charles Schulz
1127. (27). Nietzsche – Dorian Astor
1128. Bidu: Hora do banho – Mauricio de Sousa
1129. O melhor do Macanudo Taurino – Santiago
1130. Radicci 30 anos – Iotti
1131. Show de sabores – J.A. Pinheiro Machado
1132. O prazer das palavras – vol. 3 – Cláudio Moreno
1133. Morte na praia – Agatha Christie
1134. O fardo – Agatha Christie
1135. Manifesto do Partido Comunista (Mangá) – Marx & Engels
1136. A metamorfose (Mangá) – Franz Kafka
1137. Por que você não se casou... ainda – Tracy McMillan
1138. Textos autobiográficos – Bukowski
1139. A importância de ser prudente – Oscar Wilde
1140. Sobre a vontade na natureza – Arthur Schopenhauer
1141. Dilbert (8) – Scott Adams
1142. Entre dois amores – Agatha Christie
1143. Cipreste triste – Agatha Christie
1144. Alguém viu uma assombração? – Mauricio de Sousa
1145. Mandela – Elleke Boehmer
1146. Retrato do artista quando jovem – James Joyce
1147. Zadig ou o destino – Voltaire
1148. O contrato social (Mangá) – J.-J. Rousseau
1149. Garfield fenomenal – Jim Davis
1150. A queda da América – Allen Ginsberg
1151. Música na noite & outros ensaios – Aldous Huxley
1152. Poesias inéditas & Poemas dramáticos – Fernando Pessoa
1153. Peanuts: Felicidade é... – Charles M. Schulz
1154. Mate-me por favor – Legs McNeil e Gillian McCain

1155. **Assassinato no Expresso Oriente** – Agatha Christie
1156. **Um punhado de centeio** – Agatha Christie
1157. **A interpretação dos sonhos (Mangá)** – Freud
1158. **Peanuts: Você não entende o sentido da vida** – Charles M. Schulz
1159. **A dinastia Rothschild** – Herbert R. Lottman
1160. **A Mansão Hollow** – Agatha Christie
1161. **Nas montanhas da loucura** – H.P. Lovecraft
1162. (28).**Napoleão Bonaparte** – Pascale Fautrier
1163. **Um corpo na biblioteca** – Agatha Christie
1164. **Inovação** – Mark Dodgson e David Gann
1165. **O que toda mulher deve saber sobre os homens: a afetividade masculina** – Walter Riso
1166. **O amor está no ar** – Mauricio de Sousa
1167. **Testemunha de acusação & outras histórias** – Agatha Christie
1168. **Etiqueta de bolso** – Celia Ribeiro
1169. **Poesia reunida (volume 3)** – Affonso Romano de Sant'Anna
1170. **Emma** – Jane Austen
1171. **Que seja em segredo** – Ana Miranda
1172. **Garfield sem apetite** – Jim Davis
1173. **Garfield: Foi mal...** – Jim Davis
1174. **Os irmãos Karamázov (Mangá)** – Dostoiévski
1175. **O Pequeno Príncipe** – Antoine de Saint-Exupéry
1176. **Peanuts: Ninguém mais tem o espírito aventureiro** – Charles M. Schulz
1177. **Assim falou Zaratustra** – Nietzsche
1178. **Morte no Nilo** – Agatha Christie
1179. **Ê, soneca boa** – Mauricio de Sousa
1180. **Garfield a todo o vapor** – Jim Davis
1181. **Em busca do tempo perdido (Mangá)** – Proust
1182. **Cai o pano: o último caso de Poirot** – Agatha Christie
1183. **Livro para colorir e relaxar** – Livro 1
1184. **Para colorir sem parar**
1185. **Os elefantes não esquecem** – Agatha Christie
1186. **Teoria da relatividade** – Albert Einstein
1187. **Compêndio da psicanálise** – Freud
1188. **Visões de Gerard** – Jack Kerouac
1189. **Fim de verão** – Mohiro Kitoh
1190. **Procurando diversão** – Mauricio de Sousa
1191. **E não sobrou nenhum e outras peças** – Agatha Christie
1192. **Ansiedade** – Daniel Freeman & Jason Freeman
1193. **Garfield: pausa para o almoço** – Jim Davis
1194. **Contos do dia e da noite** – Guy de Maupassant
1195. **O melhor de Hagar 7** – Dik Browne
1196. (29).**Lou Andreas-Salomé** – Dorian Astor
1197. (30).**Pasolini** – René de Ceccatty
1198. **O caso do Hotel Bertram** – Agatha Christie
1199. **Crônicas de motel** – Sam Shepard
1200. **Pequena filosofia da paz interior** – Catherine Rambert
1201. **Os sertões** – Euclides da Cunha
1202. **Treze à mesa** – Agatha Christie
1203. **Bíblia** – John Riches
1204. **Anjos** – David Albert Jones
1205. **As tirinhas do Guri de Uruguaiana 1** – Jair Kobe
1206. **Entre aspas (vol.1)** – Fernando Eichenberg
1207. **Escrita** – Andrew Robinson
1208. **O spleen de Paris: pequenos poemas em prosa** – Charles Baudelaire
1209. **Satíricon** – Petrônio
1210. **O avarento** – Molière
1211. **Queimando na água, afogando-se na chama** – Bukowski
1212. **Miscelânea septuagenária: contos e poemas** – Bukowski
1213. **Que filosofar é aprender a morrer e outros ensaios** – Montaigne
1214. **Da amizade e outros ensaios** – Montaigne
1215. **O medo à espreita e outras histórias** – H.P. Lovecraft
1216. **A obra de arte na era de sua reprodutibilidade técnica** – Walter Benjamin
1217. **Sobre a liberdade** – John Stuart Mill
1218. **O segredo de Chimneys** – Agatha Christie
1219. **Morte na rua Hickory** – Agatha Christie
1220. **Ulisses (Mangá)** – James Joyce
1221. **Ateísmo** – Julian Baggini
1222. **Os melhores contos de Katherine Mansfield** – Katherine Mansfied
1223. (31).**Martin Luther King** – Alain Foix
1224. **Millôr Definitivo: uma antologia de** *A Bíblia do Caos* – Millôr Fernandes
1225. **O Clube das Terças-Feiras e outras histórias** – Agatha Christie
1226. **Por que sou tão sábio** – Nietzsche
1227. **Sobre a mentira** – Platão
1228. **Sobre a leitura** *seguido do* **Depoimento de Céleste Albaret** – Proust
1229. **O homem do terno marrom** – Agatha Christie
1230. (32).**Jimi Hendrix** – Franck Médioni
1231. **Amor e amizade e outras histórias** – Jane Austen
1232. **Lady Susan, Os Watson e Sanditon** – Jane Austen
1233. **Uma breve história da ciência** – William Bynum
1234. **Macunaíma: o herói sem nenhum caráter** – Mário de Andrade
1235. **A máquina do tempo** – H.G. Wells
1236. **O homem invisível** – H.G. Wells
1237. **Os 36 estratagemas: manual secreto da arte da guerra** – Anônimo
1238. **A mina de ouro e outras histórias** – Agatha Christie
1239. **Pic** – Jack Kerouac
1240. **O habitante da escuridão e outros contos** – H.P. Lovecraft
1241. **O chamado de Cthulhu e outros contos** – H.P. Lovecraft
1242. **O melhor de Meu reino por um cavalo!** – Edição de Ivan Pinheiro Machado

1243. **A guerra dos mundos** – H.G. Wells
1244. **O caso da criada perfeita e outras histórias** – Agatha Christie
1245. **Morte por afogamento e outras histórias** – Agatha Christie
1246. **Assassinato no Comitê Central** – Manuel Vázquez Montalbán
1247. **O papai é pop** – Marcos Piangers
1248. **O papai é pop 2** – Marcos Piangers
1249. **A mamãe é rock** – Ana Cardoso
1250. **Paris boêmia** – Dan Franck
1251. **Paris libertária** – Dan Franck
1252. **Paris ocupada** – Dan Franck
1253. **Uma anedota infame** – Dostoiévski
1254. **O último dia de um condenado** – Victor Hugo
1255. **Nem só de caviar vive o homem** – J.M. Simmel
1256. **Amanhã é outro dia** – J.M. Simmel
1257. **Mulherzinhas** – Louisa May Alcott
1258. **Reforma Protestante** – Peter Marshall
1259. **História econômica global** – Robert C. Allen
1260(33). **Che Guevara** – Alain Foix
1261. **Câncer** – Nicholas James
1262. **Akhenaton** – Agatha Christie
1263. **Aforismos para a sabedoria de vida** – Arthur Schopenhauer
1264. **Uma história do mundo** – David Coimbra
1265. **Ame e não sofra** – Walter Riso
1266. **Desapegue-se!** – Walter Riso
1267. **Os Sousa: Uma famíla do barulho** – Mauricio de Sousa
1268. **Nico Demo: O rei da travessura** – Mauricio de Sousa
1269. **Testemunha de acusação e outras peças** – Agatha Christie
1270(34). **Dostoiévski** – Virgil Tanase
1271. **O melhor de Hagar 8** – Dik Browne
1272. **O melhor de Hagar 9** – Dik Browne
1273. **O melhor de Hagar 10** – Dik e Chris Browne
1274. **Considerações sobre o governo representativo** – John Stuart Mill
1275. **O homem Moisés e a religião monoteísta** – Freud
1276. **Inibição, sintoma e medo** – Freud
1277. **Além do princípio de prazer** – Freud
1278. **O direito de dizer não!** – Walter Riso
1279. **A arte de ser flexível** – Walter Riso
1280. **Casados e descasados** – August Strindberg
1281. **Da Terra à Lua** – Júlio Verne
1282. **Minhas galerias e meus pintores** – Kahnweiler
1283. **A arte do romance** – Virginia Woolf
1284. **Teatro completo v. 1: As aves da noite** seguido de **O visitante** – Hilda Hilst
1285. **Teatro completo v. 2: O verdugo** seguido de **A morte do patriarca** – Hilda Hilst
1286. **Teatro completo v. 3: O rato no muro** seguido de **Auto da barca de Camiri** – Hilda Hilst
1287. **Teatro completo v. 4: A empresa** seguido de **O novo sistema** – Hilda Hilst
1289. **Fora de mim** – Martha Medeiros
1290. **Divã** – Martha Medeiros
1291. **Sobre a genealogia da moral: um escrito polêmico** – Nietzsche
1292. **A consciência de Zeno** – Italo Svevo
1293. **Células-tronco** – Jonathan Slack
1294. **O fim do ciúme e outros contos** – Proust
1295. **A jangada** – Júlio Verne
1296. **A ilha do dr. Moreau** – H.G. Wells
1297. **Ninho de fidalgos** – Ivan Turguêniev
1298. **Jane Eyre** – Charlotte Brontë
1299. **Sobre gatos** – Bukowski
1300. **Sobre o amor** – Bukowski
1301. **Escrever para não enlouquecer** – Bukowski
1302. **222 receitas** – J. A. Pinheiro Machado
1303. **Reinações de Narizinho** – Monteiro Lobato
1304. **O Saci** – Monteiro Lobato
1305. **Memórias da Emília** – Monteiro Lobato
1306. **O Picapau Amarelo** – Monteiro Lobato
1307. **A reforma da Natureza** – Monteiro Lobato
1308. **Fábulas** seguido de **Histórias diversas** – Monteiro Lobato
1309. **Aventuras de Hans Staden** – Monteiro Lobato
1310. **Peter Pan** – Monteiro Lobato
1311. **Dom Quixote das crianças** – Monteiro Lobato
1312. **O Minotauro** – Monteiro Lobato
1313. **Um quarto só seu** – Virginia Woolf
1314. **Sonetos** – Shakespeare
1315(35). **Thoreau** – Marie Berthoumieu e Laura El Makki
1316. **Teoria da arte** – Cynthia Freeland
1317. **A arte da prudência** – Baltasar Gracián
1318. **O louco** seguido de **Areia e espuma** – Khalil Gibran
1319. **O profeta** seguido de **O jardim do profeta** – Khalil Gibran
1320. **Jesus, o Filho do Homem** – Khalil Gibran
1321. **A luta** – Norman Mailer
1322. **Sobre o sofrimento do mundo e outros ensaios** – Schopenhauer
1323. **Epidemiologia** – Rodolfo Saracci
1324. **Japão moderno** – Christopher Goto-Jones
1325. **A arte da meditação** – Matthieu Ricard
1326. **O adversário secreto** – Agatha Christie
1327. **Pollyanna** – Eleanor H. Porter
1328. **Espelhos** – Eduardo Galeano
1329. **A Vênus das peles** – Sacher-Masoch
1330. **O 18 de brumário de Luís Bonaparte** – Karl Marx
1331. **Um jogo para os vivos** – Patricia Highsmith
1332. **A tristeza pode esperar** – J.J. Camargo
1333. **Vinte poemas de amor e uma canção desesperada** – Pablo Neruda
1334. **Judaísmo** – Norman Solomon
1335. **Esquizofrenia** – Christopher Frith & Eve Johnstone
1336. **Seis personagens em busca de um autor** – Luigi Pirandello

lepmeditores

www.lpm.com.br
o site que conta tudo

Impresso na Gráfica BMF
2020